D0504765

Het laatste vonnis

Van dezelfde auteur:

Criminele opzet

Sheldon Siegel

HET LAATSTE VONNIS

2005 – De Boekerij – Amsterdam

Oorspronkelijke titel: Final Verdict (G.P. Putnam's Sons)
Vertaling: Joost van der Meer en William Oostendorp
Omslagontwerp/artwork: Hesseling Design, Ede

ISBN 90-225-4028-6

Voor Neil Nyren

1
'EEN DODELIJKE BEDREIGING MET EEN KIP'

Rosita Fernandez, Michael Daley en Carolyn O'Malley maken bekend dat hun advocatenkantoor Fernandez, Daley & O'Malley zal worden heropend aan First Street 84, Suite 200, San Francisco, Californië 94105. Het kantoor is gespecialiseerd in strafrecht in federale en staatsrechtbanken. Voor aantoonbaar armlastige cliënten hanteert men flexibele tarieven. Verwijzingen zijn welkom.
San Francisco Daily Legal Journal, woensdag 1 juni

Rechter Elizabeth McDaniel kijkt me over de rand van haar leesbril vorsend aan. De goedaardige oudgediende van de hogere rechtbank van Californië verheft zelden haar stem, maar haar optreden laat er geen twijfel over dat zij hier, in deze bedompte rechtszaal op de eerste verdieping van het paleis van justitie van San Francisco, de baas is. Het is vrijdag 3 juni, even voor twaalven, en ze hoort nu al bijna drie uur lang met engelengeduld een reeks van pleidooien aan. De lijst met oproepen is bijna afgewerkt en het gros van de onbeduidende wetsovertreders die vanmorgen werden afgeroepen, is op borgtocht vrij. Een paar onfortuinlijke zielen zijn teruggekeerd naar het onooglijke, splinternieuwe huis van bewaring hiernaast.

Rechter McDaniel laat haar kin op haar linkerhand rusten. Haar lichtbruine haar zit in een strak knotje. Streng trekt ze een wenkbrauw naar me op: 'Meneer Daley, we hebben u hier al een tijdje niet meer gezien.'

Het gevoel bekruipt me dat ze niet zo blij is me terug te zien.

Ik werp een blik op mijn partner en ex-vrouw, Rosita Fernandez, die op de voorste rij zit van de verder lege tribune. Na eerst hiernaast een geval van rijden onder invloed te hebben afgehandeld, is ze even langs gewipt om me morele steun te bieden. Ik vermoed dat ze haar vijfenveertigste verjaardag liever in een iets elegantere omgeving zou willen doorbrengen. In het weekend zal ik het weer goedmaken.

Ik wend me weer tot rechter McDaniel en probeer de juiste respectvolle toon aan te slaan. 'Mevrouw Fernandez en ik zijn er een jaartje tussenuit gegaan om in Berkeley rechten te doceren,' vertel ik haar. 'We zijn onlangs teruggekeerd om aan deze kant van de Bay onze praktijk voort te zetten.'

Maar dit is niet het hele verhaal. Rosie en ik hebben de afgelopen vijftien jaar criminelen vertegenwoordigd, eerst als pro-Deoadvocaten en meer recentelijk als particuliere strafpleiters. Ongeveer een jaar geleden besloten we na de verdediging van Rosies nicht, die werd beschuldigd van de moord op een megalomane filmregisseur uit de Bay Area die toevallig ook haar man was, er even tussenuit te gaan. In een poging onze werkroosters weer in evenwicht te brengen, een wat regelmatiger inkomen te genereren en wat meer tijd met onze elfjarige dochter Grace door te brengen, namen we een jaar vrij om aan mijn universiteit, de rechtenfaculteit van Boalt, colleges over de doodstraf te geven. Het liep niet zoals we hadden gehoopt. We verruilden de koppijn van het runnen van een klein advocatenkantoor voor het hartzeer van het toezien op een handjevol doodstrafzaken aan het hof van beroep. Het beetje vrije tijd dat we hadden, ging op aan geld inzamelen om de werkgroepen gaande te houden. De meeste strafpleiters gaan niet om met types die met bankbiljetten wapperen, tenzij ze gestolen zijn. Ons bewonderenswaardige experiment in de academische wereld liep af met het einde van het academisch jaar enkele weken geleden.

Op rechter McDaniels ronde gezicht prijkt een verbijsterde uitdrukking. De voormalige aanklager begon pas na de opvoeding van haar kinderen recht te spreken, en in tegenstelling tot de meesten van ons die in dit gebouw werken en wier idealisme lang geleden plaatsmaakte voor cynisme, koestert zij elk moment dat ze op de rechterstoel zit. 'Het verlies van de academische wereld is onze winst, meneer Daley,' zegt ze, en ik bespeur een zweem van een lijzig toontje, het laatste restje van haar zuidelijke opvoeding. Een van haar mondhoeken krult iets op wanneer ze eraan toevoegt: 'Ik neem aan dat u uw studenten hebt geleerd zich met dezelfde beroepsmatigheid en waardigheid te gedragen als u altijd hebt gedaan in deze rechtszaal?'

'Natuurlijk, edelachtbare.'

Rosie en ik zullen in dit paleis van justitie waarschijnlijk niet de populariteitsprijs winnen. Het strafrechtsysteem in onze woonplaats is als een incestueus klein Peyton Place waar de aanklagers, de politie, de advocaten, en ja, ook de rechters elkaar behoorlijk goed leren kennen – iets te goed, zouden sommigen zeggen. Onze reputatie als succesvolle – en ijverige – strafpleiters vergezelt ons telkens als we het indrukwekkende grijze bouwwerk betreden waar rechter McDaniel en haar overwerkte collega's hun best doen om zo eerlijk en vlot mogelijk recht te spreken.

Ze is nog niet uitgepraat. 'En ik vertrouw erop dat u ze hebt geïnstrueerd hetzelfde respect in acht te nemen als u deze rechtbank hebt betoond?'

'Ja, edelachtbare.'

'Fijn dat te horen, meneer Daley.' Haar glimlach verdwijnt. Tijd om terzake te komen, tenminste, tot de bel voor de lunch gaat. 'Wat brengt u terug in mijn rechtszaal?'

'Een kip, edelachtbare,' zeg ik in een poging zo vlak mogelijk te klinken.

'Pardon?'

Hulpofficier van justitie Andy Erickson, een groentje nog, mag vandaag het spel meespelen. De serieuze, aan de universiteit van San Francisco afgestudeerde knaap was een multi-inzetbare honkballer aan St. Ignatius, en zijn nieuwe grijze pak omhult zijn atletische gestalte op imposante wijze. Als hij later groot is, wordt hij een goede aanklager, maar dit is zijn eerste keer op de thuisplaat en hij is een tikkeltje nerveus nu hij het juiste aanklagerstoontje probeert te vinden. 'De heer Daley doet hier een poging om de ernst van deze zaak te bagatelliseren,' zegt hij. 'De verdachte schond artikel 245-A1 van het wetboek van strafrecht. Hij heeft een misdrijf gepleegd.'

Ik ben nooit zo onder de indruk geweest van mensen die met lidnummers uit het wetboek van strafrecht strooien. De uitgesproken frons van de rechter doet vermoeden dat voor haar hetzelfde geldt. In gewone taal zegt Andy dat de lange Afro-Amerikaanse man links van mij bedreiging met een dodelijk wapen ten laste wordt gelegd.

Nu mag ik! Ik schenk de jonge Andy een minzame blik en begin met de gebruikelijke verdedigingsstrategie. 'Mijn cliënt wordt beschúldigd van een misdrijf,' zeg ik. 'Of hij schuldig is, zal door een jury worden bepaald.'

Welkom in de rechtspraktijk, Andy. En je hebt gelijk: ik probeer de ernst van deze zaak inderdaad te bagatelliseren. Dat is mijn wérk. Mijn cliënt, Terrence Love, is een goedaardige schurk met een zachte stem die de eindjes aan elkaar probeert te knopen door zich dingen toe te eigenen die niet van hem zijn. Dat is zíjn werk. Ik verdedigde hem voor het eerst toen ik nog pro Deo werkte en om sentimentele redenen help ik hem zo nu en dan nog steeds. Hij heeft nooit iemand kwaad gedaan en gebruikt zijn buit om drank en een kamer in een slecht hotel te kunnen bekostigen. Die zeldzame keren dat hij opeens goed in de slappe was zit, betaalt hij me. Ik heb hem wel voorgesteld om meer conventioneel – en legaal – werk te overwegen, maar hij houdt zich liever zich bij zijn leest. Ongeveer een derde deel van zijn veertig levensjaren heeft hij achter de tralies doorgebracht. Nu is hij bijna twee jaar clean, maar geheelonthouding is een moeilijker opgave gebleken.

Andy fronst zijn wenkbrauwen. 'Edelachtbare, de verdachte heeft een enorm strafblad.'

Leuk geprobeerd. Tegenwoordig wil iedere jonge aanklager klinken als Sam Waterston in *Law & Order*. Gelukkig voor Sam worden zijn zaken op tv altijd binnen een uurtje opgelost, minus de tijd voor reclame, aftiteling en een voorproefje van de volgende aflevering. Andy zal er snel genoeg achter komen dat het er hier, in de echte wereld, niet altijd zo soepel aan toegaat; vooral niet wanneer hij het aan de stok krijgt met irritante strafpleiters als ik. Binnen een paar weken zal hij wel bedaren. Zodra we klaar zijn, zal ik hem meevragen voor een biertje. We zullen elkaar nog vaker tegenkomen; waarschijnlijk binnenkort.

Ik houd mijn toon gemoedelijk. 'Edelachtbare, de openbaar aanklager heeft deze zaak buiten proportie opgeblazen.'

Er staat meer op het spel dan ik laat merken. Terrence is twee keer eerder veroordeeld. Als hij nu weer de nor in gaat, kan dat onder de in Californië geldende 'driemaal is scheepsrecht'-verordening wel eens voor lange tijd zijn; misschien zelfs levenslang.

Met een opgeheven hand legt rechter McDaniel me het zwijgen op. 'Meneer Daley,' zegt ze, 'dit is een voorgeleiding. Uw cliënt is hier enkel om zich schuldig of onschuldig te verklaren.'

'Edelachtbare, als we hier even over van gedachten kunnen wisselen...'

'Als u het over iets anders dan het pleidooi van uw cliënt wilt hebben – inclusief het onderwerp "kippen" – dan zult u dat voor de voorlopige hoorzitting moeten bewaren.'

'Maar, edelachtbare...'

'Schuldig of onschuldig?'

'Onschuldig.'

'Dank u.'

Ze stelt een datum voor een voorlopige hoorzitting vast, vandaag over een week. Ze staat op het punt af te hameren als ik besluit het erop te wagen een fundamentele regel van de rechtszaaletiquette te doorbreken door haar onuitgenodigd aan te spreken. 'Edelachtbare, als we dit nu even kunnen bespreken, kunnen we volgens mij tot een eerlijke en redelijke oplossing komen die voor alle partijen bevredigend zal zijn en die niet nog meer van uw tijd zal vergen.'

Ik zou nooit om iets durven vragen wat minder dan eerlijk en redelijk is, en rechters staan doorgaans open voor ideeën die hun overvolle agenda enigszins zouden kunnen verlichten.

Ze wijst op haar horloge. 'U hebt twee minuten,' zegt ze.

Dat is meer dan ik verwachtte. 'Zoals ik al zei, handelt deze zaak over een kip.'

'Time-out,' zegt ze, en ze vormt daarbij met haar handen, als een scheidsrechter bij basketbal, de letter T. 'Uw cliënt wordt beschuldigd van bedreiging met een dodelijk wapen.'

'Ja, dat klopt, edelachtbare, maar er is sprake van verzachtende omstandigheden.'

'Wanneer u hier in de rechtszaal verschijnt, is er altijd sprake van verzachtende omstandigheden.' Met een vragende blik wendt ze zich tot Andy Erickson. 'Wat is er aan de hand?'

Perfect. Ik heb niets anders gedaan dan de beschuldigingen in twijfel te trekken, en nu vraagt ze die arme Andy om de zaak uit te leggen. Voor mij tijd om mijn mond dicht te houden en hem het woord te gunnen.

Ik zie zweetpareltjes op zijn voorhoofd en durf te wedden dat hij onder dat nieuwe pak niet meer zo okselfris is. Aandachtig bekijkt hij zijn aantekeningen en hij slaat dan zijn ogen op naar de rechter. Ik moet toegeven dat hij professioneel klinkt als hij zegt: 'De verdachte viel de heer Edward Harper aan, die ernstig gewond raakte.'

Niet zo snel. 'Het was een ongelukje,' interrumpeer ik. 'De heer Harper had alleen een paar schrammetjes.'

De rechter slaakt een luide zucht. 'En waar past die kip in dit verhaal?' vraagt ze mij.

Daar gaat-ie dan. 'Mijn cliënt kocht bij zijn plaatselijke supermarkt een gegrilde kip.' Mijn toon doet vermoeden dat hij de Safeway in het Marina District binnenslenterde. In werkelijkheid is Terrence een geregelde bezoeker van een delicatessenzaak in de penozebuurt rond Sixth Street, iets ten noorden van hier. 'Daarna ging hij bij een nabijgelegen drankwinkel langs om drank te kopen.' King Cobra is populair in Sixth Street, omdat het goedkoper is dan Budweiser en omdat het in een grotere fles zit. 'Per ongeluk liet hij de kip op de toonbank in de drankzaak liggen.' In feite had hij zo'n haast om zijn King Cobra open te maken dat hij die kip helemaal vergat. 'Toen het hem weer te binnen schoot, keerde hij een paar minuten later terug en trof de heer Harper die net de zaak verliet met zijn avondeten. Beleefd vroeg hij hem de kip aan hem terug te geven.' Beleefd... Ach, het is maar hoe je het bekijkt: Terrence lijkt als twee druppels water op de basketbalreus Shaquille O'Neal en is zeker vijfenveertig kilo zwaarder dan Harper. Ze wonen in hetzelfde aftandse familiehotel en hebben al verscheidene ruzies achter de rug. Waarschijnlijk sommeerde Terrence hem de kip terug te geven, of anders zou hij hem verrot slaan. 'Meneer Harper weigerde en er volgde een gedachtewisseling, gevolgd door wat onbedoeld duw- en trekwerk.' In de wereld van strafpleiters wordt een wedstrijdje elkaar afbekken altijd gekenschetst als een gedachtewisseling en vindt duw- en trekwerk altijd onbedoeld plaats.

Eindelijk onderbreekt Erickson me. 'De verdachte sloeg de heer Harper met opzet,' werpt hij tegen. 'Hij probeerde het slachtoffer zwaar lichamelijk letsel toe te dienen.'

Een legitiem juridisch punt. Het wetboek van strafrecht zegt dat je schuldig bent aan een misdrijf als je iemand te lijf gaat met een dodelijk wapen of met voldoende kracht om vermoedelijk zwaar lichamelijk letsel toe te kunnen brengen. Bij afwezigheid van een vuurwapen of een mes proberen aanklagers doorgaans het laatste te bewijzen. Theoretisch kan iemand worden veroordeeld voor het gooien van een schuimballetje als de openbaar aanklager maar kan aantonen dat deze daad aannemelijk op een ernstige verwonding kan uitdraaien.

Ik doe een beroep op een aloude juridische tactiek, gehanteerd door strafpleiters en leerlingen uit de tweede klas: de ander de schuld geven.

'Edelachtbare,' begin ik, 'de heer Harper lokte het uit door de kip van de heer Love te stelen. Mijn cliënt had niet de bedoeling hem te verwonden. De heer Love vroeg eenvoudigweg om teruggave van zijn avondeten. Toen hij weigerde, had de heer Love geen andere keus dan te proberen het van hem af te pakken, hetgeen een onbedoelde worsteling tot gevolg had.' Vervolgens overdrijf ik een beetje wanneer ik eraan toevoeg: 'Mijn cliënt heeft de heer Harper niet aangeklaagd voor diefstal van zijn kip. Bovendien liep hij een flinke snee aan zijn hoofd op.'

Het was maar een schrammetje, en het is onduidelijk of meneer Harper deze allesbehalve levensbedreigende wond aan zichzelf toebracht. Voorzover ik weet, kon Terrence zich bij het scheren van zijn kale schedel hebben gesneden.

Dit keer slaat Erickson gedurfd terug. 'Edelachtbare,' zegt hij, 'de heer Daley geeft opzettelijk een verkeerde voorstelling van zaken omtrent de omstandigheden rond deze wrede aanval.'

Klopt helemaal.

Met een vinger wijst hij naar Terrence. 'De verdachte sloeg meneer Harper met een dodelijk wapen.'

Hij ging een tijdje redelijk goed, maar nu overspeelt hij toch zijn hand. Groentjes maken die fout wel vaker – met name ten overstaan van een bijdehante rechter als Betsy McDaniel. Ik doorgrond haar gezichtsuitdrukking en houd mijn mond. Ze werpt Erickson een geïrriteerde blik toe. 'Welk dodelijke wapen gebruikte hij?' vraagt ze.

Precies de vraag waar ik op hoopte.

Erickson realiseert zich dat hij zich in de nesten heeft gewerkt. Met een fluisterstem antwoordt hij: 'De kip.'

'Pardon?'

Game over. Kip, ik heb je, Andy. Rechter McDaniel kijkt hem vorsend aan. 'Wilt u suggereren dat een kip een dodelijk wapen is?'

Helaas voor Andy deed hij dat zojuist wel. Hij heeft geen keus. 'Ja, edelachtbare.'

'Edelachtbare,' zeg ik, 'met alle respect voor de heer Erickson, maar wanneer ik het wetboek van strafrecht erop nalees, geldt een kip niet als een dodelijk wapen en is een dodelijke bedreiging met een kip geen misdrijf.'

Ik bespeur een lichte grijns op het gezicht van de rechter.

Andy doet nog een poging. 'De verdachte was een profbokser,' zegt hij. 'Hij stond bekend als Terrence de "Terminator" Love.'

De maag van rechter McDaniel begint te knorren. Met haar hamer wijst ze naar hem en zegt: 'Dus?'

'In de handen van een geoefende bokser kan zelfs een op het oog onschadelijk voorwerp als een kip dodelijk zijn. Een aantal staten is zover gegaan te bepalen dat de handen van een bokser met licentie als dodelijke wapens kunnen worden opgevat.'

'Niet in de staat Californië,' werp ik tegen. 'Onze wet zwijgt over de kwestie en er zijn geen Californische zaken bekend waarin de handen van een beroepsbokser als zodanig dodelijk zijn. Er zijn zelfs zaken waarbij bepaald is dat handen en voeten geen dodelijke wapens zijn.'

'In de handen van een ex-bokser,' zegt Erickson, 'kan zelfs het kleinste voorwerp dodelijk zijn.'

Rechter McDaniel kijkt me peinzend aan. 'Er is sprake van enige jurisprudentie die het standpunt van de heer Erickson onder de huidige Californische wet ondersteunt. Als ik u met mijn hamer sla, zou het wel pijn doen, maar het is onwaarschijnlijk dat ik u er ernstig letsel mee kan toebrengen. Gezien het postuur en de kracht van uw cliënt kan voor hem niet hetzelfde worden gezegd.'

Toegegeven. Ik hoop maar dat ze haar theorie niet gaat onderbouwen door haar hamer aan de Terminator te overhandigen. Ik begin een zigzagmanoeuvre. 'Edelachtbare,' zeg ik, 'rechtszaken hebben de conclusie opgeleverd dat bepaalde voorwerpen, zoals vuurwapens, messen, kettingen en autobanden, inherent dodelijk zijn. Andere voorwerpen dienen per geval te worden beoordeeld, waarbij rekening dient te worden gehouden met de omstandigheden waaronder ze worden gebruikt en met het postuur en de kracht van degene die ze hanteert.'

Ze trapt er niet in. 'Uw cliënt is een geoefend bokser die meer dan honderdvijfendertig kilo weegt. Wat wilt u zeggen?'

'Dat andere factoren in overweging dienen te worden genomen.'

'Zoals?'

'Er is een reden waarom hij niet meer bokst.'

'En die reden zou zijn...?'

'Hij was niet al te goed.'

'Edelachtbare, ik protesteer,' zegt Erickson. 'Dit is irrelevant.'

Ik toon een geduldige glimlach. 'Edelachtbare,' zeg ik, 'het standpunt van de heer Erickson draait om de vraag of een kip in handen van mijn cliënt een dodelijk wapen werd.' Ik richt me tot de Terminator. 'Zou u de rechter alstublieft over uw prestaties als bokser willen vertellen?'

Hij kijkt haar een beetje schaapachtig aan en zegt: 'Nul uit vier.'

Ik veins ongeloof. 'Echt? U vocht slechts vier keer en hebt nooit een partij gewonnen?'

Zijn hoge stem klinkt als die van een kind wanneer hij antwoordt: 'Dat is juist.'

'Is het u ooit gelukt iemand neer te slaan?'

'Nee, ik heb nogal zachte handen.'

'Wat betekent dat?'

'Dat ik niemand hard genoeg kon raken om hem knock-out te laten gaan.'

Ik werp een blik op Rosie, die me een teken geeft om af te ronden. 'Gezien deze getuigenis,' richt ik me tot de rechter, 'verzoeken wij met alle respect om de beschuldigingen niet-ontvankelijk te verklaren en het niet tot een proces te laten komen.'

De pokerface van rechter McDaniel verandert in een ironische blik. Erickson wil iets zeggen, maar met een handgebaar kapt ze hem af. 'Bent u zich ervan bewust dat de heer Love bij een veroordeling levenslang de gevangenis in kan draaien?' vraagt ze hem.

'Ja, edelachtbare.'

'Verwacht u nu echt dat ik hem wegstuur vanwege wat duw- en trekwerk over een kip?' Ze klinkt als mijn juffrouw in de derde klas van St. Peter's.

'Edelachtbare, meneer Harper moest wél naar het ziekenhuis,' protesteert Erickson.

Ze werpt een blik op de klok en begint met een Bic-pen op haar wetboek te tikken. Ze zucht eens diep en zegt tegen niemand in het bijzonder: 'Heren, hoe gaan we dit oplossen?'

Erickson kijkt heel even naar mij, wendt zich dan tot de rechter en zegt: 'Edelachtbare, wij zijn bereid deze zaak voort te zetten.'

Hij heeft haar geduld uitgeput. Ze richt haar pen op hem. 'Meneer Erickson, u luistert niet naar me. Hoe gaan we dit oplossen?'

Het is de opening waarop ik heb gewacht. 'Edelachtbare,' zeg ik, 'ik heb geprobeerd de heer Erickson ervan te overtuigen dat deze zaak zonder verdere tussenkomst van dit hof kan worden opgelost.'

'En wat hebt u in gedachten, meneer Daley?'

Ik probeer een toon van onomstotelijke logica aan te slaan: 'De heer Love zal de heer Harper zijn excuses aanbieden voor de onbedoelde klappen, en de heer Harper zal de heer Love zijn excuses aanbieden omdat hij per ongeluk zijn kip heeft meegenomen. In de geest van wederzijdse tegemoetkoming zal mijn cliënt verder geen aangifte van diefstal doen.'

De rechter denkt hier even over na. 'Wat hebt u verder nog te bieden, meneer Daley?' vraagt ze dan.

Nog even wat stroop om de mond smeren dan maar. 'In een poging deze zaak vriendschappelijk af te ronden, zal ik alle aanwezigen, inclusief meneer Harper, meneer Erickson en u, edelachtbare, trakteren op een lunch aan de overkant. De gegrilde kip is er best lekker.'

De rechter heeft even nodig om hier enthousiast over te worden, maar uiteindelijk zegt ze: 'Dat klinkt heel redelijk.' Ze richt zich tot Andy en voegt eraan toe: 'Daar kunt u vast en zeker ook wel mee leven, nietwaar, meneer Erickson?'

'Edelachtbare,' antwoordt hij, 'u kunt deze zaak toch niet zomaar van tafel vegen?'

'En of ik dat kan.' Ze wijst met een vinger naar hem. 'Als u van plan bent hier nog vaker te komen, doet u er goed aan dit in gedachten te houden voordat u iemand aanklaagt wegens duw- en trekwerk over een kip.'

Waarmee Andy Ericksons initiatie voltooid is.

'Het voorstel van de heer Daley is voor u acceptabel, nietwaar, meneer Erickson?' vraagt de rechter hem op een toon die geen ruimte voor onderhandeling laat.

'Ik denk van wel, edelachtbare.'

Ze slaat met haar hamer. 'Zaak verworpen, op voorwaarde dat de heer Daley de verdachte, de heer Harper en de heer Erickson mee uit lunchen neemt. Ik verwacht van u allen dat u zich beschaafd zult gedragen en ik wil deze middag niemand van u meer terugzien. Begrepen?'

'Begrepen,' mompelen Erickson en ik in koor.

De rechter grijnst naar me. 'Ik moet uw gulle aanbod helaas afslaan.'

'Een andere keer misschien?'

'We zullen zien.' Ze staat op. 'Meneer Daley, het was fijn om u weer terug te zien. U brengt een zekere praktische doelmatigheid in onze werkzaamheden, en ook wat broodnodige humor.'

'Dank u, edelachtbare.'

De glimlach verdwijnt van haar gezicht. 'Ik vertrouw erop dat ik u niet al te snel weerzie in mijn rechtszaal.'

'Nee, edelachtbare.'

'Mooi.'

2
'WE HADDEN EEN AFSPRAAK'

'Doodstrafzaken gaan een eigen leven leiden.'
Michael Daley, maandblad van de rechtenfaculteit van Boalt

'De Terminator leek erg dankbaar,' zegt Rosie. Haar volle lippen vormen zich tot een betoverende glimlach en haar kobaltblauwe ogen schitteren als ze om twee uur diezelfde middag op de vensterbank in mijn kleine werkkamer zit. Haar korte, gitzwarte haar wordt van achteren beschenen door het zonlicht dat door het open raam naar binnen stroomt.

'Hij bedankt altijd,' laat ik haar weten.

Ik ben net terug van mijn lunch met Terrence Love, Ed Harper en mijn nieuwe vriend, Andy Erickson. Terrence en Ed zeiden de hele tijd geen woord tegen elkaar, maar helemaal zinloos was het niet. Ik kwam erachter dat Andy met een paar andere hulpofficieren van justitie plaatsen voor de Giants heeft. Zelfs bittere tegenstanders zijn van tijd tot tijd bereid om hun meningsverschillen opzij te zetten en plaats te nemen op de tribune achter het eerste honk in PacBell Park. Helaas slaagde ik er niet in om voor de Dodgers-series volgende week een paar kaartjes te ritselen.

Rosies brede glimlach krijgt een plagerig trekje en haar kraaienpootjes worden iets geprononceerder als ze met een uitgestreken gezicht zegt: 'Ik weet zeker dat onze voormalige collega's op Boalt hele verhandelingen zullen schrijven over jouw sublieme verdediging in de zaak "Dodelijke bedreiging met een kip".'

'Het is fijn om te weten dat de trucs nog altijd werken.'

'Je sleepte er een goed resultaat uit.'

Inderdaad. Ik neem een flinke slok van mijn Diet Dr. Pepper en zuig de sfeer van onze smaakvolle omgeving op. Het wereldhoofdkwartier van Fernandez, Daley & O'Malley is gehuisvest in een vervallen aanslag op het oog, een half blok ten noorden van het Transbay-busstation in een van de laatste overblijfselen van een tijd waarin dit de aardse kant van de binnenstad was. We worden omringd door kantoortorens die in de gloriedagen van eind jaren negentig uit de grond zijn gestampt.

De vorige huurder van deze ruimte was Madame Lena, een tarotkaartenlezer die goed gebruikmaakte van haar beroepsvaardigheden toen ze al een halfjaar van tevoren de dotcom-ondergang wist te voorspellen. Ze maakte fortuin op de NASDAQ-beurs en voorspelt nu de toekomst vanuit een koopflat aan een golfbaan in een chique ouderengemeenschap buiten Palm Springs. Als een bescheiden teken van haar waardering voor onze bereidheid om haar huurovereenkomst over te nemen, schonk ze me een vergeelde poster van de tekens van de dierenriem, die nog steeds op de muur boven mijn metalen bureau hangt. Het uitzicht is beter dan we hadden op onze oude plek, om de hoek aan Mission Street in een inmiddels gesloopte voormalige sportschool. De lucht is hier ook beter. In plaats van de penetrante etensgeuren van onze oude buurman, Chinees restaurant de Lucky Corner, genieten we nu van het aroma van burrito's van El Faro, de Mexicaanse tent beneden ons.

Rosie is nog niet klaar met haar nabeschouwing op de handelingen van deze morgen. 'Je was bijzonder onderhoudend,' zegt ze vol ironie. 'Het enige wat nog ontbrak, was een grote emmer popcorn en een Diet Coke.'

'Als ik als advocaat niet slaag, kan ik altijd nog stand-up comedian worden.'

Ze buigt zich over mijn bureau, zoent me vluchtig op de wang en zegt: 'In mijn hoedanigheid van beherend vennoot van dit kantoor zie ik me genoodzaakt je een belangrijke vraag te stellen.'

'En die luidt?'

'Gaat de Terminator ons eigenlijk nog betalen?'

Altijd de onverzettelijke stem van het praktische denken. We leerden elkaar kennen op het kantoor van de pro-Deoadvocaat van San Francisco. Ik was een idealistische nieuwe advocaat die net drie lastige jaren als priester had overleefd en zij was een gewiekste pro-Deoadvocaat die net drie lastige jaren in een slecht huwelijk achter de rug had. Ze leerde me hoe het strafrechtsysteem werkt en gaf me wat bijles over bepaalde praktische zaken die ik tijdens mijn jaren in de Kerk had verwaarloosd. Je zou kunnen zeggen dat ze mijn hogepriesteres was. Na een korte en uiterst acrobatische verkeringstijd besloten we op een moment van heerlijke romantiek en twijfelachtig inzicht om met elkaar te trouwen. Een paar jaar later kwam Grace. Daarna ging het bergafwaarts met ons. We houden nog wel van elkaar, op een manier waar de meeste mensen alleen maar van kunnen dromen, maar we kunnen elkaar ook op de zenuwen werken op een manier die diezelfde mensen nachtmerries zou bezorgen.

Toen ons huwelijk kapotging, keerden we het kantoor van de pro-Deoadvocaat de rug toe. Rosie opende haar eigen firma en ik ging voor Simpson & Gates werken, een chic kantoor in de binnenstad, op de bovenste verdieping van de Bank of America. Vier jaar geleden kruisten onze wegen elkaar weer toen het Simpson-kantoor me de deur wees omdat ik niet genoeg opdrachten binnensleepte. Ik ging in onderhuur bij Rosie en vroeg haar om hulp toen een van mijn ex-collega's werd beschuldigd van moord. Het was een onwaarschijnlijke geboorte van een advocatenkantoor, maar we hebben altijd uitstekend kunnen samenwerken.

Samenléven is een wat hobbeliger weg gebleken. Talloze keren hebben we geprobeerd ieder zijns weegs te gaan, maar telkens weer lijken we naar elkaar toe te worden getrokken door krachten waar we geen vat op hebben, alsmede door een onweerstaanbare verbintenis in Grace. Een jaar geleden beleefden we een kritieke tijd toen Rosie de strijd moest aanbinden met borstkanker. Wat pure angst en ongerustheid betreft was dit stukken zwaarder dan de donkerste momenten van onze echtscheiding. Acht maanden geleden is ze genezen verklaard, maar de emotionele littekens eisen een veel langer herstel. Ze geeft volmondig toe dat haar stemmingswisselingen soms moeilijk te voorspellen zijn. We doen ons best. Na deze schermutseling met onze sterfelijkheid hebben we ten slotte iets erkend wat iedereen om ons heen al jarenlang zegt: we vormen een onafscheidelijk koppel. We zullen wel nooit herinneringen oproepen aan het ideale tv-echtpaar Ozzie en Harriet, en we hebben ieder nog altijd een eigen huis in Marin County. De kans dat we ooit weer onder hetzelfde dak zullen wonen of dat we weer in het huwelijksbootje stappen, is uiterst klein, maar geen van tweeën zouden we het volledig uitsluiten. Ook is het gewoon fijn om zo nu en dan seks te hebben, vooral met iemand die er zo bedreven in is als Rosie.

'Terrence zat een beetje krap bij kas,' zeg ik. 'Hij zei dat hij zou proberen ons volgende week te betalen.'

Dit ontlokt haar het bekende rollen met de ogen. 'Het oude liedje dus. Hij zal het geld moeten stelen om ons te kunnen betalen, hm?'

Ongetwijfeld.

'Zit het jou dan niet dwars dat hij ons met gestolen geld betaalt?'

Strafpleiters doen hun best niet al te diep in de kapitaalbronnen van hun cliënten te wroeten. 'Ik vraag nooit waar hij het vandaan heeft. Ik weet niet eens zeker of het gestolen is.'

'O, jawel. Volgende week belt hij je weer op. Soms denk ik dat hij gewoon weer de bak in wil.'

Soms denk ik dat ze gelijk heeft. 'Het houdt hem van de drank af,' zeg ik. 'Hij krijgt medische verzorging, mag drie keer luchten per dag en niemand valt hem lastig. De gevangenis is nog steeds een van de weinige plekken waar formaat er niet toe doet.'

Ze schenkt me een sardonische lach. 'We zijn gestopt met een goedlopende praktijk voor moordzaken en nu maken we deals voor types als Terrence de Terminator.'

Hier hebben we het al vaker over gehad, dus ik houd me bij het bekende liedje. 'Ach, het brengt brood op de plank,' zeg ik. 'Terrence is de kwaadste niet. Hij doet geen vlieg kwaad.'

'Hij is een carrièrecrimineel.'

'Jij zegt altijd dat we geen oordeel mogen vellen over onze cliënten.'

'Maar wel als ze al meer dan tien keer zijn veroordeeld.'

Ik gun Rosie het laatste woord over de morele vertakkingen van Terrence Loves carrièrekeuze en schakel over op een prettiger onderwerp: onze plannen voor het weekend. Morgen speelt Grace haar kampioenswedstrijd in de jeugddivisie honkbal en ik heb Rosie beloofd dat we uit eten zouden gaan om haar verjaardag te vieren. Haar moeder hebben we beloofd om haar op zondag mee naar de begraafplaats te nemen.

Mijn privé-lijn gaat en ik neem op. 'Michael Daley.'

'Met Marcus Banks,' meldt een zelfverzekerde bariton.

Er gaat meteen een alarmbel rinkelen. De chef van de afdeling Moordzaken van de politie van San Francisco heeft mijn naam niet zomaar uit een hoge hoed getoverd en ik weet ook vrij zeker dat hij niet belt om ons te feliciteren met onze nieuwe praktijk. 'Wat kan ik voor je doen, Marcus?'

'Er zit hier iemand die nodig met je moet praten.'

O jee...

Even wordt het stil op de lijn, maar dan vang ik een schorre stem op. 'Michael Daley?'

Ik kan de stem niet thuisbrengen, maar weet onmiddellijk wanneer een van mijn voormalige cliënten de bak uit is en naar mij zoekt. Het feit dat hij zich vergezeld weet van een hoofdinspecteur Moordzaken is geen goed teken. 'U spreekt met Michael Daley,' zeg ik, en mijn hart begint meteen te bonken.

'Dat is lang geleden.'

Waarom bellen ze toch altijd op vrijdagmiddag?

Rosie kijkt me voorzichtig aan. Ze neemt een slok van haar eeuwige Diet Coke. Haar lippen vormen de woorden 'Wie is het?'

Ik sla mijn hand over de telefoon en fluister: 'Weet ik nog niet zeker.'

Ze houdt haar rechterwijsvinger omhoog. 'Categorie Een?'

Rosie verdeelt de wereld in twee grote groepen. Categorie Een bestaat uit mensen die haar leven gemakkelijker maken, en Categorie Twee omvat de rest van de mensheid. Een nuttig, zij het onvolmaakt classificatiesysteem. Afhankelijk van haar stemming beland ik een paar maal per dag van de ene in de andere categorie. En zo nu en dan lijk ik tot beide groepen tegelijk te behoren.

Ik houd twee vingers omhoog, breng dan de telefoon weer naar mijn oor en vraag: 'Met wie spreek ik?'

'Een oude vriend.'

Ik haat kat-en-muisspelletjes. 'Welke vriend?'

'Leon Walker.'

Ik voel hoe mijn maag zich in een knoop legt. Walker is ook al zo'n carrièrecrimineel, maar anders dan Terrence de Terminator is hij niet zo'n aardige. Tien jaar geleden verdedigden Rosie en ik hem nog als pro-Deo-advocaten. Zijn broer en hij werden na een mislukte gewapende roofoverval beschuldigd van de moord op een verkoper. Geen ervaring die op ons lijstje carrièrehoogtepunten zal prijken. 'Leon, dat is inderdaad lang geleden,' zeg ik.

Er trekt een blik van herkenning over Rosies gezicht. Ze doet geen poging zachter te praten wanneer ze vraagt: 'Het is toch niet waar, hè?'

Ik knik.

Ik zie dat ze haar kaken op elkaar klemt, maar ze zegt geen woord.

Ik richt mijn aandacht weer op de telefoon. Walkers toon wordt informeler. 'Ik was al bang dat u me was vergeten.'

Onmogelijk. 'Wat wil je, Leon?'

'Ik heb uw hulp nodig. Ze hebben me gearresteerd.'

'Wegens?'

'Moord.'

Ik werp Rosie een hulpeloze blik toe. 'Ze zeggen dat hij iemand heeft vermoord,' zeg ik tegen haar.

Ze kijkt me vernietigend aan. 'We gaan Leon Walker niet meer vertegenwoordigen,' stelt ze met klem.

'Laat me even uitzoeken wat er aan de hand is.'

Ze knijpt haar ogen toe. 'Je zult dit naar iemand anders moeten doorsturen. We hadden een afspraak.'

Klopt helemaal. Toen we de academische wereld de rug toekeerden, besloten we geen moordzaken meer op ons te nemen. Ze zijn emotioneel uitputtend en vreselijk tijdrovend. Rosies energie is nog steeds niet wat hij was vóór haar kankertherapie en op mijn volgende verjaardag zullen er vijftig kaarsjes op de taart staan. De meeste mensen die van moord worden beschuldigd beschikken niet over al te veel contanten om hun advocaat te kunnen betalen. Ik sla mijn hand weer over de telefoon en herhaal: 'Even uitzoeken wat er aan de hand is.'

'Laat je neiging tot welwillendheid je gezond verstand in godsnaam niet ondersneeuwen,' bijt ze me nu op nadrukkelijke toon toe. 'Ik ben niet van plan het hoofd te bieden aan een moordzaak, de menopauze en borstkanker tegelijk. We gaan Leon Walker niet meer vertegenwoordigen.' Ze loopt mijn werkkamer uit.

Fijn om weer een eigen praktijk te hebben. 'Ik zal je naar iemand anders moeten doorverwijzen,' zeg ik tegen Walker.

Ik hoor hem naar adem snakken. 'Kunt u een paar minuten hiernaartoe komen? Ik zal u voor uw tijd betalen,' zegt hij. Er klinkt onmiskenbaar wanhoop in zijn stem door wanneer hij eraan toevoegt: 'Alstublieft, meneer Daley. Ik weet verder niemand anders.'

Verdomme. 'Waar zit je nu?'

Hij geeft me een adres van een familiehotel in een steeg die op Sixth Street uitkomt.

'Geef me hoofdinspecteur Banks even.'

'Momentje.'

Een ogenblik later zegt de stem van Banks: 'Je kunt ons in het paleis van justitie treffen.'

'Ik zit maar een paar straten van jullie vandaan,' zeg ik. 'Ik kom nu meteen.'

Hij maakt een snel rekensommetje. Als hij me nu een beetje tegemoetkomt, kan hij straks misschien argumenten over het veiligstellen van de plaats van het misdrijf en de toelaatbaarheid van het bewijsmateriaal voor zijn. 'We blijven hier nog twintig minuutjes,' zegt hij.

'Oké.' Ik vraag of ik Walker nog even aan de lijn mag. Banks geeft hem de telefoon en ik zeg dat ik onderweg ben. Ik zie nog wel hoe ik dit Rosie ga uitleggen. We praten nog wat, maar hij geeft me verder geen bijzonderheden. Ten slotte vraag ik hem: 'Waarom heb je mij gebeld?'

'U bent de enige die ik vertrouw. De vorige keer was u de enige die me geloofde.'

Ik sta op het punt de deur uit te lopen als onze derde vennoot, Carolyn O'Malley, me staande houdt. 'Rosie zei dat je met Leon Walker aan de telefoon zat?'

'Klopt.'

Met haar een meter vijfenvijftig en amper vijfenveertig kilo is Carolyn een wandelende krachtbron. Bijna twintig jaar lang was ze een volhardende openbaar aanklager, totdat een onbezonnen flirt met haar ex-baas het einde betekende van haar loopbaan bij het Openbaar Ministerie. Een jaar of twee geleden kwam ze bij ons kantoor werken, en toen Rosie en ik met sabbatical gingen, hield zij de tent draaiende. Ze heeft een reputatie opgebouwd als een solide strafpleiter. Ik ken haar al sinds mijn jeugd en toen we op de middelbare school en de universiteit zaten, gingen we samen uit. Ik probeerde haar over te halen met me te trouwen, maar ze zei nee. Volgens Rosie is de enige voorwaarde om vennoot in onze firma te kunnen worden dat je een mislukte relatie met mij moet hebben gehad.

Carolyn plukt wat aan haar korte haar. 'Waarom belde hij jou in godsnaam?' vraagt ze.

Ik heb me altijd al aangetrokken gevoeld tot vrouwen die er niet omheen draaien. 'Toen we nog pro Deo werkten, hebben we hem verdedigd.'

'Ik herinner me die zaak,' zegt ze. 'Hebben ze het slachtoffer al geïdentificeerd?'

'Nog niet. Het lijk werd achter een drankzaak in Sixth Street aangetroffen.'

'Weet je de doodsoorzaak?'

'Nee.'

'Je bent echt een geweldige bron van informatie, zeg. Wie heeft de arrestatie verricht?'

'Marcus Banks.'

Ze trekt een zuinig mondje. 'Die is heel erg goed.'

'Weet ik.'

'Ga je Walker weer vertegenwoordigen?'

'Dat weet ik nog niet. Ik heb beloofd erheen te gaan en met Banks te praten.'

'Rosie was erg over de rooie.'

'Dat wil ik geloven.' Leon Walker was een basketballer op Mission High en kreeg een beurs om voor de universiteit van San Francisco uit te komen. Zijn oudere broer Frank werkte voor een woekeraar. Een keer stapte Leon laat op de avond een avondwinkel in, kocht een cola en liep terug naar de auto. Kort daarop stapte een gemaskerde man, van wie men vermoedde dat het Frankie was, de winkel binnen, trok een pistool en eiste geld. Toen de verkoper aarzelde, schoot de man hem neer en ging ervandoor. Het werd allemaal haarscherp opgenomen door de bewakingscamera. Leon en Frankie werden iets later aangehouden wegens het rijden door rood. De politie vond een pistool in de kofferbak en de broers werden beschuldigd van moord met voorbedachten rade.

Ons duo kwam niet met een bijzonder origineel alibi op de proppen. Frankie beweerde dat hij die winkel helemaal niet was binnengegaan en Leon bevestigde het verhaal van zijn broer. Helaas hadden ze niet de vrouw bij de benzinepomp aan de overkant gezien. Zij zei dat ze had gezien dat Frankie toen hij de winkel uit kwam zijn masker afdeed. De kogels die de verkoper doodden, waren van hetzelfde kaliber als het pistool in de kofferbak.

Maar al voordat het tot een proces kwam, had de openbaar aanklager geen zaak meer. De beelden van de bewakingscamera's waren niet afdoende voor identificatie omdat de schutter een masker droeg dat nooit werd gevonden. Dat maakte de verklaring van de ooggetuige van doorslaggevend belang. De vrouw kreeg opeens een aanval van selectief geheugenverlies en kon – of wilde – de dader niet identificeren. Er werd geopperd dat Frankies compagnons haar hadden bedreigd. De nachtmerrie van de officier van justitie groeide uit tot een regelrechte ramp toen een misleide rechter bepaalde dat het onderzoek van Leons auto onwetmatig was gebeurd en dat het pistool als bewijsstuk ontoelaatbaar was. Zonder een identificatie op videoband, een betrouwbare ooggetuige of het moordwapen viel de hele zaak in duigen. Voor Rosie en mij was het een verbluffende en onverwachte juridische zege, maar voor het strafrechtsysteem kon de vlag niet uit.

Er kwam echter geen happy end. Bij een andere gewapende overval, twee weken nadat de aanklacht was ingetrokken, kwam Frankie in een regen van politiekogels om het leven. Sommige mensen zeggen dat de politie hem erin luisde. Het hoofd van de universiteit van San Francisco trok Leons beurs in en hij speelde nooit meer basketbal. Hij staakte zijn studie en woont sindsdien in Sixth Street.

Nadat de rust was weergekeerd, publiceerde een hoogleraar rechten van Stanford in de *State Bar Journal* een analyse van de zaak waarin hij verkondigde dat Rosie en ik de beste strafpleiters in de staat Californië waren. Maar onze roem was een kort leven beschoren. Een overijverige onderzoeksjournalist van de *Chronicle* was aanzienlijk minder uitbundig. Hij kwam met de beschuldiging dat wij het systeem manipuleerden en dat we kennissen van onze cliënten hadden aangemoedigd om getuigen te bedreigen. De *Chronicle* werd door meer mensen gelezen dan de *State Bar Journal*, en de burgemeester zette het OM onder grote druk om een onderzoek te openen. Rosie en ik werden voor drie kwellende maanden met verlof gestuurd. De zaak werd uiteindelijk geseponeerd.

Zoals altijd valt er van Carolyns gezicht geen reactie af te lezen en ze komt met de juiste juridische analyse. 'Je hebt een goed resultaat voor je cliënten geboekt,' zegt ze. Ze trekt een wenkbrauw op en stelt de vraag die een strafpleiter nooit mag beantwoorden: 'Waren ze schuldig?'

Ik geef haar het gebruikelijke ontwijkende antwoord: 'Weet ik niet.'

Maar dat is voor de ex-aanklager niet goed genoeg. 'Kom op, Mike.'

Ik probeer een andere uitwijkmanoeuvre. 'Rosie dacht van wel.'

'Net als iedereen die destijds op het paleis van justitie werkte, mezelf incluis.'

Het verbaast me niet.

Haar groene ogen lichten op en ze glimlacht innemend naar me, zoals ze in het verleden zo vaak heeft gedaan als ze iets van me wilde. 'En,' zegt ze, 'wat dacht *jij*?'

Ik probeer haar te ontwapenen door haar vroegere bijnaam te gebruiken. 'Het doet er niet meer toe, Caro.'

Ze geeft niet op. 'O, zeker wel, vooral als je overweegt hem te verdedigen.'

Vroeg of laat zal ik het moeten opbiechten. 'Ik geloofde Leon toen hij zei dat hij niet wist dat zijn broer de winkel ging overvallen.'

'Hoe kun je dat nu zo zeker weten?'

'Het was gewoon intuïtie. In tegenstelling tot zijn broer was Leon niet zo'n huis-, tuin- en keukenboef. Hij was een slimme knaap en een kersverse voorhoedespeler in het basketbalteam van de universiteit. Hij zou zijn kans bij de NBA heus niet hebben verknald voor wat extra pegels.'

'Jouw gesprekje met Walker heeft bij Rosie in elk geval een hoop losgemaakt.'

Ongetwijfeld. Tijdens het onderzoek was Grace nog een baby, en Rosie en ik vlogen elkaar om de haverklap naar de keel. Ze werkte onvermoeibaar door om de officier van justitie zover te krijgen dat hij de gebroeders Walker een minder zware aanklacht, doodslag met opzet, ten laste legde. Ik geloofde niet dat de aanklagers hun zaak buiten gerede twijfel konden hebben bewezen en was fel tegen elk mogelijk akkoord. Hetzelfde gold voor de Walkers. We kregen nooit de kans om erachter te komen wat een jury zou hebben beslist. Uit professioneel oogpunt was Rosie wel blij met het resultaat, maar persoonlijk leek het haar dat er twee moordenaars op vrije voeten waren gesteld. In al die jaren dat we samen hebben gewerkt, was dit de enige keer dat ik haar het systeem in twijfel heb zien trekken.

Ik haal mijn schouders op. 'Er kwam meer bij kijken dan je wel eens zou kunnen denken,' zeg ik tegen mijn partner en ex-vriendin.

'Jullie zijn het altijd overal over oneens. Waarom was dit dan zo belangrijk?'

'Die zaak heeft ons huwelijk kapotgemaakt.'

3
WAAR OUDE MISDADIGERS HEEN GAAN OM TE CREPEREN

'Ik stel een commissie aan die op voortreffelijke wijze zal toezien op een grote schoonmaakbeurt van Sixth Street.'
De burgemeester van San Francisco, vrijdag 3 juni

De afstand van ons kantoor naar Leon Walkers kamer leg je te voet het snelst af. De wandeling langs vijf straten vanaf Mission Street is als een reis door de tijd: ik loop langs een aantal van San Francisco's grootste stadsvernieuwingsprojecten en historische meesterwerken, beginnend in de schaduw van de hoogbouw vlak bij het busstation, dan langs het Museum voor Moderne Kunst en het Moscone Convention Center. Daarna steek ik het chique winkel- en amusementscomplex Sony Metreon dwars over en haast me langs het bovenmaatse hotel met de protserige, puntige voorgevel, dat door wijlen Herb Caen, de onsterfelijke *Chronicle*-columnist, het 'Jukebox Marriott' werd gedoopt. Het moderne tijdperk komt abrupt tot stilstand bij Fifth Street, waar ik het verouderende, twee verdiepingen tellende gebouw bereik waar Caens oude krant is gehuisvest. In de verte zie ik het klassieke federale gerechtsgebouw dat prachtig is gerestaureerd en de vervallende Mint die dat niet is.

Op de hoek van Sixth en Mission Street verergert alles aanzienlijk: hier maken de opvallende nieuwe gebouwen en de overblijfselen van San Francisco's trots plaats voor een achthonderd meter lang stuk met bouwvallige laagbouw, begrensd door Market Street aan de noordkant en autoweg 80 aan de zuidkant. Sixth Street is onze eigen South Bronx, en al tientallen jaren een etterende open wond. Iedere burgemeester die ik heb meegemaakt, heeft gezworen grote schoonmaak te houden, maar ze hebben allemaal gefaald. De huidige bewoner van het elegante kantoor op de eerste verdieping van het stadhuis heeft onlangs de zoveelste voortreffelijke taakeenheid aangesteld om de door de *Chronicle* genoemde 'Sixth Street-crisis' het hoofd te bieden. Een leger van straatvegers en schoonmaakploegen trekt elke morgen het stadsdeel in om de stoepen schoon te spuiten en de graffiti over te verven. Tegen de avond zijn de trottoirs weer vuil en staan de bendeleuzen weer op de muren. Het is een eindeloze strijd, die volgens sommigen ook niet te winnen is. De gemeenteraad droeg een steentje bij door met een verordening te komen die wildplassen en -poepen op straat verbiedt. De meesten van ons wisten niet beter dan dat die bezigheden al illegaal wáren. Het werd allemaal zo erg dat de officier van justitie in een van de familiehotels een satellietkantoor opende om dichter bij de actie te zitten. Een intrigerend idee, maar met wisselend resultaat. Er zijn weinig plekken in San Francisco waar ik overdag niet goed durf te lopen, maar Sixth Street is zo'n plek. Veertig jaar geleden was mijn vader wijkagent in deze van misdaad en drugs vergeven hel. Hij zei altijd dat het een armzalige buurt was, waar oude misdadigers, die verder niets anders hebben, heen gaan om te creperen. En dat is het nog steeds.

Het eerste wat me opvalt, is de overweldigende stank van urine. De trottoirs worden bevolkt door zwalkende dronkaards, drugs scorende verslaafden en daklozen die buiten voor de Jesus Cares Gospel Mission wachten op een gratis broodje worst. Voor de deur van een pandjeshuis zit een man crack te roken. Drankzaken, pornoshops, wisselkantoren, carrosseriebedrijven en goedkope restaurants strijden met verwaarloosde familiehotels om ruimte. De deuren op de begane grond en de ramen van de winkels worden afgeschermd door zware ijzeren roosters, en de rest is dichtgetimmerd. Het personeel in de donutwinkel verkoopt zijn waar vanachter kogelvrij plexiglas.

Ik sla links af Sixth Street in en loop in zuidelijke richting naar de autoweg. Voor een etalage met jachtmessen blijf ik even staan. Dit is standaarduitrusting voor types in deze buurt die zich geen krachtiger wapens kunnen veroorloven. Ik draag een witkatoenen overhemd en een grijze pantalon. Ik kan net zo goed een bord op mijn rug dragen met de tekst BEROOF MIJ! Lang wil je hier niet blijven staan, en dus zet ik er weer flink de pas in. Ik vermijd elk oogcontact als ik de winkel passeer waar Terrence de Terminator en zijn buurman ruzie hadden over een kip. Nu lijkt het niet meer zo grappig. Het is abnormaal warm voor deze tijd van het jaar en mijn overhemd plakt aan mijn rug. Ik stap over een dakloze die op een bed van kranten ligt. Naast hem strekt een ondervoede kat zich uit en staat een winkelwagentje met al zijn wereldse bezittingen geparkeerd. Overleven is hier een voltijdbaan. Hij vraagt me om wat kleingeld en ik geef hem een dollar.

Alcatraz Liquors is een kleine winkel op de hoek van Sixth Street en Minna Street, een steeg die is afgezet met geel politielint. Rondom een arrestantenwagen heeft zich een menigte gevormd en vier agenten staan voor twee surveillanceauto's. Een agent met een megafoon sommeert de mensen om zich te verspreiden. Hij vecht om de aandacht met een onverzorgde man met een fles Jack Daniel's, die onsamenhangende kreten schreeuwt. Een stuk of vijf mannen zitten op kratjes en geven elkaar een fles door. Een cameraman van Channel 7 maakt achtergrondopnames, en een verslaggeefster oogt duidelijk niet op haar gemak terwijl ze haar make-up bijwerkt, haar aantekeningen raadpleegt en ondertussen haar best doet een met vloeken doorspekte tirade van een vrouw in een rolstoel te negeren. Een doodgewone dag in Sixth Street.

Ik dring naar voren tot het politielint en zoek naar bekende gezichten.

De stem van hoofdinspecteur Marcus Banks doorklieft het rumoer. 'Hierheen, Michael,' roept hij. Hij gebaart naar me en terwijl hij me het afgezette gedeelte in loodst, negeer ik de schimpscheuten van de menigte. De goedgeklede Banks oogt niet op zijn plaats in deze stinkende steeg. Zijn grijze haar past prima bij het keurig geperste pak dat zijn als ebbenhout zo zwarte huid omhult. Zijn gebruikelijke nukkige blik wordt nog norser wanneer hij zegt: 'Ik kan gewoon niet geloven dat je Leon Walker weer gaat vertegenwoordigen.'

'Ik heb anders nog niet besloten deze zaak op me te nemen.'

Toen de zaak tegen Leon en zijn broer niet werd voortgezet, kreeg de strijdlustige Banks een hoop kritiek over zich heen. Sommigen denken dat hij er een promotie tot commissaris door is misgelopen. Hij nadert zijn pensioen en werkt nu alleen. Hij wijst nadrukkelijk met een vinger naar mijn borstkas. 'Die Walker betekent alleen maar problemen,' zegt hij. 'Als jij zo slim bent als ik dénk dat je bent, houd je je hierbuiten.'

Dat is een goed advies. Ik probeer het zakelijk te houden. 'Ik wil met hem praten.'

'En je zei net dat je nog niet had besloten hem te verdedigen.'

De strijd begint. 'Je kent de procedure, Marcus. Ik wil dat hij helemaal niks tegen jullie zegt totdat we erachter zijn wat er is gebeurd.' Je klep houden is negen van de tien keer het beste advies dat een strafpleiter zijn cliënt kan geven.

'Je krijgt een paar minuutjes,' zegt hij, 'en daarna zul je je gesprekje na zijn arrestatie in het paleis van justitie moeten voortzetten.'

'Heeft hij tegen jou al iets gezegd?'

'Geen woord.'

Mooi. 'Hoe luidt de aanklacht?'

'Moord met voorbedachten rade. Ik heb hem op zijn rechten gewezen.'

Het zou me verbaasd hebben als hij dat niet had gedaan. 'Waar is hij?'

Hij gebaart naar een stenen gebouw van twee hoog tegenover de drankwinkel die nooit de gids zal halen waarin San Francisco's meest trendy bed & breakfasts worden aangeprezen. De ramen op de benedenverdieping zijn afgetimmerd met triplex, volgespoten met graffiti, en uit de ramen op de bovenverdiepingen hangen smerige witte gordijnen. Boven de deur van plaatgaas hangt een met de hand geschreven bord met de tekst THUNDERBIRD HOTEL. Daaronder een kleiner bord: DAG-, WEEK- EN MAANDTARIEVEN. ABSOLUUT GEEN BEZOEK.

'We hebben hem meegenomen naar zijn kamer, waar hij ons vrijwillig heeft toegestaan een kijkje te nemen,' zegt Banks.

Hij praat in politiecode. Hij anticipeert terecht op een aanvechting van de rechtmatigheid van een eventuele huiszoeking en inbeslagneming: het gebruikelijke eerste schot voor de boeg van een strafpleiter. 'De rechtmatigheid van de huiszoeking bespreken we later wel,' zeg ik.

Zijn toon wordt nadrukkelijk. 'Die wás rechtmatig. Ten eerste nam hij ons uit vrije wil mee naar boven. Ten tweede opende hij de deur en liet hij ons binnen. Ten derde zei hij dat we mochten rondkijken. We hebben ooggetuigen.'

Ja, allemaal smerissen.

'Ten vierde heb ik iemand naar het parket gestuurd om een aanhoudingsbevel te halen, voor het geval dat.'

'Voor het geval wát?'

'Voor het geval hij een wijsneuzige strafpleiter in de arm nam. Ik laat Walker niet meer vrijuit gaan vanwege een slechte huiszoeking.'

Zoals iedere goede agent heeft Banks een olifantengeheugen. Hij wacht al meer dan tien jaar op een kans om Leon achter de tralies te krijgen. Ik vraag hem of ze in zijn kamer iets hebben gevonden.

'Te zijner tijd zullen we alles overleggen waartoe we verplicht zijn.'

'Kom op, Marcus.'

'Jij bent nog niet officieel zijn advocaat en wij zijn nog bezig met het verzamelen van bewijsmateriaal.'

Hij geeft duidelijk geen krimp. Ik schakel een tandje terug. 'Hebben jullie het slachtoffer al geïdentificeerd?'

'Blanke man. Achter in de veertig.'

'Heb je een naam?'

'Officieel niet, nee.'

'En onofficieel?'

'Volgens het rijbewijs in zijn portefeuille heet hij Tower Grayson. Hij woonde in Atherton. Kennelijk deed hij in venture capital.'

Merkwaardig. 'Wat had hij dan hier te zoeken?'

'Weten we niet.'

Daar moeten we dus achter zien te komen. 'Waar vonden jullie de portefeuille?'

'In zijn zak.'

'Zat er geld in?'

'Nee.'

Dit doet vermoeden dat roof een motief kan zijn geweest. 'Creditcards?'

'Zijn Visa-, MasterCard- en American Express-cards zaten nog in de portefeuille.'

Het is nog te vroeg om conclusies te trekken.

'Ik zal je laten zien waar ze het lijk hebben aangetroffen,' zegt hij. Zonder me aan te kijken voegt hij eraan toe: 'Dit is een plaats delict. Blijf bij me en raak niets aan.'

Ik volg hem door de van pislucht vergeven steeg die bezaaid is met gebruikte naalden. De muren zijn volgespoten met krachttermen. Hij gaat me voor naar een bestraat gedeelte grenzend aan de achterzijde van de drankzaak, waar wordt geladen en gelost. Te midden van lege dozen, glasscherven en nog meer naalden staat een verroeste vuilcontainer. De stank hier is ondraaglijk. De forensisch rechercheurs, die hier hun taken nauwgezet uitvoeren, dragen mondkapjes en dikke handschoenen. Politiefotografen maken video- en foto-opnames.

Banks wijst naar de vuilcontainer. 'Een vuilnisman ontdekte het lijk om elf uur vanmorgen. Hij ging de drankwinkel in en vertelde het de bediende, die ons vervolgens belde.' Hij zegt dat ze het stoffelijk overschot naar het mortuarium hebben laten vervoeren.

Ik vraag of de vuilnisman nog iets verdachts zag.

'Behalve een lijk? Nee.'

Ik negeer deze sneer en vraag naar ooggetuigen.

'De mensen hier houden meestal hun mond.'

'Ik neem aan dat dat betekent dat jullie geen getuigen hebben gevonden?'

'Het betekent dat we nog rondvraag doen.'

'Weet je iets over de doodsoorzaak?'

'Meerdere steekwonden in de rug.' Wanneer ik hem vraag naar het tijdstip van overlijden, antwoordt hij ontwijkend. 'Dat weet ik niet zeker,' zegt hij. 'Rod Beckert gaat de autopsie verrichten.'

Beckert is al meer dan dertig jaar de hoofdlijkschouwer en zal er heus niet naast zitten.

Marcus probeert toeschietelijk te lijken: 'Even onder ons gezegd en gezwegen: Rod denkt dat het ergens tussen twee en zeven uur vanmorgen was.' Hij geeft het standaardverhaaltje ten beste dat Beckert na de autopsie nadere bijzonderheden zal verschaffen, en schuift me nog een extra hapklaar brokje informatie toe. 'De verkoper vertelde ons dat Grayson om twee uur vannacht in een Mercedes kwam voorrijden en binnenkwam om een pakje sigaretten te kopen.'

Wat? 'Silicon Valley-patsers wagen zich toch niet aan nachtelijke uitstapjes in de stedelijke oorlogsgebieden?'

'Deze blijkbaar wel.'

Je zou kunnen aanvoeren dat als Grayson zo stom was, hij zijn verdiende loon kreeg. Ik doe nog een poging: 'Hoe hebben jullie Leon Walker hiermee in verband gebracht?'

'Hij was hier gisteravond.'

'Hij woont aan de overkant. Dat betekent nog niet dat hij een moord heeft gepleegd.'

'Hij verdient een paar dollar met het schoonvegen van de drankwinkel. Gisteravond moest hij werken. Om twee uur zat zijn dienst erop en hij vertrok een paar minuten na Grayson.'

O, jee. 'Hebben Grayson en Walker met elkaar gepraat?'

'De verkoper heeft niets gehoord.'

Niet echt een antwoord op mijn vraag. 'Was Grayson samen met iemand?'

'Hij kwam in zijn eentje de winkel in.'

'Was er buiten iemand?'

'De verkoper heeft niemand gezien.'

Hij blijft eromheen draaien. 'Het is dus mogelijk dat er buiten of in de auto nog iemand anders was?'

'Ik geef geen antwoord op hypothetische vragen. Slecht voor de zaken.'

Ik zal het hier met de verkoper over hebben. Ik kijk eens rond in de steeg. 'Waar is die Mercedes?'

Hij aarzelt voordat hij antwoord geeft. 'Dat weten we niet.'

Hè? 'Hebben jullie die niet in beslag genomen?'

'Nee.' Er verschijnt een nadrukkelijke frons op zijn voorhoofd. 'Hij is verdwenen.'

'Pardon?'

'Je hebt me wel verstaan. Hij stond er niet toen ze het lijk aantroffen. We nemen aan dat hij gestolen is.'

Het wordt hoe langer hoe gekker. 'Hebben jullie de mogelijkheid overwogen dat degene die de auto stal ook Graysons moordenaar kan zijn geweest?'

'Die gedachte is wel door mijn hoofd geschoten, ja.'

'Ik neem aan dat jullie niemand hebben gevonden die die Mercedes heeft zien wegrijden?'

'We bellen wel als we beethebben.'

Geweldig. 'Bestaat er een mogelijkheid dat het lijk ergens anders vandaan komt?'

'Onwaarschijnlijk. Het bloedspoor begint bij de laad- en losplek en eindigt bij de vuilcontainer. Het ziet ernaar uit dat hij voor de deur werd neergestoken en naar de container is gestrompeld.'

'Je hebt me nog steeds niet verteld hoe jullie Walker hiermee in verband hebben gebracht.'

Hij wijst naar een paar genummerde plastic kaartjes naast de vuilcontainer. 'Daar hebben ze Walker aangetroffen,' zegt hij. 'Hij was buiten westen.'

'Hoe lang lag hij daar al?'

'Dat weten we niet. In deze buurt horen mensen die buiten kennis op straat liggen tot het gewone straatbeeld. Je vraagt om problemen als je ze lastigvalt.'

'En de politie? Er moeten gisteravond toch wijkagenten op pad zijn geweest?'

'Hij lag in een steeg. Ze kunnen niet alles zien.'

Helaas maar al te waar. Er zou een heel bataljon agenten voor nodig zijn om een beetje effect te sorteren in deze buurt. 'Je zegt dat hij daar de hele nacht kan hebben gelegen?'

'Inderdaad.'

Afschuwelijk. Ik kijk naar de smerige plek. 'Had hij verwondingen?' vraag ik.

'Hij had koppijn.'

Ik vraag of iemand hem geslagen had.

'Dat weten we niet. Er zaten geen blauwe plekken op zijn hoofd en niets wees op een worsteling. Hij had een kater.'

'Zat er bloed op zijn kleding?'

'Ja.'

'Wiens bloed?'

'Daar komen we nog wel achter.'

Ik werp een blik op de vuilcontainer en zoek verwoed naar een plausibele verklaring. Ik draai me weer om naar Banks. 'Dat Walker toevallig vlak bij die vuilcontainer van zijn stokje ging, wil nog niet zeggen dat hij Grayson heeft vermoord. De dader kan hem hebben neergestoken en er in zijn auto vandoor zijn gegaan.'

Hij kijkt me sceptisch aan. 'Waarom heeft hij dan niet ook Walker vermoord?' vraagt hij.

'Misschien probeerde hij hem erin te luizen. Als hij Walker had gedood, zou iedereen hebben geweten dat Walker Grayson niet kan hebben vermoord.'

Banks kijkt als iemand die al tientallen jaren lang strafpleiters alternatieve scenario's heeft horen verzinnen. Hij slaat zijn armen over elkaar. 'Niet slecht. Ik zou bijna willen geloven dat je afgezaagde verklaring enige intuïtieve waarde had.'

'Maar...?'

Zijn zelfingenomen blik verandert in een zelfvoldane grijns. 'We hebben een jachtmes in Walkers jaszak gevonden.'

Ik doe mijn best mijn ongerustheid niet te tonen. 'In deze buurt loopt iedereen met zo'n mes op zak.'

'Dat is waar, maar de meeste zitten niet onder het bloed.'

Shit.

'Natuurlijk hebben we nog geen kans gezien het bloed te testen om te zien of het van Grayson is,' vervolgt hij, 'maar ik durf te wedden van wel.'

Zo ja, dan is dit gesprek misschien niets meer dan een academische oefening. Het weerhoudt me er niet van om een andere mogelijkheid op te voeren. 'Het kan doorgestoken kaart zijn geweest,' benadruk ik. 'De dader kan Grayson hebben neergestoken en Leon buiten westen hebben geslagen. Hij kan het mes in Leons zak hebben gestopt en de auto hebben gepakt.'

'Hoe verklaar je dan het bloed op Walkers kleding?'

'Misschien was het zijn eigen bloed, of de dader kan Graysons bloed op Walkers kleding hebben gespetterd.'

'We zullen wel zien wat de experts te zeggen hebben.' Zijn gezicht straalt van zelfgenoegzaamheid. 'En dan nog iets.'

Wat kan er verder nog zijn?

'In zijn zak troffen we tweeduizend dollar in contanten aan.'

Ik probeer niet te reageren. 'Dat bewijst helemaal niets,' zeg ik. 'Dat kan Leons geld geweest zijn.'

'Dat betwijfel ik.'

'Je weet niet of het van Grayson was.'

'Daar zijn we anders vrij zeker van. De briefjes zaten in een zilveren clip met Graysons initialen erop.'

4
HET LAATSTE OORDEEL

'Ik had de kans om profbasketbal te spelen, en die heb ik laten glippen.'
Leon Walker, profiel in de *San Francisco Chronicle*

Het Thunderbird Hotel heeft meer nodig dan een nieuw verfje of een verbouwing; het schreeuwt om een flink pak slaag met de slopersbal. Mijn voeten blijven plakken op de vlekkerige linoleumvloer van de stinkende ruimte die doorgaat voor de lobby, waar een enkel lichtpeertje voor de enige verlichting zorgt. De muren hebben al in geen twintig jaar een kwast gezien en de ramen zijn dichtgespijkerd. Een manager, die zo de tweelingbroer van de excentrieke basketballer Dennis Rodman zou kunnen zijn, zit in een plexiglazen kooi en leest de *Chronicle* van vanmorgen. Een verschoten, met de hand geschreven bordje laat de lezer weten dat de huur contant vooruitbetaald dient te worden en dat iedereen die wordt betrapt op urineren op de gang zal worden verwijderd.

Marcus Banks vergezelt me de versleten trap op, waarvan de leuning al lang geleden van de vergeelde muur is gerukt. Ik heb met mijn cliënten in een aantal van de meest naargeestige familiehotels in de donkerste uithoeken van het Mission District afgesproken, maar geen enkel kwam ook maar in de buurt van de schaars verlichte hal op de eerste verdieping van het Thunderbird. Ratten begeven zich hier vrijelijk tussen kakkerlakken en de hele gang is vergeven van de uitwerpselen van knaagdieren. Als ik de openstaande deur naar het overstromende toilet passeer, moet ik kokhalzen. Banks voert me naar twee politieagenten die voor de deur van kamer 15 de wacht houden. Wanneer hij uitlegt dat ik Leon Walkers advocaat ben, stappen ze opzij.

Ik volg Banks de kleine kamer in en word getroffen door het contrast met de gang: de muren zijn in een vrolijke kleur geel gesausd en door een raam boven een lits-jumeaux, compleet met hoekbeschermers, zoals bij een ziekenhuisbed, en netjes opgemaakt, stroomt helder licht naar binnen. Op een bureau in de hoek liggen een stapel kranten en een bijbel, samen met een ingelijste foto van een mooi meisje van ongeveer Graces leeftijd. Het dressoir staat vol medicijnflesjes. De keuken bestaat uit een warmhoudplaat, een koffiepot en een steelpan. In de kast zie ik een stel schone kleren, een paar blikken spaghetti en een fles bourbon. Behalve de geneesmiddelen en de drank doet Walkers kamer me denken aan de pastorie van de kerk in Sunset waar ik drie jaar heb gewoond.

Wanneer ik Leon Walker in de houten stoel naast het bureau zie zitten, ben ik opeens weer helemaal terug in de werkelijkheid. De laatste keer dat ik hem zag, was hij een potige jonge vent met lange dreadlocks, honderdvijf kilo pure spiermassa gebeeldhouwd rond een gestalte van een meter achtennegentig. De voormalige basketballer is nu voor in de dertig, maar oogt veel ouder. Zijn holle ogen en uitgemergelde gezicht vertonen een zorgwekkende gelijkenis met die van slachtoffers in door droogte geteisterde derdewereldlanden. Ik schat dat hij niet meer dan een kilo of vijfenvijftig weegt en zijn wijd zittende, haveloze blauwe spijkerbroek en Giants T-shirt hangen slap om hem heen.

'Leon, ik had je niet herkend.'

Er spreekt een enorme droefheid uit zijn ogen. 'Ik heb wat pech gehad,' zegt hij. 'Slechte lever. Slechte nieren. Alles slecht, eigenlijk.'

Ik wend me tot Banks. 'Ik zou mijn cliënt graag een paar minuten onder vier ogen willen spreken.'

'Je zei dat je nog niet had besloten de zaak op je te nemen.'

Het kleinste verzoek leidt al tot een handgemeen. 'Ik ben zijn advocaat totdat ik je het tegendeel vertel.'

'Zelf weten.' Hij verroert zich niet.

'Kunnen we even alleen zijn?'

Hij antwoordt alsof Leon er niet bij is. 'Twee minuten.' Er verschijnt een onheilspellende blik in zijn ogen. 'Ik sta vlak achter de deur, met twee geüniformeerde agenten.'

Alsof we een uitbraakpoging willen ondernemen. 'We gaan nergens heen, hoor,' stel ik hem gerust.

'Als je dat maar weet.' Hij stapt de gang op en sluit de deur achter zich.

Laat ik bij het begin beginnen. Ik neem plaats op het bed, buig me naar Leon en gebaar naar de deur. 'We moeten zachtjes praten,' fluister ik. 'Hij kan ons misschien horen.'

Hij knikt, maar zegt geen woord.

'We hebben weinig tijd, Leon. Ze gaan je straks naar het paleis van justitie overbrengen. Ik wil dat je in het arrestantenhok met niemand praat, en zeg in godsnaam ook niets tegen de politie.'

'De vorige keer zei u me hetzelfde. Dat was een goed advies, meneer Daley.'

Nou en of. 'Zeg maar Mike.'

'Goed. Mike.' Hij kijkt even naar de foto op zijn bureau, maar zegt niets.

'Wie is dat?' vraag ik.

Hij kijkt me hulpeloos aan. 'Mijn dochter,' zegt hij.

Ik kan me inderdaad herinneren dat zijn vriendin en hij een baby hadden toen we hem de eerste keer verdedigden. De vriendin kwam een paar keer naar de rechtszaal. 'Hoe heet ze?'

Het leed op zijn gezicht wordt nadrukkelijker als hij antwoordt: 'Julia. Ze is net twaalf geworden. Ik mag haar niet zien.'

Hij werd al vader toen hij nog een tiener was. 'Waar woont ze nu?'

'Bij haar moeder in het Alice Griffith-woningbouwproject.'

Dat is dus een van drugs en criminaliteit vergeven beerput in het verwaarloosde stadsdeel Bayview-Hunters Point, vlak bij Candlestick Park. Ik zal meer te weten moeten komen over zijn relatie met zijn ex-vriendin en zijn dochter, maar nu zijn er dringender zaken te bespreken. 'Ik geloof niet dat ik in staat zal zijn hoofdinspecteur Banks zover te krijgen dat hij de beschuldigingen vandaag nog intrekt.'

Een gelaten blik. 'Dat dacht ik al.' Hij trekt even aan zijn oor en zegt op hoopvolle toon: 'Ik wil dat jij me vertegenwoordigt.'

Ik adem diep in. 'Ik denk dat het beter zou zijn als we daar iemand anders voor zouden vinden,' zeg ik.

'Ik kan je betalen. Ik heb wat geld.'

Ik vraag me af of hij doelt op de twee mille die ze in zijn zak hebben gevonden. 'Dit gaat niet over geld. Wij beschikken niet over de middelen om de komende twee jaar jouw zaak te behartigen.'

'Ik heb je vast geen twee jaar nodig.'

O jawel, tenzij hij van plan is om nu al schuld te bekennen in ruil voor strafmindering. 'Je moet wel realistisch zijn,' zeg ik.

'Dat ben ik.' Zijn gezicht wordt asgrauw. 'Mijn lever laat het afweten, Mike. Als ik de komende weken geen transplantatie krijg, ben ik over twee maanden dood.'

Goeie god. Ik kijk nog eens goed naar het gratenpakhuis dat tegenover me zit, en het beste wat ik kan doen is een zinloze vraag stellen: 'Weten ze dat zeker?'

De berusting in zijn toon laat geen twijfel. 'Ja, dat weten ze zeker.'

Dit is erger dan ik had verwacht. Ik heb mensen verdedigd die rijk, arm, ziek, geestelijk gestoord, dakloos, verslaafd en misbruikt waren, maar nog nooit iemand die ongeneeslijk ziek was. 'Neem me niet kwalijk als ik wat ongevoelig overkom, maar weet je zeker dat je op dit punt in je leven wel een juridische strijd wilt aangaan?'

'Met andere woorden: of ik mijn laatste weken liever ergens anders doorbreng dan in de rechtszaal?'

Qua directheid scoort hij in elk geval goed. 'Ja.'

'Heb ik een keus?'

Waarschijnlijk niet, nee. 'Misschien kan ik de officier van justitie zover krijgen dat hij de gerechtelijke procedure opschort, totdat je medische verzorging kunt krijgen.'

'Dan ben ik al dood voordat ik de kans krijg mezelf te verdedigen.'

'Dat weet je niet zeker.'

'O, jawel.' Hij verzekert me dat er geen enkele kans is dat hij boven aan de transplantatielijst komt te staan. 'Hoe ik de laatste weken van mijn leven doorbreng, is mijn zaak.'

Niet als wij hem vertegenwoordigen. Dan wordt zijn zaak onze zaak.

Zijn toon wordt zachter. 'Zoals ik het bezie, kan ik medelijden hebben met mezelf of iets zinvols ondernemen; al is het niet voor jou of mij, dan toch in elk geval voor mijn dochter. De media hebben me veroordeeld, hoewel het nooit tot een proces is gekomen. Dit is mijn laatste kans om te bewijzen dat ik geen moordenaar ben.'

Ik ben niet van plan hem te ontzien. 'De laatste keer dat wij je hebben verdedigd, behoort niet tot de hoogtepunten van mijn juridische carrière.'

'Deze keer wordt het anders. Mijn broer is er niet bij betrokken.'

'Híj heeft in die avondwinkel de trekker overgehaald.'

'Dat weet je helemaal niet.'

Gelul. 'Ze hebben zijn pistool gevonden in de kofferbak en de kogels kwamen overeen. Jij zat achter het stuur van de auto.'

'Autorijden is geen misdrijf.'

'Wel als je een moordenaar vervoert. Dat maakte jou medeplichtig.'

'Ik wist niet wat er zich in de winkel afspeelde.'

'En of je dat wist.' Ik voel dat mijn nek begint te gloeien, maar ik beheers me. We hebben geen tijd om oude koeien van tien jaar geleden uit de sloot te halen. Ik priem met een vinger naar hem en zeg: 'Die zaak is gesloten. Veel mensen vonden dat jullie de bak in hadden moeten draaien.'

'Ze vergisten zich. Het was niet eerlijk.'

Ik kan niet zo een-twee-drie met een indringend weerwoord op de proppen komen, dus beperk me tot een toevlucht uit mijn priestertijd: 'Soms is het leven niet eerlijk.'

'Dat kun jij makkelijk zeggen.' Hij kijkt neer op zijn trillende handen, slaat dan zijn uitgebluste ogen naar me op en fluistert: 'Ik heb echt je hulp nodig.'

In gedachten draai ik mijn gesprek met Rosie weer af en ik kies voor de weg van de minste weerstand. 'Ik denk dat het beter zou zijn als we je zaak naar iemand anders doorverwijzen.'

Hij geeft niet op. 'Ik heb nog maar een paar weken.'

'We hebben een te zwaar beladen verleden.'

Hij kijkt naar de foto van zijn dochter. 'Ze is pas twaalf. Ik weet niet wat mijn ex haar over me heeft verteld, maar ik wil niet dat ze opgroeit met het idee dat haar vader een moordenaar was.' Zijn toon wordt doodernstig wanneer hij eraan toevoegt: 'Ik zal je alles vertellen over wat er gisternacht is gebeurd, de gehele waarheid. Dat zweer ik.'

Ik opteer voor mijn welwillendheid en ga tegen mijn gezonde verstand in wanneer ik besluit hem aan te horen. 'Ik luister.'

Ik zie een flauwe glimlach terwijl hij me doordringend aankijkt. 'Een paar avonden per week verdien ik een paar dollar met het aanvegen van de winkel. Mijn werk zat erop en ik was op weg naar huis. Ik liep langs de laad- en losplek toen iemand me van achteren benaderde en me neersloeg. Dat is alles wat ik me herinner, totdat die smerissen me vanmorgen wakker maakten.'

Hij heeft in elk geval geen ellenlang, vergezocht verhaal bij elkaar verzonnen, maar het zal lastig worden om het bevestigd te krijgen, tenzij er nog iemand in de steeg was. 'Kan iemand jouw verhaal staven?'

'Amos Franklin werkt 's nachts in de winkel. Hij zag me weggaan.'

'Hoe laat was dat?'

'Een paar minuten over twee.'

Ik vraag hem of hij buiten iemand zag.

'Nee, maar ik hoorde mensen ruziën vlak bij de achteringang. Ik weet niet wie het waren.'

'Mannen of vrouwen?'

'Weet ik niet zeker.'

Ook al spreekt hij de waarheid, het zal lastig worden om iemand die in de buurt was over te halen om te praten. 'Er zitten een paar flinke hiaten in je verhaal,' zeg ik.

'Ik vertel je de waarheid,' houdt hij vol.

'Dit waren nog maar wat makkelijke vragen. Nu wat moeilijkere.'

Het lijkt hem weinig uit te maken. 'Brand maar los.'

'Je zou kunnen beginnen met me uit te leggen waarom ze een bebloed jachtmes in je zak hebben aangetroffen.'

'Ik heb het daar niet in gestopt.'

'Wie dan wel?'

'Weet ik niet. Waarschijnlijk die vent die me heeft neergeslagen.'

Niet goed genoeg. 'Ze troffen ook bloed aan op je kleding.'

'Iemand sloeg me.'

'Ik zie helemaal geen snee of blauwe plek.'

'Misschien was het bloed van de man die me neersloeg, of misschien veegde iemand het bloed van die dooie op mijn jasje.'

'Ze zullen verzoeken om een monster van jouw bloed.'

'Dat kunnen ze krijgen.'

Ik heb hem nog steeds niet van streek gemaakt. 'Hoe zit het met dat geld dat ze in je zak aantroffen?'

'Dat was niet van mij.'

Oké, dat heeft hij tenminste toegegeven. 'Hoe kwam het daar dan?'

'Dat weet ik niet.'

Tien jaar geleden heb ik op dezelfde toon vergelijkbare ontkenningen aangehoord. 'Kom op, Leon.'

'Denk je nou echt dat ik zo stom zou zijn om met zo veel geld op zak in deze buurt rond te lopen? Ik ben dan misschien wel ziek, maar ik ben niet gek.'

Nee, inderdaad niet, je hebt alleen mijn vraag niet beantwoord. 'Hoe kwam het daar dan?' herhaal ik.

'Dat weet ik niet,' klinkt het nadrukkelijk. 'De man die me neersloeg moet het daarin hebben gestopt om me erin te luizen.'

'Denk je dat iemand uit deze buurt twee mille in je jaszak heeft gestopt?'

'Misschien was het niet iemand uit deze buurt.'

Ik probeer hem uit zijn tent te lokken. 'De politie heeft de gekke theorie dat jij het slachtoffer hebt vermoord om zijn geld. Ze denken dat jij hem hebt neergestoken, dat jij vervolgens het geld hebt gestolen en dat hij in de vuilcontainer is gevallen.'

'Waarna ik voor het gemak maar naast dat lijk in elkaar ben gezakt, zeker?'

'Ja.'

'Ik kan nauwelijks deze kamer door lopen. Hoe denk je in vredesnaam dat ik zoiets kan hebben gedaan?'

Ik kijk naar zijn trillende handen en moet toegeven dat hij daar een geldig argument mee lijkt te hebben. 'Heb je verder nog iets gezien in de steeg?' vraag ik.

'Een rode Mercedes.' Hij kan zich niet herinneren dat hij die auto eerder heeft gezien. 'Of er iemand in zat, weet ik niet. Het eerste wat ik me daarna herinner, is een smeris die met zijn gummiknuppel tegen me aan tikt.'

'Zegt de naam Tower Grayson je iets?'

'Nee.'

'Ze hebben zijn lijk in de vuilcontainer gevonden. Hij woonde in Atherton en het was zijn Mercedes.'

Leon is niet onder de indruk. 'Wat doet een rijke blanke vent uit Atherton in deze buurt?'

Precies wat ik ook al heb gevraagd. 'De politie zei dat hij even was gestopt om sigaretten te kopen.'

Hij denkt even na. 'Vlak voordat ik wegging, kwam er iemand de winkel in.' Hij beschrijft hem als blank, halverwege de veertig, lang en atletisch gebouwd.

Dat moet Grayson zijn geweest.

'Ik vond het al vreemd dat hij in onze winkel kwam,' voegt hij eraan toe.

Er kan wel eens meer achter die Tower Grayson steken dan beleggen met risicokapitaal alleen.

Ik probeer me zijn kant van het verhaal zo goed mogelijk voor te stellen. Mijn gevoel zegt me dat hij de waarheid spreekt, maar mijn intuïtie is niet onfeilbaar. Leon Walker is welbespraakt en overtuigend. Het is ook mogelijk dat hij een welbespraakte en overtuigende leugenaar is. 'Als je tegen me liegt,' zeg ik, 'dan sleep ik je linea recta naar het paleis van justitie.'

'Ik lieg niet, Mike.'

'De vorige keer loog je anders wel.'

'Nee, echt niet.'

'Wel.' Mijn gezonde verstand schreeuwt me toe dat ik me met geen teen in dit moeras moet wagen. Maar dan verrast hij me. Hij wijst naar een uit een tijdschrift gescheurde foto, die op de deur vastgespijkerd zit. 'Weet je hoe dat fresco heet?'

Ik herken het meteen. '*Het Laatste Oordeel*,' zeg ik. 'Het bevindt zich in de Sixtijnse Kapel.'

Met een smachtende blik staart hij ernaar. 'Weet je waarom ik het daar heb hangen?' Hij kijkt me bedachtzaam aan. 'Om me eraan te herinneren dat de mening van een ander niet belangrijk is. Wanneer we doodgaan, telt God alle plussen en minnen op om het laatste oordeel te vellen.'

Zo heb ik het ook geleerd.

Zijn toon wordt filosofisch. 'Heb je het ooit in het echt gezien?'

'Leon,' zeg ik, 'hier hebben we nu echt geen tijd voor.'

Zijn ogen vlammen op. 'Heb je het ooit gezien?' herhaalt hij.

'Eén keer.'

'Dan heb je geluk. Voor of na de restauratie?'

'Ervoor.' Met de aanslag van eeuwen was het bijna onmogelijk nog iets te onderscheiden.

'Weet je wat ze aantroffen toen ze ermee aan de slag gingen?'

'Het was niet precies wat ze dachten dat het was.'

'Inderdaad. Eigenlijk was het veel kleurrijker en gecompliceerder.'

Een lesje theologie of kunstgeschiedenis is niet bepaald wat ik verwacht van een stervende man in een hotelkamer in een achterbuurt. 'Wat wil je nou eigenlijk zeggen?'

'Ik bewaar die foto om me eraan te herinneren vergevensgezind te zijn en onbevangen in de ziel van mensen te kijken. Het gaat niet om je eerste oordeel, Mike, maar om het laatste. Daar draait alles om.'

Dit is vrij diepzinnig voor een knaap die een slamdunk vroeger als zijn levensdoel zag. Michelangelo heeft vast nooit kunnen bedenken dat zijn kunstwerk ooit onderwerp zou zijn van een theologische discussie tussen een ex-basketballer en een ex-priester in een verwaarloosd hotel in een getto aan de andere kant van de oceaan in een stad die naar de Heilige Franciscus is genoemd.

'Ik neem mensen niet langer de biecht af om ze vergiffenis te schenken,' zeg ik.

'Daar ben ik niet op uit en ik verwacht ook niet van je dat je me de laatste sacramenten toedient. Ik vraag je om een stervende zijn laatste verzoek in te willigen. Ik heb je nodig om mijn onschuld te bewijzen. Ik heb nog maar een paar weken te gaan en ik heb verder niemand die me kan helpen. Ik heb geen priester nodig, maar een advocaat.'

Volkomen machteloos kijk ik in de wanhopige ogen van een stervende man. Ik probeer de harde realiteit te analyseren en mijn hoofd tolt. Onder normale omstandigheden is het mijn taak om een jury ervan te overtuigen dat er over de schuld van mijn cliënt gerede twijfel bestaat. In dit geval vraagt hij me om iets oneindig moeilijkers te doen: te bewijzen dat hij onschuldig is. Er zal geen tijd zijn voor juridische kunstgrepen en er zal geen sprake zijn van beroepen of schuldbekentenissen in ruil voor strafmindering op het allerlaatste moment. Uiteindelijk kan ik deze zaak niet winnen. En zelfs al win ik hem, mijn cliënt is sowieso ten dode opgeschreven.

Hij probeert het nog eens. 'Als je het niet voor mij wilt doen, doe het dan voor jezelf of voor mijn dochter. Je hebt niets te verliezen en het zal niet lang duren. Misschien dat ik zo met nog een greintje waardigheid doodga en dat Julia voor de rest van haar leven niet zal worden nagewezen als de dochter van een moordenaar.' Hij haalt diep adem en voegt eraan toe: 'Als je me niet wilt helpen, zoek ik wel iemand anders. Maar veel tijd heb ik niet.'

Er valt een lange, grimmige stilte. Dan is het Leons beurt om open kaart te spelen. 'Wil je me vertegenwoordigen?' vraagt hij.

'Ik moet het eerst met Rosie bespreken.'

'Ik moet het wel snel weten.'

'Ik zie je straks in het paleis van justitie.'

Er wordt op de deur geklopt en Banks treedt binnen met twee agenten in zijn kielzog. 'Even voor de goede orde,' zeg ik tegen Banks, 'ik wil niet dat je mijn cliënt vragen stelt.'

'Begrepen.'

De agenten helpen Leon overeind. Ze staan op het punt hem handboeien om te doen. 'Heren, dat zal niet nodig zijn,' zeg ik.

Banks werpt me de bekende sceptische blik toe, maar geeft zich gewonnen. De agenten escorteren Leon de trap af en duwen hem een gereedstaande politiewagen in. Vervolgens wendt Banks zich tot mij. 'Mijn neef heeft nog tegen hem gespeeld op de middelbare school. Hij was fantastisch.'

'Ja, dat was hij zeker.'

'Echt zonde.' Hij slaakt een gefrustreerde zucht. 'Heb je enig idee waarom hij het heeft gedaan?'

'Hij heeft het niet gedaan.'

'Kom nou toch, Mike.'

'Marcus, je hebt hem gezien. Hij heeft er de kracht niet voor. Hij kon nauwelijks de gang uit lopen, en Grayson moet wel vijfenveertig kilo zwaarder zijn geweest. En waarom zou hij een vent uit Silicon Valley hebben vermoord?'

'Geld. Hij zag een man met dure kleren en een dure auto door een donkere steeg lopen. Grayson was een makkelijk doelwit.'

'Dat geloof ik niet.'

'Waarom hebben we dan twee mille in zijn zak gevonden?' vraagt hij met klem.

'Je weet niet of dat Graysons geld was.'

'Daar durf ik wel een wedje om te maken met je.'

Ik ook. Zonder verder nog een woord te zeggen begeeft hij zich naar een ongemerkte politiewagen. Ik pak mijn mobiele telefoon en toets Rosies nummer in. Als ze opneemt, zeg ik: 'Kun je naar het paleis van justitie komen? Ik moet even met je praten.'

'Heeft het met Leon Walker te maken?'

'Ja.'

'Vergeet het maar.'

'Ik wil er alleen een paar minuten met je over praten.'

'Er is niets om over te praten. We nemen geen moordzaak aan.'

'Het komt helemaal niet tot een proces.'

Ze aarzelt. 'Hoe bedoel je?'

'Hij is ziek, Rosie. Hij gaat dood.'

Er volgt een lange stilte. Ik hoor een diepe zucht. 'Ik zie je bij de intakeruimte in het huis van bewaring.' Ze aarzelt en voegt er dan aan toe: 'Ik beloof niets.'

5
'SLECHTE HERINNERINGEN'

'Veel mensen waren het oneens met de uitspraak in de Walker-zaak. Het is lang geleden en ik heb verder geen commentaar.'
Rosita Fernandez, *State Bar Journal*

In het paleis van justitie blijft niets geheim. Om drie uur staan er op Bryant Street meer tv-busjes geparkeerd dan politiewagens. Zodra ik uit mijn taxi stap, storten de mediagieren zich op me.

'Meneer Daley, gaan u en mevrouw Fernandez Leon Walker opnieuw vertegenwoordigen?'

'Meneer Daley, is het moordwapen al gevonden?'

'Meneer Daley, gaan de aanklagers voor de doodstraf?'

'Meneer Daley? Meneer Daley? Meneer Daley?'

Ik baan me een weg door de camera's en voor de ingang van het parket blijf ik net lang genoeg stilstaan om me om te draaien en te zeggen: 'Op dit moment beschikken we nog niet over informatie. Vragen dient u aan hoofdinspecteur Marcus Banks te stellen.'

Mijn oprechte en hartgrondige non-commentaar weet de meute nauwelijks te ontmoedigen. Achter mijn rug blijven de verslaggevers me met hun vragen bestoken als ik de deur openruk en me naar binnen wurm. Ik haast me door de metaaldetectors in de hal en loop de gang af naar het met plexiglas bedekte misbaksel dat tussen het paleis van justitie en de autoweg gepropt is. Ons nieuwe huis van bewaring werd begin jaren negentig voltooid en wordt door de politie de 'Glamour Slammer' genoemd. Even later sta ik buiten het bijna steriele en surrealistisch stille intakecentrum waar de gevangenen achter kogelvrij glas zijn ondergebracht. Heel anders dan de chaotische oude verbalisantenruimte op de vijfde verdieping van het paleis van justitie, die soms meer weg had van een afterparty na een wedstrijd van de Raiders.

Het is dan misschien wel vrijdagmiddag, maar onze ambtenaren zijn nog altijd druk aan het werk. Gearresteerde criminelen mengen zich onder geüniformeerde agenten, inspecteurs in burger, hulpofficieren van justitie, strafpleiters en pro-Deoadvocaten. Een paar misdaadverslaggevers kletsen wat met de wachtbrigadier. Het epicentrum wordt gevormd door een hightech bedieningspaneel dat er uitziet alsof het in zijn geheel is overgebracht uit het Johnson-ruimtecentrum.

Aan het eind van de gang zit Rosie op de metalen bank op mij te wachten. Haar handen zijn gevouwen en haar ogen staan somber. 'Hoe ziek is Walker?' vraagt ze op fluistertoon.

'Ongeneeslijk.'

'Hoelang heeft hij nog?'

'Een paar maanden, als hij geluk heeft.'

Ze reageert niet onmiddellijk. Sinds bij haar borstkanker is ontdekt, is ze zich meer bewust van haar eigen sterfelijkheid en van die van iedereen om haar heen. Eén keer per maand komt ze bijeen met een groep genezen kankerpatiënten en na afloop komt ze vaak in een melancholische bui weer thuis. Op die momenten doe ik mijn best haar zo goed mogelijk op te vangen, en Grace is heel begripvol geweest. Als priester heb ik zelf met depressies in de clinch gelegen en ik herken de symptomen. Ze is zich scherp bewust van haar stemmingswisselingen en reageert haar frustraties nooit op Grace af. Ze denkt even na en speelt de bal terug op mijn helft. 'Wat wil je doen?' vraagt ze.

Dit is Rosie ten voeten uit: eerst de oppositie uitroken en dan pas je eigen plannen ontvouwen.

'Hij heeft een advocaat nodig,' zeg ik. 'Ik wil hem helpen.'

Haar lichaamstaal duidt erop dat dit voorstel niet echt in goede aarde valt. 'Ik waardeer je goede bedoelingen,' zegt ze, 'maar zou het niet zinvoller zijn om voor hem de allerbeste medische verzorging te regelen?'

Een goed argument, zij het wel iets te academisch. 'Rosie, hij wordt niet beter. Ik heb zijn arts in de South of Market Clinic gebeld. Die weet welke wegen hij moet bewandelen en heeft ervoor gezorgd dat Leon als een vrijwillig proefkonijn kon meedoen aan een experimentele leverbehandeling van de universiteit. Die sloeg niet aan, maar als bescheiden blijk van dank gaven ze hem wat conventionele therapie.'

'En?'

'Ook die sloeg niet aan.'

'Hoe luidt de prognose?' vraagt ze dan op zakelijke toon.

'Tenzij hij een transplantatie krijgt of er een wonder geschiedt, gaat hij dood.'

'Hoe groot is de kans op een transplantatie?'

'Nul.'

'En het wonder?'

'Ongeveer hetzelfde.'

Het nieuws wordt aanvaard met een zucht. Ze doorloopt haar uitgebreide repertoire van zenuwtrekjes: krabben op haar hoofd, trekken aan haar oor, de handen vouwen, zich in de ogen wrijven. Haar toon is sympathiek, maar haar oordeel is pragmatisch: 'Ik weet dat het hard klinkt, maar hij gaat sowieso dood. In dit stadium is alles wat we ondernemen niet meer dan een misleidende gunstige voorstelling van zaken.'

'Voor hem niet.'

Haar zorgelijke blik blijft onveranderd. 'Realistisch gezien zullen we het nooit tot een rechtszaak brengen. We kunnen de zaak wel aanhangig maken in de pers, maar we zullen niet kunnen aantonen dat hij onschuldig is, tenzij we iemand op heterdaad betrappen of iemand anders schuld bekent. Dus wat heeft het voor nut?'

Dit zal ik niet op praktische argumenten winnen, dus doe ik een beroep op haar plichtsgevoel. 'Hij heeft recht op een goede verdediging,' zeg ik. 'Hij wil proberen zijn naam te zuiveren, zodat zijn dochter niet hoeft te leven met het stigma van een vader die een moordenaar was.'

Haar opgetrokken wenkbrauw zegt me dat ze bereid is dit te erkennen, maar haar toon blijft zakelijk. 'We zijn geen pro-Deoadvocaten meer,' zegt ze. 'We mogen nu zelf onze cliënten uitkiezen. Ze kunnen zijn zaak aan een pro-Deoadvocaat toewijzen.'

'Voordat ze iemand hebben aangesteld, is hij al overleden. Intussen kunnen wij de officier van justitie misschien zover krijgen dat hij de aanklacht laat vallen of met hem in onderhandeling gaat over strafmindering in ruil voor een schuldbekentenis.'

Haar ogen vlammen op. 'Ze hoeven het helemaal niet op een akkoordje te gooien. Voor hen is het kat in 't bakkie. Ze hoeven helemaal niets buiten gerede twijfel te bewijzen.'

'Stel dat ze de echte moordenaar naderhand toch vinden?'

'Dan staat Banks een beetje voor schut en zal hij met een verontschuldiging komen. Leon zal nog altijd dood en begraven zijn, en verder zal het iedereen worst zijn.'

'Ben je zo cynisch geworden?'

'Ik ben helemaal niet cynisch. Ik ben praktisch.'

'Marcus is een harde, maar hij is ook een professional. Volgens mij wil hij nog steeds de waarheid achterhalen.'

'Ben je zo naïef geworden?'

'Ik ben helemaal niet naïef. Ik ben gewoon oprecht. Oké, door de jaren heen hebben we onze meningsverschillen gehad, maar ik geloof dat hij op zich een eerlijke vent is. Hij wil niet worden herinnerd als de man die een ongeneeslijke zieke heeft opgesloten voor iets wat hij niet heeft gedaan.'

'Denk je dat zijn nalatenschap echt zo belangrijk voor hem is?'

'Eigenlijk wel, ja.'

De zucht verraadt haar. Ik heb haar geduld uitgeput. 'Word eens volwassen, Mike,' zegt ze. 'Dit heeft niets te maken met de waarheid, rechtvaardigheid en reputaties. Het gaat hier om de vereffening van een oude rekening. Iedereen in dit gebouw wil Leon Walker aan de schandpaal nagelen.'

'Maar we kunnen er wél voor zorgen dat ze ervoor moeten werken. Dat zijn we Leon toch minstens wel verschuldigd.'

'We zijn hem helemaal niets verschuldigd.'

'Jij vindt niet dat hij recht heeft op een goede verdediging?'

'Natuurlijk wel, maar die hoeven wíj hem toch niet te geven?'

'Hij wil óns.'

'Hij kan een bekwame pro-Deoadvocaat krijgen.'

Ik trommel met mijn vingers op de bank. 'Jij wilt je leven niet slijten met mensen verdedigen die dronken achter het stuur kruipen, en ik wil geen carrière maken door Terrence de Terminator te verdedigen.'

Ze vuurt terug. 'Klopt helemaal, maar wij moeten doen wat het beste is voor ons kantoor, en we hebben afgesproken geen moordzaken meer te doen.'

'Het komt niet tot een proces.'

'Het wordt net zo'n uitputtingsslag als elke andere moordzaak.'

'Over een paar weken ben je er vanaf.'

'Hij kan ons niet eens betalen.'

'We nemen de zaak niet aan, tenzij hij ons een voorschot geeft.'

'Je weet wat een moordzaak gaat kosten. Hij komt nooit over de brug.'

Ze heeft gelijk. De verdediging van een moordzaak kan rustig in de vijf nullen lopen; misschien wel meer. 'Dan doen we het voor niets,' zeg ik. 'Dat levert goede publiciteit op.'

'Niet als we een waardeloos resultaat boeken.' Ze slaakt een diepe zucht. 'Waarom kun je het niet loslaten?' vraagt ze op licht geërgerde toon.

'Rosie, hij is stervende.'

Nu is het haar beurt om met haar vingers te trommelen. Ze zet haar beherende-vennootstemmetje op: 'Onze financiële middelen zijn beperkt, Mike. We kunnen niet altijd de wereld redden. Daar hebben wij de tijd en ik de energie niet voor.'

'Dan doe ik het wel alleen, in mijn eigen tijd.'

'We hebben een afspraak dat we geen nieuwe zaken zouden aannemen tenzij alle drie de partners daarmee instemmen.'

'We kunnen een uitzondering maken.'

'Dan zullen we de volgende keer dat je iets op eigen houtje wilt doen ook weer een uitzondering moeten maken. Daarom hebben we samen een praktijk. Ons kantoor valt uiteen als we alle drie op eigen houtje gaan opereren.'

'Vroeger deinsde je nooit terug voor een zwaar gevecht.'

'Ik stel alleen voor onze gevechten misschien iets zorgvuldiger uit te kiezen.'

Een lang ogenblik staren we elkaar aan. Ik besluit de volumeknop iets terug te draaien. 'We doen het weer, hè?'

Het ontlokt haar een veelbetekenende knik. 'Leon Walker heeft iets waardoor wij onze frustraties op elkaar afreageren.'

Ik doe mijn best om mijn toon kalm te houden. 'Wat zit je écht dwars, Rosita?'

Even slaat ze haar ogen neer. Dan kijkt ze op en fluistert: 'Slechte herinneringen.'

In gedachten laat ik de hoogtepunten van onze verdediging van Frankie en Leon Walker opnieuw de revue passeren. Frankie wist Rosie al kriegel te maken op de dag dat ze met elkaar kennismaakten, en het werd steeds erger. Uiteindelijk praatte ze helemaal niet meer met hem en kreeg ik de niet bepaald benijdenswaardige taak om pendeldiplomatie uit te oefenen tussen mijn vrouw en onze cliënt. Maar de Walker-zaak was niet het enige. Grace was nog een baby en 's nachts deden we geen oog dicht. Ons huwelijk was een mallemolen. Vervolgens legde de pers ons op de pijnbank. Ik begrijp wel waarom ze die ervaring niet nog een keer wil meemaken.

'Misschien is dit een kans om onze oude demonen tot zwijgen te brengen,' opper ik.

Het versterkt slechts haar vastberadenheid. 'Misschien is het beter om ze met rust te laten.'

'Ik weet dat je grote problemen had met Frankie.'

'Hij was een egocentrische, bedrieglijke klootzak. Volgens mij was die verkoper van de avondwinkel niet de enige die hij vermoordde.'

'Maar met Leon hadden we geen problemen,' zeg ik. 'Hij deed wat Frankie hem opdroeg.'

Haar ogen worden kil. 'Hij loog tegen ons.'

Voor haar een heikel punt. Volgens Rosie kun je liegen tegen je familie en vrienden, maar niet tegen je advocaat.

Ik probeer een pragmatische toon aan te slaan: 'Al onze cliënten liegen tegen ons.'

'Dit was anders. Toen bleek dat de kogels uit Frankies pistool afkomstig waren, vroeg ik hem me te vertellen wat er echt gebeurd was, vertrouwelijk, van cliënt tot advocaat. Ik beloofde dat ik nooit zou onthullen wat hij zei en liet hem weten dat ik voor hem een andere advocaat zou zoeken als zijn belangen botsten met die van zijn broer.' Haar gezicht straalt een en al minachting uit. 'Hij loog recht in mijn gezicht. Hij zei dat zijn broer nooit die winkel in was gegaan.'

'Ik neem aan dat je hem hebt laten weten dat meineed voor ons onbespreekbaar was?'

'Hij was niet onder de indruk.'

Dat zijn de meeste cliënten niet. Strafpleiters moeten vaker rond meineed tapdansen dan we durven toegeven. Onze cliënten willens en wetens laten liegen is een groot taboe voor ons. En dus kiezen we er vaak voor bepaalde vragen niet te stellen als we verwachten dat het antwoord ons niet zal aanstaan.

'Hij zei dat hij niet van plan was zijn verhaal te wijzigen,' vervolgt ze. 'Hij verwachtte kennelijk dat we daarin zouden meegaan.'

'En als we niet meewerkten?'

'Dan zouden Frankies vrienden wel een praatje met ons komen maken, zei hij.'

Wat? 'Heeft hij je bedreigd?'

'Ja.'

Dit heeft ze me nooit verteld. 'Meende hij het?'

'Volgens mij wel.'

'Bedreigden die schoften van Frankie de ooggetuige?'

'Dat weet ik niet.'

'Heb je dit al die jaren voor je gehouden?'

'De zaak werd geseponeerd en de kwestie bleef onopgelost.'

Vanuit mijn keelgat voel ik de woede opwellen. Ik weet niet of ze mijn stem hoort overslaan als ik fluister: 'Je had het me moeten vertellen!'

'Het was irrelevant en het zou niet in het belang van onze cliënt zijn geweest.'

'Jezelf de dood in laten jagen zou niet in jóúw belang zijn geweest.'

'Het is lang geleden. Het leven ging door en ik heb nooit behoefte gehad om erover te praten.'

Tot nu dan.

Mijn emoties lopen zo hoog op dat ik bijna ter plekke Leons zaak weiger. Maar ik weet dat ik op zo'n moment geen beslissing moet nemen. En de man ís stervende... Zucht. 'Dit kan wel eens onze laatste kans zijn om te weten te komen wat zich toen in de avondwinkel heeft afgespeeld. We kunnen deze zaak weigeren, tenzij Leon belooft ons alles te vertellen.'

Even is ze geïntrigeerd, maar dan ziet ze weer de werkelijkheid onder ogen. 'We mogen onze beslissing om hem te verdedigen niet laten afhangen van een bekentenis over een oude kwestie.'

'Dit is een ongebruikelijke situatie en we hebben de tijd niet aan onze kant. We zullen niets onthullen en ook het vertrouwen tussen advocaat en cliënt niet schenden. Het blijft tussen ons.'

Ze laat haar kin in haar rechterhand rusten, maar zegt geen woord.

Ik probeer het nog één keer. 'Het duurt maar een paar weken. Dit wordt onze laatste kans om het boek over iets wat tien jaar geleden is gebeurd voorgoed dicht te slaan.'

Het lijkt een eeuwigheid te duren voordat ze reageert. Eindelijk slaat ze haar ogen naar me op. 'Ik vind het maar niks, Mike,' zegt ze. 'Het is te veel oude bagage en een te groot risico voor ons kantoor. Misschien dat hij ons een beetje kan betalen, maar toch zeker niet ons standaardtarief. Als we deze zaak op ons nemen en het gaat mis, dan is onze reputatie naar de knoppen. Ik heb geen zin ons kantoor voor Leon Walker op het spel te zetten, ook al betekent het dat we er nooit achter komen wat er tien jaar geleden echt is gebeurd.'

Meer kan ik niet doen. Ze heeft de afgelopen paar jaar een hoop meegemaakt en ik ben bereid het bijltje erbij neer te gooien. Dat ben ik haar verschuldigd. 'Jij bent de beherend vennoot,' zeg ik. 'Jij beslist.'

Opnieuw aarzelt ze even, zoekend naar de juiste woorden om me niet al te hard te laten vallen, neem ik aan, maar dan kijkt ze op en spert ze haar ogen wijd open. 'Hallo, Jerry,' zegt ze, op een toon waar de minachting vanaf druipt.

Ik draai me om en staar recht in het pitbullgezicht van Jerry Edwards, de rioolrat van de *Chronicle* die ons tijdens de eerste Walker-zaak heeft afgebrand. Zijn in alcohol gedrenkte tirades in zijn dagelijkse column, 'The Untold Story', zijn dikwijls waarheidsgetrouw, zo nu en dan goed van toon en altijd vermakelijk. Zijn redacteur geeft vrijelijk toe dat hij zijn stercolumnist absoluut niet in de hand heeft. Een paar jaar geleden voerde Edwards zijn kunstje op voor de tv en hij werd een vaste gast bij *Mornings on Two*. Naarmate zijn gevecht met de fles ernstiger werd, werden de klappen die hij uitdeelt gerichter. Deze zelfingenomen liberaal, die zich niet snel zal verontschuldigen, die is opgegroeid in het Richmond District en leerling is geweest van Lowell High, ziet zichzelf graag als de laatste verdedigingslinie tussen de brave burgers van San Francisco enerzijds en de chaos die zal voortvloeien uit ongecontroleerde knoeierij en corruptie anderzijds. Sommigen zullen beweren dat hij niets meer is dan een publiciteitsgeil mannetje. Maar eerlijk is eerlijk: hij is een vuilspuiter zonder onderscheid des persoons. In de afgelopen jaren heeft hij burgemeesters, hoofdcommissarissen, officieren van justitie, de pro-Deoadvocatuur, taxateurs, ambtenaars en – natuurlijk – Rosie en mij door het slijk gehaald. Het is alweer lang geleden dat hij naar ons heeft uitgehaald en mijn levenslange neiging tot vergevensgezindheid heeft me in staat gesteld om geen oude koeien uit de sloot te halen. Rosie is iets minder barmhartig. Ze heeft nog steeds grondig de pest aan hem.

Hij is vermoedelijk ergens achter in de vijftig, maar zijn verweerde gezicht en bloeddoorlopen ogen doen vermoeden dat hij vijf jaar geleden reeds is overleden. 'Zo, zo,' zegt hij met krakende stem, 'als dat niet mijn favoriete pro-Deoadvocaten Rosita Fernandez en Michael Daley zijn.'

'Voormálige pro-Deoadvocaten,' corrigeert Rosie hem.

Het levende kadaver draagt nog steeds hetzelfde slonzige grijze pak waaruit al twee decennia zijn gehele garderobe bestaat. De levervlekken op zijn voorhoofd steken schril af bij zijn vale huidskleur en hij stinkt naar sigarettenrook. Hij trekt even aan zijn bevlekte stropdas. 'Ook goed,' kraakt hij.

Rosie doet haar best een beleefde toon aan te slaan. 'Ik dacht dat jij steeds op het stadhuis zat.'

'Weinig politieke blunders vandaag, dus toen ik hoorde dat Leon Walker was aangehouden, besloot ik meteen het een en ander na te trekken.' Er verschijnt een sarcastische grijns op zijn gezicht. 'Maar als ik had geweten dat mijn twee favoriete voormálige pro-Deoadvocaten hier zouden zijn, was ik wel eerder gekomen.'

Rosie probeert hem af te poeieren. 'We zitten in een privé-gesprek,' zegt ze.

Hij laat een luide rokershoest horen. 'Ik ben hier niet naartoe gekomen om ruzie te zoeken, hoor.'

Hij komt nergens zonder ruzie te zoeken. 'We zijn bezig,' zegt Rosie.

Hij laat zich niet ontmoedigen. 'Gaan jullie hem weer verdedigen?'

In gedachten zie ik een groot rood waarschuwingslicht opflitsen en achter in mijn hoofd klinkt een bulderende stem: 'Niet op ingaan!'

Rosie doet de strategisch juiste zet door haar toon professioneel te houden. 'We verwijzen de zaak naar iemand anders door.'

'Wat doen jullie hier dan?'

Ze probeert beleefd te blijven. 'Hij had ons gebeld.'

Nu volgen zijn vragen snel achter elkaar. 'Waarom belde hij jullie?'

'Hij kent ons.'

'Waarom gaan jullie hem niet opnieuw verdedigen?'

'Wij zijn niet de juiste mensen om deze zaak te behandelen.'

'Natuurlijk wel.'

'We gaan hem naar iemand anders doorverwijzen,' zegt ze met klem.

Daar neemt deze pathologische vuilspuiter geen genoegen mee. Of het nu uit gewoonte of minachting of vanwege een slecht karakter is, hij is niet in staat het los te laten. 'Jullie moeten toch in de verleiding zijn om het opnieuw te proberen,' zegt hij vleierig.

Rosie blijft kalm. 'Helaas niet.'

'Nou, de laatste keer hebben jullie er een geweldig resultaat uitgesleept. De hele stad achtte hem schuldig.'

'Het is al lang geleden.'

Hij gaat in de aanval. 'Natuurlijk, jullie behaalden dat resultaat door je cliënten ertoe aan te zetten de kroongetuigen te intimideren.'

Rosie verbijt zich: 'Zullen we het laten rusten?'

'Vervolgens manipuleerden jullie schaamteloos het rechtsstelsel om jullie cliënt op een vormfoutje vrij te krijgen.'

Rosies ogen schieten vuur. 'Alles wat we deden, was legaal en ethisch.'

'Wie zegt dat?'

'Dat zeg ik. Net als de onderzoekscommissie die bijeenkwam nadat jij al die leugens over ons had geschreven.'

Types als Edwards blijven zuigen totdat je over de rooie gaat of uitgeput raakt. 'Doorgestoken kaart,' zegt hij spottend. 'Die commissie was een farce.'

Rosies reactie is beknopt: 'Gelul.'

Niemand die Rosies integriteit in twijfel trekt zonder onomwonden de waarheid om de oren te krijgen. Voor sukkels kan ze weinig begrip opbrengen en ze zal haar tijd niet verdoen door met idioten in discussie te gaan. Edwards is geen van beiden. Hij is een professionele klootzak, die bij mensen de juiste snaar weet te raken. Terwijl de twee zwaargewichten elkaar bijna te lijf gaan, doe ik een stapje terug. Het gesteggel gaat nog zo'n vijf minuten door.

Het lijkt op een gelijkspel uit te lopen als Edwards opeens met een andere schimpscheut komt. 'Dus,' zegt hij, 'jullie gaan een stervende gewoon aan zijn lot overlaten?'

'We zullen ervoor zorgen dat Leon Walker een goede advocaat krijgt,' zegt Rosie afgemeten.

'Dus jullie onttrekken je aan een lastige zaak en kiezen het hazenpad?'

'We zullen ervoor zorgen dat Leon Walker een goede advocaat krijgt,' herhaalt ze.

Er verschijnt een woeste blik in zijn rode ogen en zijn gezicht herschikt zich tot een cynische grijns. 'Ik heb hem zojuist even gesproken, beneden,' zegt hij. 'Hij vertelde me dat hij door júllie wil worden verdedigd.'

'We hebben nog niet toegestemd,' zegt Rosie.

'Dat zouden jullie verdomme juist wel moeten doen.'

Hij doet zijn uiterste best om een reactie los te krijgen, maar ze hapt niet toe. 'We zijn het aan niemand verplicht,' zegt ze met de kaken strak opelkaar.

'Bereid je er dan maar op voor dat jullie je namen morgen in mijn column terug zullen zien,' zegt hij zelfvoldaan. 'Volgens mij heeft het publiek er recht op om te weten dat een stel verwaande strafpleiters die tien jaar geleden illegale tactieken hanteerden ditmaal niet het lef hebben om een stervende man te helpen. Dat is net zo laakbaar als jullie gedrag toen jullie nog pro-Deoadvocaten waren.'

Rosie kookt van woede. Ze spant zich tot het uiterste in om haar woorden weloverwogen te kiezen. 'Als je ook maar één woord schrijft dat niet waar is, slepen we je de volgende ochtend wegens smaad voor de rechter.'

'Je gaat je gang maar. Mijn krant beschikt over een team van juristen die niets anders doen dan mij verdedigen. De burgemeester kon me de mond niet snoeren, en dat zal jullie ook niet lukken. De waarheid is een volmaakte verdediging.' Op neerbuigende toon voegt hij eraan toe: 'Ik probeer echt niet onredelijk te zijn. Ik wil er alleen zeker van zijn dat het systeem werkt, eerlijk en rechtvaardig. Jullie hebben een morele verplichting om hem te verdedigen.'

Niemand die zo goed uit eigenbelang een zaak van gerechtvaardigde verontwaardiging kan veinzen als Jerry Edwards.

'Wat kan het jou in vredesnaam schelen?' vraagt Rosie.

'Ik ben een bezorgde burger die wil dat het recht zegeviert.'

En bovendien een uit eigenbelang handelende klootzak die zijn columns wil verkopen. Hij heeft een beter verhaal als de twee advocaten die Walker de laatste keer hebben verdedigd zich opnieuw van die truc zouden bedienen. Maar hij heeft een fantastisch verhaal als wij op onze bek gaan.

Rosie slaat haar armen over elkaar. 'We laten het je wel weten,' zegt ze op vlakke toon.

Zijn zelfgenoegzame grijnslach wordt breder. 'Jullie nemen vast de juiste beslissing.' Met een dik vingertje wijst hij naar haar. 'Als jullie Walker een bekwame verdediging geven en jullie spelen het volgens de regels, dan heb je niets om je zorgen over te maken.' Hij knijpt zijn kraaloogjes toe. 'Maar als jullie de boel afschuiven of het niet eerlijk spelen, dan zal ik jullie op de voorpagina van de *Chronicle* aan de schandpaal nagelen.'

En als we deze zaak aannemen en we verliezen, dan is onze reputatie naar de maan en is het gedaan met ons kantoor.

Zonder verder nog een antwoord af te wachten kuiert hij weg door de gang. Het zou een vergissing zijn om hem te onderschatten, en vanavond zal er rook opstijgen uit zijn tekstverwerker.

In stilte nemen Rosie en ik de schade op. 'We hoeven dit niet te doen,' zeg ik ten slotte.

'O, jawel,' zegt ze, en de woede in haar stem is bijna tastbaar. 'We hebben geen keus.'

Gek genoeg lijkt Edwards te hebben bewerkstelligd wat mij niet lukte: hij heeft haar overgehaald de zaak op ons te nemen. De dubbele ironie is dat ik me nu moreel verplicht voel haar over te halen het juist níét te doen. Een zaak op je nemen als een persoonlijke vendetta of om een oude rekening te vereffenen, is bepaald geen briljant idee. Voorzichtig begin ik terug te krabbelen. 'Laat hem schrijven wat hij wil,' zeg ik. 'Over een paar dagen is de storm geluwd.'

Haar toon is bedachtzaam. 'Leon is niet de enige met een ernstige ziekte die zich zorgen maakt om een reputatie. Dat doe ik ook. Ik wil niet dat de juridische gemeenschap van San Francisco denkt dat we terugdeinzen voor een lastige zaak. En Grace leest de krant. Willen we soms dat ze denkt dat we een moeilijke zaak uit de weg gaan?' Ze zucht. 'Als we dit niet op ons nemen, krijgt Edwards het laatste woord. Dat zal ik niet laten gebeuren.'

'Dit gaat niet tussen ons en Jerry Edwards.'

'Nu wel.'

'Je overdrijft.'

'Reken maar.'

In mijn nieuwe rol als de stem van het gezonde verstand betreed ik onbekend terrein. 'Tien minuten geleden had je me overtuigd dat we dit niet zouden moeten doen.'

'De situatie is veranderd.'

'Hoezo? Omdat we iets persoonlijks hebben uit te vechten met Jerry Edwards? Dat is geen goede reden.'

'Vechten voor je cliënt en je reputatie is wél een goede reden,' reageert ze.

'Als we dit doen, zetten we ons kantoor op het spel.'

'Doen we het niet, dan zetten we onze reputatie op het spel.'

'Je zei me net nog dat we onze gevechten misschien wat zorgvuldiger zouden moeten uitkiezen.'

'Dat doen we ook, zodra we hiermee klaar zijn.'

'Rosie, we kunnen deze zaak niet winnen. We hebben geen tijd om een volwaardig verweer voor te bereiden.'

'Dan zullen we ons uiterste best moeten doen.'

'Het zal niet genoeg zijn. Edwards zal niet tevreden zijn, tenzij we de moordenaar vinden.'

'Dan moeten we dat maar doen.'

6
'JE ZULT ME OP MIJN WOORD MOETEN GELOVEN'

'We hebben de verdachte aan de plaats van het misdrijf weten te koppelen en het moordwapen gevonden.'
Hoofdinspecteur Marcus Banks, *Channel 7 News*,
vrijdag 3 juni, 15.15 uur

'Bedankt dat je bent gekomen,' fluistert Leon me toe. De waardering in zijn toon lijkt oprecht als hij eraan toevoegt: 'Ik was bang dat ik je niet meer zou zien.'

'Ik zei toch dat ik zou komen?' reageer ik.

Hij kijkt Rosie aan. 'Ik was bang dat ik jou al helemaal niet meer zou zien.'

'Tijden veranderen,' is haar reactie. 'Misschien dat we ditmaal een betere start hebben.'

'Wat mij betreft graag.'

'Wat mij betreft ook, ja.'

We zitten in een bedompt kamertje dat voorzien is van de obligate metalen tafel met een paar detonerende stoelen. Vergeleken met de rudimentaire vertrekken van het paleis van justitie is het een verbetering, maar de Glamour Slammer is niet bepaald het Fairmont Hotel. Leon heeft zijn verbalisering net achter de rug. Hij is doodop, maar verrassend kalm. Zijn haveloze windjack heeft plaatsgemaakt voor een frisgewassen oranje overall.

Om met het belangrijkste te beginnen vraag ik: 'Heb je nog iets tegen de politie gezegd?'

'Alleen mijn naam en adres.'

'Mooi. Verder nog met iemand gepraat?'

'Een of andere lul van een reporter drong zich langs de politie en vroeg me wie me juridisch zou bijstaan.'

Dat zou Jerry Edwards kunnen zijn geweest.

'Ik heb hem je naam gegeven. Ik hoop dat je het niet erg vindt.'

Rosie en ik kijken elkaar even zwijgend aan. 'Geeft niet, Leon.'

Hij lijkt opgelucht. Met licht bevende stem vertelt hij over de vernederende visitatie en de gore stank van het desinfecterende middel waarmee gevangenen worden bespoten. Voorlopig is de Spartaanse, een meter tachtig bij twee meter veertig metende cel bij de ziekenvleugel van de gevangenis zijn thuis.

Rosie legt een schrijfblok op tafel ten teken dat het nu tijd is voor het onaangename gedeelte. 'Leon,' begint ze op haar beste getuigenondervragingstoontje, 'we hebben een paar ernstige bedenkingen over de vraag of we je wel moeten verdedigen. De vorige keer was voor ons nu niet bepaald een feest.'

'Nou, voor mij ook niet,' is zijn reactie.

Niet helemaal de goede toon. De irritatie in Rosies stem is helder: 'Ik ben nu bijna twintig jaar advocaat en jouw zaak was de grootste nachtmerrie die ik ooit heb meegemaakt. Voordat we jouw zaak op ons nemen, willen we eerst een paar voorwaarden stellen...' Ze zwijgt even en vervolgt: 'Die wat ons betreft niet-onderhandelbaar zijn.'

Hij slikt nadrukkelijk en knikt.

'Om te beginnen,' gaat Rosie verder, 'willen we voor onze diensten worden betaald.'

Ze beseft terdege dat we grotendeels pro Deo zullen moeten werken, maar het is altijd goed om een cliënt tot een zinvolle financiële verplichting te dwingen.

'Ik heb wat geld,' antwoordt Leon.

'Mooi. We willen namelijk een voorschot.'

'Hoeveel?'

'Hoeveel heb je?'

'Ongeveer drieduizend dollar.'

Het verbaast me dat hij zo veel geld heeft weggestopt. Hoe dan ook, in normale situaties zou het een lachertje zijn. Zelfs al komen we niet verder dan een voorlopige hoorzitting, dan nog praten we over tienduizenden dollars aan honoraria. Leons spaarcenten zullen bepaald niet toereikend zijn, vergeet het maar.

Rosies blik blijft onveranderd als ze vraagt: 'Is dat inclusief die tweeduizend dollar die ze in je zak hebben aangetroffen?'

'Nee. Dat geld was niet van mij.'

'Van wie was het dan?'

'Dat weet ik niet. Iemand moet het daarin hebben gestopt toen ik bewusteloos was.'

'Je suggereert dat iemand je de schuld in de schoenen probeert te schuiven?'

'Ja.'

Als dat zo is, dan betekent het dat iemand tweeduizend dollar heeft laten liggen. In Sixth Street is dat een fortuin.

Ze tikt met haar pen op tafel. 'We hebben een voorschot van tweeduizend dollar nodig.'

'Goed.'

'Hoe komen we daaraan?'

'Bel mijn ex-vriendin.' Ze heet Vanessa Sanders, vertelt hij, en hij geeft ons haar telefoonnummer. 'Ze schrijft wel een cheque uit.'

'Mag je ex-vriendin op jouw naam cheques uitschrijven?' vraag ik.

'Ik vertrouw haar, Mike. Ze gebruikt het voor onze dochter.'

Dat Leons ex en tevens de moeder van zijn dochter de knip beheert, klinkt wat Rosie betreft positief. Zelf hebben we wat onze praktijk betreft een soortgelijke regeling.

Inmiddels hebben we Leons onverdeelde aandacht. 'Wat zijn de andere voorwaarden?' vraagt hij.

'Ten tweede,' vervolgt Rosie, 'als je ons ook maar een beetje voorliegt – zelfs maar een béétje – dan is mijn fraaie achterwerk dat door de deur verdwijnt het laatste wat jij je van me zult herinneren. Duidelijk?'

'Duidelijk.'

'Ten derde: jij gaat ons de hele, complete, onverbloemde, onversneden waarheid vertellen over wat er tien jaar geleden is gebeurd.'

'Dat heb ik gedaan.'

'Dat had je gedacht.'

'Dat had ik zeker gedacht.'

Rosie staat op en loopt naar de deur. Ik kan even niet zeggen of ze nu bluft, maar Leon trapt erin. Er verschijnt een wanhopige blik op zijn gezicht. 'Wacht!' smeekt hij haar.

'Waarom zou ik? Je begint alweer te liegen.'

'Nee, ik zal niet liegen.'

'Je begint nu al.'

Hij is even uit het veld geslagen door haar directheid, maar antwoordt: 'Nee, dat is niet zo.'

'Wat ga je doen als ik wegloop?' vraagt ze. 'De foute maats van je broer op me af sturen?'

Voor het eerst tijdens het gesprek slaat Leon zijn ogen neer. Hij denkt even na en antwoordt: 'Niemand wilde u iets aandoen.'

'Maar dat weet ik nooit zeker, of wel soms?'

'Ik kan u alleen maar mijn woord geven.'

'Jouw woord legt bij mij weinig gewicht in de schaal.'

'Ik zweer bij God dat ik niet tegen jullie heb gelogen.'

'Je kunt met God bekokstoven wat je wilt, maar als jij wilt dat ik jou verdedig, dan zul je met míj tot een deal moeten komen.'

In zijn stem klinkt wanhoop door. 'Wat wilt u van me?'

'Dat je precies vertelt wat er tien jaar geleden is gebeurd.'

Hij buigt iets voorover. 'Wat heeft dat met mijn zaak te maken?'

'Niets.'

'Waarom wilt u het dan weten?'

'Om persoonlijke redenen. Laten we zeggen dat ik een paar onafgedane kwesties wil afsluiten.'

Hij kijkt me smekend aan, maar ik zwijg. Hij moet het zelf maar met haar uitvogelen. 'Ik wil er niet over praten,' is zijn antwoord.

'Dan wil ik ook niet je advocaat zijn.'

Ik hoor de tl-balk zoemen terwijl ik de secondewijzer zijn ronde over de wijzerplaat van de degelijke klok zie maken. Eén keer, twee keer, drie keer.

Hij probeert het nog eens. 'Ik betaal dit keer. Dus waarom tegenprestaties?'

Rosie priemt een wijsvinger naar hem. 'Jij bent totaal niet in een positie om te onderhandelen. Jij weet net zo goed als ik dat een verdediging in de vijf nullen loopt, misschien wel meer. Zelfs al lukt het je om ons dat voorschot te betalen, dan nog zal het nauwelijks genoeg zijn voor een paar dagen.'

'Waarom bieden jullie dan aan me te verdedigen?'

'We zijn net weer opnieuw begonnen. Beschouw jezelf als ons visitekaartje.' Ze kijkt me even aan. 'En mijn partner heeft me ervan overtuigd dat jij recht hebt op rechtsbijstand en dat we dit dus moeten doen.' Ze kijkt hem weer aan en voegt eraan toe: 'Bovenal verberg jij iets waardevols voor mij: jij kunt mij vertellen wat er tien jaar geleden bij die avondwinkel is gebeurd.'

Over Jerry Edwards' tirade van zo-even zwijgt ze zorgvuldig.

De ernst van Rosies doel lijkt nu tot hem door te dringen. 'Als ik jullie dat vertel,' zegt hij, 'loop je meteen weg. Hoe kan ik er nu zeker van zijn dat ik toch op jullie kan rekenen?'

'Je zult me op mijn woord moeten geloven.'

Hij denkt even na. 'Dan heb ik zelf ook een voorwaarde.'

'Jij kunt ons geen voorwaarden opleggen,' zegt Rosie.

'Wel als jullie de waarheid willen horen.'

'Ik luister.'

'Ik zal vertellen wat er is gebeurd nadát de aanklacht is ingetrokken, of anders na mijn voorlopige hoorzitting, welke van de twee het eerst aan de orde is.'

'Hoe weet ik zeker dat je woord houdt?'

'Je zult me op mijn woord moeten geloven.'

Haar mondhoek krult iets op. Ze knikt begrijpend. 'Dat klinkt fair, maar ik neem niet het risico dat je tijdens je hoorzitting opeens van gedachten verandert.' Ze geeft hem een velletje. 'Je schrijft je hele verhaal nu voor me op, daarna doe je het in een envelop, die je dichtplakt. Ik zal hem in onze safe bewaren. Ik maak hem pas open als de aanklacht vervalt, of anders na de hoorzitting.'

'Hoe kan ik daar zeker van zijn?'

'Omdat ik dat zeg. Ja of nee?'

Eventjes tikt hij met de vingertoppen tegen elkaar en kijkt Rosie met een zwichtende blik aan. 'Afgesproken.'

Ze geeft hem haar pen. 'Begin maar te schrijven.'

'Nu?'

'Nu.'

Vijf minuten later is Leons verhandeling klaar en verdwijnt hij in een gesloten envelop in mijn borstzak. We zijn overeengekomen dat ik hem in onderpand houd.

Rosie richt het woord weer tot Leon. 'Vertel ons nu maar wat er afgelopen nacht precies is gebeurd. Niet overdrijven, niet verfraaien en niet de feiten in jouw voordeel verdraaien.'

De basiselementen van zijn verhaal passen in de chronologie van wat hij me eerder heeft verteld. Zijn handen zijn gevouwen en zijn toon blijft evenwichtig als hij vertelt dat hij de vorige avond tussen elf en twee zijn gebruikelijke klusjes deed, onder meer de vloer vegen en de lege dozen naar de laad- en losplek brengen. Zijn beloning bestond uit tien dollar, een sandwich, een zak chips en een fles Jack Daniel's. Hij wilde net naar huis toen hij Grayson zijn Mercedes in Minna Street zag parkeren. Even later betrad Grayson de winkel, kocht een pakje sigaretten en verdween weer.

'Hoelang was hij in de winkel?' vraagt Rosie.

'Eventjes maar.' Leon vertelt dat hij achter de toonbank stond toen Grayson binnenkwam. Hij had de man nog nooit eerder gezien.

'Zag je een goedgevulde geldclip?'

Zijn toon is nadrukkelijk. 'Nee.'

'Hoe gedroeg hij zich? Was hij gespannen?'

'Hij keek een paar keer door de deur naar buiten terwijl Amos wisselgeld pakte. Misschien zocht hij naar iemand. Misschien wilde hij gewoon op zijn auto letten.'

Zou kunnen.

'Hoor eens,' zegt hij. 'Zo veel rijke blanken zien we niet in onze winkel, tenzij ze verdwaald zijn of uit zijn op problemen. Hij leek me niet verdwaald, maar zou op problemen uit kunnen zijn geweest.'

'Wat voor?'

'In onze buurt zijn dat meestal twee dingen: drugs of hoeren.' Dat laatste woord spreekt hij uit alsof de 'r' er niet in voorkomt.

De traditionele ondeugden blijken nog altijd onveranderd. Ik vraag hem of hij de indruk had dat Grayson iets in deze sfeer van plan was.

'Geen idee. Buiten bleef hij even staan om een sigaret op te steken en te bellen via zijn mobieltje.'

Rosie kijkt geïnteresseerd op. We zullen Graysons belgegevens moeten dagvaarden. 'Enig idee met wie hij belde?' vraag ik. Het is een schot in het duister.

'Nee. De deur was dicht en hij stond met zijn rug naar me toe.' Leon doet alsof hij een gsm in zijn linkerhand heeft en gebaart wat met zijn rechterwijsvinger. 'Grayson prikte de hele tijd met die vinger voor zich uit terwijl hij praatte,' legt hij uit. 'Ik geloof dat ik hem hoorde zeggen: "Ik krijg jou nog wel"'.

'Weet je dat zeker?'

'Redelijk zeker.'

Dus niet zeker genoeg. 'Hoelang duurde dat gesprek?'

'Nog geen minuut. Daarna draaide hij zich om en liep het steegje in. Ik bleef nog even hangen om wat met Amos te kletsen. Daarna ging ik weg.'

'Hoe laat was dat?'

'Tegen tien over twee.' Verder heeft hij niemand op straat gezien, vertelt hij.

Ik maak een schetsje van de drankwinkel, de steeg en de laad- en losplek. Hij wijst de plek aan waar Graysons Mercedes geparkeerd stond. 'Stond die daar nog toen jij naar buiten ging?' vraag ik.

'Ja. Tot mijn verrassing.' De lampen waren gedoofd, zegt hij.

'Zat er iemand in?'

'Ik geloof van niet.'

'Je liep dus de steeg in?'

'Ja.' Hij herhaalt dat hij bij de laad- en losplek stemmen hoorde. 'Dat is het laatste wat ik me herinner, totdat de politie me wakker maakte.'

'Zal Amos Franklin jouw verhaal kunnen staven?' vraagt Rosie.

'Ik denk het wel.'

Ik hoop het. 'Is er een kans dat we verder nog een getuige zullen vinden?'

Gelaten haalt hij zijn schouders op. ''s Avonds zijn er flink wat mensen op straat, maar de meeste gaan op in het straatbeeld. Het zal niet meevallen iemand te vinden die wil praten.'

'Bij wie moeten we beginnen?'

'Bij Amos.'

'Heb ik hem te hard aangepakt?' wil Rosie weten.

'Nee,' zeg ik. 'Het is beter om de lucht te klaren.'

Leon is een paar minuten geleden teruggebracht naar zijn cel en wij praten nog wat na in het vergaderkamertje, diep verborgen in de Glamour Slammer. 'Zou je echt zijn weggelopen als Leon je had geweigerd te vertellen wat er in de avondwinkel is gebeurd?'

'Ja,' antwoordt ze met een knipoog. 'Maar ik zou zijn teruggekomen. Ik blufte.'

'Hij trapte er anders mooi in.'

'Ik ben goed.'

Jazeker, dat ben je.

Ze leunt achterover en vouwt haar handen achter haar hoofd. 'Wat vond je van zijn verhaal?' vraagt ze.

Ik antwoord ontwijkend. 'Ik wil eerst meer feiten voordat ik tot een oordeel kom.'

'Echt een advocatenantwoord.'

'Daarom betaalt hij ons ook zoveel.'

Het ontlokt haar een vermoeide glimlach. Ze probeert het nog eens. 'Je hebt mijn vraag niet beantwoord. Denk je dat hij de waarheid sprak?'

'Is mijn mening van belang?'

'Ja.'

'Dan denk ik dát hij de waarheid sprak.'

'Waarom?'

'Hij kende Grayson niet, en had geen reden hem te vermoorden. Hij heeft al bekend dat dat geld niet van hem was.'

'Je verwachtte niet echt dat hij zou bekennen dat hij Grayson had beroofd, hè? Misschien probeerde hij gewoon met een beter alibi op de proppen te komen.'

'Dat denk ik niet. Ik heb hem twee keer zijn verhaal laten vertellen en er waren geen discrepanties. Volgens mij is de kans groot dat hij de waarheid spreekt.'

Haar reactie verrast me. 'Ik begin het gevoel te krijgen dat je misschien gelijk hebt,' zegt ze.

'Hoezo?'

'Hij weet dat hij het niet lang zal maken en hij gaf toe dat het geld niet van hem was. Hij heeft geen motief.'

Nog niet, althans. Er valt een korte stilte. 'Wil je het lezen?' vraag ik.

'Wat?'

'Leons verklaring over wat er tien jaar geleden is gebeurd.'

'Nee,' antwoordt ze. 'Ik heb hem mijn woord gegeven.'

Gelukkig telt onze cynische wereld nog een paar niches waar de integriteit zegeviert.

Ze trekt een wenkbrauw op. 'En jij?'

'Nee,' verzeker ik haar, en ik tik even tegen mijn borstzak. 'Ik heb hem ook mijn woord gegeven.'

Er valt me een glimlach ten deel. Even later passeren we de intakebalie als ik de stem van Marcus Banks opvang, die ons roept. 'Betekent het feit dat jullie hier nog steeds zijn dat jullie hebben besloten hem te verdedigen?' vraagt hij.

Ik draai me om en knik.

'Strafpleiters...' mompelt hij, en het sarcasme druipt ervan af. Hij kijkt Rosie aan. 'Het is je niet gelukt je partner op andere gedachten te brengen?'

'Helaas, niet Marcus.'

'Mag ik weten waarom jullie, in het licht van het verleden, toch hebben besloten tegen deze windmolen te vechten?'

Haar antwoord komt meteen: 'Hij heeft een advocaat nodig, Marcus. Ons dus.'

'Jullie doen maar. Nicole wil jullie graag even spreken.'

Nicole Ward is onze mediagenieke officier van justitie. Het is ongebruikelijk dat ze een paar strafpleiters ontbiedt voor een kletspraatje, maar de zaak is een aandachtstrekker en Ward hanteert steevast een eigen agenda. 'Over een paar minuutjes,' beloof ik.

'Nou, als het kan eigenlijk nu meteen,' zegt Banks. 'Om vijf uur heeft ze een persconferentie, maar ze wil eerst met jullie spreken, als jullie tijd hebben.'

Een cynicus als ik zou kunnen opperen dat ze de kans wil grijpen om de opener van het avondjournaal te worden. Het is immers verkiezingstijd.

'We hebben tijd,' zeg ik.

7
EEN APPELTJE TE SCHILLEN

'In mijn vierendertig jaar bij de politie van San Francisco spijt het me alleen dat het ons niet is gelukt Leon en Frank Walker hun gerechte straf te laten ondergaan.'
Hoofdinspecteur Marcus Banks, profiel in de *San Francisco Chronicle*

De hoogste functionaris voor de ordehandhaving van San Francisco en omstreken toont ons haar stralende glimlach die zal prijken op de campagneposters wanneer dit najaar de strijd voor het burgemeesterschap zal losbarsten. 'Wat een aangename verrassing u en mevrouw Fernandez weer te zien,' zegt Nicole Ward schijnheilig. 'We dachten juist dat jullie in Berkeley jonge studenten aan het klaarstomen waren.'

Voor een minzaam iemand als zij geldt het als een unieke gave om hoffelijk over te komen, maar Ward heeft heel wat kunnen oefenen. De verpletterende achtendertigjarige schoonheid stamt uit een prominent Democratengeslacht en was voorbestemd de politiek in te gaan. Haar oom was lid van de gemeenteraad en haar grootvader was rechter. De muren van haar kantoor hangen vol met obligate foto's waarop Ward handen schudt met politici en bekende Amerikanen. Tot voor kort was ze een van de meest begeerde huwelijkskandidaten van Noord-Californië en haar naam prijkte regelmatig op de droomlijst van alle hetero's die in dit gebouw werkzaam zijn. Tot grote irritatie van mijn seksegenoten die zich door hun testosteron in plaats van hun gezond verstand laten leiden, kondigde ze onlangs haar verloving aan met een knappe jongeman die toevallig de neef blijkt te zijn van de oudste senator van de staat Californië. Het aanstaande huwelijk is de droom van iedere politiek adviseur.

'Sinds kort zijn we met ons kantoor terug in San Francisco,' vertel ik haar.

'Wat leuk nou dat we misschien weer kunnen samenwerken.'

Nou.

In het plechtstatige kantoor van de officier van justitie op de tweede verdieping van het paleis van justitie hebben Rosie en ik plaatsgenomen in de comfortabele fauteuils. Het elegante meubilair en de donkere houten lambriseringen zijn de laatste overblijfselen van Wards voorganger, Prentice Marshall Gates III, een megalomaan die een paar jaar geleden afscheid nam na een merkwaardige affaire waarbij hij ervan werd beschuldigd een jonge prostituee in het Fairmont Hotel te hebben vermoord. Moe van het schandaal kozen de inwoners van San Francisco in de speciaal ingelaste verkiezing massaal voor de fotogenieke en brandschone Ward. Ze beschikt over alle noodzakelijke ingrediënten: filmsterlooks, charisma en een glansrijk cv. Bovendien is ze een taaie aanklaagster met een uitstekend instinct, zowel juridisch als – belangrijker nog – politiek. Haar juridische talent wordt echter overschaduwd door de hoofdzakelijk bestuurlijke functie van officier van justitie. Bij een recente poll van de *Chronicle* kwam ze uit de bus als de populairste politica van Noord-Californië. Ze is bovendien een van de meest ambitieuze en ze maakt er geen geheim van dat ze haar functie als officier van justitie beschouwt als een opstap naar grootsere en interessantere zaken. Ze verspilde geen moment en richtte haar vizier al meteen op de race voor het burgemeesterschap.

Ze strijkt langs haar kastanjebruine lokken, die tot op haar schouders reiken. Haar grote bruine ogen sperren zich open en de plastic glimlach van de politica verandert in een ontwapenende grijns. Ze knikt even naar Banks, die bij de deur staat, en zegt tegen me: 'Ik heb gehoord dat je al met hoofdinspecteur Banks hebt gesproken.'

'Heel even.' Ik kijk naar Banks en de onberispelijk geklede meneer van Afro-Amerikaanse afkomst naast hem. Roosevelt Johnson is een gepensioneerde inspecteur Moordzaken en een legende binnen het politieapparaat van San Francisco. Tot zijn pensionering twee jaar geleden vormden Banks en hij dertig jaar lang een duo. Samen met mijn vader vormde Johnson het eerste blank-zwarte team dat veertig jaar geleden op Sixth Street surveilleerde. Mijn respectvolle toon is gemeend als ik hem begroet: 'Leuk u te zien, inspecteur.' Hij is een fatsoenlijke vent, en familie.

Hij knikt beleefd. 'Insgelijks, meneer Daley,' klinkt zijn zangerige bariton.

Ward neemt geen risico. Johnsons integriteit staat buiten kijf en zijn arbeidsethos is legendarisch. Onlangs werd hij binnengehaald bij de nieuwe, door de burgemeester aangestelde taakeenheid om Sixth Street schoon te vegen. Het feit dat Banks en hij bij de eerste Walker-zaak hebben samengewerkt, is meer dan toeval.

Ik kijk Johnson even respectvol aan. 'We verheugen ons op de samenwerking.'

'Wij ook,' voegt de immer gehaaide Ward eraan toe. 'Ik wil dat hoofdinspecteur Banks en u meneer Daley en mevrouw Fernandez zo snel mogelijk alle relevante informatie geven.'

Johnsons stoïcijnse blik verandert geen moment. 'Vanzelfsprekend.'

Het klinkt aardig, maar het is een lege dop. Het is hun plicht met alle informatie te komen die Leon wellicht kan vrijpleiten. Uit praktisch oogpunt moeten ze alles toch al aan ons doorgeven.

Ward gebaart naar haar bank, waar een gezet heerschap van ergens in de vijftig, met de armen over elkaar, al heeft plaatsgenomen. 'Jullie hebben vast al eens met Bill McNulty gewerkt,' zegt Ward.

Ik kijk even in zijn richting. Nu is het mijn beurt om te doen alsof. 'Leuk u te zien.'

Hij reageert met een knikje. Al dertig jaar lang zet hij boeven achter slot en grendel. De carrièreaanklager is een man van weinig woorden en zijn strijdlustige karakter heeft de media geïnspireerd tot de bijnaam 'McNasty'. De gepijnigde blik op het gezicht van de zuurpruim wekt de indruk dat hij last heeft van zijn maag, maar in werkelijkheid is het de joviaalste blik waartoe hij in staat is. Toen hij een paar jaar geleden de verbeten strijd met Wards voorganger verloor, werd hij zelfs nog chagrijniger, hoewel dat lastig in te schatten viel. Na zijn tweede hartaanval nam hij afscheid, maar het golfen begon hem te vervelen. Ward heeft een topteam samengesteld waarin zo'n honderd jaar ervaring is verenigd.

'Bent u het al eens over de aanklacht?' vraagt Ward aan McNulty.

'Moord met voorbedachten rade. We denken nog na over bijzondere omstandigheden.'

Het Californische juridische eufemisme voor de doodstraf. Rosie fronst haar wenkbrauwen. 'Meent u dat?'

'Ja.'

Ik richt me tot Banks. 'Hebt u meneer McNulty verteld dat meneer Walker ziek is?'

'Ja.'

Subtiliteit heeft geen zin. 'U hebt hem uitgelegd dat hij stervende is?'

Ward wisselt een blik met McNulty. 'We zijn ons ervan bewust dat uw cliënt ziek is,' zegt ze, 'en we zullen voor medische bijstand zorgen. We beseffen dat deze zaak in het licht van zijn ziekte enigszins anders zou kunnen verlopen dan normaal.'

'Als hij sterft, dan valt er weinig meer te verlopen,' zeg ik.

Een wegwuivend handgebaar. 'Als wetsdienaren is het onze taak moordenaars te vervolgen,' reageert ze op theatrale toon. 'Zelfs al zijn ze ziek.'

Bovendien probeert ze er politieke munt uit te slaan. Haar opponent in de strijd om het burgemeesterschap heeft haar beschuldigd van een te softe aanpak. Hij ging zelfs zover haar in campagnes af te schilderen als een maatschappelijk werkster, in plaats van een aanklaagster. Met de publiciteit rond deze zaak zal ze de waardering van de haviken oogsten.

Ik kijk om me heen en een reeks déjà vu's trekt aan mijn geestesoog voorbij. Banks en Johnson waren tien jaar geleden de inspecteurs in de zaak-Leon en Frankie Walker. McNulty was de hoofdaanklager, Ward zijn assistent. Sommigen menen dat de eerste zaak-Walker McNulty de das omdeed en dat hij zijn langgekoesterde droom van een plek achter het bureau die nu door zijn ex-protégé wordt bezet wel kon vergeten. Met de vervolging van Leon Walker zou Ward de twijfels omtrent haar daadkracht kunnen wegnemen en zich zelfs naar het nog mooiere interieur van kamer 200 van het stadhuis kunnen katapulteren.

'Wat zit hierachter?' vraag ik aan Ward.

Ze knippert met haar lange wimpers. 'Ik begrijp even niet wat je bedoelt.'

De vermoeiende formaliteit haar met haar achternaam aan te spreken laat ik varen. 'Kom op, Nicole. De vorige keer dat Leon werd gearresteerd, waren we allemaal in deze kamer bijeen.'

Ze veinst verontwaardiging. 'Ons verleden staat volkomen los van deze zaak. Elke zaak wordt telkens weer opnieuw door ons gewogen.'

McNasty valt haar bij: 'We klagen hem aan voor moord, omdat wij denken dat jouw cliënt zich daar schuldig aan heeft gemaakt. Iedereen in deze kamer heeft nog een appeltje met hem te schillen.' Hij wijst met zijn lange wijsvinger naar Rosie en mij. 'Jullie twee inbegrepen. Als ik het me goed herinner, waren jullie het lijdend voorwerp van een onderzoek na de uitspraak in die eerste zaak.'

'Die werd geseponeerd,' vertel ik hem.

'Dat herinner ik me, ja. Maar voordat je met stenen gaat gooien, wil ik je er wel even op wijzen dat wij niet de enigen zijn die er zo over denken. We mogen het verleden niet negeren, maar we moeten wel ons werk doen. Ik ben van mening dat jouw cliënt tien jaar geleden wel degelijk schuldig was, maar dat is niet de reden waarom we hem nu aanklagen. De bewijsstukken tonen onweerlegbaar aan dat hij Tower Grayson heeft vermoord. Zijn ziekte gaat ook mij aan het hart, maar ik word betaald om criminelen te vervolgen. Het zou geweldig zijn als we het verleden achter ons konden laten en we ons professioneel konden opstellen.'

Hij is welbespraakt, maar zijn woorden zijn weinig overtuigend. 'Dat hoop ik ook,' reageer ik. Ik kijk Ward aan en vraag: 'Nu we onze vuile was buiten hebben gehangen, wil ik graag weten waarom je ons hebt ontboden.'

De innemende glimlach verschijnt opnieuw. 'Ik hoopte eigenlijk dat we een manier konden vinden om de laatste paar weken van jouw cliënt wat draaglijker te maken.'

Insgelijks. 'Laat de aanklacht varen,' opper ik. 'Dat zou zijn laatste weken een stuk draaglijker maken.'

Het minzame toontje keert terug: 'Dat is niet bepaald wat ik in gedachten had.'

'Prima. Wat had je dan wel in gedachten?'

'Laat hem doodslag bekennen; dan regelen wij dat hij zijn laatste weken kan doorbrengen in een verpleeghuis voor terminale patiënten, waar hij wat meer comfort heeft.'

McNulty kijkt me streng aan. 'Een goeie deal, Mike.'

Misschien wel, in een bepaald opzicht.

Wards glimlach wordt nog breder. 'Meer kunnen we echt niet doen,' zegt ze. 'We zijn niet uit op bloed. We willen alleen maar dat de gerechtigheid gediend wordt.'

Natuurlijk heeft ze er geen moment bij stilgestaan dat een snelle bekentenis haar politiek gezien prima uitkomt en haar in staat stelt een paar oude rekeningen te vereffenen. 'Nee,' besluit ik.

'Denk erover na.'

'Heb ik al gedaan. Onze cliënt heeft ons opgedragen niet akkoord te gaan met een strafvermindering in ruil voor een gedeeltelijke schuldbekentenis. Hij is onschuldig en wil een kans om zichzelf te verdedigen.'

Ward speelt moedeloosheid. 'Je hebt de juridische plicht het aan je cliënt voor te leggen.'

'Dat zullen we ook doen, maar we zullen het niet aanraden.'

'Waarom niet?'

'Waarom zou hij moeten bekennen om jou het leven makkelijker te maken?'

'Omdat dat de enige mogelijkheid is om het ook voor zichzelf makkelijker te maken.'

'Geen deal.'

Ze laat haar verzoenende houding varen en verkilt. 'Ik wil dit even duidelijk stellen,' begint ze.

Mijn god, ze lijkt Richard Nixon wel.

Ze priemt met een poezelig wijsvingertje. 'Dit is je laatste kans om de juiste beslissing te nemen en ervoor te zorgen dat jouw cliënt de laatste paar weken nog een béétje waardig doorkomt.'

Ik vuur terug: 'Dit is jóúw laatste kans om een verkeerd besluit te nemen door een onschuldig, ten dode opgeschreven iemand tot een snelle bekentenis te dwingen. Je voorstel is verworpen.'

'Wees redelijk, Mike.'

Ik voel woede opwellen. 'Jij klaagt een man die nog maar een paar weken te leven heeft aan wegens moord, en je verwacht dat ík redelijk ben?'

Haar ogen worden kleine spleetjes. 'Jij je zin,' is haar antwoord. 'Maar verwacht van ons geen handreikingen meer. Maandagochtend om negen uur is de voorgeleiding voor rechter McDaniel.'

Ze zal verrukt zijn ons weer te zien. Misschien dat we Terrence de Terminator meenemen voor wat morele steun. 'We zullen er zijn,' beloof ik. 'Zijn jullie nog bereid bewijsstukken aan ons te laten zien?'

'Ja, maar eerst heb ik nog iets anders te doen.'

Ze moet zich gereedmaken voor haar persconferentie, en nu kan ze de pers niet meer meedelen dat ze een bekentenis van Leon op zak heeft.

'We kunnen het ook met hoofdinspecteur Banks en Johnson bespreken, hoor,' opper ik.

Ze kijkt de twee aan. 'Misschien dat u meneer Daley en mevrouw Fernandez op Moordzaken kunt vertellen wat u tot dusver aan bewijsstukken hebt.' Ze werpt me een sarcastische glimlach toe. 'Misschien dat de aard van de bewijslast hen kan overhalen mijn alleszins redelijke aanbod nog eens te overwegen.'

Ik kijk haar aan en zeg: 'Bedankt voor je medewerking.'

8
'JE BEGINT BIJ HET SLACHTOFFER'

Tower Grayson is een vooraanstaand lid van de financieringsgemeenschap van Silicon Valley.
Tower Grayson, profiel in de *San Francisco Chronicle*

Marcus Banks kijkt me enigszins argwanend aan. 'We kunnen je niet al te veel vertellen.'

Het spel begint. 'Je bedoelt: je wílt me niet al te veel vertellen,' werp ik tegen.

'Wees nou redelijk, Mike. We zijn nog maar net met ons onderzoek begonnen.'

Zijn schijnbewegingen verrassen me niet. Hij zal zich niet in de kaart laten kijken, tenzij het niet anders kan. 'Dat heeft je er anders niet van weerhouden mijn cliënt te arresteren,' zeg ik. 'Hij is ongeneeslijk ziek. Ik hoop dat je je realiseert dat tijd van het allergrootste belang is.'

Roosevelt Johnson komt tussenbeide. 'Mag het wat minder? We zullen elkaar veel zien en ik wil de dialoog graag op een wat hoger niveau laten beginnen.'

Mijn vaders ex-collega kan een zaal tot stilte manen zonder zijn stem ook maar een decibel te verheffen.

Het is halfvijf. Nicole Ward werkt aan de soundbites voor haar persconferentie en Bill McNulty heeft zijn werkkamer weer opgezocht om zich voor te bereiden op de heldhaftige strijd waarvan de voorgeleiding op maandag het startsein zal vormen. Rosie en ik zitten in een verhoorkamer op de derde verdieping van het paleis van justitie, naast de afdeling Moordzaken. Banks draagt zijn colbertje en heeft zijn hand om een papieren bekertje half gevuld met water geslagen. Johnson heeft zijn das wat losgetrokken en drinkt koffie.

De twee titanen wisselen zwijgend een blik en de robuust gebouwde Roosevelt neemt het voortouw. Hij nadert de zeventig, maar de enige tekenen die daarop wijzen zijn de bifocale brillenglazen en zijn gedistingeerde zilvergrijze haar. 'Waar wil je beginnen?' is zijn vraag.

'Mijn vader zei altijd: je begint bij het slachtoffer.' Mijn vader is bijna tien jaar geleden overleden, kort nadat Grace één werd. Eigenlijk had hij een broertje dood aan strafpleiters, hoewel hij mij met tegenzin iets meer krediet gunde dan de meesten van mijn vakgenoten.

Roosevelt reageert met de beheerste grijns die ik tijdens mijn jeugd al zo vaak in onze huiskamer heb mogen aanschouwen. 'Je hebt het misschien niet altijd even leuk gevonden dat je vader een prima politieman was, maar het is fijn om te zien dat je toch nog iets van hem hebt geleerd.' Hij geeft me een knipoog en voegt eraan toe: 'Ook al heb je voor de duistere kant gekozen.'

Roosevelt ten voeten uit. Zijn plaagstootjes zijn altijd raak maar geciviliseerd, en de toon van het gesprek zal door hem worden bepaald. 'Wat kun je ons over Grayson vertellen?' vraag ik.

Hij kijkt Banks aan. 'Wat kúnnen we hem vertellen?'

Als ik mijn geld op een andere manier kon verdienen en onze cliënt niet van moord werd beschuldigd, zou het amusant zijn geweest deze twee virtuozen zo bezig te zien.

Banks drinkt zijn bekertje water leeg en somt de belangrijkste punten op. 'Achtenveertig jaar, woont in Atherton, opgegroeid in San Jose. Vader was advocaat, moeder huisvrouw. Studeerde aan San Jose State en behaalde zijn MBA aan de universiteit van Santa Clara. Trouwde met zijn liefje van de middelbare school, heeft twee volwassen kinderen.'

Grayson verschilde dus niet veel van de miljoenen, hardwerkende Amerikanen die een huis in een buitenwijk hebben en elk weekend hun kinderen aanmoedigen bij het voetbal.

'Dat had hij ook in de krant kunnen lezen,' luidt Roosevelts subtiele kritiek aan het adres van zijn ex-collega. 'Wat weten we nog meer?'

Voor de leek lijken de twee redelijk welwillend, maar dat is allemaal spel. Ze zullen ons precies vertellen wat ze willen dat we weten, en niets meer.

'Weinig,' is Banks' antwoord. 'Zijn vrouw is op de hoogte gebracht, maar ik heb nog niet met haar gesproken. We zouden het waarderen als je ons de kans gunt eerst met haar te praten voordat jij dat doet.'

'Oké, duidelijk.' Ik beloof alleen via hen contact met haar te zoeken. In ruil daarvoor regelen zij een tijdstip waarop ik met Graysons vrouw kan praten. 'Nog rare dingen?' vraag ik.

'Zoals?'

'Het bekende werk: arrestaties, drugs, alcohol, vrouwen.'

'Niets.' Banks vertelt dat Grayson een honkbalteam uit de Little League coachte en hopman bij de padvinders was. Geen strafblad. Een paar jaar werkte hij voor een erkend accountantsbedrijf, daarna werd hij hoofdaccountant bij een softwarebedrijf. Vervolgens belandde hij bij een beginnend internetbedrijf dat even een hoogvlieger werd, maar samen met het hele dotcom-circus ten onder ging. Maar Grayson had het inzicht – of de mazzel – dat hij zijn opties op het juiste moment in stelling had gebracht. Na zijn fiches te hebben verzilverd was hij een paar miljoen dollar waard. 'Een paar jaar geleden zette hij samen met een partner in Menlo Park de participatiemaatschappij Paradigm Partners op.'

Gevestigd in de 'investeringsvallei' van Silicon Valley. 'Waardoor vond hij zichzelf goed genoeg om investeerder te worden?'

'Hij was rijk.' Banks vertelt me dat hij niet weet hoeveel geld er werd binnengehaald en of het fonds wel rendeerde. Risicofondsen worden niet openlijk verhandeld en hebben een minimale verplichting openheid van zaken te geven.

Rosie besluit haar aanwezigheid kenbaar te maken. 'Wil je beweren dat zijn zakelijke belangen iets met zijn dood te maken kunnen hebben?'

'Ik beweer helemaal niets. Ik vertel je alleen maar wat we van Grayson weten.'

Hij geeft ons alleen informatie die niets van doen heeft met de gebeurtenissen van afgelopen nacht. Dit gesprek schiet voor geen meter op en ik besluit van koers te veranderen. 'Kunnen jullie Graysons gangen van gisteravond al reconstrueren?'

Banks vertelt dat Grayson en zijn zakenpartner een afspraak hadden met hun jurist. 'Zijn partner heet Lawrence Chamberlain.'

Rosie glimlacht even. Onze wereld wordt bevolkt door Daleys, Fernandezen en O'Malleys. Geen Chamberlains.

'Wat kun je ons over hem vertellen?' vraag ik.

De minachting in zijn stem is duidelijk hoorbaar terwijl hij de lijst af gaat: 'Achter in de dertig, rijke familie, lid van de Pacific Union Club, de Bohemian Club en de Olympic Club.'

'Hoe kon zulk blauw bloed met Grayson aanpappen?'

'Chamberlain had geld en Grayson had connecties. Voor types als Chamberlain is rijk zijn alleen niet genoeg. Ze willen het onderwerp van gesprek zijn op de club.'

Soms denk ik wel eens dat ik erbij gebaat zou zijn als ik wat meer inzicht had in het psychologische raderwerk van degenen die op de mooiste plekken wonen. Maar afgezien van misschien een gelukstreffer in de lotto lijkt de kans daarop tamelijk klein.

'Chamberlain beschouwde Grayson als een opstapje naar Silicon Valley,' voegt Banks eraan toe.

Alleen, zijn 'opstapje' eindigde in een vuilcontainer in Sixth Street. Ik vraag of hij al met Chamberlain heeft gepraat.

'Heel even, telefonisch. Als we klaar zijn met jou gaan we bij hem langs.'

'Waar ging die bespreking over?'

'Een deal. Hij zei dat de details vertrouwelijk waren.'

Eens kijken of dat zo blijft als we hem een dagvaarding sturen. Ik graaf nog wat verder, maar meer kan of wil hij me niet vertellen. Chamberlain bespeurde niets vreemds in Graysons gedrag gisteravond, aldus Banks. Ik vraag hem waar de jurist werkt.

'Bij Story, Short & Thompson, Embarcadero Center nummer 4.'

Een patserig kantoor op een toplocatie met uitzicht op het gebouw van de veerdienst en de Bay Bridge. 'Hoe heet die jurist?'

'Bradley Lucas.'

Nee!

Banks ziet mijn reactie. 'Ken je hem?'

Hou op, schei uit. 'We waren partners bij Simpson & Gates.'

S&G is het inmiddels ter ziele gegane advocatenkantoor op de bovenste verdieping van het Bank of America-gebouw waar ik na mijn pro-Deotijd heb gewerkt toen Rosie en ik uit elkaar gingen. Brad Lucas was een van de jonge honden die onze directie ervan wisten te overtuigen het contingent 'minder renderende' partners op te schonen, een eufemisme voor het snoeien van dood hout dat te weinig opleverde. Ik prijkte boven aan zijn lijst en ik weet tamelijk zeker dat hij me hartgrondig haat. Dat dit geheel wederzijds is, staat voor mij echter volkomen vast.

Ik vraag of hij al met Lucas heeft gesproken.

'Heel even. Hij was beleefd, maar niet bepaald welwillend.'

Typisch Brad.

Banks vertelt dat Lucas geen informatie verstrekte over de bespreking. 'Die was vertrouwelijk, zei hij.'

Brad ten voeten uit. En juridisch gezien helemaal volgens het boekje. 'Hoe laat was die bespreking afgelopen?'

'Tegen tienen.'

Hoewel de meeste kantoorpikken tegen die tijd allang thuiszitten, is dan voor de jongens van de grote advocatenkantoren de dag nog maar halverwege. Het is een van de redenen waarom ik bij S&G nooit een krachtpatser ben geweest.

'Daarna hebben ze wat gegeten in het Boulevard.'

Klinkt normaal voor een goudhaantje van een advocatenkantoor, een Silicon Valley-*wannabe* en een jonge aristocraat. De betere bistro in het historische Audiffred Building, op de hoek van Steuart en Mission, is een van de beste restaurants van de stad. Ik vraag of er nog anderen bij waren.

'Nee. Volgens de maître d' vertrokken ze even na enen.'

Reken maar dat de bedienden en het keukenpersoneel met vreugde in het verder verlaten restaurant de tijd doodden terwijl Grayson, Chamberlain en Lucas hun sigaren paften en van de port nipten.

'De jongen van de parkeerservice zei dat Grayson in zijn Mercedes stapte en samen met Chamberlain wegreed. We vermoeden dat Grayson hem een lift naar zijn appartement op Russian Hill heeft gegeven. Lucas is natuurlijk teruggelopen naar het Embarcadero Center om zijn auto op te pikken.' Banks voegt eraan toe dat Lucas een van de nieuwe trendy ateliers bij PacBell Park bewoont, ongeveer anderhalve kilometer van het restaurant.

We moeten dit bevestigd zien te krijgen. Zij zijn de laatsten geweest die Grayson levend hebben gezien, tenzij we in Sixth Street nog een getuige vinden.

Banks begint ongeduldig te worden, dus ik probeer er wat vaart in te brengen. 'Ik heb begrepen dat de verkoper in de drankzaak vertelde dat Grayson tegen tweeën binnenliep.'

'Klopt. Hij parkeerde zijn auto in de steeg en kwam binnen voor een pakje sigaretten. Walker verliet de winkel een paar minuten na Grayson.'

'Hoelang heeft Graysons auto in die steeg gestaan?'

'Dat weet hij niet.' Banks vertelt dat de auto nog steeds niet is gevonden en belooft me de gegevens van Graysons gsm-gesprekken toe te sturen. We moeten met de verkoper gaan praten.

'Nog iets van Rod Beckert gehoord?' vraag ik.

Banks antwoordt dat de hoofdpatholoog heeft bevestigd dat Grayson tussen twee en vijf uur 's ochtends is overleden als gevolg van diverse steekwonden in de rug. Het gebeurde bij de laad- en losplek, waarna hij naar de vuilcontainer is gestrompeld. Daar is hij gevallen, of iemand heeft hem erin geduwd, waarna hij overleed. 'De vingerafdrukken van je cliënt zijn op het mes en de geldclip aangetroffen,' bromt Banks.

De strop wordt strakker.

Even later staan Rosie en ik buiten voor de afdeling Moordzaken, waar men zich gereedmaakt voor de 'vrijdagavondspits'. 'We zouden even bij die drankzaak langs kunnen gaan voor een praatje met Amos Franklin,' stel ik voor.

'Dan bel ik eerst Jack en Melanie even,' zegt ze. Rosies buren hebben een zoon van dezelfde leeftijd als Grace en we doen vaker een beroep op hen dan eigenlijk zou moeten. Ze gaat weg om te bellen.

Ik sta nog steeds in de gang. De deur gaat open en Roosevelt komt mijn kant op lopen. Op het moment dat hij me wil passeren, zegt hij: 'Marcus en ik gaan over een paar minuten bij Chamberlain langs. Kom, loop even met me mee.'

Als Roosevelt Johnson je uitnodigt voor een wandelingetje, dan kun je voor je eigen bestwil maar beter gehoorzamen. Ik volg hem naar het verlaten trappenhuis. Op de eerste overloop blijft hij plotseling staan. 'Ik wilde je vanavond bellen.'

'Waar gaat het over, Roosevelt?'

'Ik ben nog niet in de gelegenheid geweest te vragen hoe het op het thuisfront is. Hoe gaat het met Grace?'

Hij is heus niet blijven staan om naar mijn dochter te informeren. 'Goed,' antwoord ik.

'En met Pete?'

Mijn jongere broer is een ex-smeris, die nu als privé-detective werkt. 'Ook goed.'

'Mooi.' Zijn toon blijft dezelfde. 'Nicole wil je cliënt hoe dan ook achter slot en grendel hebben. Ze heeft mij erbij gehaald om ervoor te zorgen dat alles volgens het boekje gaat.' Hij aarzelt even. 'Marcus laat zich soms wat meeslepen.'

'Weet ik.'

Zijn blik wordt somber. 'Hij kan geen kant meer op, Mike.'

Meestal is hij eerlijk tegen me, ook al speelt hij al bijna een halve eeuw spelletjes met anderen. In zekere zin zou ik me vereerd moeten voelen dat hij de tijd neemt dat laatste ook met mij te doen. 'Dat weet ik zo net nog niet,' zeg ik.

'We hebben het moordwapen. We wachten alleen nog op het bloedonderzoek.'

'Het is te makkelijk allemaal,' is mijn oordeel. 'Ik denk dat iemand Grayson heeft vermoord, daarna Leon bewusteloos heeft geslagen, het bebloede mes en wat cash in zijn jaszak heeft gepropt en hem netjes naast het lijk heeft gelegd.'

'Wie?' luidt Roosevelts vraag. 'En waarom?'

Ik heb geen idee. 'Dat moeten we dus uitzoeken.' Ik opper nog een andere mogelijkheid: 'Misschien is de moordenaar er met Graysons auto vandoor gegaan.'

Hij aarzelt. 'Zou kunnen.'

'Hou je soms iets voor me verborgen, Roosevelt?'

'Het heeft waarschijnlijk weinig om het lijf.'

'Alle beetjes helpen.'

'Goed dan. Lees je in de *Chronicle* ook wel eens iets anders dan de sportpagina?'

'Soms.'

'Zoals het economisch katern, bijvoorbeeld?'

'Zo nu en dan.'

'Nou, sinds mijn pensioen lees ik dat elke dag. Als je van een pensioen leeft, moet je je appeltje voor de dorst namelijk goed in de gaten houden.'

Had ik maar zo'n appeltje. Ik zie de scrupuleuze Roosevelt Johnson al voor me: achter een kop koffie aan de keukentafel, en met de aandelenkoersen van de *Wall Street Journal* voor zijn neus.

'Een paar maanden geleden las ik een artikel over Paradigm Partners,' vertelt hij. 'Sommige investeerders zouden niet tevreden zijn.'

Interessant. 'Ik heb het niet gelezen,' antwoord ik naar waarheid.

'Het zou je waarschijnlijk ook weinig hebben gezegd.'

Klopt. 'Op zich weet ik weinig van risicofondsen, maar ik heb ze altijd beschouwd als langetermijninvesteringen die voor mij toch te duur zijn.'

'Inderdaad. Voorzover ik weet zijn de investeerders meestal pensioenfondsen, instituten en rijke beleggers. De minimuminleg kan wel een miljoen dollar zijn.'

'Wat heeft dat te maken met een moord in Sixth Street?'

'Misschien helemaal niets.' Hij kijkt me vorsend aan. 'Ik was tien jaar geleden niet bepaald blij met de afloop van de zaak tegen jouw cliënt, en voor mij staat het vast dat Frank Walker in de avondwinkel de trekker heeft overgehaald en die jongen heeft doodgeschoten.'

Voor mij ook, maar dit is niet het moment om dat te zeggen.

'Maar,' zo gaat hij verder, 'het feit dat het systeem heeft gefaald, wil niet zeggen dat we daar verder over blijven hakketakken. Als jouw cliënt het niet heeft gedaan, niet in zijn eentje heeft gehandeld, dan kan er dus iemand rondlopen die opnieuw kan toeslaan. Ik wil geen overhaaste conclusies trekken, vooral niet als de kans bestaat dat we het bij het verkeerde eind hebben.'

'Waarom vertel je me dit, Roosevelt?'

'Ik wil er alleen maar zeker van zijn dat we de juiste conclusies trekken. Als ik in jouw schoenen stond en zo in het duister zou tasten, zou ik toch even mijn licht laten schijnen over Paradigm Partners en Lawrence Chamberlain.'

9
'TIJD OM TERUG TE SLAAN'

'De overstap naar de kant van de verdediging is me goed bevallen. Het is een uitdaging om het in de rechtszaal tegen mijn ex-collega's op te nemen.'
Carolyn O'Malley, profiel in de *San Francisco Chronicle*

Het is vrijdagavond halftien. Carolyn zit in mijn werkkamer. 'Je ziet er niet uit, jij,' krijg ik van mijn advocatenpartner te horen.

'Dank je. Ik vrolijk weer helemaal op.' We zijn pas zeven uur met Leons zaak bezig en nu al voel ik het bekende geklop in mijn hoofd opkomen. Mijn dagelijkse dosis Advil is al op en dus raadpleeg ik Madame Lena's astrologische kaart, maar ik vind geen troost in de sterren.

Rosie is zo-even naar huis gegaan om Grace in bed te stoppen. We zijn nog even bij drankzaak Alcatraz Liquors langs geweest voor een praatje met Amos Franklin, maar die had de avond vrijaf genomen. De eigenaar was afgelopen nacht niet aanwezig en kon geen verdere informatie verschaffen, maar gaf ons met tegenzin, nadat we met een dagvaarding hadden gedreigd, Franklins adres en telefoonnummer. Bij Franklins huis aangekomen klopten we aan en we lieten een boodschap op zijn antwoordapparaat achter, maar geen reactie. Inmiddels was de politie afgetaaid en was het weer rustig in Sixth Street. We onderzochten of Leons beschrijving van de winkel en de steeg wel klopte, en ontdekten dat de winkel over een beveiligingscamera beschikt. Dat moet wel een paar interessante beelden opleveren. Dat we niemand konden vinden die bereid was te bekennen dat hij of zij zich om twee uur die ochtend in de buurt had bevonden, was geen verrassing. Toen er voor de winkel iemand met een mes naar ons begon te zwaaien, besloten we het overdag nog eens te proberen.

'Heb jij nog telefoontjes gekregen?'

'Je bent een populair mannetje. Ik ben gebeld door zo'n beetje alle grote nieuwszenders in de Bay Area, samen met de *New York Times*, CNN, CNBC, Fox News en Jerry Springer.'

O? 'Wat moet Springer van me?'

'Niets. Hij belde alleen om te zeggen dat hij je mist.'

Mocht het ooit zover komen dat we een partnerschapsovereenkomst voor ons kantoor op papier zetten, dan sta ik erop dat daarin wordt opgenomen dat alleen ík de komiek mag zijn. 'Ik hoop dat je ze hebt verteld dat onze cliënt onschuldig is en dat we verder geen commentaar geven?'

Haar ronde mond verwijdt zich tot de ondeugende glimlach die onveranderd is gebleven sinds de tijd dat we aan de klimrekken hingen van de speeltuin in Sunset, op de hoek van Twenty-eight en Lawton, zo'n veertig jaar geleden. 'Dat zeggen we toch altijd?' klinkt het droogjes. 'Ik zou ze dolgraag vertellen dat onze cliënt zo schuldig is als wat, en dat we alleen maar voor de vorm meedoen.'

'Misschien dat je dit keer de kans krijgt.'

Haar glimlach verdwijnt. 'Jerry Edwards had een vreemde boodschap voor je. Hij belde je om je te feliciteren met je goede besluit. Ik vroeg me even af wat hij daarmee bedoelde.'

'Hij is blij dat we hebben besloten Leon te verdedigen.'

'Aha. Hij zei dat je vooral de ochtendkrant in de gaten moest houden.'

Geweldig. Ik neem aan dat zijn column niet bepaald zal overlopen van de complimenten aan mijn adres.

Ze fronst haar wenkbrauwen. 'Nicole gaat toch zeker geen stervende aanklagen, hè?' Er waren momenten dat Carolyn en haar ex-collega elkaar maar moeilijk recht in de ogen konden kijken.

'Zou ik hier op vrijdagavond om halftien in mijn kantoor zitten als dat niet zo was?'

Ze kijkt me veelbetekenend aan. 'Tijd om terug te slaan, hm?'

'Ze dingt naar het burgemeesterschap.'

'Een slecht plan, en in veel opzichten...' Haar stem druipt van minachting.

Haar gevoelens zijn oprecht. Zelf heb ik wel eens gratuit uitgehaald naar de branche die ons door de jaren heen heeft onderhouden, maar Carolyn beschouwt ons werk nog altijd als een roeping. In de twintig jaar dat ze voor de officier van justitie heeft gewerkt, is ze uitgegroeid tot een 'techneut', een raadsvrouw die haar collega's adviseerde bij lastige kwesties. Haar overstap naar het kamp van de verdediging verliep soepel en ook bij ons fungeert ze als interne vraagbaak en adviseur. In zekere zin ben ik wel een beetje jaloers op haar liefdesrelatie met de wet. Elke ochtend verschijnt ze met veel meer enthousiasme op kantoor dan ik.

Voor haar is werk bovendien therapeutisch. Haar privé-leven is een puinhoop, of eigenlijk een gapende leegte. Twee bittere scheidingen en een rampzalige verhouding met haar voormalige chef op het kantoor van het hof van justitie hebben diepe twijfel gezaaid of ze nog wel een betekenisvolle relatie met iemand van mijn geslacht moet opbouwen. Positief nieuws is dat ze het onlangs heeft bijgelegd met haar zoon van rond de twintig die nog het meest onder haar twee mislukte huwelijken te lijden heeft gehad.

Ik praat haar bij over wat er is gebeurd sinds ik haar die middag voor het laatst heb gesproken, beginnend met mijn bezoek aan Sixth Street en eindigend met mijn gesprekje met Nicole Ward. Terwijl ze me zonder te onderbreken aanhoort, draait ze al meteen warm. 'Waar beginnen we?'

Ik deel haar mee dat de voorgeleiding op maandagochtend zal plaatsvinden en dat we moeten aandringen op een versnelde inzage in de bewijslast. 'Daarnaast,' vervolg ik, 'moeten we een kopie krijgen van de videoband van de beveiligingscamera van de drankwinkel, en van het autopsierapport én het politieverslag.'

'Wordt aan gewerkt.'

'Je bent een topper.'

'Nou en of. Wat nog meer?'

Ik vraag haar of ze nog iets over Tower Grayson te weten is gekomen.

'Ik heb internet en Nexis afgestruind. In de *Chronicle* van een paar maanden geleden stond een zeer interessant artikel.'

Roosevelts fotografische geheugen werkt dus nog altijd prima.

'In de arena van het risicokapitaal was hij maar een achterhoedespeler,' vertelt ze. 'Paradigm haalde twintig miljoen binnen van een klein groepje rijke investeerders. Ik vind het een hoop geld, maar voor de echte spelers is het peanuts. Jouw maatje Brad Lucas heeft de boel op papier gezet. Paradigm investeerde in een half dozijn starters. Een paar zijn nog in zaken, maar de rest is ter ziele. Daarom noemen ze het ook "risicokapitaal". Eigenlijk kunnen ze het beter "avontuurkapitaal" noemen.'

'Handjeklap?'

'Voorzover ik weet niet, nee. Maar Grayson zat wel met een paar ontevreden investeerders. Lawrence Chamberlain zou hebben gezegd dat hij een paar kwesties met Grayson wilde bespreken, maar daar ging hij verder niet op in. Investeerders hechten veel waarde aan hun privacy.'

Misschien dat hij wat welwillender wordt als we met een dagvaarding gaan zwaaien. 'Enig idee waarom Grayson en Chamberlain gisteravond een bespreking met hun jurist hadden?'

'Dat moet je Chamberlain maar vragen. Weet je toevallig of hij getrouwd is?' vraagt ze vervolgens met een knipoog.

'Ik zou het niet weten. Hoezo?'

'Hij lijkt op Robert Redford en heeft meer poen dan God.' Ze kijkt me ondeugend aan. 'Als het plaatje er goed uitziet ben ik wel beschikbaar, hoor.'

Rosie en ik moedigen haar al een tijdje aan haar liefdesleven wat losser aan te pakken. Ze geeft direct toe dat ze beter is in afspraakjes maken dan in getrouwd zijn. 'Jij hebt geen suikeroom nodig,' zeg ik.

'Waar staat geschreven dat ik altijd met kerels uit moet gaan die geen cent te makken hebben?'

'Jij hebt meer diepgang.'

'Misschien dat ik het een tijdje over een wat frivolere boeg moet gooien.'

Misschien wel. 'Types als Chamberlain gaan niet met ons soort mensen om.'

'Ze zouden anders een stuk beter af zijn.'

We praten nog even door over haar sociale leven. Daarna vertel ik haar dat ik morgen weer naar Sixth Street ga om te kijken of ik een ooggetuige kan vinden.

'Je kunt maar beter iemand meenemen die het klappen van de zweep kent,' raadt ze me aan, 'en misschien moet je ook iets op zak hebben.'

Als aanklager beschikte ze over een wapenvergunning. Het is de prijs die je betaalt voor een onberispelijke staat van dienst als vervolger van bendeleden. 'Ik neem echt geen pistool mee,' zeg ik.

'Dat moet je zelf weten. Maar je kunt beter iemand meenemen die daar de weg kent. Voor je het weet krijg je het aan de stok met de verkeerde figuren en beland ook jij in een vuilcontainer.'

'Ik heb al versterking geregeld.'

'Wie?'

'Mijn broer.'

'Je ziet er niet uit, Mick.' Mijn broer Pete staat in de deuropening van mijn werkkamer terwijl ik de klok van het Ferry Building tien uur hoor slaan.

Ik kijk door het raam naar de donkere straat. 'Dat lijkt inderdaad de mening van de buitenwereld te zijn.'

Hij is vijf jaar jonger dan ik, een compactere, gespierde versie van mezelf, behalve dan dat zijn grijzende haar ooit donkerder was dan het mijne en dat zijn gezicht de lijnen vertoont van tien jaar bij de politie en nog eens zeven jaar als privé-detective. Zijn vertrek bij de politie was geen pretje. Samen met een paar collega's kon hij opstappen nadat hij bij een gevecht tussen een paar bendeleden iets te fanatiek tussenbeide was gekomen. Pete vindt nog steeds dat hij genaaid is, en daar ben ik het wel mee eens.

'Ik voel me zelfs nog een stuk rotter dan ik eruitzie,' reageer ik.

Hij schenkt me zijn vertrouwde flauwe grijns en grapt op schorre toon: 'Slechter kan het niet worden.'

Betere humor kun je van hem niet verwachten. Hij gaat gekleed in zijn standaardoutfit: bomberjack en een strakke spijkerbroek. Hij brengt veel tijd door in de sportschool en heeft spierbundels op de plekken waar ze horen. Ooit was hij getrouwd, maar dat ging al snel mis en sinds de dood van onze moeder, twee jaar geleden, woont hij in het huis aan Twentythird en Kirkham waar we allebei zijn opgegroeid. Sinds een halfjaar heeft hij een knipperlichtrelatie met ene Donna Andrews. Ze werkt op de boekhoudafdeling van een van de grote advocatenkantoren. Hij zal de eerste zijn die toegeeft dat zijn onregelmatige werktijden het lastig maken om er een duurzame relatie op na te houden.

'Moest je werken vanavond?' vraag ik.

Hij knikt.

'Het bekende recept?' Negen van de tien keer gaat het om het schaduwen van een overspelige echtgenoot. Ben je op zoek naar iemand, of wil je iemand in de gaten houden, dan is Pete je man.

Hij plukt wat aan zijn snor. 'Iets exotischer ditmaal. Ik probeerde erachter te komen of iemand van Donna's werk iets heeft met zijn secretaresse.'

Degenen onder ons die zelf op een groot advocatenkantoor hebben gewerkt, erkennen dat dit een weliswaar storend, maar niet bepaald ongewoon fenomeen is. 'En, heeft hij dat?' wil ik weten.

'Yep.'

'Ben je ingehuurd door zijn vrouw?'

'Neuh, het kon haar verder weinig schelen. Elk jaar stopt hij haar een bedrag van tussen de vijf en zes nullen toe om de gulle echtgenoot uit te hangen.'

Niet slecht. 'Heeft dat kantoor je ingehuurd om te kijken of ze wegens seksuele intimidatie kunnen worden aangeklaagd?'

'Daar laten ze zich officieel niet over uit. Niemand heeft geklaagd en de beherend vennoot kijkt liever de andere kant op.'

Een standaardreactie. Toen ik nog bij Simson & Gates werkte, kozen we voor een andere aanpak. Onze directie ging akkoord met een speciale verordening die het partners verbood iets met het personeel of de andere advocaten te beginnen, zonder eerst schriftelijke toestemming van onze beherend vennoot te verkrijgen. Zulke *non-fraternization policies* of NFP's zijn tamelijk gewoon, hoewel grappenmakers als ik opperden dat de 'F' een iets informelere betekenis had. Het is bedoeld om aanklachten wegens seksuele intimidatie te vermijden door de participanten een verklaring te laten ondertekenen waarin staat dat hun relatie wederzijdse instemming heeft en dat er geen rechtszaak zal volgen zodra die misloopt. Uiteraard was het lastig om op de naleving toe te zien en we zeiden voor de gein dat onze beherend vennoot een pieper op zak had voor het geval een van mijn ex-collega's het 's avonds laat op zijn heupen kreeg. Advocatenkantoren blijven advocatenkantoren, en dus lekte onze NFP uit naar de *Chronicle*, waarna het in de gehele Bay Area een roddelonderwerp bij de kopieerapparaten en koffieautomaten werd. We vonden het niet nodig een soortgelijk beleid bij Fernandez, Daley & O'Malley in te voeren.

'Als het niet de echtgenote of het kantoor is, wie dan wel?' vraag ik.

'Haar ándere liefde.'

Natuurlijk. De derde speler in dergelijke melodrama's is uiteraard de afgewezen minnaar. 'Dus haar vriendje heeft jou ingehuurd om te kijken of zijn meisje hem bedroog?'

'Nou, haar vriendin dus eigenlijk.'

'Pardon?'

'Die secretaresse was lesbisch, totdat ze iets kreeg met haar baas. Ze is geswitcht, zeg maar.'

Hm. Ik hoor de praatjes op kantoor al. Waarschijnlijk vertelt hij iedereen dat hij zo'n dekhengst is dat hij de seksuele geaardheid van vrouwen kan beïnvloeden. We praten er nog wat verder over door, waarna we terzake komen.

'Ik heb begrepen dat je hebt besloten nog een ronde te wagen met Leon Walker.' Hij trakteert me op die speciale blik die hij speciaal voor mij bewaart. 'Ben je masochist of gewoon hersendood?'

'Allebei.'

'Was het de vorige keer niet genoeg voor Rosie en jou? Hij was schuldig, Mick.'

'Zijn broer was schuldig. Leon zat alleen maar achter het stuur.'

'Dat maakt hem medeplichtig.' Zijn mondhoek krult iets op. 'Je lijkt het familiemotto van de Daleys te zijn vergeten.'

'Nooit geweten dat we dat hadden.'

'O, jawel. Vergeef nooit en vergeet nooit.'

'Klinkt niet slecht.'

'Weet ik. Ik verzin het net.'

Opeens zijn we allemaal komediant. Ik kijk hem aan. 'Ik heb je hulp nodig, Pete.'

'Walker maakt het niet lang meer.'

'Zolang het nog kan, kunnen we hem verdedigen.'

Hij wordt ernstig. 'Hoor eens, Mick,' zegt hij. 'Hij was schuldig, toen. Een hoop mensen, mezelf inbegrepen, zit het nog steeds hoog dat jij hem hebt weten vrij te pleiten.'

'Dat heb ik niet expres gedaan.'

'De politie zal er alles aan doen om hem te pakken. Jouw kleine applauslokkertje heeft heel wat kwaad bloed gezet.'

Ik probeer het nogmaals. 'Ik heb je hulp nodig. Ik moet in Sixth Street naar getuigen gaan zoeken en in mijn eentje overleef ik het misschien niet.'

'Niet aan beginnen, Mick.'

'Wat, Sixth Street?'

'Wroeging.'

Ik glimlach even en zeg dan: 'In het verleden heeft het zijn uitwerking anders nooit gemist.'

'Nu wel. Donna zegt dat ik het eens van me af moet zetten. Tachtig jaar wroeging tot mijn twintigste. Ik ben er klaar mee.'

Ze lijkt een goede invloed op hem te hebben. 'En je slaat haar advies hoger aan dan het mijne?'

'Haar benen zijn stukken mooier dan de jouwe, Mick.'

10
DE WEDSTRIJD UITSPELEN

Ik zal spelen om de winst, maar of ik nu win of verlies, ik zal altijd sportief zijn en mijn best doen.
Spelgelofte voor de jeugddivisie

De fraaie benen van zijn vriendin ten spijt lukt het me mijn broer over te halen me te helpen door tickets voor de nieuwe Giants-Dodgers-serie te regelen, hem een etentje in een restaurant van zijn eigen keuze aan te bieden en hem de zorgvuldig bedongen tweeduizend dollar te betalen die Leon ons als voorschot heeft beloofd. Hij realiseert zich dat het net genoeg is voor een paar dagen en dat hij evenals wij de rest van de tijd pro Deo zal werken. Het zal niet de laatste keer zijn dat hij zoiets voor me doet. Ik verzoek hem te proberen zo veel mogelijk te weten te komen over Grayson en Chamberlain, en spreek af hem morgenmiddag in Sixth Street te treffen. Vroeger surveilleerde hij er en hij heeft er nog steeds een paar contacten. Maar bovenal heeft hij een wapenvergunning.

Maar op dit moment heb ik dringender zaken te doen. Mijn jonge werpster heeft de avondklok aan haar laars gelapt. Ik zit op de rand van Graces bed en doe mijn best mijn gezicht in de plooi te houden terwijl ik probeer haar ernstig toe te spreken. 'Waarom slaap je nog niet?' fluister ik. 'Morgen moet je werpen.'

Vanachter haar beugel glimlacht onze dochter me toe. Weliswaar is haar haar langer en is ze slanker dan Rosie, maar de gelijkenis is onmiskenbaar. De zakelijke stembuiging is een perfecte imitatie van die van haar moeder: 'Ik wilde wachten totdat je thuis was.'

Ik wijs op mijn horloge. 'Het is halftwaalf.'

'Ik kon niet slapen.'

'Je wedstrijd begint al over negenenhalf uur.'

Haar toon blijft zakelijk. 'Geen probleem.'

Rosie en Grace wonen in een huurbungalow aan de overkant van het honkbalveld in Larkspur, een forensenbuurt drie voorsteden ten noorden van de Golden Gate Bridge. Ik woon in een klein appartement tegenover de brandweerkazerne, een paar straten verderop. Als we het geld op een hoop zouden gooien en onder één dak zouden kruipen, zou ons leven een stuk luxer worden. Maar de laatste keer dat we dat probeerden was geen succes en de twee straten tellende bufferzone blijkt zowaar van positieve invloed op onze relatie te zijn. Denk nu niet dat we van plan zijn om op de overspannen huizenmarkt van de Bay Area een huis te kopen, en Rosies driehonderd vierkante meter tellende paleis gaat onze financiële reikwijdte ver te boven. Gelukkig is haar verhuurder een gepensioneerde docente die het pand veertig jaar geleden heeft gekocht en het als investering wil aanhouden terwijl ze ondertussen haar levensdagen in Tucson slijt. Vorig jaar is ze negentig geworden en we hopen dat ze het nog mag meemaken dat Grace haar middelbare school afmaakt.

'Oké, ik ben nu thuis. Waarom lig je nog niet te dromen?'

'Ik moet je iets vragen.'

'En dat kan niet wachten tot morgen?'

Ze schudt haar hoofd. De donkere ogen, het dikke haar, en ook haar eigenzinnigheid heeft ze van Rosie. Met haar een meter drieënvijftig is ze bijna even lang als haar moeder en torent ze boven bijna de helft van de jongens van haar klas uit. Haar delicate gelaatstrekken zijn helemaal die van Rosie, maar met haar werparm heeft ze ook een paar Daley-genen geërfd. Net als mijn broer Tommy, een talentvolle quarterback op St. Ignatius en de universiteit van Californië, voordat hij in Vietnam werd vermist. Grace is een supersterke werpster en we hopen dat ze de eerste vrouw wordt in de hoogste leagues.

Ze ondergaat de verandering van klein meisje naar pre-tiener met meer finesse dan ik had verwacht. Zodra die beugel uit mag en ze volgroeid is, zal ze echt een stuk zijn en ga ik natuurlijk helemaal voor de bijl. Thuis noemt ze me nog steeds 'pap', maar buitenshuis, in de echte wereld, ben ik gewoon 'pa'. In de auto staat Radio Disney niet langer aan en onlangs heeft ze de posters van haar tienerpopidolen die de muren van haar slaapkamer bedekten verwijderd. Ze heeft nog steeds meer belangstelling voor honkbal dan voor jongens, maar ik vang subtiele signalen op dat dit aan het veranderen is. Onze korte stop is een mooie, lange knaap die al enige blijk van belangstelling heeft getoond, hetgeen door Grace met tegenzin is beantwoord. Als hij het lef heeft haar mee naar de film te vragen, wordt hij de rest van zijn leven een bankzitter.

'Mag ik morgen tijdens de wedstrijd een paar effectballen werpen als het moet?' vraagt ze.

'Je hebt twee uur wakker gelegen om me dít te vragen?'

'Ja.'

Zelf was ik op de middelbare school een aardige pitcher en ze weet dat ik urenlang opbleef om te kletsen over de ins en outs van de *four-seam fastball*, de *slider* en de *circle change-up*. 'Morgen mag je een paar effectballen werpen,' zeg ik. 'Maar niet meer dan twee, want het is slecht voor je arm.'

'Dank je, pap.'

'Graag gedaan.' Mijn ouderlijke en leidinggevende instincten overstemmen mijn liefde voor ons nationale tijdverdrijf. 'Oké, en nu gaan slapen.'

Haar glimlach wordt breder. 'Ik ben heus niet opgebleven om je naar effectballen te vragen hoor, pap.'

Dat had ik min of meer al vermoed. 'Waarom dan wél?'

'Ik ben zenuwachtig voor morgen.'

Onderschat nooit de uitgelatenheid van een elfjarige pitcher die voor haar eerste kampioenswedstrijd staat. Ik verheug me niet bepaald op de tegendraadse tienerjaren die gaan komen. 'Ik ook,' beken ik, 'maar jij moet nu gaan slapen. Ik ben je coach, en misschien verlang ik morgen wel van je dat je de wedstrijd helemaal uitspeelt. Denk je dat je dat aankunt?'

'Ja, pap.'

Ik geef haar een zoen, en net als ik naar de deur loop, komt ze overeind en zegt: 'Ik heb je op tv gezien.'

Het is niet de eerste keer. Rosie en ik hebben de nodige in het oog springende zaken op onze naam staan en hebben onze *fifteen minutes of fame* tot een klein uur kunnen uitbouwen. 'Hoe was ik?'

'Goed. Je zei dat Leon Walker onschuldig was. Dat zeg je altijd als je op tv bent.'

'Dat is mijn werk.'

'Maar dat zeg je ook als ze wél schuldig zijn.'

Ja, dat is zo. 'Je weet dat het mijn werk is om mensen te verdedigen. De jury bepaalt of iemand schuldig is of niet.'

'Weet ik.' Ze slaat haar armen over elkaar, precies als Rosie. 'Is hij schuldig?'

Dit is niet het juiste moment. De gebruikelijke roze ruis werkt inmiddels minder goed dan eerst, maar ik waag het erop: 'Het is niet aan mij om dat te bepalen.'

Niet overtuigend genoeg. 'Kom op, pap. Heeft hij het nou gedaan of niet?'

Ze daagt me niet uit; ze wil het gewoon weten. 'Ik weet het niet, schat.'

'Maar waarom zei je dan op tv dat hij onschuldig was?'

Ik wring me in een nieuwe bocht: 'Het is mijn taak om mensen ervan te overtuigen dat iemand onschuldig is.'

'Zelfs als je weet dat hij schuldig is?'

Het is alsof ik met Rosie steggel. 'De aanklagers doen hun verhaal, en ik kom met mijn verdediging. Daarna beslist de jury. Ik weet niet of hij schuldig is.'

'En als je dat wel wist?'

Je kunt de aanklager, rechter en politie voor de gek houden, maar geen elfjarige. 'Als de aanklager en ik allebei weten dat hij schuldig is, treffen we meestal een overeenkomst: een strafvermindering na schuldbekentenis.'

Nog altijd niet overtuigend. 'Daar weet ik alles van,' zegt ze. 'Heb ik gezien in *Law & Order*. Maar stel dat jij wel weet dat hij schuldig is, maar de aanklager niet?'

Dit lijkt me niet het moment om een betoog te houden over de afspraak dat een beklaagde onschuldig is totdat het tegendeel wordt bewezen, dan wel de wet op meineed. 'In de regel proberen we er in de rechtszaal uit te komen.'

'Maakt dat jou ook niet een beetje tot een leugenaar?'

Ja, dat klopt. 'Zo werkt het systeem nu eenmaal.'

'Nou, volgens mij rammelt dat systeem een beetje.'

Zeker weten. 'Het is niet perfect, schat,' is mijn slappe antwoord.

'Vind je het erg als je een schuldige vrij krijgt?'

Elke minuut van de dag. 'Soms.'

'Ik wil later ook advocaat worden. Volgens mij ben ik best goed.'

Néé! Ik geef mijn dochter nog een zoen en kom met een vaderlijke platitude. 'Als je je hersens maar gebruikt en hard werkt,' zeg ik, 'kun je alles worden wat je maar wilt. Misschien wel de eerste vrouw in de honkbalcompetitie.' We zijn tevreden met negen ton voor een allround infielder.

'Ik denk het niet, pap. Mijn effect is niet goed genoeg.'

Daar gaat mijn pensioen. 'Dan moet je blijven oefenen,' is mijn advies. 'Morgen mag je drie effectballen werpen.'

'Dank je.' Ze overdenkt haar carrièremogelijkheden en concludeert: 'Misschien dat ik volgend jaar maar in het basketballteam moet uitkomen.'

Niet echt een verstandige keuze. Onze familie heeft goede werpgenen, maar slechte springgenen. 'Dat zou mooi zijn,' zeg ik. 'Misschien coach ik jullie team wel.'

Haar toon is duidelijk afwijzend. 'Misschien maar beter van niet, pap.'

Rosie knabbelt aan een overgebleven burrito. 'Is Grace eindelijk gaan slapen?'

'Bijna.'

Het is kwart voor twaalf. We staan op haar veranda aan de achterkant van het huis. Het is een zwoele avond en ze is gekleed in een T-shirt en korte broek. Zelf heb ik mijn pak nog aan en ik nip van een biertje.

'Dús, Joe Torre, wat wordt de strategie voor morgen?' vraagt ze.

'Grace gaat werpen en we zijn zwaar in het voordeel.'

'Laat je haar de hele wedstrijd spelen?'

'Ik laat haar werpen totdat ze moe wordt.' Tijdens het voorgaande seizoen probeerde ik zo veel mogelijk de speeltijd eerlijk te verdelen, zelfs al verloren we een paar keer. Mijn goede bedoelingen mochten zich verheugen in de gebruikelijke kritiek en afwijzing van de andere ouders. De jeugdhonkbaldivisie vormt een prachtige microkosmos van het leven waarin geen enkele goede daad onbestraft blijft.

'De andere ouders zullen behoorlijk pissig zijn.'

'Degenen die nooit een poot uitsteken zijn altijd de eersten die klagen. Laten zíj maar eens een paar wedstrijden coachen. Dit zijn de play-offs, Rosie.'

'Vat je dit niet een pietsje te serieus op? Het is maar de jeugddivisie, hoor.'

'Vertel dat maar aan Grace. Bovendien zet ik hiermee een aloude jeugddivisietraditie voort.

'En die luidt?'

'Voorkeursbehandeling voor de kinderen van de coach.'

'Of je nu wint of niet, voor mij zul je altijd de Joe Torre van Marin County blijven.'

'Ik zal dat maar opvatten als een compliment.'

'Zo was het ook bedoeld.'

Ik ben niet geheel overtuigd.

Ze wordt ernstig. 'Ik heb je gezien op het nieuws. Ik geloofde je toen je zei dat Leon onschuldig was.'

'Jij alleen?'

'Geen idee.'

Ik vraag haar of het journaal nog met nieuwe informatie kwam.

'Niet veel. Graysons vrouw en zijn kinderen zagen er uiteraard verslagen uit. Een paar buren waren geschokt en noemden hem een steunpilaar van de gemeenschap die er onopvallende gewoonten op na hield. Marcus Banks zei dat ze Leon in de tang hebben. Nicole Ward hield een verkiezingstoespraak.'

Het klinkt alsof iedereen zijn eigen rol speelt. 'Is er nog iemand met een verklaring gekomen over wat Grayson om twee uur 's nachts in Sixth Street te zoeken had?'

'Ze zeggen dat hij onderweg naar huis even stopte voor een pakje sigaretten.'

'Hij had beter kunnen stoppen met roken. Slecht voor je gezondheid.'

'Banks maakt er een uit de hand gelopen beroving van.'

Plausibel. We praten nog wat over het nieuws en gaan daarna over op meer praktische zaken. Ik vertel haar dat ik mijn broer heb ingeschakeld om me te vergezellen zodra ik in Sixth Street op zoek ga naar getuigen. Goddank gaat ze niet zwaar over de rooie als ik haar beken dat ik Pete ons voorschot heb beloofd. 'Ik was er al van uitgegaan dat we deze zaak pro Deo zouden doen.' Daarna wordt haar blik somber. 'Ik heb liever niet dat je agentje gaat spelen.'

Van Pete en mij is bekend dat we in ongure steegjes, aftandse hotels en broeierige pornozaakjes soms naar getuigen zoeken. Rosie erkent dat het bij ons werk hoort, maar vindt dat we onnodige risico's nemen. 'We zullen voorzichtig zijn,' beloof ik, en ik verander van onderwerp. 'Carolyn zei dat Jerry Edwards heeft gebeld.'

'Edwards is een lul,' is haar mening.

'Weet ik. Het ziet er naar uit dat we onze namen in de ochtendkrant zullen tegenkomen.'

'Zo'n idee had ik al.' Ze slaakt een harde zucht. 'Weet je zeker dat we er goed aan doen?'

Ik twijfel. 'Ja.'

'Ik hoop het maar.'

'Komt allemaal goed, Rosie. Het ergste wat ons kan overkomen is dat we een paar dagen in de pers worden afgemaakt. Het zal niet voor het eerst zijn.'

'Het ergste wat ons kan overkomen is dat onze reputatie eraan gaat,' werpt ze tegen.

'Dat gebeurt niet.'

'Was ik maar zo zelfverzekerd.'

Of ik. Ik geef haar een kusje op haar wang. 'Ik moet eens op huis aan.'

Ze verroert zich niet. 'Nog één ding: welke dag is het vandaag?'

'Vrijdag.'

'Wat nog meer?'

'Jouw verjaardag.'

'Klopt.' Ze kijkt me geniepig aan. 'Ik wacht nog steeds op mijn cadeau.'

'Dat heb ik je al gegeven.'

'Die oorbellen zijn heel mooi, maar dat is niet wat ik bedoel.'

Ik weet het. 'Rosie,' zeg ik voorzichtig, 'het is al laat, en morgen wacht ons een drukke dag...'

Ze veinst verontwaardiging. 'Ik kan mijn oren niet geloven!'

En ik kan niet geloven wat ik zojuist heb gezegd.

'Laat het me nog eens proberen,' verzoekt ze me. 'Hoe vieren wij ook alweer onze verjaardagen?'

'In ons adams- en evakostuum.'

'Correct. Hoelang kennen we elkaar nu al?'

'Bijna vijftien jaar.'

'Hoe hebben we al die jaren onze verjaardagen gevierd, zelfs nadát we gescheiden waren?'

'In bed.'

'Wederom correct.' Ze strijkt met een vingertop langs mijn lippen en fluistert: 'Het is míjn verjaardag, en ík bepaal hoe we die vieren. En wel in bed, naakt, met jou, over vijf minuten.'

'Ik vrees dat ik je vanavond niet op andere gedachten kan brengen, hè?' zeg ik.

Haar ogen glanzen in het maanlicht. 'Ik zou niet weten waarom je dat zou willen.'

Ik ook niet.

Ze knoopt mijn overhemd los. 'Ik ga even kijken bij Grace. Steek jij alvast wat kaarsen aan in de slaapkamer en trek je even iets luchtigers aan?'

Ik ben dol op verjaardagen.

Ze glimlacht verleidelijk en voegt eraan toe: 'Ik hoop dat je geen haast hebt. Ik verlang van je dat je de wedstrijd helemaal uitspeelt.'

11
'ER ZAT ME IETS NIET LEKKER'

'De stress waarmee advocaten te maken hebben wanneer een beklaagde de doodstraf kan krijgen, kan tot lichamelijke en emotionele problemen leiden en een zware wissel trekken op hun gezinsleven.'
Rosita Fernandez, maandblad van de rechtenfaculteit van Boalt

De ochtend dient zich veel te vroeg aan en begint heel gewoon. Om zeven uur sta ik in de badkamer Rosies rug te masseren terwijl ze boven het 'offeraltaar' gebukt staat. Haar spieren spannen zich en ze braakt haar laatste etensresten uit.

Zacht streel ik haar haren. 'Gaat het een beetje, Rosita?'

Ze veegt haar gezicht schoon met een handdoek. 'O, helemaal top, Mike,' snauwt ze. Ze trekt door en laat zich op het badkamerkleedje zakken. 'Waarom vragen mensen dat altijd als je staat te kotsen?'

Even gas terug! 'Kan ik iets doen om het leed te verzachten?'

'Je zou me er de volgende keer aan kunnen helpen herinneren dat ik 's avonds geen burrito's moet eten. Dokter Urbach had me gewaarschuwd voor opvliegers, maar ze heeft me niets gezegd over overgeven.' Met waterige ogen probeert ze er nog een lachje uit te persen. 'Eerst een nieuwe advocatenpraktijk, dan de menopauze, en nu Leon Walker.'

'Misschien heb je iets onder de leden,' zeg ik. Het zouden zenuwen kunnen zijn. In al die jaren dat ik haar ken, heeft ze nooit slaapproblemen gehad, maar vannacht heeft ze de hele tijd liggen woelen.

'Mannen,' verzucht ze, waarmee ze mijn diagnose terzijde schuift.

Zo'n holbewoner ben ik nu ook weer niet, en ik verlang niet naar de dood. Rosie zweert dat haar menopauze al een jaar geleden is begonnen, maar daar is haar dokter het niet mee eens. Het prikkelde mijn uiterst gevoelige instinct tot zelfbehoud en als voorzorgsmaatregel begon ik het een en ander over het onderwerp te lezen. God zegene internet. Het is altijd goed om te weten of ze met mij of met haar hormonen in de clinch ligt. De mogelijkheid dat de kanker opnieuw de kop opsteekt laat ik wijselijk buiten beschouwing.

Ik help haar overeind en ze spoelt haar mond. Net als ze me nog een paar tips wil geven over hoe ik een gevoelige man van het nieuwe millennium kan worden, valt haar oog op Grace in de deuropening.

'Je bent vroeg op, schat,' stelt ze vast.

'Ik moet me voorbereiden op de wedstrijd.' Het gezicht van onze dochter staat bezorgd. 'Alles goed, mam?'

Rosie glimlacht geruststellend. 'Ja hoor, lieverd. Er zat me iets niet lekker, maar zo meteen ben ik weer helemaal de oude.'

Opluchting. 'Kom je nog kijken? Maar als je niet lekker bent, hoeft het niet, hoor.'

'Ik zou het voor geen goud willen missen.'

Grace glimlacht wat onzeker en overhandigt ons de zojuist bezorgde *Chronicle*. 'Jullie staan in de krant,' zegt ze, en ze wijst naar Jerry Edwards' column onder aan de voorpagina. 'Er staat in dat jullie Leon Walker niet wilden verdedigen.'

O, jee. Rosie pakt de krant aan en we lezen het artikel door. De kop luidt: DÉJÀ VU? Het is nu al menens.

> Het paleis van justitie van San Francisco vormde gisteren een onwaarschijnlijke plek van weerzien voor de hoofdrolspelers uit een van de treurigste miskramen van de rechtspraak uit het verleden. Wederom is de man in het midden, voormalig USF-basketbalster Leon Walker, aangeklaagd wegens moord, ditmaal op een ondernemer uit Silicon Valley.

Het is de ultieme bruskering: Tower Graysons naam wordt niet eens genoemd.

> Trouwe lezers van deze column zullen zich herinneren dat Walker en zijn broer annex woekeraar tien jaar geleden ook al wegens moord werden aangeklaagd, maar de politie van San Francisco beging blunders bij het onderzoek en de officier van justitie verwees de zaak naar de prullenbak. De aanklacht werd geseponeerd wegens een vormfout. Velen, onder wie uw verslaggever, zijn van mening dat de twee moordenaars de dans netjes ontsprongen.

'Tot nu toe valt het nog wel mee,' is Rosies oordeel.

'Lees verder.'

> Het lijkt weer 'typisch' San Francisco dat alle spelers (behalve Walkers broer, die dood is) weer klaarstaan voor een tweede hap van de appel. Naast Walker, inmiddels ongeneeslijk ziek, bestaat het speelveld onder meer uit de fotogenieke officier van justitie Nicole Ward, die aast op het burgemeesterschap en destijds bij het proces assis-

teerde, en haar voormalige mentor en huidige ondergeschikte William McNulty, wiens reputatie definitief een deuk opliep met de vrijlating van de gebroeders Walker. De ervaren hoofdinspecteur Moordzaken en voormalig politiechef-hoofdcommissaris Marcus Banks is door Ward benoemd tot leider van het politieonderzoek. Bovendien heeft ze gepensioneerde korpslegende Roosevelt Johnson uit zijn luie stoel weten te lokken om zijn ex-collega bij te staan. Johnson en Banks stonden ook aan het roer toen de eerste zaak kapseisde en de twee hopen nu een oude rekening te vereffenen.

De voormalige pro-Deoadvocaten en huidige advocatenpartners Michael Daley en Rosita Fernandez willen van het spektakel niets missen en ook zij waren aanwezig op het paleis van justitie voor het weerzien met hun voormalige cliënt. Tijdens de eerste Walker-zaak werden ze ervan beschuldigd getuigen te intimideren, wat later werd ingetrokken. Uw verslaggever trof ze in de Glamour Slammer, waar ze lieten blijken weinig trek te hebben om voor Walker opnieuw aan slag te gaan. Maar na de twee ermee te hebben geconfronteerd dat ze een morele verplichting hadden om een stervende bij te staan, gingen ze met tegenzin akkoord. Of het hier om een van hun bekende trucjes gaat, zal moeten blijken. Of, zoals men in de rechtszaal pleegt te zeggen: daar is de jury nog niet over uit.

'Maar één stoot onder de gordel,' concludeert Rosie. 'Het kan slechter.'

We zullen deze zaak nauwgezet volgen en de officier van justitie en het politieapparaat van San Francisco nog kritischer toetsen. Bovendien willen we er zeker van zijn dat de heer Daley en mevrouw Fernandez zich ditmaal aan de regels houden. Volg de berichten.

Rosie en ik kijken elkaar even aan en staren vervolgens naar de grote ogen van Grace. 'Het stelt weinig voor, schat. Over een paar weekjes is het allemaal voorbij.'

'Is het waar dat jullie het eerst niet wilden?'

Rosie windt er geen doekjes om. 'Ja. Het zal niet meevallen, en meneer Walker is ziek.'

'Moeten jullie hem dan niet helpen?'

Rosie knikt eens ernstig naar onze wijze dochter. 'Dat is precies wat we ook gaan doen, schat.'

Ze hoort het met lichte scepsis aan. 'Wat bedoelde hij toen hij zei dat jullie getuigen probeerden te intimideren?'

'Sommige mensen dachten dat we de getuigen wilden overhalen om te liegen.'

'En?'

'Niet dus.'

'Echt waar?'
'Echt waar.'
Ze kijkt haar moeder een lang moment aan en besluit het hierbij te laten.
'Waarom ga jij niet alvast even ontbijten, terwijl ik me opfris?' stelt Rosie voor.
'Oké, mam.' Ze verdwijnt naar de keuken.
Ik help Rosie uit haar pyjama en draai de douchekraan alvast open. Ik kus haar in haar nek. 'Het had erger kunnen zijn,' zeg ik.
'Edwards blijft een lul.'
'Wat denk je dat ervoor nodig is om hem zover te krijgen dat hij ons met rust laat?'
'Het zou waarschijnlijk wel helpen als we de dader vonden.'
'En zo niet?'
De stem van de realiteit keert terug: 'We kunnen er maar beter rekening mee houden dat onze reputatie de komende weken op de voorpagina van de *Chronicle* aan flarden wordt gescheurd.'
Ik verander van koers. 'Je handelde het netjes af met Grace.'
'Dank je. Er zijn een hoop dingen die ze je op de rechtenfaculteit níét leren.' Ze klinkt aarzelend als ze me vraagt: 'Denk je dat ze me geloofde?'
'Volgens mij wel.'
'Ik hoop het maar.' Haar ogen vertellen me dat het onderwerp hiermee afgesloten is. Ze kijkt naar de met braaksel besmeurde handdoek op de grond. 'Wil je die even in de was doen?'
'Doe ik.' Ik bespeur tranen in haar ogen, sla mijn armen om haar heen, schraap mijn resterende moed bij elkaar en fluister: 'Zo heb ik je na je verjaardagsseks nog nooit meegemaakt.'
Ik moet aandachtig kijken, maar constateer tamelijk overtuigd dat haar mondhoek iets opkrult. 'Je moet het niet persoonlijk opvatten,' zegt ze. 'Voor iemand van jouw leeftijd ben je nog behoorlijk kras.'
Ik heb geleerd binnen mijn grenzen te opereren. 'Je was wakker vannacht.'
'Je hebt me anders behoorlijk beziggehouden.'
'Ik bedoel daarná.'
Ze wil er niet over praten, glimlacht ontwapenend en zegt: 'Je was echt lief vannacht.'
'Jij ook.'
Ze kust me op mijn wang. 'Ik heb een leuke verjaardag gehad.' Ze werpt een blik op het toilet. 'Zelfs tot ik moest kotsen.'
Genoeg tijd gerekt. Ik kijk haar ernstig aan. 'Weet je zeker dat je je goed voelt?'
'Ik zei je toch: het was gewoon een bedorven burrito?'
Ik houd even mijn mond en begin haar nek te masseren.
'Wat is er?' vraagt ze.

'Wanneer is je volgende afspraak met dokter Urbach?'

Vóór haar diagnose had ze nooit die angst in haar ogen. 'Je lijkt mijn moeder wel.'

'Die is er niet, dus moet ik haar taak overnemen.'

Zoals gewoonlijk probeert ze het meteen te ontwijken. 'Niet doen.'

'Ze komt samen met je broer naar Grace kijken. Als jij geen antwoord geeft op mijn vraag, zal ik haar zeggen dat je de hele nacht hebt wakker gelegen.'

'Het ís geen kanker, Mike.'

Haar mantra. 'Oké. Ik wilde het alleen zeker weten.'

'Ik ook.' Ze vertelt me dat ze volgende week een afspraak heeft. Haar blik wordt zachter. 'Sorry dat ik zo tegen je snauwde.'

'Sorry voor mijn stomme vragen.'

Zachtjes kust ze mijn vingertoppen. 'Dat zal niet voor het laatst zijn.'

12
'ÉÉN MISSTAP KAN JE HELE LEVEN VERGALLEN'

ALLEEN TOEGANG VOOR BEWONERS. BEZOEKERS ALLEEN ONDER BEGELEIDING.
VANDALEN ZULLEN WORDEN VERVOLGD.
Entreebord van het Alice Griffith-woningbouwproject

Een halve eeuw geleden was de marinewerf van Hunters Point een van de grootste en drukste werven ter wereld. Het ruim tweehonderd hectare tellende perceel ligt op een kunstmatig schiereiland dat vanuit de zuidoosthoek van de stad de Bay in steekt, gelegen aan de overzijde van het South Basin en de beter bekende buurt van Candlestick Park. De ontmantelde basis vormde tientallen jaren een hoeksteen van de Bayview-Hunters Point-gemeenschap en bood duizenden arbeiders uit de omringende wijken militair en civiel werk.

Die tijd is voorbij. Na de Tweede Wereldoorlog stak de marine geld in nieuwe faciliteiten en raakte de machtige scheepswerf in verval. Hetzelfde gold voor de directe omgeving, en toen de marine in 1974 de basis definitief sloot, was de neergang van het omringende woongebied een feit. Alsof dat niet genoeg was, bleek de plek een ramp voor het milieu. Meer dan vijfentwintig jaar lang was de werf een rottend bewijs van ambtelijke verwaarlozing. Renovatie van de belendende woonwijken was onmogelijk, want niemand wilde wonen of werken naast een gifmoeras.

De hoogconjunctuur van eind jaren negentig gaf eindelijk de stimulans om na decennia deze door criminaliteit en drugs geteisterde hoek van de stad San Francisco nieuw leven in te blazen. De marine lepelde miljoenen op om de vervuiling te verwijderen en stadsontwikkelaars kwamen met plannen voor een gevarieerde buurt voor verschillende inkomens, te bouwen op de voormalige marinewerf. Bij een referendum kozen de inwoners van San Francisco voor een speciaal fonds voor een nieuw Amerikaans football-stadion plus winkelgalerij op de parkeerplaats van Candlestick Park. Maar de Niners waren niet langer eigenaar en dus werden de plannen in de ijskast gezet. De laatste hoofdstukken in deze episode laten nog op zich wachten. Er gloort enige hoop, maar de zwaar op de proef gestelde gemeenschap telt nog steeds de meeste tienerzwangerschappen en de hoogste werkloosheid- en criminaliteitscijfers van de stad. Zoals ook voor Sixth Street geldt, verlopen de vorderingen in dit vergeten gebied met kinderschreden.

Het overwinningsfeestje voor Graces behaalde kampioenschap is een uur geleden afgelopen. Het is zaterdagmiddag een uur en in het hart van de uitzichtloosheid van Hunters Point ontmoeten Rosie en ik na tien jaar opnieuw Leons ex-vriendin. Vanessa Sanders is een tengere, donkere, goedlachse vrouw met een moederlijke uitstraling. Haar keurige, onopgesmukte kleding lijkt eerder uit het rek van een Colma Terget-winkel te komen en haar ontwapenende voorkomen vormt een fel contrast met haar directe omgeving. Op het eerste gezicht lijkt ze volkomen misplaatst hier in het Alice Griffith-woningbouwproject: een reeks lage, met graffiti bekladde flats op een steenworp afstand van Candlestick Park en de oude werf. Maar nu ik haar wat beter bekijk, zie ik een vrouw die sinds onze laatste ontmoeting stukken ouder is geworden en wier vermoeide ogen zelfs nog veel ouder lijken dan de rest van haar gezicht. Ze is nu dertig, en dik tien jaar lang alleenstaande moeder.

'Dank voor jullie komst,' zegt ze. 'Dat is lang geleden.'

Rosie en ik hebben plaatsgenomen op de versleten grijze bank van Vanessa's keurige zitkamer, waarin tevens twee houten stoelen, een boekenkast van spaanplaat en een 19-inch tv met een sprietantenne staan. De muren zijn behangen met fotomontages van Julia. De keuken is groot genoeg voor één persoon en op de tafel staat een oude IBM-computer die de indruk wekt dat hij op een ruilbeurs is gekocht. Het kleine beetje zonlicht dringt binnen door de stalen spijlen die de laatste nog hele ruit moeten beschermen. De andere ramen zijn dichtgetimmerd.

Ik vraag haar of ze iets van Leon heeft gehoord.

'Hij mocht me gisteravond bellen. Hij vertelde onder meer dat jullie geld nodig hebben.'

'Dat klopt.'

Ze overhandigt me een cheque van tweeduizend dollar, over te maken aan Fernandez, Daley & O'Malley. Ik geef hem aan Rosie en wijs er even op dat Vanessa's naam op de cheque gedrukt staat.

Rosie geeft hem aan haar terug. 'We kunnen hem niet aannemen. Leon heeft gezegd dat hij ons met zijn eigen geld zou betalen.'

Vanessa geeft de cheque weer terug. 'Het ís zijn geld.'

'Maar de cheque staat op jouw naam.'

'Maar het is zíjn geld. Hij zet het op de bank, maar alleen ik kan erbij. Het is voor Julia.'

'Ik wist niet dat Leon verplicht is bij te dragen in de opvoeding?'

'Dat is hij ook niet. Al jaren geeft hij me wat hij kan missen, zonder voorwaarden. We zijn nooit getrouwd. Hadden we maar een gewoon huwelijk zoals jullie, maar dat zat er niet in.'

'Mike en ik zijn inmiddels gescheiden,' deelt Rosie haar op zachte toon mee.

'Wat vervelend... Dat wist ik niet...' Ze aarzelt even, en vraagt: 'Werken jullie nog steeds samen?'

'Ook onze relatie is wat gecompliceerd,' antwoordt Rosie.

Vanessa kijkt ons aan zoals we al zo vaak hebben gezien bij mensen die niet bekend zijn met onze leefsituatie. Het lijkt me onnodig haar met alle details op te zadelen.

Met de cheque nog steeds in haar hand vraagt Rosie: 'Misschien kun je ons iets vertellen over je relatie met Leon?'

Haar verhaal neemt maar weinig tijd in beslag. Ze leerden elkaar kennen op Mission High. Hij was goed in Engels en zij in wiskunde. Ze hielden van basketbal, boeken en kinderen en werden bijna de besten van de klas. 'Leon had beursaanbiedingen voor de universiteitsteams van Duke, Kentucky, UCLA en USF.'

Het team van de USF won in de jaren vijftig de landskampioenschappen en beschikte ook in latere jaren over goede teams, maar er is een beetje de klad in gekomen. Het hoofd van de universiteit hief het team in de jaren tachtig op na een ontgroeningsschandaal. Een paar jaar later kreeg het programma een herkansing, zij het op bescheidener schaal. Het lijkt vreemd dat Leon niet voor een van de glansrijkere mogelijkheden heeft gekozen.

'Waarom de universiteit van San Francisco?' vraag ik.

'Hij wilde in de buurt van zijn moeder blijven, zodat ze hem kon zien spelen.' Ze kijkt dromerig voor zich uit. 'En zodat we samen konden zijn. Tijdens mijn laatste jaar van de middelbare school raakte ik zwanger.'

Ik kijk even naar een foto in een messing lijst. 'En dat is Julia?' vraag ik.

'Ja.' Ze werpt een liefdevolle blik op de foto. 'Leon en ik waren te jong voor het ouderschap, maar we waren verliefd en hadden trouwplannen. Het is niet makkelijk geweest, maar met een beetje geluk en wat financiële steun kan ze zich inschrijven voor het City College. Zelf zou ik sommige dingen anders hebben aangepakt, maar Julia zal altijd mijn grote schat blijven.' Ze vertelt dat haar dochter kort na haar eigen diploma-uitreiking werd geboren. Ze vonden een appartement aan Fulton, iets ten zuiden van de campus. Leon studeerde verder en werkte parttime bij een jongensclubhuis, en Vanessa volgde werkgroepen op City College. 'We hadden niet veel geld en een piepklein huisje,' vertelt ze, 'maar we waren jong en hadden een wolk van een dochter.'

'En toen werd Leon gearresteerd,' zeg ik.

'En viel alles in duigen.' Ze haalt diep adem. 'Eén misstap kan je hele leven vergallen. Leon en Frankie gingen naar een wedstrijd van de Warriors en ik bleef thuis met de baby. Tegen middernacht begon ik ongerust te worden en toen Leon om twee uur belde, kon je me bij elkaar vegen. Al meteen toen ik zijn stem hoorde, wist ik dat er iets mis was.

De rest weten jullie. De aanklacht werd verworpen en Frankie werd twee weken later vermoord. Leons beurs werd ingetrokken. Hij probeerde een transfer naar een ander team, maar niemand wilde hem en de profs gunden hem geen try-out. We raakten door ons geld heen en hij moest van de universiteit af. Daarna begon hij te drinken. Hij had wat baantjes, maar werd telkens weer ontslagen omdat hij te laat, of dronken, op zijn werk verscheen. Een jaar lang zag ik het aan, maar toen moest ik echt bij hem weg. Julia was net zestien maanden toen we hier terechtkwamen. Sindsdien heeft ze haar vader niet meer gezien.'

Rosie buigt zich iets voorover. 'Weet Julia dat Leon haar vader is?'

Vanessa's antwoord komt als een fluistering zo zacht: 'Ja. Ze beseft dat ze hem niet mag zien.'

Wat niet meevalt voor een twaalfjarige.

Rosie pakt haar hand. 'En sindsdien probeer je het in je eentje te redden?'

'Ja. Mijn ouders leven niet meer. Ik heb bij de wasserette op de hoek gewerkt totdat die dichtging, en ik ben werkster geweest. Julia heeft wat lichamelijke probleempjes, dus het valt niet mee om de eindjes aan elkaar te knopen.' Haar vermoeide ogen weerspiegelen de harde realiteit van haar situatie. 'Ik heb nog nooit zo veel van iemand gehouden als van Leon. Hij wilde nooit iets voor zichzelf en hij doet nog steeds zijn best om mij gelukkig te maken. Hij stopt me elke cent toe die hij verdient, bedelt of steelt om voor Julia te kunnen zorgen.'

Er valt een lange stilte. Ten slotte staat Rosie op en zegt: 'We kunnen je geld niet aannemen.'

'Het is Leons geld.'

Rosie geeft haar de cheque terug en herhaalt nog eens: 'We kunnen je geld niet aannemen, Vanessa.' Ze kijkt even naar de foto van Julia. 'Je kunt het beter voor haar gebruiken.'

'Dat is heel genereus, maar ik kan deze liefdadigheid niet aanvaarden.'

'Het is geen liefdadigheid,' zegt Rosie. 'Het is een investering in je dochters toekomst.'

Vanessa haalt diep adem. 'Ik weet even niet wat ik moet zeggen.'

'"Dank je" is voldoende.'

'Ik ben jullie veel dankbaarder dan je je kunt voorstellen.' Ze wil er iets aan toevoegen, maar bedenkt zich.

'Wat wil je zeggen?' vraag ik.

Haar ogen schieten nogmaals naar de foto van haar dochter. 'Ze is een slimme, mooie en lieve meid.' Ze aarzelt even. 'Maar ze is ziek. Ze heeft diabetes en een onregelmatige hartslag. Haar arts vreest dat het erger kan worden.'

'Heb je haar laten onderzoeken?' vraagt Rosie.

'Ja, maar er is een probleem.'

Ik zie de bui al hangen. 'Heb je een verzekering?' vraag ik.

'Alleen MediCal.'

Dit door de staat gefinancierde vangnet is tamelijk uitgebreid, zolang je arts het systeem kent. Maar zoals bij zo veel van dit soort voorzieningen is het beter om gewoon niet ziek te worden.

'Het is niet de Mayo Clinic, maar je kunt rekenen op de basisvoorzieningen. Helaas zijn de betrouwbaarste onderzoeken facultatief en worden dus niet gedekt. Zo'n onderzoek kost ongeveer vijfduizend dollar en ik probeer het bedrag bij elkaar te sparen.'

En Leon waarschijnlijk ook. Waarmee beroving zich als motief aandient.

13
'HIJ WAS EEN GOEDE ECHTGENOOT EN VADER'

Grayson, John Tower junior, 3 juni op achtenveertigjarige leeftijd overleden. Dierbare echtgenoot van Deborah, vader van John Tower Grayson III en Judith Grayson. Vooraanstaand oprichter van participatiemaatschappij Paradigm Partners. Herdenkingsplechtigheid in familiekring.
San Francisco Chronicle, zaterdag 4 juni

'Gecondoleerd,' zeg ik tegen J.T. Grayson. 'Dit moeten voor u vreselijk moeilijke dagen zijn.'

Tower Graysons zoon neemt een slokje water uit een beker. 'Dank u, meneer Daley. Ja, dat is zo.'

Het is zaterdagmiddag kwart over twee. We zitten in een spreekkamer op de afdeling Moordzaken op de derde verdieping van het paleis van justitie. Roosevelt Johnson heeft al zijn overredingskracht aangewend om de jonge Grayson ervan te overtuigen als woordvoerder van de familie op te treden. Zijn moeder is teruggekeerd naar Atherton. Zodra we kunnen, zullen we haar benaderen.

J.T. is een jaar of vijfentwintig, een jongere versie van zijn vader, met golvend blond haar en helderblauwe ogen. Een ondernemer in opleiding die onlangs op Stanford zijn MBA-graad behaalde en daarna is gaan werken bij de Palo Alto-vestiging van een van de grote beleggingsbanken. Mijn kaki pak kwam zo uit de rekken van Macy's. Het zijne is op maat gemaakt.

Johnson en Banks zijn aanwezig als volwassen toezicht. Ik begin rustig en vraag J.T. of hij al kans heeft gezien de rouwdienst te regelen.

De vraag lokt een achterdochtige blik uit. 'Waarom vraagt u dat?'

Omdat ik wil zien wie er komen opdagen. Ik speel nonchalance. 'Ik vroeg het me gewoon af.'

'Er komt geen rouwdienst. Mijn vader had er een bloedhekel aan.'

Geen goede start.

Rosie doet een duit in het zakje: 'Was u close met uw vader, meneer Grayson?'

'Het is J.T., mevrouw Fernandez, en ja: onze familie is erg close. Mijn zus verwacht komend najaar een baby. Mijn vader was erg opgetogen.'

Hij ontdooit al wat en Rosie graaft nog iets dieper: 'Ging alles goed tussen uw ouders?'

Hij knikt nadrukkelijk. 'Ze leerden elkaar op de middelbare school kennen en waren als een stel pasgetrouwden. Ze hebben hun ups en downs gehad en waren het niet altijd met elkaar eens, maar wat belangrijke zaken betrof zaten ze altijd op één lijn. Ze waren een team en ontfermden zich over elkaar.'

Waarmee hij misschien wel het record heeft gevestigd voor de meeste clichés in een tijdsbestek van vijf seconden. Rosie geeft me een knikje. Tijd voor mij om de sluwe smeris te spelen.

'Hadden je moeder en vader ooit serieuze meningsverschillen?' vraag ik.

'Nooit.'

Juist. 'En ze gingen nooit apart op vakantie of hadden het nooit over een adempauze nemen?'

'Natuurlijk niet.' Hij kijkt me verontwaardigd aan. 'Waarom stelt u me zulke vragen?'

Ik zit te vissen en wil hem nog een paar minuten aan het lijntje houden. Als hij clichés kan uitbraken, kan ik ook onzin uitkramen. 'Ik wil je niet beledigen. We proberen gewoon zo veel mogelijk over je vader te weten te komen. Dan krijgen wij een beter beeld van de zaak en wordt de kans kleiner dat we iets belangrijks over het hoofd zien.'

'Prima,' zegt hij op iets te krachtige toon. 'Als u vraagt of mijn ouders het ooit over een scheiding hadden, luidt het antwoord uitdrukkelijk nee.'

Tijd voor de volgende vraag. 'Hadden je vader en jij het samen over zaken?'

'Voortdurend.' Als hij uitlegt dat hij analist is bij een firma die is gespecialiseerd in het begeleiden van hightech bedrijven op het traject naar een open NV, wordt zijn toon gewichtig. 'Mijn vader financierde startende bedrijven,' zegt hij, 'en ik tilde ze naar het volgende niveau.'

Hij denkt dat hij de tent runt. 'Hoe deed het bedrijf van je vader het?'

'Goed,' antwoordt hij, te snel. Ik reageer niet meteen. Sommige mensen voelen zich niet op hun gemak als er een stilte valt en zien zich dan gedwongen deze op te vullen. Mijn geduld wordt beloond. 'De laatste paar jaar hebben venture capitalists het niet makkelijk gehad.'

Ik blijf stil. Laat hem maar praten.

Zijn mondhoek krult iets op. 'Gelukkig was mijn vader erg nauwkeurig, iets wat teruggaat tot zijn dagen als accountant. Hij keek altijd naar het resultaat en de cashflow.' Hij knikt met enig gezag en verzekert zich ervan dat Paradigm het toen uitstekend deed.

'Dat is fantastisch,' zeg ik in een poging niet al te neerbuigend te klinken. 'Heb je ook een deel van je éígen geld in Paradigm geïnvesteerd?' vraag ik achteloos.

Hij probeert te bepalen hoeveel hij zou moeten onthullen. 'Een beetje,' antwoordt hij ten slotte.

De beerput kan open. 'Ben je tevreden over je investering?'

'Natuurlijk,' antwoordt hij, weer te snel.

'Dat geldt ook voor de andere investeerders?'

Het eerste spoortje van irritatie. 'Absoluut, meneer Daley. Het fonds doet het goed.'

Ik werp een blik op Rosie en ze vangt mijn seintje op. 'In de *Chronicle* las ik iets over het bedrijf van je vader,' zegt ze. 'Had je vader een partner die Chamberlain heet?'

Hij aarzelt even. 'Ja.'

Rosie houdt haar wijsvinger omhoog op een manier die doet vermoeden dat ze zojuist een van de grote ontdekkingen van de moderne beschaving heeft gedaan. Ze speelt haar rol met verve. 'Eh... ik kan me de details even niet herinneren,' liegt ze, 'maar ik geloof dat het artikel melding maakte van enige problemen bij Paradigm.'

Grayson doet net alsof hij van niets weet.

'Er werd zelfs gesuggereerd,' gaat ze door, 'dat een aantal investeerders niet zo blij was.' Ze legt het er nog wat dikker op: 'Ik geloof dat meneer Chamberlain in het artikel zei dat een paar investeerders overwogen hun geld terug te vragen.'

Ook de aardige smeris is nu een sluwe geworden.

J.T. wijst met een vinger naar Rosie en begint haar de les te lezen. 'Die verslaggever had geen flauw benul van risicokapitaal,' zegt hij. 'Het is een riskante business. Dat is ook de reden waarom alleen rijke en verstandige beleggers mee mogen spelen. De grote pensioenfondsen zijn de grootste investeerders, en zij brengen maar een klein percentage van hun activa in. De afgelopen jaren hebben de meeste risicofondsen bescheiden rendement opgeleverd. Ik heb geen idee waarom ze mijn vader eruit gepikt hebben.'

J.T. en Rosie worden misschien toch geen goeie maatjes. Ze hoort het allemaal afgemeten stoïcijns aan en vraagt: 'En de suggestie dat meneer Chamberlain een terugbetaling eiste?'

'Risicofondsen doen niet aan terugbetalingen,' bitst hij. 'Je stopt je geld erin en je hoopt er het beste van. Het is praktisch onmogelijk om zonder instemming van de beherend vennoot of onder andere ongebruikelijke omstandigheden je geld terug te krijgen.'

'Waar had meneer Chamberlain het dan over?'

'Dat weet ik niet. Misschien probeerde hij mijn vader over te halen om de afspraak te herzien en hem een groter percentage te geven, of misschien wilde hij een grotere inbreng in het beheer van het fonds. Hoe dan ook, hij kon die verandering er niet door hebben gekregen zonder instemming van alle partners.'

'Hoeveel invloed had meneer Chamberlain?'

'Het geld gaat in verschillende fasen het fonds in, en meneer Chamberlain was de grootste investeerder. Misschien heeft hij gedreigd om verdere bijdragen in te houden als mijn vader de taart niet opnieuw verdeelde.'

'Als hij juridisch verplicht was om onder de voorwaarden van de partnerovereenkomst het geld in te brengen, maar dat niet deed,' zeg ik, 'dan zou hij daarmee contractbreuk plegen.'

'Denkt u dat mijn vader hem voor het gerecht wilde dagen?'

'Waarom niet?'

'Meneer Chamberlain beschikt over goede juristen die het bedrijf voor jaren kunnen vastzetten.'

De zaak wordt al ingewikkelder. 'Zijn ze tot een oplossing gekomen?' vraag ik.

'Dat weet ik niet.'

Ik vraag hem wat er gebeurt als de beherend vennoot komt te overlijden.

'Dat zou ik moeten natrekken in de documenten van de vennootschap.'

Ik geloof gewoon niet dat een zelfverzekerde beleggingsbankier zijn geld in een kapitaalfonds stak – ook al werd dat door zijn vader beheerd – zonder eerst de kleine lettertjes te lezen. 'Maar,' ga ik verder, 'het overlijden van de beherend vennoot is toch zeker aanleiding voor ontbinding van het fonds?'

Hij is onvermurwbaar in zijn onnozelheid. 'Ik weet het niet.'

Volgens mij weet hij het wel, maar daar kom ik nu niet achter. 'We zouden graag die documenten even inkijken,' zeg ik.

'Die zijn vertrouwelijk.'

Ik sla toe. 'We sturen je liever geen dagvaarding.'

Hij bewaart zijn kalmte. 'Ik zal het overleggen met de jurist van het fonds.'

'Dank je.' Op een of andere manier krijgen we dat vennootschapsakkoord wel in handen. Of het voor deze zaak van belang is, valt nog te bezien. 'Wist je dat je vader en de heer Chamberlain donderdagavond een afspraak hadden met de jurist van het fonds?'

'Dat heb ik gehoord, ja.' Als ik hem vraag naar het onderwerp van de bespreking, verklaart hij dat hij van niets weet.

'Is je de laatste maanden iets ongebruikelijks opgevallen aan je vaders gedrag?' vraag ik. 'Een verandering van gewoonten? Ongebruikelijke reisjes?'

'Nee.'

'En de verstandhouding met je moeder was dezelfde als altijd?'

Zijn toon wordt nadrukkelijk: 'Ja, meneer Daley. Hij was een goede echtgenoot en vader. Hij was een steunpilaar van onze gemeenschap.'

Dit lijkt hét favoriete cliché om zijn vader te beschrijven. 'Je vader lijkt een evenwichtig man te zijn geweest, die elke dag gewoon naar zijn werk ging en van zijn gezin hield.'

Een opgeluchte blik. 'Precies.'

'Het lijkt dus tamelijk merkwaardig dat hij even langs wipt bij een winkel in Sixth Street.'

'Hij was op weg naar de snelweg. Waarschijnlijk zag hij een avondwinkel en besloot hij even te stoppen. Als ik erbij was geweest, zou ik het hem hebben afgeraden.'

Ik houd even mijn mond, maar dit keer voelt hij zich niet geroepen de stilte op te vullen. 'Is hij de afgelopen paar maanden wel vaker in Sixth Street geweest?'

Hij werpt me een verontwaardigde blik toe. 'Natuurlijk niet, meneer Daley!' Uit zijn houding blijkt duidelijk dat hij mijn vragen niet meer wenst te beantwoorden.

Rosie probeert het nog een keer: 'Waar was je gisteravond?'

'Thuis.'

'En waar is dat?'

'Een appartement tegenover het Moscone Center, op de hoek van Third Street en Howard Street.'

Dat ligt midden in het veelbelovende South of Market. En ook maar drie straten van de vuilcontainer waar zijn vader werd aangetroffen.

'Kan iemand dat bevestigen?' vraagt ze.

Hij doet zijn best niet in de verdediging te gaan. 'Ik woon alleen.' Er verschijnt een verbolgen blik op zijn gezicht. 'Wilt u soms iets suggereren?'

Rosie houdt zich voorlopig nog in. 'Nee, J.T.,' reageert ze.

Mijn broer is kwaad op me. Ik sta naast mijn auto op het parkeerterrein van het paleis van justitie en ondanks de ruis van mijn mobiele telefoon is de irritatie in zijn stem overduidelijk. 'Waar zit je in godsnaam, Mick?' vraagt hij.

'We werden opgehouden bij Walkers ex-vriendin en Graysons zoon,' leg ik uit.

'Je had wel even kunnen bellen. Je zou me hier een uur geleden treffen.' Hij wacht op mij in een restaurant op de verwaarloosde kruising van Sixth Street en Market Street.

'Het spijt me, Pete. Ik kom nu zo snel mogelijk.'

'Wie heeft de honkbalwedstrijd gewonnen?'

Belangrijke zaken eerst. 'Graces team. Drie tegen nul.'

'Jij bent de Yogi Berra van de jeugddivisie van de Bay Area. Zodra ze in de hoogste klasse speelt, wil ik mijn aandeel. Ik neem genoegen met vijfentwintig procent.'

'Dat lijkt me wat aan de hoge kant.'

'Ik zit al meer dan een uur in deze rottent, Mick. Jij bent helemaal niet in een positie om te onderhandelen. Bovendien heb ík haar leren werpen.'

Vergeet het maar. 'Dat heb ík haar geleerd.'

'Niet. Ze werpt heel anders dan jij, Mick. Jij werpt als een wijf.'

Ik kijk naar het verkeer op Bryant Street en besluit een laatste bod te doen. 'Ik zal je twintig procent geven van wat Grace gaat vangen, maar alleen als je nu je kop houdt.'

'Afgesproken.' Zijn volgende vraag maakt abrupt een eind aan het gedol: 'Wat ben je wijzer geworden van Walkers ex?'

'Niet veel.' Ik vertel hem over ons gesprek met Vanessa Sanders.

'Het is mooi dat hij een beetje steun voor zijn dochter probeerde te krijgen,' zegt hij.

'Dat moet ik hem nageven, ja.'

'Hoor ik daar een "maar"?'

'Ja.' Ik vertel hem over Julia's aandoening en het gat in de dekking van haar verzekering.

'Zo te horen had Leon een motief om geld te stelen. Dat zal ons niet helpen, Mick.'

'Nee, klopt.' Ik haal diep adem. 'Er is nog iets: Rosie en ik hebben besloten deze zaak gratis te doen. Dat voorschot van tweeduizend dollar hebben we geweigerd.'

'Dus naar mijn honorarium kan ik fluiten.'

'Eigenlijk wel, ja.'

'Dat had je me eerst wel eens mogen vragen, Mick.'

'Het spijt me. Het leek ons juist. Als je krap komt te zitten, betaal ik je wel uit eigen zak.'

'Laat maar. Het is niet de eerste keer dat een van jouw cliënten me heeft laten stikken, en het zal ook wel niet de laatste keer zijn.'

Nee, dat zal wel niet. 'Ik trakteer je op een lunch. Ik zal er een extra portie miniloempiaatjes bij doen.'

'Wat ben je toch sportief. Wat ben je van Graysons zoon te weten gekomen?'

'Zijn vader was een betrouwbare burger. Goede echtgenoot en vader. Respectabel zakenman.' Wanneer ik Pete vertel dat de jonge J.T. een kleine drie straten van de plek van zijn vaders voortijdige verscheiden woont, lijkt zijn nieuwsgierigheid gewekt.

'Hoe zit het met dat verhaal in de *Chronicle* over problemen bij Paradigm?'

'Hij beweerde dat het door een overijverige journalist was opgeklopt.'

'Geloof je hem?'

'Ik wil het er met Chamberlain over hebben.'

'En mevrouw Grayson? Was hun huwelijk goed?'

'Volgens de zoon wel, ja. Waarom vraag je dat?'

'Toen jij vanmorgen honkbalpapa speelde, ben ik naar het huis van mevrouw Grayson in Atherton gereden. Het lijkt Versailles wel daar.'

Dat verbaast me niets. Atherton is het rijkste stadje in Californië. 'Je hebt toch niet aangebeld, hè?'

'Hallo zeg, haar man is gisteren overleden. Ik heb heus nog wel een greintje discretie.'

'Sorry. Wat deed je nog meer behalve het hek van haar oprit bewonderen?'

Hij antwoordt met een vraag: 'Stel dat jouw man gisteren dood was aangetroffen, wat zou jij dan de volgende dag doen, denk je?'

Ik weet niet zeker waar hij naartoe wil, maar ik kan het spelletje maar beter meespelen. 'Waarschijnlijk wat telefoontjes plegen.'

'Juist. En wat zou jij mogelijk als ongepast gedrag beschouwen?'

'Bijna alles verder. Wat heeft ze gedaan?'

'Ze had vanmorgen bezoek.'

'Van wie?'

'Lawrence Chamberlain.'

'Vermoedelijk gewoon zakelijk, Pete.'

'Aha, dus het is gepast om in je joggingkleren iemand te komen condoleren?'

Nee, hoewel ik opper dat hij misschien op weg was naar de sportschool.

'Misschien dat je hem ernaar kunt vragen.'

'Zal ik doen. Verder nog iets ongewoons gezien?'

'Mevrouw Grayson ging vanmorgen een autoritje maken.'

'Ze zal vermoedelijk het een en ander te regelen hebben gehad.'

'Nou, de meeste mensen gaan om een begrafenis te regelen echt niet naar de Sharon Heights-countryclub.'

Hm. Kennelijk is mevrouw Grayson niet overmand door verdriet, maar er kan een logische verklaring zijn. 'Wat deed ze daar?'

'Ze ging er niet heen om van de weekendbrunch te genieten.'

'Heb je daar een bron zitten?'

'Uiteraard.' Ik zíé hem gewoon glimlachen. 'De beste bronnen zijn niet je familie, vrienden of buren, want die zijn te nauw verbonden met de betrokkenen en willen vaak niet klikken of partij kiezen. Dat betekent dat oppervlakkige kennissen die graag roddelen de beste mensen zijn om informatie van los te peuteren.'

'Zoals mensen die lid zijn van Sharon Heights?'

'Of mensen die daar werken.'

'Zoals?'

'Er moeten daar wel vier tennisprofs rondlopen die Björn heten.'

'Heeft een van de Björns vanmorgen toevallig mevrouw Grayson op de club gezien?'

'Toevallig wel, ja. Het huwelijk van de Graysons was misschien toch niet zo stabiel als J.T. denkt.'

14
'WE ZIJN OP ZOEK NAAR AMOS FRANKLIN'

DIT PAND WORDT VIERENTWINTIG UUR PER DAG BEWAAKT DOOR BEVEILIGINGSCAMERA'S. GEEN WISSELGELD ZONDER AANKOOP VAN TEN MINSTE TIEN DOLLAR.
Bordje bij de deur van Alcatraz Liquors

'Oké,' zeg ik tegen Pete. 'Roept u maar.'

Op het verschoten bord boven de deur van de Food Corner op de hoek van Market Street en Sixth Street valt te lezen dat gasten hier kunnen genieten van de Chinese, Amerikaanse, Filippijnse, Mexicaanse of Italiaanse keuken. In werkelijkheid is het menu aanzienlijk minder ambitieus. Op de met de hand geschreven lijst aan de muur staan geen Amerikaanse of Filippijnse gerechten, en het Mexicaanse restaurant een deur verderop heeft veel van de klanten die burrito's willen eten afgesnoept. Bij het snelbuffet serveert een potige jongeman gulle porties zoetzure varkenshapjes.

Nauwgezet vouwt mijn broer het eerste katern van de *Chronicle* van vandaag op en legt het op het formicatafeltje voor zich. 'Ik kwam vanmorgen je naam tegen in Jerry Edwards' column,' zegt hij. 'Is hij van plan om je de komende paar weken de grond in te stampen?'

'Ja.'

Hij wijst naar me. 'Je hebt erom gevraagd.'

'Hier hebben we het al vaker over gehad.'

'Maar deze keer wordt het erger, Mick. Sinds hij weer aan de drank is, is hij valser geworden. Tegen de tijd dat dit achter de rug is, zet hij alle betrokkenen bij deze zaak zwaar voor lul.' Mijn schrandere jongere broer knipoogt en voegt eraan toe: 'Behalve mij.'

'Hoezo dat?'

'Niemand geeft ene moer om een doodordinaire privé-detective. Waarom afgeven op een zakkenwasser als ik wanneer je je pijlen kunt richten op ons fotomodel de officier van justitie, de politie van San Francisco en een paar verwaande strafpleiters?' Hij gebaart naar mijn loempia's. 'Laat eens proeven, Mick.'

Ik geef ze aan. Een goedgevoede privé-detective is een blije privé-detective.

Hij wijst op zijn horloge. 'Je hebt me hier bijna twee uur laten wachten.'

'Het spijt me.'

Ik laat hem zijn hart luchten. Dat is beter. Ten slotte komt hij terzake. 'Volgens mijn bronnen heeft mevrouw Grayson aardig wat tijd doorgebracht op de countryclub.'

Ik wijs hem erop dat dit geen ongewoon gedrag is voor mensen met haar status. 'Het hoeft niet per se iets te maken te hebben met het overlijden van haar man.'

Hij slaat geen acht op mijn scepsis. 'Ik heb er ooit, tijdens een vorige klus, een van de masseuses leren kennen,' zegt hij. 'Ik zou het niet erg hebben gevonden nader kennis met haar te maken.'

Er gaat niets boven een geile vijfenveertigjarige vrijgezel die zijn opleiding in politieke correctheid nooit heeft voltooid. 'Bespaar me de details,' zeg ik. 'Wat heeft ze je verteld?'

'Debbie Grayson is de afgelopen drie maanden elke dag voor een massage langsgekomen.'

Dat bewijst nog steeds niets. 'Misschien heeft ze wel een rugkwaal of is ze gewoon dol op massages. Ze kan ze zich in elk geval permitteren.'

Hij heeft de loempia's op en verkreukelt het kartonnen bakje in zijn vuist. 'Blijkbaar waren er toch wat spanningen in huize Grayson,' zegt hij. 'Financieel werd het wat krap, en mevrouw Grayson vermoedde dat haar man haar belazerde.'

Volgens haar zoon anders niet. 'Met wie?' vraag ik.

'Onzeker.'

'Verder nog iets? Telefoontjes? Creditcardafschriften?'

'Mevrouw Grayson vroeg de masseuse naar de naam van een privédetective om haar echtgenoot te schaduwen. Ik was ietwat teleurgesteld dat ze mij niet voorstelde.'

Niet onredelijk. 'Waarom zou een welgestelde vrouw als mevrouw Grayson haar masseuse om een aanbeveling vragen?'

'Ze kon het toch zeker niet aan haar man vragen, of wel soms?'

'Ze heeft kennissen.'

'Mensen praten zo hun mond voorbij. Misschien had ze liever niet dat iedereen in het bubbelbad op de club wist dat meneer G met Jan en alleman de koffer in dook. Als Debbie Grayson haar tennisvriendinnen vertelde dat ze op zoek was naar een privé-detective, zou de hele club ervan hebben geweten.'

'Geldt dat niet ook voor het personeel?'

'Als die hun mond voorbijpraten, kunnen ze ontslagen worden.'

'Waarom praatte jouw bron dan wel?'

'Ze stond bij me in het krijt en ik ben geen lid van de club. Mijn overredingskrachten zijn legendarisch.'

Juist. Ik weet niet of zijn informatie betrekking kan hebben op het overlijden van Grayson, maar de smerige details kunnen vermakelijk zijn voor diegenen onder ons die een wat alledaagser leven leiden. Ik vraag of Debbie Grayson de privé-detective had gebeld.

'Ja.'

'Hoe weet je dat?'

'De privé-detective belde met de masseuse om haar te bedanken voor de verwijzing.'

Een privé-detective met goede manieren. 'Vond hij iets om meneer Grayson door het slijk te halen?'

'Dat wist mijn bron niet.'

'Heb je zijn naam gekregen?'

'Yep.' Hij glimlacht. 'Het is alleen geen hij.'

'Iemand die wij kennen?'

'O, jazeker.' Hij zwijgt even. 'Kaela Joy Gullion.'

Nu wordt het écht interessant. Kaela is een voormalig model en cheerleader bij de Niners, die hersens, schoonheid en doortraptheid heeft uitgebouwd tot een carrière als een dure privé-detective. Toen ze haar man, een voormalig spelverdeler bij de Niners, tijdens zijn trips begon te schaduwen, maakte ze een veelbelovende start. In het French Quarter betrapte ze hem met een andere vrouw en veegde ze de vloer met hem aan. Nu werkt hij als nachtmanager bij de Daly City In-N-Out Burger en woont zij in Pacific Heights. 'Kun je haar even bellen en vragen of zij misschien met ons wil praten?' vraag ik.

'Heb ik al gedaan, maar ik kreeg haar antwoordapparaat. Zodra ze terugbelt, laat ik het je weten.'

Het is zaterdagmiddag halfvijf. Een pezige Afro-Amerikaanse man van, zeg, middelbare leeftijd met een pokdalig gezicht, een leesbrilletje op zijn neus en een geitensikje, zit achter de kassa van Alcatraz Liquors. Terwijl het zonlicht door de getraliede ramen naar binnen valt, leest hij aandachtig de *Daily Racing Form*. Van de bezoedelde linoleumvloer tot het blootliggende plafond staan de planken vol met een selectie sterkedrank, goedkope wijn en goedkoop bier, die de smaak van zijn klanten weerspiegelt. De clientèle van dit etablissement stelt vooral prijs op veel voor weinig. Kwaliteit en merk staan een stuk lager op het prioriteitenlijstje. Het aroma van fijne vleeswaren van de delicatessentoonbank vermengt zich met de geur van bier uit een kapotgevallen fles achter in de zaak, en door de openstaande deur drijft een penetrante urinelucht naar binnen. Vlak buiten de ingang bedelt een door de alcohol bedwelmde dakloze om wat kleingeld. Hij lijkt te begrijpen dat zijn ruimte eindigt bij de deuropening en dat als hij ook maar één voet in deze winkel zet de man achter de kassa hem zonder pardon de straat op zal jagen.

De knarsende toon van de verkoper maakt hem tot een ideale kandidaat voor de antirookcampagnes die je tijdens de Super Bowl ziet langskomen. Zijn stem is een levende getuigenis van de verwoestende uitwerking van sigaretten en bourbon als hij met enige inspanning vraagt: 'Wat kan ik voor u betekenen?'

'Bent u Amos Franklin?' vraag ik.

'Zou kunnen.' Voor iemand in zijn positie is behoedzaamheid een cruciale vereiste voor veiligheid op het werk en zelfbehoud. Zijn ademhaling verloopt in zware snikken. 'Wie vraagt dat?'

'Ik ben Michael Daley.'

Zijn gezicht verstrakt. Met een dunne vinger wijst hij naar Pete, die de indeling van de winkel bestudeert en naar de videocamera boven de deur kijkt. 'En wie is uw vriend?' vraagt hij.

Ik probeer een geruststellende toon aan te slaan. 'O, dat is mijn broer. We zijn niet uit op moeilijkheden.'

Hij reikt onder de kassa naar iets wat net buiten mijn gezichtsveld blijft en mijn hart slaat een keer over. Als het een pistool of een mes is en deze vent is een heethoofd, dan kunnen we wel eens serieus in de problemen komen. Ik heb het gevoel dat mijn keel wordt dichtgeknepen, maar ik wil niet dat hij ziet dat het zweet me uitbreekt. Ik wil echt niet sterven op de versleten gele linoleumvloer van Alcatraz Liquors.

Hij kijkt me doordringend aan en zijn toon is ferm: 'Ik heb u hier nooit eerder gezien. Bent u een van de nieuwe undercoveragenten?'

Ik waardeer zijn directheid. 'Nee,' zeg ik in een poging niet al te defensief te klinken, 'ik ben advocaat.'

'Shit.' Nu zorgt hij ervoor dat ik een glimp kan opvangen van het klein kaliber pistool in zijn hand. Ik ben dan misschien wel een advocaat, maar in deze winkel is *híj* de wet. Hij gebaart naar Pete. 'Is hij ook advocaat?'

'Nee. Hij is privé-detective.'

De lange, slanke man gaat wat verzitten op de kruk, die voor hem te groot is. Hij legt het pistool terug onder de kassa en mijn hart komt weer enigszins tot rust. Hij trekt aan een gouden sierknopje in zijn linkeroor. Een poosje staart hij ons aandachtig over de rand van zijn leesbril aan. 'Wat wilt u?'

'We zijn op zoek naar Amos Franklin.'

'U hebt hem gevonden.' Hij zet de leesbril af. 'Waar kan ik u mee helpen?'

'Informatie.'

Hij kijkt naar de schappen met flessen en blikjes. 'Drank is het enige wat we hier hebben.' Hij zet zijn bril weer op zijn neus en doet net alsof hij de uitslagen van de wedrennen bestudeert.

'Wij vertegenwoordigen Leon Walker,' zeg ik.

'Weet ik. Ik hoorde uw boodschap en ik zag u op het nieuws.'

Hij weet meer dan hij wil toegeven. 'We zouden graag weten wat u vrijdagochtend hebt gezien.'
'Ik heb tegenover de politie al een verklaring afgelegd.'
'Die heeft bij ons geen verslag uitgebracht. We hoopten dat u wat details kon geven.'
De leesbril gaat weer af. 'Door dingen te verkopen kunnen we deze zaak draaiende houden,' zegt hij. 'Als u kleingeld wilt, moet u iets kopen. Hetzelfde verhaal gaat op als u informatie wilt.'
Ik had al wel gedacht dat dit me geld ging kosten. Ik graai twee kalkoensandwiches uit de vitrine naast de kassa en leg ze op de toonbank. 'Deze graag,' zeg ik.
'Wilt u daar nog wat chips bij?'
'Nee, dank u.'
'We hebben echt goeie chips, hoor.'
Ik snap wat hij bedoelt. 'Geef maar twee zakken Doritos.'
Hij pakt de zakken van het rek. 'Nog iets te drinken erbij?' vraagt hij geforceerd beleefd.
'Twee Diet Cokes.'
'Anders nog iets?'
'Nee, dat is alles.' Ik geef hem een briefje van twintig dollar. Hij wil me het wisselgeld geven, maar ik houd hem tegen. 'Dat is voor u,' zeg ik.
'Waarvoor?'
'Voor uw medewerking.'
Hij neemt me van top tot teen op. 'Ik kan nóg beter meewerken,' zegt hij.
'Hoeveel gaat dat me kosten?'
'Hoeveel hebt u?'
Ik reik hem nog eens twintig dollar aan. De kans is groot dat deze onkosten niet zullen worden vergoed door mijn cliënt. 'Dit zou toch een goed begin moeten zijn,' zeg ik.
'Nou, nog een paar van deze zou helemaal mooi zijn,' pareert hij.
Ik geef hem nog een twintigje. 'Ik heb nog meer als u me vertelt wat er is gebeurd.'
'Daarvoor zal ik minstens nog een twintigje moeten hebben. Een man moet toch kunnen rondkomen, nietwaar?'
'Niet voordat ik uw verhaal heb gehoord.'
'Ik hoef helemaal niet met u te praten.' Hij leunt achterover op zijn kruk en kijkt weer op het wedrenformulier.
Mijn frustratie groeit. Ik sta op het punt nogmaals mijn portefeuille te openen wanneer Pete een stap naar voren doet. 'Herken je me nog, Amos?' vraagt hij.
Franklin kijkt over de rand van zijn bril. 'Jij bent een smeris,' zegt hij.
'Niet meer. Ik weet nog dat je bij Manny's werkte.'
'Dat is lang geleden. Je hebt een goed geheugen.'

'Dat is handig bij mijn werk.'
Franklins smalle gezicht vertrekt tot een argwanende frons. 'Waarom werk je niet meer voor het korps?'
'Dat wordt gerund door boekhouders en bureaucraten. Je krijgt er nooit iets voor elkaar.'
'Vertel mij wat.' Franklin kijkt naar buiten. 'Ze hebben een andere commissie aangesteld om grote schoonmaak te houden,' zegt hij. 'De raad kwam zelfs met een wet die pissen op straat verbiedt. Nou, dat zal helpen, zeg. Als ze hier echt iets willen veranderen, moeten ze een paar van die gasten eens een paar maanden hier laten wonen.'
Geen slecht idee. De twee wisselen wat informatie uit over types met namen als Harry het Paard, de Ballonnenman, de Rivaal en de Buffel. Op zijn eigen manier is Pete net zo goed in informatie vergaren als Roosevelt Johnson en Marcus Banks. Ik houd me op de achtergrond en laat hem het werk doen. Voor een ongetraind oog lijken ze twee oude kennissen die elkaar de laatste buurtroddels vertellen. Maar als je beter kijkt, zal het je opvallen dat Pete elke nuance in Franklins stem en manier van doen met een geoefend oog bestudeert.
Pete leidt Franklin met zachte hand naar het gewenste onderwerp. 'Ken je Leon Walker goed?' vraagt hij.
'Vrij goed. Die beschuldigingen tien jaar geleden tegen hem waren vals.'
'Dat zegt hij ook.'
'Hij werd gewoon genaaid. Hij was op het verkeerde moment op de verkeerde plek. Hij zei dat de enige die zijn verhaal geloofde...' Zijn stem sterft weg. Hij draait zich naar mij en zegt: '... u was.'
Ik knik, maar zeg niets.
Pete neemt het initiatief weer. Hij toont Franklin een foto van Grayson uit de krant van vanmorgen. 'Herken je hem?' vraagt Pete.
'Ja. Dat is die vent die ze in de vuilcontainer hebben gevonden.'
'De politie vertelt ons dat hij rond een uur of twee de winkel in kwam.'
'Klopt.'
'Had je hem wel eens eerder gezien?'
'Nee.'
'Gedroeg hij zich verdacht?'
'Niet echt.'
'Was er nog iemand in de winkel?' vraag ik.
'Alleen Leon.' Hij zegt dat hij buiten niemand heeft gezien of gehoord.
'Wat deed Grayson toen hij de winkel binnenkwam?'
'Hij kocht een pakje sigaretten. Hij trok een twintigje uit een hele bundel biljetten in een clip. Ik vond het ongelooflijk dat hij in deze buurt zo opzichtig met poen liep te zwaaien.'
Ik ook niet. 'Waar denkt u dat het geld voor was?'
'In deze buurt kom je meestal uit bij drugs of vrouwen.'

Daar lijkt iedereen het over eens. 'Weet u of Grayson bij een van beide betrokken was?'
Hij haalt zijn schouders op.
Ik kijk nog eens rond. 'Waar stond Leon toen Grayson in de winkel was?'
'Hier bij de kassa. Hij maakte zich klaar om weg te gaan.'
'Zag hij het geld?'
'Hij stond vlak naast me. Hij kan het gewoon niet níét hebben gezien.'
Pete en ik wisselen een veelbetekenende blik, waarna Pete nog een briefje van twintig op de toonbank neerlegt. 'Amos,' zegt hij, 'ik heb hier al een tijdje niet meer gewerkt. Als we vroeger om informatie verlegen zaten, maakten we een praatje met Trey Stubblefield.'
'Die is niet langer beschikbaar.'
'Hoezo niet?'
'Hij is dood.'
'Wat jammer nou. Met wie zouden we nu moeten praten?'
Franklin kijkt naar de biljetten op de toonbank, maar raakt ze niet aan. 'Er is een vent die hier constant rondhangt. Hij is nu de baas.'
'Hoe heet hij?'
Franklin werpt nog eens een blik op het geld, maar Pete verhoogt het stapeltje niet. Franklin slaat zijn ogen op. 'Willie Kidd,' zegt hij dan. 'Ze noemen hem de Burgemeester van Sixth Street.'
'Waar kunnen we hem vinden?' vraag ik.
Hij wijst naar de man die buiten bij de deur op een krat zit. 'Dat is Willie,' zegt hij.
Uitstekend. Pete laat nog een briefje van twintig op de toonbank vallen. 'Bedankt, Amos.'

15
DE BURGEMEESTER VAN SIXTH STREET

'Ons eerste doel in het rehabilitatieproject voor Sixth Street is om daklozen de noodzakelijke voorzieningen aan te bieden.'
De burgemeester van San Francisco, zaterdag 4 juni

Met een uitgestrekte hand en op behoedzame toon wenkt Willie Kidd ons. 'Heren, stap gerust mijn kantoor binnen,' zegt hij met volmaakte dictie.

De Burgemeester van Sixth Street heeft zijn burelen geopend. De lange Afro-Amerikaanse man met de scherpe gelaatstrekken, stoppelbaard en hoge stem zit op een rood plastic melkkrat buiten voor Alcatraz Liquors. Hij is vermoedelijk ergens in de vijftig, maar leeftijd is vaak lastig te beoordelen bij iemand die op straat leeft. De glazige blik in zijn gezwollen rode ogen doet vermoeden dat het happy hour al vanmorgen vroeg is begonnen. In zijn linkerhand houdt hij een geopende fles Jack Daniel's en in zijn rechter een jachtmes. Hij is beleefd, maar de blauwe plekken op zijn armen laten er geen twijfel over bestaan dat hij bereid is het wapen te gebruiken als je hem provoceert. Hij draagt een mouwloos wit T-shirt, een met vuilkorsten bedekte zwarte broek en zware laarzen. De tatoeage van een Amerikaanse vlag op zijn linkerschouder bedekt een litteken van een steekwond.

'Bezwaar als we even een paar minuutjes bij je komen zitten?' vraag ik.

'Ga je gang. Wij gaan nergens heen.' Hij knikt naar het boodschappenwagentje met al zijn wereldse bezittingen. 'Dit is ook de plek waar ik woon. De armeluisversie van die woon-werkateliers bij het honkbalstadion.'

Het ontlokt de drie andere mannen die Willies kabinet uitmaken het nodige gegrinnik.

Willie schuift een paar extra kratten bij en het voorstellen vergt een moment. Hij vertelt ons dat hij sinds zijn terugkeer uit Vietnam hof houdt in

Sixth Street en dat hij vijf jaar geleden voor het laatst een dak boven zijn hoofd heeft gehad. Een van zijn trawanten is een veteraan uit de Golfoorlog en nummer twee is een vluchteling uit Nicaragua. De derde werd een jaar of tien geleden uit het Potrero Hill-woningbouwproject gezet. De verslavingen van het groepje zijn gelijkelijk verdeeld over drugs en alcohol. Hij speelt wat met het niet weg te denken mes en zijn intonatie doet vermoeden dat hij net zo goed voor een afgestudeerde doctorandus kan doorgaan als hij zegt: 'Wat brengt jullie knapen helemaal naar onze nederige gemeenschap?'

Ik speel het eerlijk: 'Ik ben Leon Walkers advocaat en wij zoeken informatie.'

Zijn lippen plooien zich tot een brede grijns en de diepe lachrimpeltjes op zijn gelooide gezicht worden nog dieper. Hij wendt zich tot zijn kornuiten. 'Hebben jullie dat gehoord? Deze meneer is een advocaat die zegt dat hij Leon gaat helpen.'

Het nieuws wordt begroet met spottend gelach.

Willie wijst naar Pete. 'En wie is je vriend?'

'Mijn broer. Hij is privé-detective. We proberen uit te zoeken wat er is gebeurd.'

Meer gelach. Kidd neemt een flinke slok Jack Daniel's en tikt met zijn mes. Hij veegt een druppel whisky van zijn kin. 'Bij de politie hoef je niet om hulp te zoeken. Die zijn totaal niet geïnteresseerd in dit deel van de stad.'

'Daarom zijn we ook naar jou gekomen, Willie. Amos zegt dat jij weet wie wie is en wat wat.'

Hij kijkt naar zijn kameraden en neemt nog een slok. 'Waarom denk jij dat een stel blanken in staat is iets voor Leon te betekenen?'

'Toen hij tien jaar geleden voor de eerste keer werd gearresteerd, heb ik hem vrij weten te krijgen.'

Hij bindt iets in en kijkt naar Pete. 'Jij komt me bekend voor.'

'Vroeger was ik smeris.' Hij kijkt Kidd uitdagend in de ogen. 'Ik heb je regelmatig heroïne zien spuiten achter het wisselkantoor, Willie.'

Dit ontlokt de engelenbak een bulderend gelach, maar Kidd is met stomheid geslagen.

Pete kijkt hem nog steeds vorsend aan. 'Spuit je nog steeds, Willie?' vraagt hij.

Hij friemelt wat met zijn mes. 'Niet zo veel als vroeger,' antwoordt hij op sombere toon.

'Goed van je. Zo leef je wat langer.'

Kidd richt zich tot zijn maats. 'Waarom laten jullie ons niet even een moment alleen?'

De mannen installeren zich aan de overkant van de steeg en Willie schuift zijn krat wat dichterbij. Als hij zich wat naar ons toe buigt, ruik ik de smerige lucht van zijn kleren. 'Waarom ben je ermee gekapt?' vraagt hij aan Pete.

'Jullie hebben me uitgeput. Vijf jaar heb ik hier mijn ronde gelopen. Bijna vijftig jaar geleden had mijn vader dezelfde vaste ronde. Er is geen ene moer veranderd.'

'Nee, dat klopt,' zegt hij. 'Politici komen en gaan, maar wij zijn er nog steeds.'

Dat is maar al te waar. De afgelopen dertig jaar zijn er talloze bedragen uitgegeven aan mislukte pogingen om het daklozenprobleem in San Francisco op te lossen. Eén burgemeester probeerde een holistische aanpak en verklaarde het plein van het Civic Center tot een probleemloze zone. De enorme, uitgestrekte vlakte voor het stadhuis werd een van de grootste daklozenkampen in het land. Bij de burgers die op weg naar hun werk het plein moesten oversteken, viel het niet in goede aarde en dus dumpten we het programma én de burgemeester. Zijn opvolger was een voormalige politiecommissaris die een harde benadering voorstond en de politie opdracht gaf de daklozen aan te houden wegens een scala van kleine overtredingen. Ook dat werkte niet, en ook hij kon opstappen. Het is een eeuwige strijd, waarvoor, zo erkende de huidige bewoner van het stadhuis onlangs, misschien wel geen oplossing is.

'Je zult hier nog wel twintig jaar zitten,' zegt Pete, 'tenzij er iets drastisch verandert.'

'Als ik dat haal, ja.' Hij kijkt me aan. 'Waarom verdedig je Leon?' vraagt hij.

Ik beperk me tot het standaardantwoord: 'Hij heeft me ingehuurd.'

'Je geld zul je wel nooit krijgen.'

'We werken pro Deo.'

'Als jij bereid bent je tijd cadeau te doen, kan ik je wel voorstellen aan een stuk of tien jongens die ook best een advocaat kunnen gebruiken en nog wél lang genoeg zullen blijven leven om voordeel te hebben van je werk.'

'Ik zou maar wat graag met ze praten,' zeg ik, 'maar ik kan niets beloven.'

'Advocaten beloven nooit iets.'

'Daarom zijn we ook zo populair.'

We zwijgen even en de auto's razen voorbij. Een onverzorgde man met een glazige blik in zijn ogen vraagt ons welbespraakt om wat kleingeld. Er is een dunne scheidslijn tussen diegenen onder ons mét een dak boven het hoofd en diegenen zonder. San Francisco herbergt een aantal van de best opgeleide daklozen in het land. Willie geeft hem een kwartdollar en ik een dollar. Hij bedankt ons hartelijk.

'Ik weet dat je goede bedoelingen hebt,' zegt Willie, 'maar dit is geen veilige buurt voor twee blanken met goede bedoelingen.'

'We zijn hier al een paar keer geweest,' zegt Pete.

'Kan zijn, maar ik zou het rot vinden als jullie iets vervelends overkomt. Waarom gaan jullie niet gewoon terug naar de binnenstad en laten jullie het onderzoek niet aan de politie over?'

'Die denken dat Leon de dader is,' laat ik hem weten. 'Ze weten dat hij ziek is en hebben weinig behoefte erachter te komen wat er echt is gebeurd. Ze verwachten dat hij al overlijdt voordat we voor de rechter verschijnen.'

Hij strijkt over zijn stoppels. 'Dat verklaart een hoop.'

'Hè?'

'De politie was hier vandaag al eerder om vragen te stellen. Of eigenlijk: ze vertelden mensen dat Leon schuldig was en dat ze maar beter hun mond konden houden.'

'Probeerden ze mensen te intimideren?'

'Tien jaar geleden wist hij te ontkomen, en dat willen ze niet nog een keer laten gebeuren. Ze namen verklaringen af om hun dossier te vullen en ze waren niet geïnteresseerd in een praatje met mensen die andere scenario's aandroegen.'

Het ziet er naar uit dat we van het politiekorps van San Francisco niet al te veel medewerking hoeven te verwachten. 'Zijn die er dan?' vraag ik.

'Ik weet het niet. Ik was er niet bij.'

'Waar was je vrijdagmorgen vroeg?'

Hij gebaart langs het huizenblok. 'Daar verderop bij de snelweg. Een paar dagen per week houden we er een kleine bijeenkomst. De politie valt ons daar niet lastig.'

Mensen als Willie zijn moderne stadsnomaden die van plek naar plek zwerven om de autoriteiten steeds een paar stappen voor te blijven. 'We zijn op zoek naar iemand die hier wel geweest kan zijn. We zouden heel blij zijn met je hulp.'

'Ik kan niets beloven,' zegt hij.

Ik werp hem een veelbetekenende blik toe en grijns. 'Daklozen beloven nooit iets.'

'Daarom zijn we ook zo populair.'

Ik begin een beetje te begrijpen waarom het Willie gelukt is om al zo lang een bescheiden bestaan voor zichzelf te bevechten. Het vergt een zekere mate van intelligentie om op straat te kunnen overleven. Hij kijkt naar het Thunderbird Hotel. 'Waarom gaan jullie daar niet even een paar deuren langs om na te gaan of iemand vrijdagochtend iets heeft gehoord? In de tussentijd vraag ik dan wat rond.'

'Hoe kunnen we jou bereiken?'

'Kom morgenavond om acht uur maar weer hier. Mijn secretaresse zal jullie op de agenda zetten.'

Ik schuif hem een briefje van twintig dollar toe. 'Bedankt, Willie.'

Hij schenkt me een waarderende glimlach. 'Vraag in het Thunderbird naar Eugene Payton. Maar zeg er wel bij dat ik je heb gestuurd.'

16
'WE ZITTEN VOL'

VOORAF CONTANT BETALEN. BESLIST GEEN BEZOEK TOEGESTAAN.
Bordje bij het Thunderbird Hotel

'We zijn op zoek naar Eugene Payton,' zeg ik.

Vanachter het kogelvrije plexiglas in de bedompte lobby van het Thunderbird Hotel neemt de gespierde Afro-Amerikaanse man met geblondeerd haar en een getatoeëerde slang op zijn schouder me behoedzaam op. De benauwde hal bruist van de bedrijvigheid. Onder aan de trap ligt een verslaafde op de vloer te kronkelen en bij de deur staat een hoertje, slechts gekleed in een bikini, een overjas en schoenen met hoge hakken. Buiten staan twee politiewagens en een ambulance geparkeerd. Een paar agenten doen hun uiterste best de ingang vrij te houden. De man kijkt ons nog even taxerend aan. 'Ik kan nu niet praten,' bitst hij dan.

Ik doe nog een poging. 'We hebben slechts een momentje van uw tijd nodig.'

'We zitten vol.'

'We hoeven geen kamer.'

'Dan bent u op de verkeerde plek. Dit is een hotel.'

Ik speel mijn laatste troef uit: 'Willie Kidd heeft ons gestuurd.'

Hij is niet onder de indruk. 'Al heeft de president van de Verenigde Staten u gestuurd, het kan me niks schelen. Ik zit hier met een probleem.'

Ik werp een blik op de verslaafde, die inmiddels de trap onderkotst.

'Die redt zich wel,' zegt Payton. 'Boven is er iemand neergeschoten.'

O...

'Zodra de ziekenbroeders weg zijn, zal ik u te woord staan,' zegt hij op zakelijke toon.

Drie kwartier lang zitten Pete en ik duimen te draaien. We zien de hulpdiensten de trap af komen met het lijk van een onbekende man die ruzie heeft gekregen met een benevelde buurman. Van het een kwam het ander; de gemoederen raakten verhit, met voorspelbare gevolgen. De in de handboeien geslagen schutter houdt vol dat hij onschuldig is terwijl de politie hem naar een gereedstaande wagen escorteert. Uiteindelijk vertrekt het hoertje voor haar vaste avondronde, valt de verslaafde onder aan de trap in slaap en keert in het Thunderbird de rust weer.

Eindelijk gebaart Payton ons naar het raam van zijn plexiglazen hokje. Beleefdheden worden niet uitgewisseld. 'Wat wilt u?' vraagt hij.

'Wij vertegenwoordigen Leon Walker.'

'En welke rol speelt u in deze soap?'

'Ik ben zijn advocaat.'

Het kan hem niets schelen. 'Ik heb tegenover de politie al een verklaring afgelegd. Ik kan u niet helpen.'

Dit lijkt het standaardantwoord van iedereen die we hier treffen, maar het houdt me niet tegen. 'Hoe goed kent u Leon?' vraag ik.

Hij reikt onder de balie en trekt een la open. Hij doet net alsof hij wat potloden rangschikt, maar zijn echte doel is me een klein handpistool te tonen. Dit is vandaag al het tweede vuurwapen dat ik onder ogen krijg en ik heb weinig zin mijn geluk op de proef te stellen.

Pete staat met zijn armen over elkaar naast me. Dan plaatst hij zijn vingertoppen tegen het glas en zet zijn politiestem op. 'We zouden graag een beleefd gesprek met u hebben over wat er vrijdagmorgen aan de overkant van de steeg is gebeurd. Als u dwars gaat liggen, kunnen we met een dagvaarding en een aantal van mijn vrienden van Southern Station terugkomen.'

Ik weet niet zeker of het wel een goed idee is om zo tegen een gewapende man te praten, maar Payton kan ons door het plexiglas niet neerknallen en we hebben nu wel zijn volle aandacht. Ik probeer een mildere toon: 'We willen alleen een paar vragen stellen.'

Hij werpt me een ijzige blik toe. 'Waarom bedreigt uw vriend me dan?'

Om dezelfde reden als waarom jij zojuist met een pistool zwaaide: intimidatie is een effectief overredingsmiddel. 'We willen alleen wat informatie.' Ik kijk even naar Pete. 'En dat kan op de makkelijke of op de moeilijke manier,' voeg ik eraan toe.

Hij wijst nonchalant naar het pistool. 'En als ik weiger mee te werken?'

'Dan komen we terug met een dagvaarding en wat mensen die lang niet zo aardig zijn als wij.' Waarbij ik ervan uitga dat hij ervan afziet ons ter plekke neer te schieten.

Hij gunt ons een kruimeltje informatie. 'Leon heeft hier lange tijd gewoond en was een goede huurder,' zegt hij. 'Hij betaalde zijn huur op tijd.'

Zijn wereld bestaat slechts uit mensen die hun huur op tijd betalen en degenen die dat niet doen.

'Ik doe mijn best om complicaties in mijn leven tot een minimum te beperken,' legt hij uit. 'Het voorval boven is daar een goed voorbeeld van. Twee klootzakken kregen ruzie over wie als eerste naar de wc mocht en nu is een van de twee dood.'

Het geeft een heel nieuwe betekenis aan de uitdrukking 'elkaar afzeiken'.

'Naar de huur van de dader kan ik dus fluiten, want die draait de bak in, en ook naar die van die dooie, want die is dood.'

Fijn dat hij niet wordt overmand door verdriet om de dood van een van zijn huurders.

'Ik heb nu dus opeens twee kamers vrij,' vervolgt hij, 'en dat moet ik aan de eigenaars uitleggen.'

Ik zou niet met hem willen ruilen. 'Hebt u niet overwogen om de boel een beetje op te knappen?' vraag ik.

'Daar gaan de eigenaars over.'

'Wie zijn dat?'

'Dat is vertrouwelijke informatie.'

Huisjesmelkers, die, net als venture capitalists, liever anoniem opereren. Vermoedelijk wonen ze in een chique buitenwijk en hebben ze liever niet dat hun identiteit bekend wordt gemaakt op het elfuurjournaal.

'Hoe goed kent u Leon?' vraag ik.

'Mijn beleid is om de huurders níét al te goed te leren kennen. Het is lastiger om je vrienden op straat te zetten.'

Een wrange, maar realistische vaststelling. 'Heeft hij u ooit problemen bezorgd?'

'Nee. Hij bleef op zichzelf.'

Ik vraag hem hoe laat hij donderdagavond naar zijn werk ging.

'Om tien uur.' Hij zegt dat zijn dienst er vrijdagochtend om acht uur op zat en verzekert me dat hij de hele tijd hier is geweest.

'Hebt u in de steeg iemand gezien?'

'We houden de deur op slot.' Hij gebaart met zijn rechterhand en voegt eraan toe: 'Ramen hebben we niet, dus ik kan niet naar buiten kijken.'

Ik begrijp dat hij zijn antwoorden kort wil houden, maar het is wel een moeizame manier om informatie uit hem te trekken. 'Hebt u donderdagnacht of vrijdagmorgen buiten stemmen gehoord?' vraag ik.

'Die hoor ik voortdurend.'

'De politie denkt dat het slachtoffer vrijdagmorgen omstreeks twee uur bij de laad- en losplek aan de overkant van de steeg werd aangevallen. Hebt u schoten gehoord of mensen horen ruziemaken?'

'Nee.'

Zo komen we nergens. Ik pak de foto van Grayson uit de krant van vanmorgen erbij. 'Hebt u vrijdagmorgen rond twee uur misschien deze man gezien?'

'Nee.'

'Hebt u hem ooit gezien?'

Hij kijkt nog steeds aandachtig naar de foto en slaat dan zijn ogen naar me op. 'Een paar keer,' antwoordt hij.

Petes wenkbrauwen gaan op en neer. Dit verandert alles. De politie en Graysons zoon hadden gezegd dat Grayson bij toeval de avondwinkel binnenliep. Payton stelt nu dat hij eerder in de buurt was geweest, en misschien dus wel een vaste bezoeker is geweest. 'Hoe vaak hebt u hem gezien?'

Hij kijkt even naar de bewakingscamera. 'Een keer of drie, vier, denk ik.'

'Wanneer zag u hem voor het laatst?'

'Een paar weken geleden. Ik herinnerde me de auto. Dat was zo'n kleine two-seater die eruitziet als een leuter; u weet wel: zo'n wagentje dat een rijke vent koopt zodra hij veertig wordt.'

Ik ken het model. 'Wat deed hij hier?'

'Hij kwam binnen om naar een kamer te vragen.'

'Was er iemand bij hem?'

'Nee.' Hij aarzelt even en voegt er dan aan toe: 'Ik neem aan dat hij van plan was iemand mee naar boven te nemen.'

'Een vriendin?'

Hij kijkt me veelbetekenend aan. 'Een hoertje,' zegt hij.

Ik begin te begrijpen waarom Debbie Grayson op zoek was naar een echtscheidingsadvocaat. 'Hebt u hem een kamer verhuurd?' vraag ik.

'Nee. Hij is daarna ook niet teruggekomen. Ik denk dat hij iets mooiers had gevonden.'

Of hij vond zijn hoertje niet. 'Bent u vrijdagmorgen naar buiten gegaan?'

'Om halfdrie ging ik naar buiten om een sigaretje te roken.' Hij vertelt verder dat hij niemand heeft gezien in de steeg.

'Hebt u de Mercedes gezien?'

'Ja. Die stond geparkeerd in Sixth Street.'

Ik vraag hem of hij Grayson heeft gezien.

'Nee.'

Verdomme. 'Hebt u misschien toevallig iemand zien wegrijden?'

'Ja.' Hij wacht even voordat hij verdergaat. 'De bestuurder reed in de richting van Fifth Street. Ik heb geen idee waar hij verder naartoe is gereden.'

De tijdstippen worden in elk geval preciezer. Ik vraag hem of hij de bestuurder zou kunnen herkennen.

'Nee. Het was donker.'

'Is er iemand in het hotel die iets gezien kan hebben?'

'De politie heeft al rondvraag gedaan. U kunt naar boven gaan en wat deuren langslopen, maar verwacht er niet al te veel van. De mensen hier zijn vrij argwanend en veel medewerking zult u niet krijgen.'

Alsof we die nu wel krijgen. Ik reik hem een visitekaartje aan. 'Als u nog details te binnen schieten, zou ik u dankbaar zijn als u me even belt.'

'Zal ik doen.' Hij kijkt me bedachtzaam aan. 'Ik ken Leon niet erg goed, maar voor wat het waard is: volgens mij is hij geen moordenaar.'

Geen greintje bewijs, maar het is wel fijn om te weten dat iemand zo over hem denkt.

De volgende twee uur praten Pete en ik met de huurders van het Thunderbird, die hun lippen net zo stijf op elkaar houden als de hotelhouder. Een van hen zegt keer op keer dat hij van niets weet, waarmee hij een perfecte imitatie ten beste geeft van sergeant Schultz uit *Hogan's Heroes*. Een paar van Leons buren zeggen dat hij een aardige vent is die erg op zichzelf was, maar de gloedvolle getuigenissen van de bewoners van het Thunderbird zullen van weinig nut zijn. Nadat een boze man ons met een schroevendraaier heeft bedreigd, besluiten we het voor deze avond maar voor gezien te houden.

We begeven ons net naar Minna Street als we een bekend gezicht tegenkomen. Agent Jeff Roth doet zijn best ons te negeren als we hem op de hoek van Sixth Street en Minna Street tegemoet lopen, maar uiteindelijk geeft hij ons een teken van herkenning. De spijkerharde, in Sunset geboren Roth is een goede smeris die het grootste deel van zijn loopbaan in Sixth Street zijn vaste ronde heeft gelopen. Hij was vrijdagmorgen de eerste agent ter plekke. Roth is een grote vent van voor in de vijftig, met een geschoren hoofd en een dikke snor, en was vroeger een aanvalsstopper die op St. Ignatius nog met mijn oudere broer heeft gespeeld. Een slechte knie en een kogel die nog vastzit in zijn heup hebben hem wat minder gevaarlijk gemaakt, maar hij is nog altijd een afschrikwekkende verschijning.

We wisselen eerst even wat geforceerde begroetingen uit, waarna ik hem vertel dat ik hem een paar vragen wil stellen over vrijdagmorgen.

Hij begint nadrukkelijk met zijn hoofd te schudden. 'Je zult mijn rapport moeten lezen. We hebben onze instructies: zonder toestemming van Marcus mag niemand met je praten.'

'Toe nou, Jeff.'

'Ik meen het.' Hij wijst omhoog. 'Dit komt van boven.'

'Van wie?'

'De commissaris.'

Ze nemen geen risico.

'Je vindt toch niks,' voegt hij eraan toe.

'Hoe weet jij dat?'

'Dat weet ik gewoon.'

We vissen nog wat, maar Roth geeft geen sjoege. 'Waar zijn jullie toch bang voor?' vraag ik ten slotte.

'We willen niet dat Leon Walker nog eens de dans ontspringt, en we willen niet van Jerry Edwards op ons lazer krijgen in de krant.'

Wij ook niet.

Hij neemt zijn pet af en krabt zich op zijn kaalgeschoren schedel. Even zie ik zijn snor driftig trekken. 'Ik zal je wat advies geven. Gratis, van een oude vriend,' zegt hij. 'Dring niet te veel aan. Voor Nicole en Marcus hangt er een hoop van deze zaak af en als je cliënt opnieuw ontkomt, staan we er allemaal gekleurd op – jij ook.'

'Wij hebben het recht om politieagenten die erbij betrokken waren te ondervragen.'

'Verwacht niet te veel.'

'Je kunt ons er niet van weerhouden om mensen op straat te ondervragen.'

Hij draait zijn rug naar een passerende politiewagen. Hij wil duidelijk niet gezien worden terwijl hij met ons praat. 'Hoor eens,' gaat hij verder, 'dit heb je niet van mij gehoord. Ik kan je niet zeggen wat je moet doen, maar het gerucht gaat dat er koppen gaan rollen als deze zaak de mist in gaat.'

'Dus?'

'Dus als jullie dit te ver doordrijven of ons te kakken zetten, zijn jullie koppen daarbij.'

17
'TOT DUSVER STAAN WE MET LEGE HANDEN'

'De politie is nog steeds op zoek naar de Mercedes die aan Tower Grayson toebehoorde.'
KCBS Radio, zaterdag 4 juni, 20.45 uur

Het is zaterdagavond halftien. Rosies stem is een mengeling van woede en frustratie. 'Ik kan gewoon níét geloven dat Jeff Roth jullie heeft bedreigd,' zegt ze.

Pete en ik zijn na ons openhartige gesprekje met agent Roth naar kantoor teruggekeerd. 'Hij heeft ons niet echt bedreigd,' zeg ik.

'Hij heeft je aangeraden om wat afstand te bewaren,' zegt ze.

'Hij heeft ons laten weten dat we van de politie weinig hulp hoeven te verwachten,' reageer ik.

'Waarom verdedig je hem?'

'Omdat hij een goeie smeris is en een vriend.' En ook omdat ik toch al niet op de medewerking van de politie had gerekend.

Rosie slaakt een diepe zucht. 'Dus nu moeten we het opnemen tegen de aanklagers, de kranten én de politie?'

'In feite wel, ja.'

'Waar zijn we in godsnaam aan begonnen?'

'Dat soort vragen gaan we niet stellen, Rosie.'

Ze zucht opnieuw. 'Heb je ook nog goed nieuws?'

Niet echt. 'Tot dusver staan we met lege handen.'

Ik hoor een avondbus door Fifth Street denderen als ik haar bijpraat over wat we vandaag bijeen hebben gesprokkeld, beginnend met Petes gesprek met Debbie Graysons masseuse en eindigend met ons allesbehalve verhelderende onderhoud met agent Roth. 'Behalve dat we in de krant zijn vernederd door Jerry Edwards, we bijna in de loop van een paar pistolen hebben gekeken en van de politie te horen hebben gekregen dat we afstand moeten bewaren, is het een prachtige dag geweest,' zeg ik.

We luisteren naar de klok van het Ferry Building die tien uur slaat. Carolyn en Rosie hebben vanavond de politierapporten doorgespit, en de eerste bewijzen laten weinig twijfel bestaan over de schuld van onze cliënt. Het goede nieuws dient zich in kleine doses aan. Geven we er onze beste draai aan, dan kunnen we aanvoeren dat ze op Graysons lijk of kleding geen vingerafdrukken van Leon hebben aangetroffen. Een weinig indrukwekkend argument, maar meer hebben we voorlopig niet.

Ik vraag Carolyn of ze nog meer smetten op Tower Graysons blazoen heeft kunnen vinden.

'In de kranten wordt hij afgeschilderd als een van de lichtende voorbeelden van Silicon Valley.'

Ik vertel haar dat ons gesprekje met Eugene Payton die conclusie in twijfel lijkt te trekken. 'Hij schijnt wat tijd in Sixth Street te hebben doorgebracht. Dat kan alleen maar met drugs en hoeren te maken hebben. Heb je niets gevonden wat doet vermoeden dat hij zich met een van beide bezighield?'

'Nee.'

Ik vraag haar of ze Lawrence Chamberlain heeft kunnen bereiken.

'Ik kreeg een voicemail en drie antwoordapparaten. Die vent heeft een hoop mobieltjes, zeg. De voicemaildienst beloofde onze boodschap naar hem door te sturen. De apparaten zijn minder behulpzaam gebleken.'

We moeten hem zien te bereiken. Ik wend me tot Pete. 'Ik wil dat je hem schaduwt en ik wil dat je Debbie Grayson in de gaten houdt.'

'Doe ik.'

Ik vraag Rosie naar het autopsierapport. Ze zegt dat Grayson volgens dr. Beckert in de vuilcontainer is overleden aan diverse steekwonden in de rug, en dat het tijdstip van overlijden tussen twee en vijf uur in de ochtend was.

'Verder nog iets van belang?'

'Uit de hoek van de messteken concludeerde hij dat de dader linkshandig was.'

Nog meer slecht nieuws dus. Leons bijnaam in het universiteitsteam was de Dunkende Linkspoot.

Showtime. Rosie bedient de videorecorder in het kantoortje dat dienstdoet als ons archief en bibliotheek. We hadden vanavond naar de film willen gaan, maar zullen genoegen moeten nemen met beelden van de bewakingscamera van Alcatraz Liquors. Ik heb Pete gevraagd om erbij te blijven. Het is altijd goed om de mening te horen van iemand met het getrainde oog van een politieman. Onze stokoude videorecorder piept en kraakt als de band begint te draaien. Er is geen geluid.

'Het cruciale tijdsinterval begint om twee over twee,' zegt Pete. De tijd en datum staan links onderin. Hij wijst met een balpen. 'Daar heb je Grayson.'

De korrelige zwartwitopname toont nauwelijks overeenkomsten met de scherpe beelden die we gewend zijn van een gewone tv, maar we zien Graysons achterhoofd. Hij draagt een blazer en een pantalon. Het schijnsel van het knipperende licht van het neonbord in de etalage van de drankwinkel weerkaatst van zijn kale kruin.

Rosie en ik schuiven wat dichter bij de tv.

Grayson nadert de toonbank en wijst naar de sigaretten. Amos Franklin draait zich om, pakt een pakje Marlboro en overhandigt het hem.

Pete gebaart naar de plek rechts van Franklin. 'En daar heb je Leon,' zegt hij.

Grayson haalt een bundeltje biljetten uit zijn zak en houdt ze boven de toonbank. Hij reikt Franklin een briefje van twintig aan en krijgt wisselgeld terug, dat hij meteen in de fooienpot stopt. Hij propt de biljetten terug in zijn zak, draait zich om en begeeft zich naar de deur.

Pete knipt het licht aan. 'Leon stond misschien dertig centimeter van Grayson vandaan toen die met de biljetten wapperde. Voor mij staat onomstotelijk vast dat Leon het geld heeft gezien.'

Korte tijd daarna zit ik aan mijn bureau. Rosie is naar huis en Pete is weggegaan om Chamberlains huis in de gaten te houden. Er hangt een akelige stilte in het kantoor en ik schrik op van de rinkelende telefoon. Uit de uitgelaten stem van Roosevelt Johnson blijkt geen enkele vermoeidheid. 'Waarom zit je midden in de nacht nog op kantoor?' vraagt hij me.

Ik omklem de hoorn en zeg: 'Ik wilde jou net hetzelfde vragen.'

'Wie zegt dat ik nog op mijn werk zit?'

'Gokje.'

'Goed gegokt.'

'Waarom ben jij nog zo laat op?'

'Een moordzaak.'

'Het oude liedje dus. Heeft de verdachte een goede advocaat?'

Nu is het zijn beurt voor een binnenpretje. 'Jazeker.'

'Wat kan ik voor je doen, Roosevelt?'

'Heb je al gegeten?'

'Het is na middernacht.'

'Je moet toch eten? Kom over twintig minuten naar de Grubstake.'

Ik luister naar het knorren van mijn maag. 'Afgesproken,' zeg ik. Ik probeer me in te houden, maar mijn nieuwsgierigheid wint het toch. 'Kun je me misschien een hint geven?'

'Ik heb aan het kortste eind getrokken en ben uitverkoren om jou bij te praten over de status van het onderzoek.'

'Iets interessants?'

'Dat vertel ik je over twintig minuten wel.'

18
'PAS OP JE TELLEN'

'Elke moordzaak begint met een slachtoffer, dat met respect en waardigheid dient te worden behandeld. Je moet niet bij Moordzaken gaan werken als je geen vertrouwen hebt in het systeem. Bovenal mag je een onderzoek niet persoonlijk laten worden.'
Roosevelt Johnson, profiel in de *San Francisco Chronicle*

'Bedankt voor je komst,' zegt Roosevelt. 'Ik weet dat het laat is.' Hij neemt een hap van zijn cheeseburger en spoelt deze weg met cafeïnevrije koffie. Vervolgens kijkt hij even op zijn horloge. 'Eigenlijk is het vroeg.'

Dat is het. Om halfeen in de nacht van zaterdag op zondag zijn alle zes de tafeltjes van de Grubstake Number 2, een nostalgisch wegrestaurantje in Pine Street tussen Polk Street en Van Ness Avenue, bezet. Oudgedienden herinneren zich de Grubstake Number 1, die aan het begin van Mason Street was gevestigd en werd gesloopt om ruimte te maken voor het enorme Parc Fifty-five Hotel. De geur van hamburgers en friet drijft door dit kitscherige toonbeeld dat gehuisvest is in het casco van een oud passagiersrijtuig dat deel uitmaakte van de Key Line-spoorlijn die over het benedendek van de Bay Bridge liep en de dienst onderhield tussen San Francisco, Oakland en Berkeley, totdat het autoverkeer hem eind jaren vijftig overbodig maakte. Hoe een wagon in ruste zijn weg vond naar een druk stadsblok iets boven de homo-enclave die bekendstaat als Polk Gulch blijft een stads mysterie.

Toen Rosie en ik nog getrouwd waren, woonden we in Gough Street, een paar straten ten westen van hier, in wat toen een achterbuurt was die Western Addition heette. Onze oude buurt is aanzienlijk verbeterd, maar de stadsvernieuwing is nog niet tot de Grubstake doorgedrongen. Ondanks de detonerende stoelen, de formicatafeltjes en het beperkte menu is het personeel vriendelijk en behoren de cheeseburgers tot de beste van de stad. De zaak is tot vier uur 's ochtends geopend en velen onder ons herinneren zich hoe wijlen Harvey Milk, San Francisco's eerste openlijk homoseksuele raadslid, hier hof hield in de kleine uurtjes terwijl hij aan zijn politieke coalitie bouwde.

Een jongeman met groengestreept haar en diverse lichaamspiercings vult mijn Diet Coke bij. Roosevelt en ik praten wat over koetjes en kalfjes terwijl we onze cheeseburgers naar binnen werken. Hij vertelt dat zijn vrouw het goed maakt, maar een nieuwe heup nodig heeft. Hij is vooral trots op zijn kleindochter, die juriste is bij een groot kantoor in LA. 'Ze is zo wijs geweest om buiten het strafrechtwerk te blijven,' laat hij me weten, 'in tegenstelling tot het heerschap tegenover mij, dat nog steeds niet bij zinnen is gekomen.'

Ik negeer deze steek onder water en kom behoedzaam terzake. 'Je zei dat je informatie voor me had.'

'Klopt.' Hij neemt zijn bril af en veegt die schoon met een papieren servetje terwijl hij zijn gedachten op een rijtje zet. Dit is zijn show en onze bespreking zal in zijn tempo verlopen. Hij stelt mijn geduld nog een paar eindeloze seconden op de proef en probeert me vervolgens in de verdediging te drukken door de rollen om te draaien. 'Ben je nog iets te weten gekomen van Walkers ex-vriendin?' vraagt hij.

Nu is het mijn beurt om even een pauze in te lassen. 'Hoe weet jij dat we Vanessa Sanders zijn gaan opzoeken?'

'Dat is mijn werk.'

'Heb je ons laten achtervolgen?'

'We houden haar in de gaten en zagen je haar huis verlaten.'

Daarmee is mijn vraag niet helemaal beantwoord. 'Word *ík* door iemand geschaduwd?' vraag ik.

'Alleen door mij.' Zijn toon wordt wat somberder. 'Er zijn een paar mensen op het bureau met een olifantengeheugen die niet zo blij zijn dat jij Leon Walker opnieuw verdedigt.'

Ik houd me bij mijn oude uitvlucht: 'Ik doe gewoon mijn werk.'

'Dat weet ik wel.' Hij verfrommelt zijn servetje en knijpt zijn donkere ogen iets toe. 'Pas op je tellen, oké?'

'Oké.'

'Heeft Walkers ex je nog iets interessants verteld?'

Ik kan hem niet helpen. 'Weinig.'

'Kom op, Mike.'

'Kom op, Roosevelt. Je kunt toch niet verwachten dat ik informatie onthul over Leons zaak?'

'O ja, dat kan ik wel.'

'Waarom zou ik dat doen?'

'Omdat jij wilt weten wat er echt is gebeurd en omdat het misschien tot wat meer medewerking zal leiden van mijn collega's, die niet bijster gecharmeerd zijn van het idee om jou iets toe te spelen.'

Ik beroep me op de regels. 'Ze zijn wettelijk verplicht om elk bewijs te overleggen dat mijn cliënt zou kunnen vrijpleiten.'

'Waarvan akte. Laten we het er dan op houden dat hun opvatting over volledige openbaring beperkter is dan de mijne.'

Iets in zijn toon zit me dwars. 'Werk je soms achter hun rug om?'
'Absoluut niet. Marcus heeft me gevraagd jou van de laatste informatie te voorzien.'
'Het verbaast me dat hij dat niet zelf wilde doen.'
'Hij zag het niet zo zitten om met jou de avond door te brengen.'
'Ik kan me niet voorstellen waarom niet.'
Hij knijpt zijn ogen weer iets toe. 'Hij denkt dat jouw cliënt schuldig is, en dat denkt Nicole Ward ook. Wat hen betreft hebben we ons onderzoek afgesloten. Bij gebrek aan nieuw bewijsmateriaal zijn ze niet van plan nog extra geld in deze zaak te steken.'
'Wat betekent dat voor het onderzoek?'
'Dat het in wezen in jouw handen ligt.' Hij aarzelt even. 'En in de mijne,' voegt hij er dan aan toe. Hij kijkt me schamper aan. 'En in de handen van Jerry Edwards, denk ik.'
Inderdaad. 'Heb je enig idee wat die man drijft?' vraag ik.
'Hij wil gewoon aandacht. Dat heeft met zijn jeugd te maken.' Maar dan wordt Roosevelt weer serieus. 'Onderschat hem niet, Mike. Als hij zich in je vastbijt, kan hij je leven tot een hel maken.'
Voor bewijsstuk A zie de krant van vanmorgen.
Hij drinkt zijn koffie op. 'Als ik iets mee terug kan nemen voor Marcus en Nicole zal dat mijn werk wat makkelijker maken. Ik wil weten waar Vanessa Sanders en jij het over hebben gehad.'
Ik maak een loyaal gebaar door ons gesprek met Vanessa in enig detail te beschrijven, maar vertel niets over Julia's ziekte. Ik wil hem geen motief voor roof en moord aanreiken totdat ik meer weet. Hij komt er toch wel snel genoeg achter, maar hij hoeft het niet van mij te horen. Roosevelt luistert met een concentratie die doet vermoeden dat ik hem diepe wijsheden toevertrouw. Hij stelt een paar vragen, maar zegt verder weinig. Het is onmogelijk te zeggen hoeveel hij al wist.
'Het verhaal dat ze je vertelde, strookt met wat ze tegen ons heeft gezegd,' zegt hij ten slotte. 'Maar er is één ander belangrijk punt: Leons dochter heeft een paar dure medische onderzoeken nodig. Dat gaf hem een motief om iemand te beroven, en te vermoorden.'
Ik vouw mijn handen op het tafeltje, maar zeg geen woord.
Hij strijkt langs zijn kin. 'Daar wist je van, hè?' vraagt hij.
Ik ontwijk de vraag: 'Ze vertelde dat haar dochter wat gezondheidsproblemen heeft.'
Hij gelooft me niet.
'Luister, Roosevelt...'
'Nee, jij moet luisteren. Ik ben niet zomaar voor de lol weer gaan werken. Ik wil er zeker van zijn dat deze zaak correct wordt afgehandeld, en ik ben hier omdat je een soort familie voor me bent en ik een verplichting voel het eerlijk met je te spelen. Als ik jou volledige inzage geef, zul jij dat van jouw kant ook moeten doen.'

Hij heeft helemaal gelijk, maar met zijn preek is hij ook uit op effect. Roosevelt neemt altijd in een vroeg stadium van een zaak de gelegenheid te baat om iedereen eraan te herinneren dat het onderzoek op zijn voorwaarden zal plaatsvinden. Het is zijn manier om te zeggen: 'Ik speel open kaart met je, maar naai me niet.'

Hij haalt een dikke bruine map uit zijn versleten aktetas en schuift die over het tafeltje. 'Dit zijn kopieën van nog meer politierapporten,' zegt hij. 'Voor de goede orde: Marcus wilde mij als koerier om deze spullen zonder verder commentaar op jouw kantoor af te leveren.'

'Ik neem aan dat je nog wel even wilt blijven rondhangen?'

'Misschien heb ik nog tijd voor een tweede kopje koffie.'

Ik open de envelop, bestudeer de inhoud even en sla dan mijn ogen naar hem op. 'Nog iets bijzonders dat wel eens van belang zou kunnen zijn?'

'Niet veel meer dan je al weet.' Hij haalt zijn aloude, in leer gebonden aantekenboekje te voorschijn en kijkt naar de puntenlijst die hij in zijn precieze handschrift heeft opgeschreven. 'De bloedgroep van het bloed op het mes en op het jasje van je cliënt komt overeen met die van het slachtoffer. Het is nog te vroeg voor DNA-testresultaten, maar op het mes of het jasje hebben we geen bloed van je cliënt aangetroffen. Het verzwakt de bewering van je cliënt dat hij bewusteloos werd geslagen.'

'Met andere woorden: hij is vanzelf buiten westen geraakt?'

'Er is geen bewijs dat iemand hem heeft geslagen. Gezien hoe hij er lichamelijk aan toe was kan hij zonder enige hulp buiten westen zijn geraakt, vooral als hij Grayson herhaaldelijk heeft gestoken.'

'Daar had Leon de kracht niet voor.'

'We zijn bereid het erop te wagen met het bebloede mes en jasje.'

Ik ga echt niets toegeven. 'Hij arriveerde pas twaalf uur later in het paleis van justitie. Een bult kan dan al verdwenen zijn.'

'Als hij hard genoeg werd geraakt om bewusteloos te raken, zou hij hebben gebloed.'

'Hoeft niet.'

Hij kijkt me gepikeerd aan. 'Ik hoop niet dat je van plan bent je zaak op die theorie te baseren.'

Dat hoop ik eigenlijk ook niet. 'Wat zijn jullie verder te weten gekomen?'

'Graysons portefeuille zat nog in zijn zak. Er leek niets verdwenen te zijn.'

'Vingerafdrukken?'

'Alleen die van Grayson.'

Dit stemt overeen met de rapporten die we al gezien hebben. 'Als Leon hem wilde overvallen, waarom pakte hij dan niet ook zijn portefeuille?'

'Die had hij niet nodig. Hij had de geldclip al. Bovendien zat er helemaal geen geld in die portefeuille, alleen maar creditcards en papieren.'

'Dat wist hij niet.'

'Tuurlijk wel. De opnamen van de bewakingscamera laten zien dat je cliënt naast de toonbank stond toen Grayson zijn sigaretten betaalde.'

Zo blijven we elkaar nog een beetje bestoken. Op basis van de beelden heeft Roosevelt vermoedelijk het beste argument en heeft Leon het een en ander uit te leggen. Ik besluit het over een andere boeg te gooien. 'Hoe was je gesprek met Lawrence Chamberlain?'

'Weinig verhelderend.'

Dat geldt ook voor dergelijk korte antwoorden. 'Hoezo?'

Hij bevestigt dat Chamberlain bijeen is gekomen met Grayson en hun advocaat, waarna ze gedrieën bij het Boulevard waren gaan eten. 'Om een uur waren ze klaar en bracht Grayson zijn partner naar huis.'

Dat wist ik al, ja. 'Kan iemand zijn verhaal bevestigen?'

'De advocaat heeft de meeting en het diner bevestigd. Wat die rit naar huis betreft hebben we slechts Chamberlains verhaal. Hij woont alleen.'

We spreken de buren wel even aan. 'Heb je naar de reden van hun bijeenkomst gevraagd?'

'Hij zei dat het gewoon zakelijk was en dat er niets ongewoons was aan Graysons gedrag.'

'Hoe zit het met dat stuk in de *Chronicle* waarin wordt beweerd dat het bij Paradigm allemaal niet zo lekker ging?'

'Hij zei dat Grayson en hij zo hun meningsverschillen hebben gehad, maar dat alles redelijk goed ging. Voor andere vragen verwees hij ons naar zijn advocaat.'

Natuurlijk. We zullen even bij mijn voormalige partner Brad Lucas langs moeten gaan. 'Gaan jullie Chamberlain in de gaten houden?'

'Ja, en als ik in jullie schoenen stond, zou ik dat ook maar doen.'

'Dat zullen we doen. Heb je al met die advocaat gesproken?'

'We hebben maandag een afspraak met hem. Tot dusver heeft hij meegewerkt.' Hij zegt dat Lucas hem had verteld dat hij tegelijk met Chamberlain en Grayson het restaurant had verlaten. Hij is naar zijn auto bij het Embarcadero Center gelopen en daarna naar zijn zolderetage vlak bij de haven van South Beach gereden.

'Kan iemand zijn verhaal bevestigen?'

'Ook hij woont in zijn eentje.'

Dat zul je net zien. 'Hij was ook een van de laatsten die Grayson nog in leven hebben gezien.'

Roosevelt kijkt me veelbetekenend aan. 'Je zou eens een praatje met hem moeten gaan maken.'

Zullen we doen. 'Wat ben je te weten gekomen van mevrouw Grayson?'

'Ze is kapot van verdriet over de dood van haar man.'

Dat zal best. 'Was iemand kwaad op hem?'

'Niet voorzover zij wist.'

'Had ze het nog over eventuele huwelijksproblemen?'
'Nee.'
'Geloofde je haar?'
'Ik neem alles met een korrel zout.'
Ik slaak een melodramatische zucht en geef een brokje informatie prijs: 'Wist je dat mevrouw Grayson een privé-detective heeft ingehuurd om haar man te schaduwen?'
Zijn gezicht verraadt dat dit nieuws voor hem is. 'Nee.' Hij noteert Kaela Joys naam. 'Zou je haar willen vertellen dat we haar graag zouden willen spreken?'
'Natuurlijk.' Ik vertel hem over het bezoek van Lawrence Chamberlain aan Debbie Grayson, en over haar uitstapjes naar de countryclub. Wanneer ik uitleg dat Grayson diverse keren door Eugene Payton op Sixth Street is gezien, is Roosevelts nieuwsgierigheid gewekt. 'Het lijkt erop dat hij een vaste bezoeker van de buurt was. Ik vermoed dat hij op zoek was naar seks of drugs, of allebei.'
Roosevelt maakt driftig aantekeningen. 'Je broer en jij zijn druk bezig geweest.'
'We hebben niet veel tijd, Roosevelt.' Ik heb hem meer gegeven dan waar hij op had gehoopt en daar wil ik wel iets voor terug. 'Ik wil dat je voor ons een afspraak regelt met Graysons vrouw.'
Hij denkt even na over de mogelijke onaangename gevolgen en zegt: 'Ik zal mijn best doen.'
Hij drinkt zijn koffie op en ik werk haastig mijn laatste frietjes naar binnen. Mijn huisarts zou er het zuur van krijgen. 'Ben je iets meer te weten gekomen over Graysons auto?' vraag ik.
'Nog niet.'
'Misschien kan ik je daar ook bij helpen. De receptionist van het Thunderbird vertelde ons dat hij vrijdagochtend rond halfdrie een Mercedes in de steeg heeft zien staan.'
Roosevelt knijpt zijn ogen toe. 'Daar heeft hij tegen mij anders niets over gezegd.'
'Hij zegt ook niets als je er niet naar vraagt. Gesteld dat degene die de auto heeft gestolen bij de moord betrokken was, werd Grayson ergens tussen tien over twee en halfdrie vermoord.'
'Niet slecht,' zegt hij. 'Je realiseert je uiteraard dat de autodiefstal niets te maken hoeft te hebben met Graysons dood?'
'Zeker, maar het biedt ons een tijdsbestek waarbinnen de moord kan hebben plaatsgevonden. Ook biedt het de mogelijkheid van een andere verdachte.'
Daar trapt hij niet helemaal in. 'Je bent nog steeds niet met bewijs gekomen dat de diefstal van de auto in verband brengt met de moord op Grayson.'
Dat komt nog wel. 'Hebben jullie de belgegevens van Graysons mobieltje kunnen bemachtigen?'

'Ja.' Hij haalt nog een envelop te voorschijn en geeft me een uitdraai waarop hij aantekeningen heeft gemaakt. 'Dit zijn de gesprekken die donderdagavond na acht uur met Graysons gsm zijn gehouden.' Hij gaat de lijst af. Twee telefoontjes naar zijn advocaat. Eén naar het Boulevard. Eentje naar zijn vrouw. En vijf naar zijn voicemail.

Ik vraag hem naar het laatste nummer, dat om zeven minuten over twee werd gedraaid.

'Hij belde een andere mobiele telefoon en het gesprek duurde slechts veertig seconden,' zegt hij.

'Wiens mobiele telefoon was dat?'

'Hij staat geregistreerd op naam van een bedrijf in Sixth Street.'

'Alcatraz Liquors?'

'Nee. Een gelegenheid twee deuren verderop die Basic Needs heet. De eigenaar is een zekere Arthur Carponelli. Hij vertelde ons dat het mobieltje in bezit was van een van zijn medewerkers.'

De naam van het bedrijf zegt me niets. 'Wat voor tent is dat?'

'Bij gebrek aan een betere term: het is een stripclub en leverancier van huwelijksattributen.'

Met andere woorden: een hotshot uit Silicon Valley en een steunpilaar van Atherton heeft vlak voor zijn dood met een sekstent gebeld.

19
'IK RED ME WEL'

'We hebben de verdachte aan de plaats delict weten te koppelen en het moordwapen is opgespoord. Voorlopig hebben we verder geen commentaar.'
Nicole Ward, officier van justitie van San Francisco, KGO Radio, zondag 5 juni, 01.00 uur

Als ik op weg naar huis over de Golden Gate Bridge rijd, gaat mijn mobiele telefoon. 'Wat ben je wijzer geworden van Roosevelt?' vraagt Rosie. Ze klinkt vermoeid.

'Voor iemand die deze zaak niet wilde, lijk je om een uur in de nacht behoorlijk geïnteresseerd in de details.'

'Ik ben gewoon nieuwsgierig.'

Ja hoor.

De zomerse mist is komen opzetten en windvlagen doen mijn Corolla trillen als ik halverwege de brug ben. Ik kijk heel even naar rechts, waar het lichtbaken van Alcatraz op een heldere nacht te zien zou zijn. Op dit moment is de Bay in een dikke mist gehuld. 'Alles goed met Grace?' vraag ik.

'Prima.'

'En met jou?'

'Ik ben nog herstellende van de verjaardagsseks van gisteravond.'

Ik zeg niets.

'Ik heb nog steeds buikpijn,' geeft ze na enige aarzeling toe. 'Maar ik red me wel.'

Na bijna twintig jaar als strafpleiter ben ik deskundig geworden op het gebied van middelen tegen brandend maagzuur. Ik bied aan even langs te gaan bij de Safeway in Mill Valley om wat Pepto-Bismol te kopen.

'Doe geen moeite,' zegt ze.

'Wil je dat ik op weg naar huis even bij je langskom?'

'Nee.' Haar toon wordt nadrukkelijker. 'Het stelt niks voor, Mike.'

Als ik niet aandring, leef ik langer. Ze vraagt nogmaals naar mijn gesprek met Roosevelt. Ik praat haar bij over de politierapporten en Roosevelts gesprekken met Chamberlain en Graysons weduwe.

Ze spreekt haar teleurstelling uit wanneer ik zeg dat ze nog geen nieuwe aanknopingspunten hebben over de vermiste Mercedes. 'Valt het jou ook niet op dat ze wel heel weinig moeite doen voor deze zaak?' vraagt ze.

'Roosevelt zei dat Ward en Banks er niet veel extra geld aan zullen besteden.'

'Dat verbaast me niets. Nicole maakte vanavond op het nieuws wel duidelijk dat Leon volgens haar schuldig is. Hoe zit het met Roosevelt?'

'Die is nog steeds aan het spitten. Hij wil weten wat er echt is gebeurd.'

'Hij is uniek in zijn soort,' zegt ze. De bewondering in haar stem is oprecht. 'Vreemd genoeg kan hij wel eens onze belangrijkste bron zijn. Wat zijn ze te weten gekomen over Graysons mobiele telefoon?'

'Dat wordt dus interessant. Heb jij wel eens gehoord van een bedrijf dat Basic Needs heet?'

'Dat is een stripclub, een paar deuren verderop van Alcatraz Liquors.'

Haar waarnemingsvermogen is echt uitzonderlijk. Ik vertel haar over Graysons laatste telefoongesprek. 'Ik weet waarom de meeste mannen een tent als Basic Needs bellen,' zeg ik. 'Aan de andere kant liet Graysons zoon ons weten dat zijn vader een steunpilaar van de gemeenschap was,' voeg ik er vrij ironisch aan toe.

'Het lijkt erop dat hij op zoek was naar wat actie voor zijn pilaar.'

En wat een relativeringsvermogen! 'Ik heb Roosevelt verzocht om een afspraak met Graysons weduwe.'

'Denk je dat er een kans is dat ze daarmee instemt?'

'We zullen wel zien. Hij leek erg dankbaar voor de informatie die ik hem gaf. Ondertussen wip ik vanavond even bij Basic Needs langs.'

'Misschien leer je er nog iets.'

'En misschien krijg ik ook nog wat informatie los over Leons zaak.'

'Misschien ga ik wel met je mee.' In haar toon bespeur ik een vermoeide giechel.

'Weet je zeker dat je naar een pornotheater wilt gaan?'

'Misschien leer ik er ook nog wat.'

Ik vraag of ze nog iets van Pete heeft gehoord.

'Hij post vannacht aan het eind van de straat waar Chamberlain woont. Parkeren is een enorm probleem op Russian Hill.'

'Dat weet ik. En Chamberlain?'

'Die is de hele avond thuis geweest.'

'Geen bezoek?'

'Eén keer. Van de jurist van Paradigm. Hij heeft er een uur gezeten.'

'Misschien hadden ze het wel over zaken,' zeg ik.

'Of misschien over een moord.'

Het is bijna twee uur in de nacht als ik eindelijk de deur van mijn rommelige eenkamerflat in een jarenvijftiggebouw achter de brandweerkazerne Larkspur opendoe. In mijn keukentje, dat net zo groot is als een kast, laat ik mijn sleutels op de nog ongelezen krant midden op het hakblok annex tafel ploffen. Ik werp een blik op de stapel post en hoop maar dat ik geen belangrijke rekeningen heb vergeten te betalen. Het zou vervelend zijn als ze de stroom afsluiten.

Ik knip het licht aan en kijk om me heen. Mijn krappe appartementje zou ideaal zijn voor een student of een jong stel, maar voor een negenenveertigjarige wiens dochter af en toe komt logeren is het wel wat klein. Vergeleken met mijn kamer in de pastorie is het echter nog altijd een verbetering. Ik pak een blikje Diet Dr. Pepper uit de koelkast en kijk naar het knipperende lichtje op mijn antwoordapparaat. Ik ben in de verleiding het te negeren, maar mijn nieuwsgierigheid wint het. Ik druk op de knop en de elektronische stem deelt mee dat ik nieuwe berichten heb.

Het eerste is van Pete, die me vertelt dat hij de nacht gaat doorbrengen in de bosjes vlak bij Chamberlains huis. Het tweede, derde en vierde bericht komt van verslaggevers die erin zijn geslaagd het waterdichte beveiligingssysteem van het telefoonbedrijf te infiltreren en mijn geheime nummer te achterhalen. Het verbaast me dat ze niet in rotten van vier voor het pand stonden toen ik thuiskwam.

Het vijfde bericht is onmiddellijk herkenbaar. 'Jerry Edwards, *San Francisco Chronicle* en *Mornings on Two*,' klinkt het. 'Ik wilde je laten weten dat we met de ex-vriendin van je cliënt hebben gesproken, die heeft verteld dat haar dochter een paar dure medische onderzoeken moet ondergaan.'

Verdomme.

'Dit wijst er duidelijk op dat je cliënt een motief voor roof had. Als je hier commentaar op wilt geven, kun je me bij de krant bereiken. Belangrijker nog: als je extra informatie over deze zaak achterhoudt, zal ik ervoor zorgen dat je voor de Orde van Advocaten wordt gesleept.'

Het volgende wat ik hoor, is een kiestoon. Vanuit alle hoeken liggen we onder vuur. Ik ben geneigd hem meteen te bellen en hem onomwonden de waarheid te vertellen, maar het heeft niet echt zin om een tirade op zijn voicemail achter te laten.

De sensuele stem van het laatste bericht herken ik direct. 'Mike, met Kaela Joy Gullion. Ik hoop dat je het niet erg vindt dat ik je thuis bel.'

Absoluut niet.

'Ik heb je bericht gekregen,' gaat ze verder. 'Ik zit nu in LA, maar ben morgen weer terug. Kom maandagavond om tien uur naar E'Angelo's. Ik zit aan een tafeltje ergens achterin.'

Dat lijkt me een prima idee. Lekkerder tortellini dan in het Italiaanse eethuisje in het Marina District vind je nergens.

Kaela Joy laat haar telefoonnummer achter. Na een korte aarzeling hoor ik haar grinniken. 'Ik kan je verhalen vertellen over Tower Grayson! Je gelooft je oren niet.'

20
BASIC NEEDS

Onze producten en diensten worden in een discrete ambiance aangeboden. Het gerenoveerde pand is hygiënisch en aantrekkelijk, en onze gasten worden met respect en in privé-sfeer ontvangen.
Website van Basic Needs

Vanachter de zware metalen deur die het Basic Needs Adult Theater and Entertainment Center scheidt van het plebs op Sixth Street neemt een jongeman met een enorme schouderpartij, een kaalgeschoren hoofd en een rood geitensikje me behoedzaam op. Hij wordt ervoor betaald om er zo intimiderend uit te zien – dat staat waarschijnlijk ook in zijn taakomschrijving – en is er bewonderenswaardig geknipt voor. De gevel van het twee verdiepingen tellende gebouw zit onder de graffiti. Een paar verspreide lampen staan op de fantasieloze luifel boven ons gericht, waarop wordt verkondigd dat er van twaalf uur 's middags tot drie uur 's nachts continu voorstellingen zijn. Hij gebaart naar de straat. 'Het loket is buiten,' zegt hij.

Het is zondagavond zeven uur. Pete, Rosie en ik hebben weer een lange dag achter de rug, waarop we in Sixth Street en de aangrenzende stegen van deur tot deur en van boodschappenwagentje tot boodschappenwagentje vergeefs naar ooggetuigen hebben gezocht. Meer dan honderd mensen hebben we vandaag gesproken, van wie er veel opeens een selectief geheugen leken te hebben toen we hun naar de gebeurtenissen van vrijdagmorgen vroegen. Er waren meer lieden die ons drugs wilden verkopen dan ons informatie wilden verschaffen over Graysons dood. Twee figuren trokken een mes. Onze dag kon niet meer stuk toen we Jerry Edwards tegen het lijf liepen, die op Minna Street met een vergelijkbaar onderzoek bezig was. Het was geen bijzonder vriendelijk gesprek. Een bezoekje aan een sekspaleis is precies wat we nodig hebben om een prachtige dag als deze af te ronden.

'We zouden graag even met meneer Carponelli spreken,' zeg ik tegen de gespierde man.

'Die is de stad uit.'

Het is mogelijk dat The Incredible Hulk opdracht heeft gekregen om dit te zeggen tegen iedereen die naar zijn baas vraagt. 'Misschien dat u dan wat vragen kunt beantwoorden?'

'Misschien dat u beter kunt wachten tot meneer Carponelli terug is.'

Ik probeer het nog eens. 'We zijn alleen maar op zoek naar wat informatie.'

'Bent u van de politie?'

'Nee.'

'FBI? DEA? ATF?'

'Nee, nee en nee.' Ik ben ook niet van de CIA of de KGB.

'Wie bent u dan wel, in godsnaam?'

'Mijn naam is Michael Daley. Ik ben advocaat.' Ik knik naar Rosie, die hem met haar beste woeste blik probeert om te leggen. 'Dit is mijn partner.'

'Wij praten niet met advocaten.'

Ik wijs naar Pete. 'Hij is geen advocaat,' zeg ik.

'Is hij een smeris?'

'Nee, hij is privé-detective.'

'Met privé-detectives praten we ook niet.'

Ik voel me net een hamster in zo'n klein tredmolentje en ik besluit een wat directe benadering te proberen. 'Wij vertegenwoordigen Leon Walker. Hij wordt beschuldigd van de moord op een man wiens lijk vrijdagochtend in de buurt van de achterzijde van uw club werd aangetroffen.'

'Ja, en?'

De woordenschat van deze kerel lijkt niet helemaal tot volle wasdom te zijn gekomen. 'Als meneer Carponelli er niet is, zouden we graag de manager even willen spreken.'

'Ik ben de manager.'

We boeken vooruitgang.

'Maar ik kan uw vragen niet beantwoorden. We praten niet met advocaten. Dat is bedrijfsbeleid, en slecht voor de zaken.'

Of ik nu sarcastisch ben of me slap opstel, hij zal de deur hoe dan ook in mijn gezicht dichtgooien. Ik bied hem mijn beste melodramatische zucht en zeg: 'We zijn hier niet gekomen om u lastig te vallen. Als u onze vragen kunt beantwoorden, prima. Zo niet, dan komen we wel terug als uw baas er weer is.'

Zijn gezichtsuitdrukking verandert niet. Ik besluit dat een iets krachtiger poging om hem te overbluffen op zijn plaats is. 'Als u weigert met ons te praten, komen we terug met een dagvaarding. Als u vindt dat praten met óns slecht voor de zaken is, wacht dan maar totdat we onze vriendjes bij het parket op de hoogte stellen. Die kunnen u het leven oneindig veel ingewikkelder maken.'

Hij knijpt zijn ogen toe. 'Bedreigt u me nu?'

Ja. 'Nee hoor. Ik wijs u alleen even op de praktische realiteit van ons probleem.'

Hij weegt zijn mogelijkheden af en besluit mee te werken. 'Ik zal u vertellen wat ik kan,' zegt hij, en hij opent de deur.

Ik ben blij dat hij het eindelijk van onze kant bekijkt.

Hij wendt zich nu tot Rosie. 'Sommige dingen die hier binnen plaatsvinden, kunnen voor u misschien aanstootgevend zijn.'

Dit is in tegenspraak met hun website, die gezond vertier in een veilige omgeving belooft.

'Ik ben wel wat gewend,' laat ze hem weten.

'Het was maar een waarschuwing. We willen niemand voor het hoofd stoten.'

Fijn om te weten dat een vent die een club runt waar naakte vrouwen dingen naar het geld van glurende mannen zo'n gevoelige kant heeft.

Hij zegt dat hij Kenny Vinson heet en gaat ons voor door de lege foyer naar de club, die lijkt op een slechte imitatie van een slechtverlichte nachtclub uit de jaren veertig. De lucht die hier hangt, doet vermoeden dat het management relaxed omgaat met het rookverbod dat de stad San Francisco alle openbare gelegenheden heeft opgelegd. Zo te zien is er een paar jaar geleden nog een nieuw verflaagje op de muren aangebracht, maar verder heeft het vertrek al decennialang geen echte opknapbeurt meegemaakt. Ik heb in etablissementen als Basic Needs mijn portie vrijgezellenfeestjes wel gehad en ik zou ze niet onder de meest memorabele gebeurtenissen willen rangschikken. Op basis van mijn beperkte ervaring lijken de inrichting en de aangeboden diensten van de club vrij conventioneel. Voor de wanden hangen aan flarden gescheurde fluwelen gordijnen en ronde tafeltjes staan verspreid rondom een verhoogd podium dat zo is geplaatst dat klanten vrij zicht hebben op de artiesten. Een bordje boven de deur naast het podium verwijst naar de privé-vertrekken, waar je tegen een iets hogere prijs met een vrouw kunt praten. Voor nog eens twintig dollar is ze bereid bepaalde kledingstukken te verwijderen. En tegen een nog hogere vergoeding kun je bijna alles voor elkaar krijgen.

Het is nog wat aan de vroege kant. Een paar vaste gasten zitten vlak bij het podium en maken grapjes met een vrouw van middelbare leeftijd, die, slechts gehuld in een string, van haar whisky drinkt. De sfeer is romantisch noch prikkelend. Buiten het feit dat de danseres bijna poedelnaakt is, zouden we net zo goed in een louche bar in om het even welke stad in Amerika kunnen zitten. Voor de vrouw die de eindjes aan elkaar knoopt door voor wildvreemden haar kleren uit te trekken, is het een doodgewone werkdag.

Kenny leidt ons via een gammele trap naar het met koorden afgezette balkon, waar hij met een sleutel de deur naar een kantoor opent. Van hieruit heb je een weids uitzicht over de club. Hij knipt het licht van het onoverzichtelijk volle vertrek aan, dat is opgesmukt met affiches van naakte modellen die hier ooit hebben opgetreden. Hij neemt plaats achter een metalen bureau en biedt Rosie de enige andere stoel aan. Sinds onze binnenkomst zijn zijn manieren in elk geval verbeterd.

'We zijn op zoek naar informatie over wat er vrijdagochtend is gebeurd,' zeg ik.

Hij heeft zijn antwoord klaar: 'Ik weet van niets.'

'Was u aan het werk?'

'Ja.' Hij kiest zijn woorden met zorg. 'De politie heeft me ernaar gevraagd en ik heb een verklaring afgelegd. Eerder vandaag snuffelde hier al een of andere verslaggever rond.'

Dat zal Jerry Edwards zijn geweest.

'Ik vertelde hem hetzelfde als ik u net vertelde: ik weet niets over wat zich achter Alcatraz Liquors heeft afgespeeld.'

Ik ben niet van plan het daarbij te laten. 'Hoe laat was u op het werk?'

'Donderdagavond om acht uur.' Hij zegt dat hij de hele tijd in de club is geweest en vrijdagmorgen om halfvier naar huis is gegaan. Hij woont een paar straten verderop in Folsom Street.

'Passeerde u op weg naar huis ook de drankwinkel?'

'Nee. Mijn flat is de andere kant op.'

'Wie waren er donderdagnacht nog meer?'

'Het was niet druk. Artie liep hier rond en een paar van de meiden waren aan het werk.'

'Kunt u ons de namen geven van iedereen die hier was?'

'Ik kan zelfs beter: ik zal u aan ze voorstellen. Iedereen is er vanavond, op Artie na dan.'

Wat coulant. Dit betekent dat niemand enige nuttige informatie zal verschaffen, met de mogelijke uitzondering van Artie.

Pete zet zijn beste smeristronie op. 'De politie heeft de belgegevens van de dode man nagetrokken.'

'En?'

'Zijn laatste telefoontje was naar een mobiele telefoon die bij dit etablissement hoort.'

Kenny's spieren spannen zich, maar hij reageert op zijn bekende gearticuleerde wijze: 'Dus?'

'We zouden graag even praten met degene die heeft opgenomen.'

'We hebben veel mobieltjes.'

'Waarom?'

'We hebben veel telefonisch oproepbare medewerkers. Als we ze een mobieltje geven, zijn ze makkelijker te bereiken.'

Tja, je wilt je klanten natuurlijk niet laten wachten. Ik geef hem het nummer. 'Kunt u me de informatie bezorgen?'

'Laat me eerst met Artie overleggen.'

'Is er verder iemand die ons kan helpen?'

Onvermurwbaar herhaalt hij: 'Laat me eerst met Artie overleggen.'
Hij zal niets meer onthullen zonder het eerst met het hogere gezag op te nemen. 'Met hem zouden we ook graag een praatje maken,' zeg ik.
'Ik zei u toch dat hij de stad uit is?'
'We zouden hem graag even bellen.'
'Hij is onbereikbaar.'
Ik vraag hem wanneer Carponelli terug wordt verwacht.
Hij denkt even na. 'Morgen,' zegt hij dan. 'Tenzij zijn plannen zich wijzigen,' voegt hij eraan toe.
Die plannen kunnen zich wel eens wijzigen zodra hij hoort dat een stel advocaten vragen heeft gesteld. Ik reik hem een visitekaartje aan. 'Vraag hem mij te bellen op dit nummer.'
'Zal ik doen.'
'Zeg hem dat als ik niets van hem hoor, wij morgen om acht uur terugkomen om hem te spreken.'
'Ik weet niet zeker of hij er dan wel is.'
'We wagen het erop.' Ik wacht een tel en voeg eraan toe: 'Als hij er morgen niet is, komen we terug met een paar van mijn vrienden van het parket en een dagvaarding voor de belgegevens van uw mobiele telefoons.'
'Ik zal de boodschap doorgeven.'

21
'HEB JE WILLIE OOK GEZIEN?'

'We hebben tientallen ooggetuigen verhoord die in de omgeving waren waar Tower Grayson vrijdagochtend werd vermoord.'
Hoofdinspecteur Marcus Banks, *Channel 2 News*, zondag 5 juni, 18.00 uur

'Dat was onaangenaam,' zegt Rosie.

'En weinig informatief,' vul ik haar aan.

Rosie, Pete en ik staan onder de luifel van Basic Needs. De zon is onder, de wind is aangewakkerd en de vaste klanten houden zich op in deuropeningen om de etablissementen te verkennen en zoeken naar farmaceutische producten om de nacht door te kunnen komen.

We hebben twee serveersters, een barkeeper, drie danseressen, een meesteres, een slavin en een conciërge ondervraagd die donderdagnacht in de club waren. Hun persoonlijke verhalen waren op een of andere manier allemaal wel hartverscheurend. De levensdroom van de meeste mensen is nu eenmaal niet om in een stripclub te werken. Onze vragen werden niet al te enthousiast ontvangen en de antwoorden waren steevast niet-verhelderend. Ze uitten wel enige verontwaardiging over alweer een sterfgeval in hun midden, maar ach, dat kwam hier wel vaker voor, en de meesten hoorden het nieuws dan ook gelaten aan. Niemand gaf toe dat hij Graysons foto herkende en geen van de medewerkers zei dat hij op zijn door zijn werkgever verstrekte mobieltje een telefoontje van Grayson had gekregen.

'Verwacht je dat Kenny's baas ons gaat bellen?' vraagt Rosie.

'Zo niet, dan ga ik er weer heen met Roosevelt.'

'Wil je dood of zo?'

'Liever niet.'

We lopen in de richting van Market Street. 'Waar nu heen?' vraagt ze.

'We hebben een afspraak met de Burgemeester van Sixth Street.'

Aangekomen bij Willie Kidds kantoor vinden we een leeg melkkrat. Alle volgelingen van zijne edelachtbare zijn aanwezig, maar de Burgemeester zelf niet.

Ik kijk naar de klaplopers met wie we gisteravond hebben kennisgemaakt en richt me tot de man die zichzelf heeft voorgesteld als Cleve. 'Heb je Willie ook gezien?'

Zijn onderlip steekt naar voren. Hij sluit zijn ogen en schudt langzaam zijn hoofd. 'Nee,' antwoordt hij eindelijk.

'Heb je enig idee waar we hem zouden kunnen vinden?'

'Nee.' Hij vertelt dat hij Willie vanmorgen voor het laatst heeft gezien. Het lijkt me onwaarschijnlijk dat hij de afgelopen twaalf uur voor ons alle deuren is langsgegaan. Een meer plausibele verklaring is dat hij in beslag werd genomen door andere burgemeesterszaken of dat hij ons helemaal is vergeten.

'Denk je dat hij vanavond nog terugkomt?' vraag ik.

Cleve haalt zijn schouders op. 'Misschien wel.' Hij denkt even na. 'Misschien ook niet.'

Ik vraag Pete hier te blijven om te zien of Willie nog komt opdagen. We willen net weglopen als ik plotseling de onmiskenbare stem van de Burgemeester van Sixth Street opvang. Ik draai me om en kijk net op tijd in Willies glimlachende gezicht om hem te horen zeggen: 'Sorry dat ik te laat ben. Ik had nog wat zaakjes te regelen.'

Aan zijn rode ogen en de halflege fles bourbon in zijn hand te zien zou hij net van een feestje kunnen komen. Het is ook mogelijk dat hij de enige feestganger was. 'Ben je nog iets te weten gekomen over Leon?' vraag ik.

Hij gebaart nadrukkelijk met de fles en stelt ons gerust. 'Ik heb met wat mensen gepraat.'

Ik sta mezelf een sprankje hoop toe. 'En?'

Zijn glimlach verdwijnt. 'Het spijt me. Ik heb echt mijn best gedaan, maar niemand heeft iets gezien.'

Of hij heeft meer tijd doorgebracht met zijn fles bourbon dan hij aan onze zaak heeft besteed.

Hij gaat op zijn krat zitten, zet de fles neer op de stoep en kijkt me ernstig aan. 'Er zijn hier nog wat andere mensen vragen komen stellen over Leons zaak.'

'Politie?'

'Nee. Die hebben hun onderzoek afgerond.'

Zoals gebruikelijk klopt Roosevelts informatie. 'Wie?'

'Een privé-detective.'

O? 'Heb je een naam of een visitekaartje?'

'Nee.'

'Man of vrouw?'

'Man.'

Kaela Joy Gullian was het dus niet. 'Kun je hem beschrijven?'
'Kort van stuk, donker haar, gespierd.'
Dat is de helft van de mannelijke bevolking. 'Heeft hij een telefoonnummer achtergelaten?'
'Nee.'
Verdomme.
'Jerry Edwards liep ook al vragen te stellen,' voegt hij eraan toe.
We hebben hier geletterde daklozen die de krant lezen. 'Heb je hem gesproken?'
'Ik praat niet met journalisten.'
Geen slechte beleidslijn. 'Sprak hij met anderen?'
'Ja, maar niemand heeft hem iets verteld.'
'Hoe weet je dat?'
Hij kijkt me behoedzaam aan en werpt een blik door de steeg. 'Dit heb je niet van mij, maar de politie heeft laten weten dat iedereen die iets zegt wat Leons gerechtelijke vervolging kan verzieken gepakt zal worden.'
'Ze kunnen je niet arresteren omdat je wilt getuigen of met een journalist praat.'
'Er zijn zat manieren om iemands leven te verkloten zonder hem aan te houden.' Hij kijkt naar zijn boodschappenwagentje. 'Ze kunnen je spullen in beslag nemen. Ze kunnen je dwingen je favoriete stek te verlaten. Ze kunnen je in een arrestantenwagen zetten en je naar Daly City brengen.'
'Ooggetuigen bedreigen is illegaal,' zeg ik.
'Welkom in de echte wereld! Denk je nou echt dat ik naar het paleis van justitie ga om een klacht in te dienen?'
Nee. Ik bestudeer onze mogelijkheden. 'Stel dat je niet met de politie hoeft te praten.'
'Wat heb je in gedachten?'
'Zou je bereid zijn die vent van de *Chronicle* te vertellen wat je mij net hebt verteld?'
'Ben je gek geworden? De politie zou me vermoorden.'
'Je kunt het anoniem doen.'
'Ik weet het niet, hoor.'
'Het zou Leon helpen.'
Hij denkt er even over na en komt dan met een weifelachtig: 'Misschien.'
'Wat zou ervoor nodig zijn?'
Hij kijkt eens naar zijn kameraden. 'Een paar warme maaltijden voor de jongens zou wel mooi zijn.'
'Ik ga kijken wat ik kan doen.' Jerry Edwards zal misschien iets meer moeite doen als hij vermoedt dat de politie het onderzoek traineert. Belangrijker is dat hij, als wij hem zover kunnen krijgen dat hij zijn giftige pijlen op het politiekorps van San Francisco richt, ons misschien wel met rust laat.

22
'SOMS IS WAT JE ZIET BELANGRIJKER DAN DE WAARHEID'

'We zijn tevreden over de vorderingen in de zaak van de heer Walker en we vertrouwen erop dat hij van alle blaam zal worden gezuiverd.'
Michael Daley, *Channel 5 News*, zondag 5 juni, 18.00 uur

Leons eerste tekenen van irritatie dienen zich aan. 'Dus,' concludeert hij, 'jullie hebben helemaal niets gevonden waar je misschien wat aan hebt?'

Een bondige samenvatting van hoe zijn zaak ervoor staat. 'We vinden heus wel wat,' verzeker ik hem.

'Wanneer?'

'Snel.'

'Hoe snel?'

'Heel snel.'

Rosie, Leon en ik zitten in een bedompt spreekkamertje van de Glamour Slammer. Het is zondagavond negen uur. Leon is inmiddels vertrouwd met zijn nieuwe omgeving en de ernst van de situatie begint tot hem door te dringen. Hij is somber, maar vuurt de ene na de andere vraag op ons af.

'Zijn jullie nog in het Thunderbird geweest?'

'Geen hond die z'n mond opendeed.'

'Hebben jullie Eugene Payton nog gesproken?'

'Die heeft ook al niets gezegd.'

Hij slaat zijn ogen neer. 'En Amos Franklin?'

'Hij had buiten voor de winkel niemand gezien en hij zei dat jij hebt gezien dat Grayson een stapel biljetten op de toonbank legde.'

'Dat is niet waar.'

Rosie neemt het over. 'We hebben de videobeelden gezien. Jij stond pal naast Franklin toen Grayson het geld uit zijn zak haalde.'

Hij bijt van zich af: 'Ik heb helemaal niks gezien.'

'Maak dat de kat wijs.'

Ik hef mijn handen en spreek Leon toe: 'Oké, even resumeren. Op de beelden is duidelijk te zien dat jij naast Franklin stond toen Grayson met zijn geld wapperde. De aanklager zal overtuigend verklaren dat jij dat geld moet hebben gezien.'

Hij probeert het nog eens: 'Het is niet waar.'

'Soms is wat je ziet belangrijker dan de waarheid, vooral als je wordt aangeklaagd wegens moord.'

Leon gaat er niet op in. Hij zucht diep. 'Wat nu?'

'Morgenochtend is de voorgeleiding, en de rechter is gebrand op orde. Ik wil dat je netjes opstaat en op duidelijke, beleefde toon zegt dat je onschuldig bent.'

'Begrepen,' klinkt het, gevolgd door een praktische vraag: 'Kunnen jullie de aanklacht laten intrekken?'

Vergeet het maar. 'We doen ons best.'

'En zo niet?'

'Dan verzoeken we de rechter om de voorlopige hoorzitting zo snel mogelijk te laten plaatsvinden.'

'Hoe snel?'

'Meteen.'

Cliënten moeten niets hebben van open antwoorden. 'Hoe snel?' herhaalt hij.

'Volgens de regels moet ze een datum binnen tien dagen prikken, maar misschien dat ze in dit geval voor een snellere afhandeling kiest. Ondertussen moeten wij door blijven spitten.' Ik vertel hem over Graysons laatste telefoontje. 'We gaan de eigenaar van Basic Needs aan zijn jasje trekken om uit te zoeken met wie Grayson heeft gebeld. We willen een gesprek met Graysons partner, zijn weduwe en zijn jurist. Ken je toevallig mensen die de weg weten in Sixth Street en die ons misschien kunnen helpen?'

Hij buigt zich iets naar ons toe. 'Er zit daar iemand die iedereen kent.'

'Hoe heet hij?'

'Willie Kidd.' Hij glimlacht hoopvol en voegt eraan toe: 'Ze noemen hem de Burgemeester van Sixth Street.'

Rosie en ik kijken elkaar even aan. Ik slaak een diepe zucht. 'We hebben al met hem gepraat.'

Ik sta op het punt een boodschap op Jerry Edwards' voicemail in te spreken als hij me verrast door zowaar de telefoon op te nemen. Het is zondagavond tien uur. Mogelijk slaapt deze mensensoort nooit. 'Wat een verrassing, meneer Daley,' klinkt het. 'Wilt u soms het een en ander kwijt over de nieuwe informatie die ik van Vanessa Sanders heb ontvangen over de dochter van uw cliënt?'

'Ik wilde het ergens anders met je over hebben.'

Teleurstelling. Stilte. Gevolgd door een steek onder water: 'Houdt u verder nog belangrijke informatie achter?'
Ik probeer kalm te blijven. 'Nou,' zeg ik, 'ik heb misschien wat interessante informatie voor je.'
'Ik luister,' antwoordt hij onomwonden wantrouwig.
'Uit betrouwbare bronnen hebben wij vernomen dat mensen op de huid worden gezeten zodra ze informatie proberen te verstrekken waarmee Leon Walkers onschuld kan worden aangetoond.'
'Beweert u hiermee dat iemand bezig is getuigen te intimideren?'
'Ja.'
'Wie?'
'De politie.'
'Wie van de politie?'
'Dat weet ik niet.'
Zijn zware ademhaling wordt sneller. 'Wie heeft u dit verteld?'
'Een goedgeïnformeerde bron.'
'Kunt u me een naam geven?'
'Misschien.'
Hij haalt diep adem. Ik vermoed dat hij een lange haal van zijn Camelsigaret neemt. 'Een betrouwbare bron?'
'Ja, maar hij blijft anoniem.'
'Daar kan ik niet aan beginnen, meneer Daley.'
Gelul. Zijn columns staan elke dag bol van de anonieme bronnen. 'Ik was ervan uitgegaan dat we elkaar een dienst konden bewijzen, Jerry, maar ik heb me duidelijk vergist.'
Hij schraapt zijn keel. 'Waarom deelt u me deze informatie mede?'
'We hebben de afgelopen twee dagen op Sixth Street doorgebracht en het is duidelijk geworden dat de politie niet al te veel moeite doet om de moordenaar van Tower Grayson te vinden.'
'En u wilt dat ik de draad oppak?'
'Precies.'
'De meeste mensen zijn van mening dat ze de moordenaar al te pakken hebben. Toevallig hoor ik daar ook bij. Ik heb de indruk dat u gewoon de aandacht wilt afleiden van uw cliënt.'
Klopt. 'Als jij kunt bewijzen dat de politie het onderzoek tegenwerkt, kunnen de oplagen flink oplopen. Zelfs nog meer als jullie de echte dader vinden.'
Aan de andere kant van de lijn blijft het lang stil.
'Moet je horen,' besluit ik, 'ik kan jou niet dicteren wat je moet schrijven, maar ik weet wel dat de politie er iets te gemakkelijk vanaf komt. Je kunt je pijlen richten op iemand die stervende is en een paar lullige strafpleitertjes met een kantoortje boven een Mexicaans restaurant, maar je zou ook eens het politiekorps van San Francisco het vuur na aan de schenen kunnen leggen, uitzoeken wat er nu écht is gebeurd. Ik doe wat ik kan om je daarbij te helpen. Nu jij.'

Opnieuw een stilte. Daarna: 'De column voor morgenochtend is al klaar en die kan ik niet meer wijzigen. Hij gaat onder andere over Walkers dochter.'

Shit. 'Oké, duidelijk.'

'En als jij wilt dat ik de draad oppak, wil ik iets van jou.'

'Wat dan?'

'Een exclusief interview met jouw cliënt.'

'Volgens mij komen we daar wel uit.'

'Prima. Ik wil zo snel mogelijk met hem praten.'

Ik trap meteen op de rem: 'Niet voordat de rechtszaak voorbij is.'

'Dan is jouw cliënt al dood.'

'Dat risico moet je maar voor lief nemen.'

'Waarom nu niet meteen?'

'Alles wat hij jou zal vertellen valt niet onder immuniteit. Als ik hem nu met jou laat praten, maak ik me schuldig aan ambtsovertreding.'

Hij laat dat even bezinken en geeft zich vervolgens gewonnen. 'Je zult wel gelijk hebben.'

'Zodra dit achter de rug is, kun je rekenen op de primeur.'

Hij weet dat er voor hem niet meer in zit. 'Wanneer kan ik met je bron spreken?'

'Morgen, na de voorgeleiding.'

'Als je me naait, schrijf ik je cliënt en jouw kantoor compleet het graf in.'

'En als jij de Pulitzer Prize eenmaal op zak hebt, kun je mij mooi trakteren op een lekker etentje.'

23
'ZELFS EEN STERVENDE HEEFT RECHT OP EEN BETOOG'

'Bij de voorgeleiding van Leon Walker zullen strenge veiligheidsmaatregelen in acht worden genomen.'
Jerry Edwards in *Mornings on Two*, maandag 6 juni, 7.15 uur

Het is maandagochtend negen uur. De zaal van rechter Elizabeth McDaniel zit vol en haar blik is stoïcijns. De irritatie in haar stem is duidelijk waarneembaar als ze tegen me zegt: 'U had me vrijdag nog beloofd dat ik u een tijdje niet meer zou zien.'

Ik schakel meteen over op mijn priesterstem: 'Er zijn wat onverwachte dingen tussengekomen, edelachtbare.'

'Hm.' Ze husselt een stapeltje papieren bij elkaar en doet net alsof ze zich totaal niet bewust is van het contingent persmuskieten op de tribune. Normaliter lopen strafpleiters en openbaar aanklagers druk heen en weer, wachtend op hun beurt om de rechter twee minuten lang te kunnen toespreken. Het is als de wachtrij beneden in de kantine: je trekt je nummertje en je krijgt je rechter. Vandaag beseft ze terdege dat ze zich het komende kwartier in de onverdeelde aandacht van de media mag verheugen.

Jerry Edwards is neergestreken op de eerste rij. Zijn column in de *Chronicle* en zijn azijnpisserij in *Mornings on Two* bevatten een verwijzing naar Julia Sanders' ziekte en een gratuite uithaal naar Rosie en mij vanwege het achterhouden van informatie. Hij heeft ons er in elk geval niet van kunnen beschuldigen dat we getuigen intimideren.

Leon zit tussen Rosie en mij in aan de verweertafel. Hij is gehuld in een frisgewassen oranje overall, die sterk naar wasmiddel ruikt. We hebben de politie zover gekregen dat ze Leon zijn ketenen hebben afgedaan. Ward en McNulty zijn op hun paasbest en zitten kaarsrecht achter de tafel van de aanklager. McNulty's pak, das, overhemd en zijn eigen lichaam lijken net van de stomerij te komen. J.T. Grayson heeft plaatsgenomen op de tribune pal achter Ward. Vanessa Sanders heeft een plek bij de deur.

Rechter McDaniel laat haar hamer eenmaal neerdalen en het gemompel in haar rechtszaal stopt onmiddellijk. Ze richt het woord tot McNulty: 'Spreekt u het hof toe namens de staat?'

'Ja, edelachtbare.'

Ze kijkt me aan. 'En ik neem aan dat u spreekt namens de gedaagde?'

'Ja, edelachtbare.'

'Goed. Ik heb een drukke agenda vanochtend, dus laten we beginnen.' Ten teken dat ze er helemaal klaar voor is, zet ze haar leesbril op. Volgens procedure meldt ze dat dit een voorgeleiding is, en ze verzoekt de gerechtsdienaar de zaak af te roepen.

Hij noemt het nummer van het register en zegt: 'De staat versus Leon Walker.'

Licht uit, spot aan.

De rechter tuurt over haar brillenglazen en zegt tegen niemand in het bijzonder: 'Zijn de raadslieden, gezien de krappe tijd, bereid af te zien van een formele uiteenzetting van de aanklacht?'

Het verzoek is ambtshalve, en McNulty en ik antwoorden in koor: 'Ja, edelachtbare.'

'Mooi.' Ze bestudeert het register van de onderhavige zaak alsof ze even haar geheugen opfrist. Het is de stilte voor de storm en ze gunt zichzelf op deze manier een moment om haar gedachten te ordenen. 'Meneer Daley,' begint ze, 'is het uw cliënt duidelijk dat hij wordt aangeklaagd wegens moord met voorbedachten rade?'

Meer dan duidelijk. 'Ja, edelachtbare.'

'Begrijpt hij de ernst van de aanklacht?' Ze weet het antwoord al.

'Ja, edelachtbare.'

'Is hij zich ervan bewust dat de aanklager zich van het recht heeft bediend om bijzondere omstandigheden toe te voegen?'

Voor iemand die ongeneeslijk ziek is, zal een doodstraf weinig gewicht in de schaal leggen, maar met een gevat antwoord zal ik de zaak niet dienen. 'Ja, edelachtbare.'

'Goed. Hoe verklaart uw cliënt zich?'

'Edelachtbare, deze zaak wordt gekenmerkt door omstandigheden die uitleg behoeven.'

Als een vuurpijl schiet McNulty overeind. 'Edelachtbare, deze zitting is slechts bedoeld voor de beklaagde om zichzelf schuldig of onschuldig te verklaren.'

Formeel heeft hij gelijk. Desalniettemin kijkt ze hem streng aan. 'Dit hof is zich zeer wel bewust van de aard van deze zitting, meneer McNulty.'

Ze geeft hem aldus direct te verstaan dat hij haar geen geintjes hoeft te flikken. Uiteraard zou voor mij hetzelfde gelden.

McNulty staat nog steeds overeind. 'Edelachtbare,' benadrukt hij, 'ik heb geen flauw idee welke kwesties de heer Daley aan de orde wil stellen, maar dit is daarvoor niet de juiste gelegenheid.'

'Dank u voor uw opmerking. Wilt u dan nu gaan zitten, alstublieft?'

Ik wil de draad weer oppakken, maar met een geheven hand kapt ze me af. 'Meneer Daley,' oordeelt ze, 'ik ben bereid te luisteren naar welke kwesties dan ook, maar het doel van deze voorgeleiding is slechts om uw cliënt de gelegenheid te geven zijn schuld dan wel zijn onschuld te verklaren.'

Haar onpartijdigheid verdient lof. Ik probeer het nog eens: 'Maar, edelachtbare...'

'Meneer Daley, dit is geen ruzie om een kip. We hebben een dodelijk slachtoffer en uw cliënt wordt beschuldigd van moord. Ik heb geen andere keus dan me te houden aan de normale procedure.'

'Edelachtbare, u weet dat ik het grootste respect heb voor dit hof en de regels van de rechtsgang van de staat Californië.'

In haar houding bespeur ik een vleugje achterdocht.

'Met alle respect,' vervolg ik mijn betoog, 'maar mijn cliënt lijdt aan een terminale ziekte en zal binnen enkele weken overlijden. Een eerlijk proces is dus onmogelijk, om maar te zwijgen van de voordelen van een hoger beroep zoals de rechtsgang ons die biedt. Daarvoor heeft hij simpelweg niet lang genoeg meer te leven.'

De leesbril gaat af. 'Wat verlangt u van mij, meneer Daley?'

Oké, daar gaat-ie dan. 'Gezien de context van deze zaak denk ik dat het juist is om, in belang van het recht, bepaalde consideraties te overwegen.'

'U stelt voor de regels voor de rechtsgang van de staat Californië te negeren?'

Nou, eigenlijk stel ik voor de hele aanklacht niet-ontvankelijk te verklaren. 'Ik zou u willen verzoeken de regels te hanteren op een manier die het voor mijn cliënt mogelijk maakt deze zaak zo snel mogelijk af te handelen. Zelfs een stervende heeft recht op een betoog.'

De rechter toont zich zoals gewoonlijk terughoudend. 'Dit hof deelt het medeleven aangaande uw cliënt,' zegt ze, 'maar de vraag of er voldoende bewijs is om de zaak voort te zetten, dient te worden beantwoord tijdens de voorlopige hoorzitting, niet tijdens de voorgeleiding. De enige vraag waar het vandaag om gaat, is of uw cliënt zichzelf schuldig of onschuldig acht.'

'Edelachtbare, bij vervolging van een ongeneeslijk zieke man is niemand gebaat.'

Ze trapt er niet in. 'Onze rechtsgang stelt mij niet in staat de aanklacht op dit tijdstip terzijde te schuiven.'

Als ik in haar schoenen stond, zou ik hetzelfde hebben geoordeeld. Rechters mikken erop herkozen te worden en zullen worden bekritiseerd als ze nieuwe regels uit hun hoge hoed toveren. Ik doe nog één poging, al is het maar om het medeleven van de cynici op de tribune wat te kietelen. 'Edelachtbare,' zeg ik, 'het fundamentele belang van het recht lijkt onder meer hierin te zijn gelegen dat het moreel verwerpelijk en economisch onpraktisch is om een stervende te vervolgen.'

McNulty springt weer op van zijn stoel. 'De heer Daley suggereert dus dat we de regels van de rechtsgang moeten negeren omdat zijn cliënt ziek is?'

Ja, dat klopt, maar ik moet nu met een rechtsgeldig, juridisch argument op de proppen komen, en dus haal ik een oud paard van stal. 'Het is aan de rechter om in belang van het recht haar discretionaire bevoegdheid te hanteren.'

Want hoe kan ze nu tégen het recht oordelen?

Rechter McDaniel heeft genoeg gehoord. 'Meneer Daley, het is tevens aan mij om, in belang van het recht, de rechten van het slachtoffer en zijn familie af te wegen. Ik leef mee met uw cliënt waar het zijn gezondheid aangaat, maar ik ben op dit moment niet in een positie de aanklacht niet-ontvankelijk te verklaren.'

'Maar, edelachtbare...'

'Hoe verklaart uw cliënt zich?'

Ik heb de eerste slag verloren. 'Onschuldig.'

'Dank u.'

Uit een ooghoek zie ik McNulty eventjes triomfantelijk naar Ward knikken.

'Edelachtbare,' zeg ik, 'er zijn nog andere kwesties die we in onze stukken naar voren hebben gebracht.'

'Ik luister.'

'Ten eerste willen we u met respect verzoeken het besluit van rechter Vanden Heuvel te heroverwegen om de heer Walker niet op borgtocht vrij te laten.'

'Wat had u in gedachten?"

Gewoon, dat we de hele boel simpelweg vergeten. 'In het licht van mijn cliënts lichamelijke gezondheid en zijn beperkte financiële armslag verzoeken we het hof tot een borgsom die overeenkomt met zijn financiële situatie, en dat hij naar een verpleeghuis mag worden overgebracht waar hij in een menswaardige omgeving kan worden behandeld.'

McNulty staat weer klaar. 'Wij verwerpen een borgsom. De beklaagde heeft niets te verliezen als hij vlucht.'

'Edelachtbare,' werp ik tegen, 'mijn cliënt heeft niet eens de financiële middelen of de lichamelijke kracht om te vluchten. Hij woont al zijn hele leven in San Francisco en heeft hier zijn familie en vrienden. Hij zal akkoord gaan met een stringente inperking van zijn bewegingsvrijheid en zal elektronisch huisarrest ondergaan middels een enkelbandje of anderszins, zodat de politie te allen tijde op de hoogte is van zijn bewegingen.'

McNulty's stem schiet een octaaf omhoog: 'De verdachte krijgt medische zorg en zal, indien nodig, naar het ziekenhuis van San Francisco worden overgebracht. Het zou wel heel ongebruikelijk zijn om in een moordzaak als deze tot borgtocht over te gaan. Vandaar dat wij, met alle respect, tegen zijn.'

Ik ben nog niet neer. 'Het hof heeft altijd het recht om te besluiten tot een borgtocht, afhankelijk van welke redelijke grens u daaraan wilt stellen.'

Met een geheven hand kapt ze me af. 'Meneer Daley, ik vind het standpunt van de heer McNulty overtuigender dan het uwe.' Ze wijst met haar hamer naar me. 'Hierbij bepaal ik dat de beklaagde medische zorg dient te krijgen. Echter, het besluit van rechter Vanden Heuvel omtrent een borgsom zal door mij niet in heroverweging worden genomen.'

'Maar, edelachtbare...'

'Ik heb gesproken, meneer Daley. Uw verzoek om borgtocht is afgewezen.'

Het is nu nul-twee. Tijd om een kwestie aan te roeren die ik hopelijk wél kan winnen. 'Edelachtbare,' begin ik, 'in het licht van de urgentie willen we u verzoeken om zo snel mogelijk tot een voorlopige hoorzitting te komen.'

'Hoe snel wat u betreft, meneer Daley?'

'We zijn gereed om nu meteen te beginnen.'

Haar verbazing kan zich meten met die van McNulty. Hij kijkt even paniekerig naar Ward en zegt: 'Wij kunnen echt niet van het ene op het andere moment klaarstaan!'

'Edelachtbare, het wetboek stelt dat mijn cliënt recht heeft op een voorlopige hoorzitting binnen tien zittingsdagen. We willen zo snel mogelijk van start gaan.'

Ze raadpleegt haar agenda. 'Er zijn helaas geen rechtszaal en rechter beschikbaar.'

'Dan staan we klaar om morgenochtend vroeg meteen te beginnen.'

Ik bespeur de eerste glimp van wrevel. 'Meneer Daley, u weet dat ons rechtssysteem zwaar overbelast is. We zouden het fijn vinden als u er nog eens over nadenkt of het in het beste belang van uw cliënt is om er zo'n vaart achter te zetten.'

'U en ik hebben de luxe onze zakelijke beslommeringen op een ordentelijke wijze af te werken, maar dat geldt niet voor Leon Walker.'

'Ik erken het probleem, maar voor morgenochtend is er geen rechtszaal beschikbaar.'

Ik kom terzake. 'Wanneer kan het op z'n vroegst, edelachtbare?'

'Hoelang hebt u nodig?'

'Op z'n minst twee zittingsdagen, misschien langer. We mikken op een volledig verweer.'

Haar irritatie wordt uitgesprokener. Voorlopige hoorzittingen zijn meestal routinezaken, waar de aanklager net genoeg bewijs aanlevert om aan te tonen dat de aanklacht terecht is. Rechter McDaniel tikt wat met haar potlood. 'Misschien zou het voor u beter zijn uw energie te bewaren voor het uiteindelijke proces.'

Ik probeer een beleefde toon aan te slaan. 'Zover zal het helaas nooit komen, edelachtbare...'

Ze kijkt me peinzend aan terwijl ze mijn woorden overdenkt. Ze bestudeert nog eens uitvoerig haar agenda en concludeert: 'We kunnen donderdagochtend beginnen.'

'U kunt op ons rekenen.'

McNulty is een stuk minder enthousiast. 'Edelachtbare, we zijn pas drie dagen met de zaak bezig. Het zal voor ons niet meevallen om in zo'n kort tijdsbestek het onderzoek af te ronden.'

'Edelachtbare,' zeg ik, 'we zijn bereid om eind morgenmiddag de getuigenlijsten en alle relevante informatie te overleggen, en van de heer McNulty verwachten we hetzelfde. In het belang van de rechtspraak zal ook hij bereid moeten zijn tot een versnelde afhandeling.'

McNulty doet nog een poging er onderuit te komen. 'Gezien de werkdruk op ons kantoor en de werkroosters van onze onderzoekers zal het uiterst lastig voor ons zijn om al vóór volgende week dinsdag klaar te zijn voor de voorlopige hoorzitting van de verdediging.'

Ik vuur meteen terug: 'Dit is tijd rekken, hét voorbeeld van het oude spreekwoord dat uitgestelde gerechtigheid ontzegde gerechtigheid is. Ze hebben een ongeneeslijk zieke man gearresteerd en nu proberen ze de tijd te laten wegtikken. Ze weten dat ze hun zaak niet overtuigend hoeven te bewijzen, want het komt immers nooit tot een proces. In zo'n situatie wordt het principe "onschuldig totdat het tegendeel bewezen is" volledig op zijn kop gezet. Ik vraag u heus niet om hemel en aarde te bewegen. Het wetboek stelt dat de heer Walker recht heeft op een hoorzitting binnen tien zittingsdagen.'

Met afgemeten stoïcisme hoort ze me aan. 'De voorlopige hoorzitting zal donderdagochtend om negen uur plaatsvinden in deze rechtszaal.' Ze kijkt McNulty aan. 'Ik ga ervan uit dat ik op u kan rekenen, meneer McNulty.'

'Maar, edelachtbare...'

Haar bril gaat af. 'Ik ga ervan uit dat ik op u kan rekenen, meneer McNulty.'

Hij veinst berouw. 'Dat kunt u.'

'Mooi. Verder nog iets?'

McNulty slaat zijn armen over elkaar. 'We willen het hof beleefd verzoeken om alle partijen een spreekverbod op te leggen. We willen niet dat deze zaak in de media wordt gevoerd.'

Ik werp even een blik op Jerry Edwards. 'Wij zijn tegen een communicatiebeperking met de media,' deel ik mee.

De blik van verbazing op het gezicht van de rechter wordt slechts geevenaard door die van McNulty. Ze buigt zich iets voorover. 'Waarom?'

Dit is een van die zeldzame keren dat ik eens níét in de gelegenheid ben het tot een rechtszitting te laten komen, en dús wil ik het via de pers spelen. Maar zoiets godslasterlijks zou ik natuurlijk nooit tegen de rechter zeggen. 'Edelachtbare,' antwoord ik, 'het doel van een spreekverbod is het risico te vermijden dat de juryleden van tevoren door ongunstige berichten in de pers worden beïnvloed. Als gevolg van de ziekte van mijn cliënt zal het immers niet tot een proces komen.'

'Dat kunt u nooit zeker weten, meneer Daley.'

'Jawel, edelachtbare.'

McNulty kookt van woede. 'De heer Daley beschikt niet over medische bevoegdheid!'

'Nee, dat klopt. Maar ik heb wel de arts van de heer Walker geraadpleegd. Die heeft mij verzekerd dat het voor meneer Walker onmogelijk zal zijn een eventueel proces bij te wonen.'

De rechter is nog steeds niet helemaal overtuigd.

Ik gooi het over een andere boeg. 'Mijn cliënt is bereid zijn recht op een jury op te geven. Het risico dat juryleden worden beïnvloed, is daarmee van de baan.'

Voor de rechter komt dit volkomen onverwacht en ze probeert tijd te rekken om na te denken. Ze kijkt Leon aan. 'Meneer Walker, beseft u dat uw raadsman zojuist heeft besloten dat uw zaak aan een rechter in plaats van aan een jury zal worden voorgelegd?'

Walker kijkt me eventjes aan, en ik knik. 'Als mijn advocaat er geen problemen mee heeft, dan vind ik het prima,' zegt hij.

'Zo'n ongehinderde toegang tot de media is onverstandig,' jammert McNulty. 'We zijn bereid akkoord te gaan met een spreekverbod en we vinden dat dit ook voor de verdediging moet gelden.'

Ik probeer de pers op de tribune mee te krijgen en de rechter wat meer te kneden. 'Edelachtbare, we hebben het hier over de grondwet. Wij vinden dat het recht op informatie zwaarder telt dan elk ander belang. We hebben er alle vertrouwen in dat u in staat zult zijn betamelijkheid te bewaren en dat de rechtsgang op een eerlijke en waardige manier zal geschieden. Concluderend willen we nogmaals onze bedenkingen uiten jegens elke inperking van de toegang tot de media.' Ik weet niet of ze het met me eens is, maar dit is een van die zeldzame momenten dat ik het er niet dik bovenop leg.

Ze denkt even na en oordeelt: 'Gezien het feit dat de beklaagde zijn recht op een jury heeft laten varen, ben ik geneigd akkoord te gaan met meneer Daleys verzoek. Ik zal geen spreekverbod bevelen.'

'Edelachtbare...' probeert McNulty.

'Ik heb gesproken.'

Niet dat ik nu vleugels heb gekregen, maar ik waag nog één sprong:

'We hebben er tevens geen bezwaar tegen als het publiek de zaak op tv kan volgen.' Als Ward en McNulty zo graag een ongeneeslijk zieke man willen vervolgen, prima, maar dan wel live op tv.

'We zijn fel gekant tegen tv-camera's in de rechtszaal, edelachtbare,' protesteert McNulty.

De rechter hoort onze argumenten aan en komt tot een besluit. 'Ik geloof dat het voor de samenleving inderdaad nuttig kan zijn rechtspraakprocedures op tv te kunnen volgen, maar mijn ervaring is dat zodra de camera's draaien iedereen in de rechtszaal zich opeens anders gedraagt. Vandaar dat ik hierbij oordeel dat niets mag worden uitgezonden, maar ook dat er enkele plekken voor rechtbanktekenaars zullen worden gereserveerd.'

Daar gaat mijn kans om een tv-ster te worden. In alle eerlijkheid moet ik zeggen dat ik hetzelfde besluit zou hebben genomen. Het kan uit de hand lopen zodra advocaten voor het oog van de camera's in zo'n spraakmakende zaak hun mond voorbijpraten. Toch wil ik rechter McDaniel nog laten voelen dat ik moreel verontwaardigd ben. Wie weet kan ik daar op een later tijdstip de vruchten van plukken. 'Edelachtbare,' zeg ik, 'als ik de belangrijkste punten van kritiek nog even op een rijtje mag zetten?'

'Afgewezen.'

Voor ons is het niet bepaald een ochtend van klinkende overwinningen geworden.

Rechter McDaniel sluit af. 'Verzoeken om uitspraak dienen uiterlijk woensdagmiddag om twaalf uur in mijn bezit te zijn.' Ze laat haar hamer neerdalen en loopt naar haar kamer.

De tribune stroomt leeg en Rosie komt met een realistische samenvatting van deze ochtend: 'Het circus is weer begonnen.'

24
LAWRENCE CHAMBERLAIN

'Silicon Valley vormt het epicentrum van Amerika's nieuwste onontgonnen gebied, in geografisch en politiek opzicht onbegrensd. De enige beperking is onze verbeeldingskracht.'

Lawrence Chamberlain, profiel in de *San Francisco Chronicle*

Als we de rechtszaal uit lopen, begint voor ons de klok te tikken. Leons voorlopige hoorzitting is al over drie dagen en de race is nu begonnen.

In de hal van het gebouw worden Rosie en ik belaagd door de vertrouwde mediahorde, en zoals gebruikelijk komen we met wat zwakke, voorgekauwde platitudes over hoe sterk we in onze schoenen staan. Het besluit van rechter McDaniel om niet akkoord te gaan met een spreekverbod betekent dat we straffeloos onze gang kunnen gaan. We maken ons los uit de persmeute en treffen Jerry Edwards op de hoek van Sixth Street en Minna. Daar stellen we hem voor aan Willie Kidd, die redelijk bij zinnen blijkt als hij de namen van een paar agenten opsomt die zouden hebben geprobeerd mogelijke getuigen te intimideren. Edwards hoort het met een gezonde dosis scepsis aan, maar noteert alles zorgvuldig en belooft erop terug te komen. Als hij iets ontdekt, kan de politie van San Francisco zijn borst natmaken. Vindt hij niets, dan zou hetzelfde voor ons kunnen gelden.

We nemen de Interstate 280 en rijden de ongeveer vierenzestig kilometer naar Sand Hill Road, een door bomen omzoomde weg in Menlo Park, iets ten noorden van Stanford. Een eeuw geleden was het nog een landweg die door weilanden liep. Begin twintigste eeuw werden er boomgaarden aangelegd. Na de jaren zestig werd het gebied getransformeerd tot het financiële hart van het moderne Silicon Valley.

Als je het alledaagse uiterlijk van deze kantoorterreinen zo ziet, zou je nooit verwachten dat eind jaren negentig de huren van deze kantoorpanden die van de stijlvolle wolkenkrabbers in het hartje van Manhattan verre overtroffen. Het lijkt alweer een eeuw geleden. De saaie, twee en drie verdiepingen tellende gebouwen vormen een metafoor in glas en beton van het gedachtegoed van de Valley. In tegenstelling tot de financiële centra van New York, Los Angeles, Chicago en San Francisco heeft het in de Valley nooit gedraaid om weergaloze staaltjes van architectuur. Financiers, investeringsbankiers, softwareontwikkelaars, juristen en andere heersers van het universum beoefenen hun vak liever vanuit doosvormige bouwsels in een campusachtige omgeving waar het succes zich niet laat weerspiegelen in de omvang van je kantoor, maar in de waarde van je aandelenportefeuille en de speciale accessoires van je SUV op jouw eigen gereserveerde plek van het onoverdekte parkeerterrein.

Mij is verteld dat er ook participatiemaatschappijen mét opulente kantoren zijn, maar in dat rijtje hoort Paradigm Partners niet thuis. Het hoofdkantoor van Tower Graysons imperium is gehuisvest op Sand Hill 3000, een drie werkkamers tellende suite van een businesspark, vlak bij de oprit naar de I-280 en naast de countryclub Sharon Heights. Bij de receptie, voorzien van stoelen van de kantoorboulevard, worden we begroet door een mooie jongedame. Ze stelt zich voor als Tracy en vertelt dat ze de parttime accountant, secretaresse en receptioniste is. Of we koffie willen? Dat willen we. Ten slotte kruipt ze weer achter haar computer. De Starbucksmelange smaakt hooguit ietsjes beter dan de Maxwell House bij ons op kantoor. In Graysons kantoor, met uitzicht op het golfterrein, brandt geen licht. Chamberlain zit in de belendende werkkamer en voert een telefoongesprek. De derde werkkamer is een kleine vergaderruimte met een vergadertafel, een computer en een tv, afgestemd op CNBC.

Rosie en ik nemen plaats in de wachtkamerstoelen. Ze draait zich naar me toe en fluistert: 'Ik had toch wel iets eleganters verwacht...'

Ik ook. De deur van Chamberlains werkkamer staat open. Zijn telefoongesprek klinkt bijna joviaal. Tracy's vingers dansen ondertussen energiek over haar toetsenbord. We zien geen bloemen of andere condoleance-uitingen. Afgezien van het feit dat er in Graysons kantoor geen licht brandt, is het hier een gewone werkdag.

Chamberlain voert inmiddels een ander telefoongesprek en blaft wat instructies over preferente opbrengsten, termijnoverzichten, hedgefondsen, arbitrages en dubbele offshore-opties. Hij opereert in de hogere luchtlagen, de verheven sferen van de financiële wereld waar gewone stervelingen en strafpleiters geen voet durven te zetten. Een kwartier lang laat hij ons duimen draaien. Daarna verschijnt zijn hoofd om de hoek van de deur. Hij glimlacht even en reikt ons een magere hand – een Rolex siert zijn pols – en begroet ons met de woorden: 'Bedankt dat u het hele eind bent komen rijden.'

Je zegt het maar, hoor. We staan altijd voor je klaar. Hoezo een excuusje voor het feit dat je ons zo lang hebt laten wachten?

Hij is een tengere, jonge vent met rossig haar. Zijn kristalblauwe ogen en strakke gelaat geven de indruk dat hij op z'n minst tien jaar jonger is dan achtendertig. Zijn kakibroek en zijn kastanjebruine poloshirt completeren zijn volmaakt bruine teint. Hij gaat ons voor zijn werkkamer in die is ingericht met standaard eikenhouten meubilair dat weliswaar een pietsje chiquer is dan de kringloopbureaus van Fernandez, Daley & O'Malley, maar toch heel wat gradaties minder dan de aankleding die je bij de grote advocatenkantoren ziet. Hij laat zich zakken in een ergonomisch verantwoorde stoel en Rosie en ik nemen plaats op de grijze bank die de indruk wekt bij een IKEA-opheffingsuitverkoop op de kop te zijn getikt. Ik zie geen fotootjes van het gezin. Een poster voor een consumentenelektronicabeurs in Las Vegas is de enige kunst aan de muur. Op zijn dressoir prijkt een dure desktopcomputer met flatscreen, alsmede een stuk of tien doorzichtige kubusjes van perspex waarin miniatuurkopieën van waardepapieren gevangenzitten: de standaardtrofeeën die door advocatenkantoren en beleggingsbanken als bedankje worden geschonken aan de cliënten die de exorbitante honoraria hebben betaald om van hun bedrijf een open NV te kunnen maken.

Ik probeer een beleefde toon aan te slaan. 'Bedankt dat u ons wilt ontvangen, meneer Chamberlain.'

'Graag gedaan.' Behoedzaam kijkt hij me aan. 'Zeg maar gerust Lawrence.'

Onze knuffelsessie gaat in elk geval goed van start en op mijn beurt nodig ik hem uit ook mij vooral bij mijn voornaam te noemen. Hij strijkt een lok uit zijn ogen en biedt ons nog wat koffie aan, maar we slaan het aanbod af. Ik vat het op als het bewijs dat hij wel degelijk manieren heeft – een positief teken.

Rosie en ik hebben afgesproken dat zij het voortouw neemt, en haar toon is dan ook netjes en beleefd. 'Gecondoleerd met uw zakenpartner. U zult wel een moeilijke tijd doormaken.'

'Dat klopt,' is zijn antwoord. 'En het is ook een groot verlies voor de investeringsbranche.'

In de Valley heeft men doorgaans weinig last van de mist, maar hier binnen begint het al aardig dicht te trekken.

Hij werpt een blik op zijn Rolex. 'Over twintig minuten heb ik een vergadering. Ik hoop dat jullie het niet erg vinden als ik jullie verzoek meteen terzake te komen?'

Geen punt. Rosie kwijt zich van haar taak. 'We hoopten dat je ons kunt vertellen wat er tussen donderdagavond en vrijdagochtend is gebeurd.'

Hij verblikt of verbloost niet. 'Tower en ik hadden een afspraak met de jurist van het beleggingsfonds. Daarna hebben we bij het Boulevard een hapje gegeten. Tower gaf me een lift naar huis. Zijn zoon belde me de volgende ochtend over wat er gebeurd was.'

Kort en to the point. Hij is uitgekookt genoeg om te weten dat als een advocaat je iets vraagt je maar beter zo kort mogelijk kunt antwoorden, zonder onnodig uit te weiden.

Rosie vraagt hem hoe laat ze het restaurant hebben verlaten.

'Iets na enen.' Hij vertelt dat Grayson hem rechtstreeks naar zijn appartement op Russian Hill heeft gebracht, een ritje van tien minuten, en zegt dat hij daarna zijn huis niet meer uit is geweest.

Rosie kiest haar woorden met zorg. 'Lawrence,' zegt ze, 'ik wil zeker niet suggereren dat ik aan je woorden twijfel, maar het is nu eenmaal onze taak je verhaal te checken.'

'Natuurlijk.' Hij kijkt haar achterdochtig aan, maar houdt zijn mond.

'Kan iemand bevestigen dat jij om zo en zo laat thuiskwam, zoals je ons net vertelde?'

Met andere woorden: je zult best een scheet van een vent zijn, met je verpletterende zachtblauwe kijkers, maar wij zouden ons een stuk beter voelen als iemand jouw alibi kan staven.

Misschien is hij beledigd, maar hij laat het in elk geval niet merken. 'Ik woon alleen,' is zijn antwoord. En daar laat hij het bij. Zijn inschatting dat het zinloos is om met Rosie in debat te gaan, is volkomen correct.

Ze glimlacht even vriendelijk naar hem. 'Bezwaar als we ook even een babbeltje met de buren maken?'

'Ga je gang.' Hij noemt wat namen.

Ze kijkt even opzij. Tijd voor een nieuwe stem.

Ik begin onschuldig: 'Lawrence, je bent geboren en getogen in San Francisco?'

'Vijfde generatie.'

Zelf ben ik nooit onder de indruk geweest van mensen die zichzelf zo bijzonder vinden omdat hun voorouders toevallig binnen de stadsgrenzen van mijn woonplaats ter wereld zijn gekomen.

Hij gaat verder. 'Mijn overgrootvader begon een van de meest succesvolle mijnbouwprojecten aan de westkust. Mijn vader trad in zijn voetsporen en leidt nu het bedrijf.'

Laat mijn overgrootvader nu ook in de mijnbouw hebben gewerkt, in Ierland. Alleen bracht hij zijn tijd ondergronds door en bezweek hij op zijn tweeënveertigste aan stoflongen.

Ondertussen probeert Chamberlain ons te imponeren met een resumé van de parels van zijn cv. 'Ik heb gestudeerd aan Dartmouth en heb een MBA van Stanford.'

Bla-bla-bla. Ik vraag me af of hij ooit een echte baan heeft gehad. 'En ben je toen voor een investeringsmaatschappij gaan werken?' vraag ik.

Ik aanschouw onverholen dédain. 'Nee,' luidt het antwoord. 'Ik beheer mijn eigen portefeuille en sinds ik ben afgestudeerd geef ik mijn vrienden beleggingsadviezen.'

Hij teert dus op zijn trustfund. Ik vraag hem hoe hij met Grayson in contact is gekomen.

'Op de Churchill Club,' antwoordt hij. Een netwerkclub hier in de Valley. 'Ik had belangstelling voor investeren en Tower had contacten in de

Valley. We genereerden twintig miljoen.' Zijn valse bescheidenheid straalt me tegemoet als hij eraan toevoegt: 'Maar vergeleken bij de grote jongens stelt dat natuurlijk weinig voor.'

Het klinkt mij anders behoorlijk omvangrijk in de oren.

Hij vertelt dat het fonds twaalf miljoen heeft geïnvesteerd in startende bedrijven. 'De rest is nog beschikbaar.'

Misschien dat hij wil investeren in een startend advocatencollectief, hoewel de kans dat Fernandez, Daley & O'Malley binnenkort een open NV worden tamelijk gering is.

'Hoeveel heb je geïnvesteerd?'

Hij toont een paar van zijn kaarten. 'Ik ben de grootste participant. Ik heb tien miljoen geïnvesteerd, met nog eens vijf tegen het eind van dit jaar.'

Ik vraag hem wat er zal gebeuren als hij die tweede inleg niet kan waarmaken.

'Ik kom mijn financiële verplichtingen altijd na.'

'En Tower Grayson?'

'Hij investeerde een miljoen, en legde zich vast voor nog eens een half miljoen.'

Dat klinkt alsof Grayson niet bepaald de tering naar de nering heeft gezet waar het om zijn eigen kapitaal gaat. 'En Graysons zoon?' vraag ik.

Een wegwuivend gebaar. 'Hij kwam met vijftigduizend en beloofde nog eens vijfentwintigduizend. Om zijn vader een plezier te doen lieten we hem toe.'

Hm. 'Was je bevriend met Tower?'

'Ja.'

Nog een keer: 'Gingen jullie veel met elkaar om?'

'Zo nu en dan hadden we een dineetje met onze investeerders, maar we hadden ieder onze eigen vriendenkring. Hij woonde in Atherton en was getrouwd. Ik woon in de stad en ben single.'

Hij heeft mijn vraag nog steeds niet beantwoord. 'Konden jullie het redelijk goed met elkaar vinden?'

Hij knikt overdreven zelfverzekerd. 'Ja, prima.'

Ik ben niet helemaal overtuigd. Ik probeer mijn toon zakelijk te houden en vraag: 'Had het fonds een goed rendement?'

'Redelijk.'

'Was je gelukkig over de investeringskeuzes en de opbrengsten?'

'Redelijk.'

Ik weet nu wat zijn standaardantwoord is als hij niets kwijt wil. Als ik hem iets vraag over het stuk in de *Chronicle* houdt hij vol dat zijn verhaal door een overijverige journalist uit zijn verband is gerukt. Ik spit nog wat verder, maar hij geeft niet thuis. Ik vraag hem vervolgens waar de bespreking afgelopen donderdagavond over ging.

'Ik ben bang dat dat vertrouwelijk is.'

Op een wat vriendelijker toon neemt Rosie het over: 'We vragen je ook niet om geheimen te onthullen. We vroegen ons alleen af of het te maken had met een belegging of interne beheerkwesties.'

Hij denkt even na over zijn mogelijkheden. Zwijgt hij, dan zal het lijken dat hij iets te verbergen heeft en is de kans groter dat we opnieuw bij hem aankloppen. Gaat hij op de vraag in, dan loopt hij het risico vertrouwelijke informatie te onthullen. In beide gevallen trekt hij aan het kortste eind. Uiteindelijk probeert hij behulpzaam over te komen. 'We hebben kort over onze investeringen gesproken,' antwoordt hij, 'en daarna over het fondsbeheer.'

Rosie probeert iets meer uit hem te trekken, maar dat lukt niet. Ze kiest voor de aanval vanuit een andere hoek: 'Kun je me iets over de speculatiebranche vertellen?'

Ik heb het haar al duizenden keren zien doen. Als hij slim is, houdt hij zijn mond. Maar ik verwed er twintig dollar om dat hij binnen vijf minuten zijn diepst verborgen geheimen op tafel gooit. Over tien minuten heeft ze hem zover dat hij als een zeehondje met een strandbal op zijn neus balanceert.

Zijn ogen lichten op. Voor een jonge, niet al te ervaren vent die teert op oud geld is niets vleiender dan wanneer een ouder iemand zich op zijn wijze raad wenst te verlaten.

Rosie klinkt als een schooljuf uit de tweede klas als ze vraagt: 'Stel, ik kom met een businessplan bij jou en ik vertel je dat ik vijf miljoen nodig heb. Wat zou jij dan doen?'

Zijn stem loopt over van eigendunk. 'Nou, de eerste vraag is of de directie te vertrouwen is en er een goede moraal op na houdt. Waarmee tevens vraag twee en drie beantwoord zijn.' Hij grinnikt even om zijn eigen grapje. 'Dan bekijken we het businessplan, de kosten-batenanalyse en de wapenfeiten van de directie. Een paar jaar geleden kon een goed onderbouwd businessplan nog op de achterkant van een servetje zijn geschreven, zolang je maar een "dot" en een "com" in je bedrijfsnaam voerde. Maar die vlieger gaat niet langer op. Je moet over een verkoopbaar product beschikken en winst maken. Wij verwachten uit onze investeringen een opbrengst van ten minste vijftig procent.'

Bedrijfskunde was voor Rosie ooit een hoofdvak, dus ik heb zo het vermoeden dat ze weet waar hij het over heeft. We knikken eens onderdanig en hopen dat hij vooral doorpraat.

Wat ook gebeurt. 'Onze exit-strategie krijgt veel aandacht. We proberen ons belang binnen twee en vijf jaar te vereffenen. Het *best-case scenario* behelst meestal een IPO of de verkoop van het bedrijf.'

Rosie kijkt hem nieuwsgierig aan. 'En als het minder goed verloopt?'

'We verwerven een preferent belang dat converteerbaar is in een meerderheid van de aandelen, mocht het bedrijf bepaalde financiële targets niet halen. Als het misloopt, nemen wij het over.'

En staat de hele bups op straat.

'We doen het liever niet,' gaat hij verder, 'want we kunnen onze tijd wel beter gebruiken. We investeren liever in bedrijven dan dat we ze leiden.'

Nou en of. Stel dat hij eens echt de handen uit de mouwen moet steken. Ik durf te wedden dat hij als jong knaapje nog geen limonadekraampje heeft gerund. Promotors als Grayson hebben het zelfs nog rianter. Naast zijn aandeelpercentage in de investering toucheerde hij een jaarlijks managementhonorarium van tweeënhalf procent van de twintig miljoen aan uitstaande middelen van het fonds. Ik ben geen rekenwonder, maar volgens mij komt dat neer op een half miljoen per jaar. Niet slecht voor het beoordelen van businessplannen en investeren met andermans geld. Vandaar dus dat zulke participanten meer verdienen dan advocaten.

Rosie is nog druk aan het vissen. 'Hoeveel bedrijven hálen de jackpot binnen?'

'Met een beetje geluk een op de tien.' En een stuk of twee, drie draaien quitte, zo vertelt hij. 'De rest zakt door het ijs. Het is een riskante business.'

Rosie plukt aan haar kin. Hier heb ik op gewacht. Haar haakje met aas is uitgeworpen en we gaan eens kijken of hij toehapt. 'Dus,' vraagt ze, 'bespraken u en meneer Grayson op die bewuste avond, samen met uw jurist, soms een plan om geld te mobiliseren voor een nieuw fonds?'

Hij hapt toe. 'Nou eigenlijk ging de discussie over een *down*-ronde.'

'Wat is dat?'

'We investeerden twee miljoen in een nieuwe toko die *state of the art* software heeft ontwikkeld waarmee grafische bestanden supersnel over het net kunnen worden gezonden.'

State of the art. Nog nooit heb ik iemand in andere bewoordingen over software horen jubelen.

Zijn ogen lichten weer op. 'Het zal de manier waarop informatie over het web wordt verzonden compleet veranderen. Echt waanzinnig cool, dit.'

Ik vraag me af of William Hewlett en David Packard hun producten ooit in dergelijke bewoordingen hebben aangeprezen.

'Hoe dan ook,' gaat hij verder, 'de markt werd soft en het bedrijf ging op de fles. We werden benaderd door een Brits conglomeraat dat aanbood om substantieel te investeren.'

'Klinkt behoorlijk interessant,' schmiert Rosie.

'Behalve dan dat het onze investering zo zou hebben verwaterd dat we een minderheidsbelang zouden hebben en geen zeggenschap binnen het management.'

'Vandaar een *down*-ronde.'

'Precies.' We worden getrakteerd op een hoorcollege risicofinanciering, opzettelijk aangedikt met esoterische en vage termen als *'anti-dilu-*

tion protections', *'full ratchets'*, 'afgewogen gemiddelden' en *'pay-to-play provisions'*.

'Dus,' vraagt Rosie, 'wat heb je toen besloten?'

'Nog niets. Ik wilde de deal afwijzen. Ik ben bereid extra fondsen aan te boren om dat bedrijf draaiende te houden. Met wat zorgvuldig cashmanagement zou het over anderhalf jaar voor een IPO kunnen gaan.'

Of de toko staat over anderhalve maand bij het vuilnis. Jong en onvervaard, en levend van een erfenis: het lijkt me geweldig. 'Wat wilde Tower?' vraag ik.

'Hij stond klaar om eruit te stappen, Soms denk ik wel eens dat hij vergat dat het overgrote deel van de investering uit mijn eigen zak kwam.'

Ik bespeur een opening. 'Hadden jullie meningsverschillen over hoe het fonds moest worden beheerd?'

Eindelijk heeft hij iets in de gaten. 'Je zou inderdaad kunnen zeggen dat we het niet over elk besluit eens waren. Het feit dat hij de investeringsmanager was en ik de grootste investeerder gaf een zekere frictie. Eerlijk gezegd vond ik hem niet agressief genoeg.'

Bovendien moest Grayson het zonder een eigen trustfund stellen. 'Heb je ooit de mogelijkheid overwogen hem als fondsbeheerder door een ander te laten vervangen?'

Zijn aarzeling vertelt me alles wat ik wil weten. Hij kijkt even langs me heen en antwoordt: 'Laten we het erop houden dat onze andere investeerders deze kwestie een à twee keer hebben aangeroerd.'

Ik probeer het nog eens: 'Hebben jullie daar donderdagavond over gesproken?'

'Heel even. Tower was tegen.'

Ongetwijfeld.

'Er zat meer aan vast,' gaat hij verder. 'Tower verloor wat van zijn finesse. Ik weet niet of hij geldproblemen, huwelijksproblemen of drugsproblemen had. Ik gunde hem het voordeel van de twijfel, maar de andere investeerders begonnen te klagen. Ik moest de zaak onderzoeken.'

Hij volgde slechts bevelen op. 'Leverde het iets op?'

Zijn lippen trekken zich samen tot een uitgesproken norse streep. 'We troffen enkele discrepanties aan in de financiële verslagen. De jurist wees me erop dat ik een vertrouwensplicht jegens onze investeerders had om mogelijke onregelmatigheden te onderzoeken.'

Mochten er redenen zijn om te vermoeden dat Grayson uit de koektrommel graaide, dan handelde deze jurist volkomen correct. 'Waren er bedragen verdwenen?' vraag ik.

'Niet echt. Tower nam een voorschot van honderdduizend dollar.'

'En?'

'De andere partners keurden het af, maar het feit dat er geld ontbrak kwam pas naderhand aan het licht.' Chamberlain legt ons uit dat er over zulke transacties eerst met de partners gestemd moet worden.

Dit wordt hoe langer hoe interessanter. 'Heb je het daar met Tower over gehad?'

'Ja. Hij zei dat het een boekhoudkundige fout was en gaf toe dat het gemeld had moeten worden.'

'Je geloofde hem?'

Hij aarzelt even. 'Natuurlijk. We gaven onze investeerders openheid van zaken, ontsloegen onze accountant en haalden Tracy binnen. We namen een groot accountantskantoor in de arm om de boel helemaal door te lichten en we eisten dat Tower het voorschot terugbetaalde.'

Lijkt me wel zo fatsoenlijk. 'Enig idee waarvoor hij dat geld nodig had?'

Weer een aarzeling. 'Om een paar rekeningen te betalen. Hij vertelde dat hij wat cashflowprobleempjes had.'

Honderd dollar in het rood stelt weinig voor. Een ton in het rood is andere koek. 'Zei hij nog om wat voor rekeningen het ging?'

'Nee.'

Ik vraag hem of hij verder nog iets vreemds aan Grayson bespeurde.

'Zoals?'

'Absenties zonder reden? Niet-verantwoorde onkosten?' Geld voor hoeren en drugs?

'Nee.' Aan zijn houding merk ik wel dat hij ons niets meer wil vertellen.

'We willen graag even met de jurist praten,' zeg ik.

'Ik kan je niet tegenhouden.'

Helemaal correct. 'Ik zou graag willen dat jij hem instrueert ons alles te vertellen wat hij weet.'

'Daar kan ik niet aan beginnen. Ons partnerschap is vertrouwelijk.'

Je kunt me nog meer vertellen. Ik ga voor afgemeten bluf. 'We zitten midden in een moordonderzoek. Ik wil bij niemand de indruk wekken dat jij of jouw jurist probeert het onderzoek te hinderen. Obstructie van de rechtsgang is een ernstig vergrijp.'

Hij trekt wit weg. 'Laat me er even over nadenken.'

'We zullen er alles aan doen om de informatie onder ons te houden.' Maar het helpt wel als we over jou, en iedereen die jij kent, uit de school klappen.

'Dank je,' zegt hij.

Het is een goed teken wanneer iemand je ervoor bedankt dat hij door jou geïntimideerd wordt. Ik besluit het er nog wat dikker bovenop te leggen: 'Want als het aan mij ligt kom ik liever niet terug met een dagvaarding...'

'Ik hoop dat dat niet nodig zal zijn. Ik praat wel met hem, maar ik kan niets beloven.'

'Heb je toevallig zijn telefoonnummer bij de hand?' vraag ik. Ook weer bluf. Ik weet heus wel hoe ik Brad Lucas kan bereiken, maar ik wil Chamberlains handschrift op papier.

Hij pakt een velletje en noteert Lucas' telefoonnummer. 'Het zal duidelijk zijn dat we deze zaak liever niet in de media willen zien. Er staan reputaties op het spel.'

De jouwe meegerekend. Ik probeer een meer verzoenende toon aan te slaan: 'Ben je al in de gelegenheid geweest met mevrouw Grayson te praten?'

'Heel even.'

'Ken je haar goed?'

Hij aarzelt even. 'Niet zó goed.'

'Heb je haar nog gezien?'

Hij wordt achterdochtig. 'Waarom vraag je dat?'

Ik wil weten wat je zaterdagochtend bij haar thuis te zoeken had. 'We spreken haar straks.'

'Ik zou het toch wel fijn vinden als jullie een beetje rekening houden met hoe ze eraan toe is.'

'Doen we.' Ik wacht een tel en herhaal mijn vraag: 'Heb je haar nog gezien?'

'Ik ben zaterdag heel eventjes thuis bij haar langs geweest.'

Waarmee Petes waarneming is bevestigd.

'Het leek me wel zo correct haar persoonlijk te condoleren,' luidt zijn verklaring.

Hoe meelevend. Dit is echter niet het moment om hem te vragen of mevrouw Grayson en hij nog van bil zijn gegaan. 'Hoe was het met mevrouw Grayson?' vraag ik.

'Heel slecht.'

Ze was zo overmand door verdriet dat ze meteen naar de countryclub aftaaide voor een massage.

Even later, zittend in mijn auto op de parkeerplaats buiten voor Graysons kantoor, zegt Rosie: 'Hij heeft ons meer verteld dan ik had gedacht. Hij bekende dat Grayson zonder toestemming wat geld uit de fondskas had genomen en bevestigde dat hij zaterdag bij Debbie Grayson langs is geweest.'

'Maar hij probeerde ook alle schuld van zich af te schuiven,' werp ik tegen. 'Denk je echt dat hij iets met Graysons dood te maken kan hebben?'

'Hij lijkt me niet het type, maar ze lagen duidelijk in de clinch over een paar zakelijke kwesties. We moeten het Brad Lucas voorleggen.'

Gaan we zeker doen. Ik staar naar het velletje papier waar Lucas' telefoonnummer op gekrabbeld staat. 'Is je nog iets opgevallen toen hij het noteerde?'

'Chamberlain is linkshandig.'

'Exact.'

25
'U HEBT ONS DIEPSTE MEDELEVEN, MEVROUW GRAYSON'

'Mijn echtgenoot zal worden herinnerd als een van de meest prominente individuen van de Valley.'
Deborah Grayson, *San Jose Mercury News*

Roosevelt Johnson staat in de deuropening van een zes slaapkamers tellende villa aan een lommerrijke doodlopende laan in de chique enclave van Atherton, pal boven Menlo Park. Het voelt als een volslagen andere wereld. Debbie en Tower Graysons Cape Cod van vijf miljoen dollar ligt in de bescheiden Lindenwood-wijk, binnen de bakstenen ommuring van wat ooit het landgoed van James Flood was, de zilverbaron uit de negentiende eeuw. Je moet door de oorspronkelijke toegangspoort van het Flood-landgoed wil je de woning kunnen bereiken, die gelegen is op een lap grond dat als het duurste stukje onroerend goed van heel Californië geldt.

Roosevelt heeft Debbie Grayson ervan weten te overtuigen dat ze het best van die vervelende advocaten af kan komen door hen zo snel mogelijk te woord te staan. Hij bewijst ons een reuzendienst en mevrouw Grayson is erg hulpvaardig. Ik wil niets doen wat de indruk wekt dat we buiten ons boekje gaan. Varkens worden vetgemest, maar zwijnen worden afgeschoten.

'Mevrouw Graysons echtgenoot is pas drie dagen geleden overleden,' meldt hij. 'Houd het kort.'

Hij gaat ons voor door de dubbele deur. Aan de buitenkant de traditionele New England-look, maar de inrichting is duidelijk modern. De hoge hal staat vol met bloemstukken met betuigingen van medeleven, en geüniformeerde bedienden zorgen voor drankjes en hapjes voor het kleine groepje familieleden en vrienden die zich in de belendende woonkamer hebben verzameld. De gedempte conversatie valt onmiddellijk stil als we langslopen.

Roosevelt gidst ons langs de wenteltrap naar de met ranke meubels ingerichte eetkamer. We vervolgen onze weg door de professioneel ingerichte keuken naar een afgedekt roodhouten terras met uitzicht op een zwembad van olympische afmetingen. Er is niemand in het water. 'Wacht hier,' beveelt hij ons.

We bewonderen het gastenverblijf en de tuinarchitectuur, en genieten van de zoete geur van de jasmijn die de pergola boven ons bedekt. Even later verschijnt Roosevelt samen met Marcus Banks en J.T. Grayson. Banks lijkt geïrriteerd en Graysons zoon is gelaten.

Ik probeer de spanning enigszins weg te nemen door mijn erkentelijkheid te tonen. 'Bedankt dat je wilt meewerken. Dat waarderen we echt,' zeg ik tegen J.T.

'Moeder heeft het er moeilijk mee,' zegt hij. 'Hou het alsjeblieft kort.'

Banks laat zich gelden. 'Mevrouw Grayson heeft geen enkele verplichting om met je te praten en ze heeft het recht het gesprek te beëindigen zodra zij dat wil.'

Rosies stem is nauwelijks een fluistering. 'U hebt ons diepste medeleven, mevrouw Grayson. Het spijt ons dat we u op dit moeilijke moment moeten lastigvallen.'

'Dank u, mevrouw Fernandez.'

Debbie Grayson zit in een leunstoel onder de pergola bij het zwembad. Haar make-up is perfect en haar peroxideblonde haar is netjes gekapt. Haar strakke armen en benen wekken de indruk dat ze een *personal trainer* heeft. Haar ogen gaan schuil achter een grote zonnebril. Ze draagt een lichtblauw topje van Calvin Klein. Zonlicht weerkaatst op het water terwijl ze van haar ijsthee nipt. Haar zoon zit naast haar. Banks en Johnson staan als twee schildwachten achter ons.

Rosie buigt zich wat naar haar toe. 'We zullen het kort houden, mevrouw Grayson.'

'Ik wil net zo graag weten wat Tower is overkomen als u, mevrouw Fernandez.'

'Zeg maar Rosie, hoor.'

'Ik ben Debbie.'

Rosie begint voorzichtig een beleefd maar moeizaam gesprek over Debbies achtergrond. Ze werd geboren in Chicago en verhuisde op haar zevende naar San Jose. Op de middelbare school leerde ze Tower kennen en nadat ze eindexamen hadden gedaan, trouwden ze. 'Dit jaar zouden we onze zesentwintigste trouwdag hebben gevierd,' vertelt ze. 'Onze dochter is in verwachting en we keken al uit naar de geboorte van onze eerste kleinzoon, later dit jaar.'

'Het doet me echt verdriet dat je dat niet meer samen met je man kunt vieren, Debbie.'

'Mij ook.'

De blik in Rosies ogen vertelt me dat ze troebeler vaarwater binnengaat. 'Debbie,' begint ze, 'wanneer heb je je man voor het laatst gezien?'

'Op donderdagochtend.' Ze vertelt dat ze de hele middag op de countryclub heeft doorgebracht. 'Ik wilde een massage en daarna even zwemmen.'

Ik kijk even naar de enorme plas water die zich voor me uitstrekt. Met de terrasbediening is het hier klaarblijkelijk minder goed voor elkaar dan op de club.

Debbie is nog steeds aan het woord. 'Donderdagavond had ik een etentje met een vriendin bij Postrio.'

Niet slecht. Het is Wolfgang Pucks toplocatie in het Prescott Hotel, vlak bij Union Square.

Rosie wil weten hoe ze naar de stad is gegaan.

'Met de auto.' Ze vertelt dat ze om tien uur het restaurant verliet en toen naar huis is gereden. 'Ik keek nog wat tv en ben toen gaan slapen.'

Ik zie dat Rosie nauwelijks merkbaar even opzij kijkt. Debbie is iets te gretig met haar onderbouwingen. 'Hoe heet je vriendin?' vraagt Rosie.

'Susan Morrow.'

'We hebben al met haar gepraat,' verklaart Banks.

En dat zullen wij ook doen.

Banks gaat verder: 'Mevrouw Morrow en de eigenaar van restaurant Postrio hebben mevrouw Graysons aanwezigheid afgelopen donderdagavond bevestigd.'

Dit zou wel eens mijn eerste zaak kunnen worden waarin een gevierde chef van politie als getuige wordt opgeroepen. Misschien dat we hem zover kunnen krijgen dat hij ook wat foie gras meeneemt. Belangrijker echter is dat Wolfgang haar alibi niet kon staven vanaf het moment dat ze zijn restaurant had verlaten.

'Heb je je man nog gesproken?' vraagt Rosie.

'Hij belde me om vier uur om me te zeggen dat hij met Lawrence Chamberlain en Brad Lucas een afspraak had in de stad. Daarna belde hij nog eens om me te vertellen dat ze ergens iets gingen eten en dat het wel laat zou worden... Dat was de laatste keer dat ik met hem gesproken heb,' voegt ze eraan toe.

'Je zult wel bezorgd zijn geweest toen hij maar wegbleef.'

Ze blijft merkwaardig kalm. 'Het was niet ongewoon dat hij het laat maakte, vooral als hij met zaken bezig was. 's Avonds op kantoor was het dan altijd heerlijk rustig.'

'Heb je op vrijdagochtend de politie gebeld?'

'Nee, zijn kantoor. Maar hij was er niet. Op zich ook weer niet ongewoon. Ik nam aan dat hij ergens was gaan ontbijten, of in de fitnessclub zat. Ik probeerde hem op zijn gsm te bereiken, maar hij belde niet terug. Ik dacht: hij heeft vast vergeten het ding uit te zetten, of misschien is de batterij leeg.'

Ik betwijfel het. Types als Grayson hebben hun gsm permanent aan hun oor laten naaien. Bovendien hebben ze altijd reservebatterijen bij de hand voor het geval ze ook maar een tel niet te bereiken zijn.

Rosie vraagt of haar man met iemand ruzie had.

'Voorzover ik weet niet.'

'Meneer Chamberlain vertelde ons dat Tower en hij wat meningsverschillen hadden over hoe het fonds moest worden beheerd. Hij zei dat ze een afspraak hadden met meneer Lucas om erover te praten.'

'Volgens Tower probeerde Lawrence in zijn beheertaken te snoeien. Daar was hij niet blij mee.'

Het klinkt alsof het kloofje tussen Grayson en zijn meerderheidspartner toch iets dieper is geweest dan Chamberlain had doen voorkomen.

Rosie kijkt even snel mijn kant op. Tijd om van stem te wisselen.

'Hoe goed kende u meneer Chamberlain?'

'Redelijk goed. Ik heb hem een paar jaar geleden leren kennen.'

'Mag u hem?'

'Ja.'

Gaat u ook met hem naar bed? 'Vertrouwt u hem?'

Banks komt tussenbeide. 'Wat is dat nu weer voor vraag?'

Ik blijf rustig. 'Meneer Chamberlain vertelde ons dat een aantal investeerders van Paradigm ontevreden was.' Ik haal mijn troefkaart te voorschijn: 'Hij vertelde ons zelfs dat er geld was verdwenen.'

Banks zet grote ogen op, wat doet vermoeden dat hij hier niet van op de hoogte was. Nu wil ook hij graag horen wat Debbie hierover te melden heeft. Ze nipt van haar ijsthee, maar geeft geen antwoord.

J.T. besluit een duit in het zakje te doen. 'Er was sprake van een boekhoudkundige fout,' stelt hij nadrukkelijk. 'De investeerders kregen openheid van zaken en het bedrag werd terugbetaald.'

'Dat heb je ons gisteren anders niet verteld,' zeg ik.

'Het had ook niets met deze zaak te maken.'

'Dat staat voor ons nog niet vast.'

'U wilt alleen maar de aandacht van uw cliënt afleiden.'

Klopt inderdaad. 'Waarom had je vader dat geld nodig?'

Hij denkt even na en antwoordt: 'Geen idee.'

Ik kijk zijn moeder aan. 'En u?'

Ze slaat haar ogen even neer. 'Ik ook niet.'

Ze verbergt iets. Rosie neemt het over. 'Is je de afgelopen maanden iets vreemds aan je man opgevallen? Later thuis dan normaal, zakenreisjes, alcohol, dat soort dingen?'

Geld stelen uit zijn eigen kas, bezoekjes aan stripclubs, het bed delen met prostituees, drugs, dat soort dingen?

Debbie Grayson aarzelt geen moment. 'Nee.'

Rosie geeft haar nog een kans: 'Weet je het zeker?'

'Ik weet het zeker.'

Een impasse. Rosie gooit het over een andere boeg: 'Gaat iemand je helpen met de zeggenschap over Paradigm Partners?'

'J.T. en Lawrence gaan de boel nu leiden.'

'Heb je daar al met meneer Chamberlain over gepraat?' Rosie weet het antwoord al.

'Heel even. Hij kwam afgelopen zaterdag even langs om zijn medeleven te betuigen. Hij vertelde dat het noodzakelijk zal zijn zowel Towers nalatenschap als de verdere behoeften van het fonds te behartigen.'

Rosie ziet af van de vraag waarom Chamberlain bij zijn bezoek slechts een joggingpak droeg. 'Debbie,' vervolgt ze, 'ik moet je ook een paar persoonlijke vragen stellen.'

Banks grijpt in. 'U hoeft niet te antwoorden.'

Maar ze wuift het weg. 'Ik heb niets te verbergen.'

Rosie grijpt haar kans. 'Ben je de begunstigde van een levensverzekering?'

'Ja.'

'Mag ik weten voor hoeveel?'

Banks komt tussenbeide. 'Dat gaat je niets aan.'

Nou en of het ons aangaat. Rosie stelt het wat diplomatieker. 'Praten we over een substantieel bedrag?'

'Ja.' Debbie Grayson slaat de ogen neer. Meer zullen we zonder een dagvaarding niet te weten komen.

Rosie neemt even de tijd voor haar volgende vraag. 'Was alles koek en ei tussen jou en je man?' fluistert ze op discrete toon.

Debbie werpt een blik op haar zoon. 'Ja.'

'Geen ruzies, dreigingen met een scheiding of andere grote problemen?'

J.T. schiet zijn moeder te hulp. 'Hier hebben we het al over gehad,' zegt hij. 'Het antwoord is een nadrukkelijk "nee" en ik voel me geschoffeerd nu u daar zo over begint.'

Rosie staart hem aan totdat hij zijn ogen neerslaat. Daarna kijkt ze even naar mij. Tijd om de strenge rechercheur van stal te halen.

'Kijk,' zeg ik tegen zijn moeder, 'ik voel mee met uw verlies en ik kan u verzekeren dat we hier niet zijn gekomen om het u nog lastiger te maken, maar ons is verteld dat uw man en u enige...' Ik zwijg even om over mijn mogelijkheden na te denken en kies ten slotte voor: '... kwesties aan de hand hadden.'

Ze reageert met een vraag: 'Wat voor kwesties?'

'Het soort dat u ertoe aanspoorde een privé-detective in te huren, Kaela Joy Gullion.'

Stilte. Ze wisselt een gelaten blik met haar zoon. 'Hoe bent u daarachter gekomen?'

'Zelf beschikken we ook over een uitstekende privé-detective.'

Ze slaakt een diepe zucht. 'In elk huwelijk spelen wel kwesties, meneer Daley.'

Vertel mij wat.

'Tower stond onder een enorme druk. Enkele investeringen pakten minder goed uit. Hij was op reis. Hij leek afwezig en ik werd ongerust. Vandaar dat ik mevrouw Gullion heb ingehuurd.' Ze slikt moeizaam. 'Tower bezocht een stripclub, Basic Needs.'

We beginnen vorderingen te maken. 'Hoe vaak heeft ze hem daar gezien?'

'Tweemaal.'

'En hij was daar in zijn eentje?'

'Ja.'

Wat nog niet wil zeggen dat hij daar bij andere gelegenheden in gezelschap is geweest, en de verdorven mogelijkheden zijn eindeloos. 'Hebt u hem daarop aangesproken?'

'Ja. Hij gaf toe dat hij daar zo nu en dan heen ging om bij te komen van alle stress.'

Hij had ook aan yoga kunnen doen. 'Hebt u hem gevraagd daarmee op te houden?'

'Natuurlijk. Maar het feit dat hij vrijdagochtend in Sixth Street was, doet het tegendeel vermoeden.'

Zeker weten. Ons gesprekje met Kaela Joy zal een stuk interessanter worden dan ik had gedacht. 'Werkt mevrouw Gullion nog steeds voor u?'

'Nee. Ik weet nu alles wat ik moest weten.'

Ze weet zelfs meer dan ze moest weten. 'Met haar gaan we ook praten,' zeg ik.

'Ik kan u niet tegenhouden.'

'Misschien dat de politie haar ook wil ondervragen.'

'Voor hen geldt hetzelfde.'

Ik heb met haar te doen, maar ik moet zo veel mogelijk te weten zien te komen. Ik ga voor een gematigde toon en geef haar nog een laatste kans om het een en ander op te biechten: 'Overwogen u en uw man een echtscheiding?'

'Dat is niet ter sprake gekomen.' Ze kijkt haar zoon even aan en voegt eraan toe: 'Ik zou het fijn vinden als u hier discreet over wilt zijn. Voor J.T. en zijn zus is het meer dan verschrikkelijk.'

En voor u ook. Maar ik kan niets beloven. 'We zullen doen wat we kunnen.'

Ze leunt achterover in haar stoel. 'We zijn klaar,' zegt Banks.

Tijdens de lange, trage rit terug naar de stad belanden we op de I-280 in de file. Het geeft ons even de gelegenheid onszelf te trakteren op het leukste onderdeel van ons vak: speculeren.

'Ik vind het rot voor Debbie,' zegt Rosie. 'Haar man hing rond in een striptent.'

'In diverse opzichten.'
'Niet leuk.'
'Maar we hebben nog geen enkel bewijs dat Basic Needs iets met zijn dood te maken heeft.'
'Des te meer reden om eens met Artie Carponelli te gaan praten.'
Mee eens. Terwijl we de Serramonte Mall passeren, vraag ik het toch maar even: 'Denk je dat ze erbij betrokken was?'
Haar antwoord is eerlijk: 'Ik weet het niet. We moeten niets uitsluiten totdat we het dubbelleven van Tower Grayson volledig in kaart hebben.'
Mijn gsm gaat. Ik klap hem open. 'Met Michael Daley.'
'Hoofdagent Jeff Roth hier,' meldt een afgemeten stem.
Als ik hem op straat zou tegenkomen, zou ik hem met zijn voornaam begroeten, maar uit zijn toon blijkt duidelijk dat er iets aan de hand is. 'Wat kan ik voor u betekenen, agent Roth?'
Zijn toon blijft zakelijk: 'Ik heb hier een journalist die vragen stelt over uw cliënt.'
Dat moet Jerry Edwards zijn. Ik houd me van de domme. 'Hij doet gewoon zijn werk,' zeg ik.
'Hij doet zelfs meer dan dat,' klinkt het bars. 'Blijkbaar heeft iemand hem ingefluisterd dat we getuigen proberen te intimideren.'
'En?'
'Natuurlijk niet!'
'Waarom bel je mij?'
'Mij is gevraagd je een boodschap door te geven. Als blijkt dat jij hier iets mee te maken hebt, zullen wij ervoor zorgen dat diezelfde journalist je doen en laten eens uitgebreid onder de loep neemt.'
'Wij hebben niets te verbergen.'
'Als jij ons te kijk zet, nagelen we je aan de schandpaal.'
'We staan allemaal aan dezelfde kant, Jeff. We willen gewoon uitzoeken wat er is gebeurd.'
Zijn stem klinkt nadrukkelijker: 'Jij gaat in deze zaak de politie van San Francisco niet voor de rechter dagen.'
'Dat zijn we ook helemaal niet van plan.'
'Draaf niet te veel door, Mike. Je gaat buiten je boekje.'
'Bedankt voor de informatie, agent Roth.'
Ik klap mijn gsm dicht. 'Waar ging dat over?' vraagt Rosie.
'Een vriendelijke boodschap van onze trouwe dienders van San Francisco, met de mededeling dat we met vuur spelen.'

26
'DA'S LANG GELEDEN, BRAD'

'Tower was een geweldige cliënt. Het is net alsof ik mijn beste vriend verloren heb.'
Bradley Lucas, KGO Radio, maandag 6 juni, 14.00 uur

Brad Lucas straalt een en al geveinsde vreugde uit als hij ons zijn bekende plastic glimlach toont en ons een stevige hand reikt. De handdruk van mijn voormalige advocatenpartner is ferm en zijn toon innemend. 'Leuk je weer eens te zien.'

Al meteen slaat mijn bullshitdetector als een autoalarm op tilt. 'Da's lang geleden, Brad.'

Hij is weinig veranderd sinds we elkaar vijf jaar geleden voor het laatst hebben gesproken, hoewel zijn platinablonde haar strepen grijs begint te vertonen en je, als je goed kijkt, een paar lichte kraaienpootjes zult zien. Zijn jeugdige gezicht ziet er wat pafferig uit en stemt aldus overeen met zijn onderlichaam. Zelfs jonge honden op advocatenbureaus beginnen tekenen van sterfelijkheid te vertonen zodra ze de veertig naderen.

Zijn kamerbrede grijns verdwijnt geen moment van zijn gezicht als hij zich in de leren fauteuil laat zakken die meer kost dan mijn hele opleiding aan de universiteit van Californië. Het is maandagmiddag drie uur en we zitten in zijn hoekkantoor op de zestiende verdieping van het Four Embarcadero Center, een van vijf betonnen torens op een complex dat min of meer is geïnspireerd op het Rockefeller Center. Jarenlang hadden de Rockefellers een eigenarenbelang in het neefje in San Francisco. De steriele kantoren ontberen het patina van hun voorname equivalenten in New York, maar het adres geldt als het meest prestigieuze van de stad en veel grote advocatenkantoren hebben hier dan ook hun burelen gevestigd.

Het volledige, vertrouwde gamma van uiterlijk vertoon is rijkelijk aanwezig: het panorama-uitzicht door zes ramen, beginnend bij de Bay

Bridge, langs het Ferry Building, Alcatraz Island en helemaal tot aan de Golden Gate; de hardhouten vloer met niet een, maar twéé op maat gemaakte bureaus van palissander – je weet maar nooit wanneer je er eentje extra nodig hebt – een vergadertafel met acht zitplaatsen; een leren bank; een minibar met een kleine koelkast; litho's van Currier en Ives aan de muur; een putter in een hoek. Brad Lucas belichaamt het moderne ras van de Grote Bedrijfsjurist, wiens waarde niet wordt bepaald door aangeboren intelligentie of juridisch inzicht, maar door zijn ongelofelijke talent om telkens nieuwe klanten binnen te halen. Ooit schepte hij eens tegen me op dat hij zelfs ijs aan eskimo's zou kunnen slijten, en ik geloofde hem. Zijn kantoor biedt een tijdcapsuleachtige inkijk in de habitat van een zeldzame soort die wel de advocatuurlobbyisten van begin eenentwintigste eeuw wordt genoemd. Ik verwacht dat de ficus elk moment vlam kan vatten zodra een Grote Stem vanuit de hemel tot mij roept: 'Schoenen uit! U bevindt zich in de aanwezigheid van een godenzoon in een pand van advocatengoden!'

Afgezien van de Mont Blanc-pen van vijftienhonderd dollar die op zijn fraaie bureau ligt, zie ik verder geen bewijzen dat hier überhaupt juridische werkzaamheden plaatsvinden. Jongens als Lucas beschikken immers over onderknuppels die zorg dragen voor de alledaagse klussen zoals het opstellen van documenten voor zijn cliënten. Ook opvallend afwezig zijn foto's van zijn twee ex-vrouwen en vier kinderen. Ik werkte nog bij Simpson & Gates toen hij voor de tweede keer scheidde. Iets van alle tijden.

Ik kijk even naar de putter. 'Nog altijd aan het golfen, Brad?'

'Minstens driemaal per week op de Olympic Club. Donderdag heb ik op de Ocean Course tegen de stadsadvocaat gespeeld. Ik sta nu op vier.'

Ik neem aan dat hij het hier over zijn handicap heeft en niet zijn IQ.

Met een knipoog voegt hij eraan toe: 'Ik laat hem winnen.' Lucas, tien jaar jonger dan ik, voelt zich vervolgens genoodzaakt mij van wat vaderlijk advies te dienen: 'Je zou eens wat lessen moeten nemen. Echt een geweldige manier om je met je cliënten te onderhouden.'

Over roddelen maakt hij nooit grapjes. Toen ik nog studeerde, kluste ik bij als barman op de Olympic Club en ik kom even in de verleiding te opperen hoe leuk het zou zijn om met Terrence de Terminator achttien holes op de Lakeside Course te spelen, maar ik verbijt me. Ik moet hem vooral aan de praat blijven houden.

En dat blijkt geen probleem. We wisselen wat roddels uit over onze voormalige collega's en vervolgens weidt hij uit over de megadeals die hij onder zijn hoede heeft. Behendig vermeldt hij ook nog even tussen neus en lippen dat zijn portefeuille meer dan vijf miljoen dollar bedraagt en dat hij bij Story, Short & Thomson op een na de meeste omzet binnenhaalt. Bovendien staat hij op de nominatie om de nieuwe voorzitter van de sectie Business Law van de Amerikaanse Orde van Advocaten te worden. Ik doe mijn uiterste best om geïmponeerd te lijken.

Tien minuten later is hij nog altijd vol op stoom als ik besluit dat het tijd wordt hem aan banden te leggen. 'Wat een toestand, hè, met Tower Grayson?' zeg ik op gedempte toon.

De nepglimlach maakt plaats voor nepmedeleven. 'Hij was pas achtenveertig.' Lucas trekt wat aan het boordje van zijn maatoverhemd en trekt zijn representatieve stropdas wat losser. Zijn kantoor schakelde een paar jaar geleden over op *business casual*, zo niet Brad. Hij staart door het raam naar de veerboot die over de Bay koers zet naar Larkspur en voelt een behoefte tot filosoferen. 'Volgend jaar word ik veertig,' zegt hij. 'Achtenveertig lijkt me opeens helemaal niet meer zo oud.'

Voor Brad draait de hele wereld nog steeds om hém.

Ik vang Rosies blik en probeer terzake te komen. Ik vraag hoelang hij Grayson heeft gekend.

'Vijf jaar. Ik leerde hem kennen toen hij nog financieel directeur bij Nyren Software was. Ik maakte er een open NV van.'

Het lijkt mij dat Grayson en het overige personeel daar ook enig aandeel in hebben gehad.

'Toen hij Paradigm oprichtte, vroeg hij me wat juridische dingetjes af te handelen.'

Ik vraag hem of hij het fonds vertegenwoordigt of alleen Tower Grayson zelf.

'Alleen de firma.' We krijgen een lezing over wat de Californische beroepscode over belangenverstrengeling te melden heeft. Hij legt uit dat een advocatenkantoor wel eens flink in de pekel kan raken als het de belangen van zowel een partnerschap als een van de partners probeert te behartigen. 'Stel dat er een geschil ontstaat,' legt hij uit, 'dan kunnen we geen partijen met tegengestelde belangen van dienst zijn. Ook kunnen we niemands kant kiezen. In een dergelijke situatie moeten we alle partijen adviseren afzonderlijke raadslieden aan te nemen.' Zijn stem loopt over van politieke correctheid als hij verklaart: 'Ik heb Tower duidelijk op schrift laten weten dat ik het fonds behartigde, maar niet de partners afzonderlijk, met inbegrip van Tower en Lawrence.'

'Dus,' stel ik vast, 'bij een mogelijk geschil tussen Grayson en Chamberlain zou jij een neutrale waarnemer zijn.'

Hij geeft me het juiste antwoord: 'Ja.'

Het kost me enige moeite om me Brad Lucas in de rol van een neutraal Zwitserland voor te stellen. 'En als het partnerschap zou besluiten de heer Grayson persoonlijk aansprakelijk te stellen, dan zou jij dus de firma hebben vertegenwoordigd.'

'Correct.'

Juridisch gezien kan hij gelijk hebben, maar zo simpel ligt het niet altijd. Graysons advocaten zouden het vertrouwen in Lucas officieel hebben opgezegd omdat hij toegang had tot vertrouwelijke informatie, wat hem een oneerlijke voordeelpositie zou hebben opgeleverd. Als dat geen resultaat had, zou Grayson bij zijn partners hebben gelobbyd om Brad op algemene gronden te ontslaan. Loyaliteit gaat vaak boven de wet op de beroepscode.

'Van wie heb je instructies gekregen over de behartiging van het fonds?'

'Tower was de beherend vennoot.'

'Wat voor vent was hij?'

'Solide. Slim. Nauwgezet. Eerlijk. Betaalde zijn rekeningen. Precies zoals hij Paradigm leidde.'

Dus waarom griste hij dan een ton uit de fondskas zonder het te melden?

Lucas weidt verder uit over Graysons deugden. 'Hij hoorde bij de fatsoenlijke kerels van de Valley.'

Afgezien van zo nu en dan een verzetje in Basic Needs. 'En hoe goed ken je Chamberlain?'

Hij heeft een paar tellen nodig om een diplomatiek antwoord te formuleren: 'Redelijk goed. Hij is een fatsoenlijke jonge vent, die toevallig flink wat geld heeft.'

'Heeft hij hersens?'

'Het feit dat je rijk bent, wil nog niet zeggen dat je ook slim bent.'

En het feit dat je als advocaat op First Street kunt werken wil nog niet zeggen dat je een sukkel bent. 'Heeft hij je nog verteld dat ik hem heb gevraagd jou toestemming te vragen om het over Paradigm te hebben?'

'Ja.' Hij vouwt zijn handen en antwoordt op zijn meest openhartige toon: 'Dit is een strafrechtelijk onderzoek, en er is geen reden om dingen achter te houden. Ik zou graag willen dat je rekening houdt met Debbies gevoelens, maar ik ben van mening dat iedereen erbij gebaat is de gehele waarheid te vertellen… Precies zoals ik Lawrence ook heb gezegd.'

Als ik niet vijf jaar lang naar zijn klinkklare onzin had moeten luisteren, zou ik misschien geneigd zijn het voor zoete koek te slikken. 'Dat betekent dat je met ons wilt praten?'

'Ja.'

Gun je hem het voordeel van de twijfel, dan lijkt het erop dat hij wil meewerken. Vanuit een cynischer oogpunt bezien lijkt het erop dat hij zijn eigen hachje wil beschermen, of niets te verbergen heeft.

Hij schraapt zijn keel en het onvermijdelijke recapituleren neemt een aanvang. 'Om te beginnen twee voorwaarden. Ten eerste wil ik dat je Debbie en Lawrence met rust laat. Ze hebben je alle relevante zaken al verteld.'

Ik waardeer het dat hij de vrouw van het slachtoffer en zijn zakenpartner probeert te beschermen, maar hij heeft natuurlijk geen idee wat die ons hebben verteld. Ik probeer een schijnbeweging: 'In dat geval zullen we kijken of we niet eerst jou kunnen benaderen.'

Hij is niet gerustgesteld, maar bedankt me toch. 'Bovendien,' gaat hij verder, 'zijn er een paar vertrouwelijke kwesties waar ik misschien niet op in kan gaan. Als jij me dus wilt dagvaarden, kan ik dat begrijpen.'

Het is zijn manier om me erop te wijzen dat hij een slimme jurist is. 'Natuurlijk,' reageer ik, en ik begin bij het begin. 'Ik heb begrepen dat jij met Grayson en Chamberlain hier op donderdagavond hebt afgesproken.'

'Klopt. Daarna hebben we een hapje gegeten in het Boulevard.' Hij bevestigt dat ze het restaurant iets na enen hebben verlaten en dat Grayson Chamberlain naar zijn huis heeft gebracht. Zelf zegt hij dat hij is teruggelopen naar kantoor om daar zijn auto op te pikken. 'Ik kwam boven, pakte mijn koffertje en ben rond tien voor halftwee naar huis gereden.' Hij kijkt even naar de klok van het Ferry Building. 'De jongens van de beveiliging zullen je het exacte tijdstip kunnen geven. Toen ik binnenkwam, heb ik mijn kaart door de scanner gehaald, en ook toen ik even later weer wegging.' Hij bevestigt dat hij ongeveer anderhalve kilometer van kantoor woont, vlak bij het honkbalveld.

'Ben je meteen naar huis gegaan?'

De ontwapenende nepgrijns verschijnt weer. 'Ja. De hele nacht doorhalen, dat zit er niet meer in.'

Het klinkt me iets te popi. 'Wat voor auto heb je?'

'Een BMW.' Hij stond in de parkeergarage van het Three Embarcadero Center, zegt hij.

Ik vraag hem waarom hij hem niet gewoon beneden had geparkeerd.

'Ze hebben hier alleen een parkeerservice, en ik wil gewoon geen vreemden achter het stuur. Hiernaast kun je hem gewoon zelf parkeren.'

Het risico dat een 'carjockey' een deukje in mijn Corolla zou kunnen rijden, houdt mij nauwelijks bezig. 'Daarna ben je je huis niet meer uit geweest?'

'Nee.' Hij vertelt dat hij Grayson daarna niet meer heeft gesproken.

Ik zal voor de zekerheid Pete even vragen zijn belgegevens te checken. 'Zou je me kunnen vertellen wat jullie zoal hebben besproken?' vraag ik zogenaamd langs mijn neus weg.

'Zaken.'

'Kun je iets specifieker zijn?'

'We bespraken een mogelijke *down*-ronde voor een van onze bedrijven.'

Wat strookt met Chamberlains verhaal.

'Tower wilde het zinkende schip verlaten, Lawrence niet.'

'Waren ze kwaad op elkaar?'

'Het lukte me de boel te sussen. Soms hebben mijn cliënten meer behoefte aan een zielenknijper dan aan een jurist. Uiteindelijk besloten ze de andere investeerders op de hoogte te stellen, zodat die konden beslissen.'

'Welke andere kwesties zijn er nog besproken?'

'Zaken omtrent het beheer van het fonds.'

Kun je misschien nog wat vager zijn? 'Zoals?'

'Niets wereldschokkends of zo.'

De boel ontwijken past niet bij jou. 'Chamberlain vertelde ons dat er een ton werd vermist.'

Het laatste restje innemendheid vervliegt. 'Nee, nee. Tower had wat cashflowprobleempjes en dus nam hij een voorschot.'

'En hij heeft dat bij jou gemeld?'

'Uiteraard.'

'Ervoor of erna?'

Hij schraapt zijn keel. 'Erna. Ik waarschuwde hem dat hij wat voorzichtiger moest zijn met welke transactie dan ook waarbij risicodragende partijen verbonden zijn.'

Iemand het voordeel van de twijfel gunnen is een, maar hem zomaar een ton in zijn zak laten steken... 'Chamberlain vertelde me dat voor deze transactie de goedkeuring van alle partners nodig was,' zeg ik.

'Inderdaad. Als hij me van tevoren had ingelicht, zou ik hem hebben aangeraden eerst de goedkeuring van de andere partners te verkrijgen. In mijn optiek was het slordigheid, geen fraude.'

Ja, ja. 'Toch adviseerde je Chamberlain de zaak te onderzoeken.'

'Dat is mijn werk.' Hij leest me weer de les. 'Ik deelde hem mee dat hij in dit post-Enron-tijdperk een fiduciaire plicht had elke twijfelachtige interne transactie te laten onderzoeken.'

Het klinkt alsof Grayson op heterdaad is betrapt met zijn vingers in de koektrommel. Thuis noemden wij zoiets 'stelen'.

Hij probeert van zich af te bijten. 'Tower gaf de overige investeerders inzage in de relevante informatie en betaalde het volledige bedrag terug, inclusief rente. Ik houd mijn cliënten altijd voor dat het beter is om fouten te herstellen dan ze toe te dekken. Einde verhaal.'

Dat wil zeggen: áls het inderdaad slechts een foutje was, meneertje eigendunk. 'Chamberlain zei dat enkele investeerders Grayson niet meer als investeringsmanager wensten.'

De nepglimlach verdwijnt. 'Lawrence heeft je aardig geïnformeerd.' Hij probeert tijd te rekken om zijn gedachten te ordenen. 'Je bent nog steeds een goeie.'

Nou, toen we nog samenwerkten hoorde ik dat nooit. 'En, wilden de participanten inderdaad een andere investeringsmanager?'

Lucas kijkt me achterdochtig aan. 'Wat heeft dat met Towers dood te maken?'

Rosie komt tussenbeide: 'Misschien helemaal niets. Geef je nog antwoord?' vraagt ze op een verhoortoon.

Lucas neemt een nonchalante houding aan. 'Lawrence liet doorschemeren dat Tower aan geloofwaardigheid had ingeboet en dat het misschien het beste zou zijn als hij een stapje opzij deed. Lawrence zou zijn taak dan hebben overgenomen.'

En aldus aanspraak hebben kunnen maken op het royale honorarium. 'En hoe reageerde Grayson daarop?'

'Er ontstond weer een verhitte discussie. Tower zei dat hij niet van plan was vrijwillig zijn positie aan te bieden en Lawrence dreigde serieus met een advocaat. Lawrence kan soms een behoorlijke driftkop zijn.'

'Enig idee waarvoor Grayson dat geld nodig had?' vraag ik.

Het antwoord komt meteen: 'Nee.'

Zijn gezicht verraadt niets, en ik heb geen idee of hij iets verbergt. 'Chamberlain wekte de suggestie dat Grayson huwelijks- en geldproblemen had.'

'Chamberlain wil nog wel eens wat overdrijven.'

Hij verbergt iets. 'Weet je dat mevrouw Grayson een privé-detective heeft ingehuurd om haar man te schaduwen?'

Hij staat paf. 'Nee,' antwoordt hij, nauwelijks hoorbaar. Hij aarzelt even en vervolgt dan: 'Waar heb je die informatie vandaan?'

'We hebben onze eigen privé-detective ingehuurd. En hebben mevrouw Grayson ermee geconfronteerd.'

Lucas reageert niet.

'Klaarblijkelijk,' ga ik verder, 'ontdekte de privé-detective dat Grayson een stripclub bezocht die Basic Needs heet.'

'Graysons privé-leven gaat mij niets aan.'

'Dat bevestigde mevrouw Grayson inderdaad ook al.'

Lucas' vingers trommelen op het bureaublad, maar hij houdt zijn mond.

Ik probeer het initiatief te bewaren. 'Grayson belde om twee uur vrijdagochtend naar een gsm die eigendom was van Basic Needs.'

Het getrommel wordt luider.

'Enig idee wie hij belde?'

Hij staart naar zijn vingertoppen. 'Al sla je me dood.'

De gecultiveerde stem uit mijn gsm bezit de geroutineerde intonatie van een nieuwslezer. 'Meneer Daley? U spreekt met Arthur Carponelli.'

Rosie en ik bevinden ons in de lobby van het Four Embarcadero Center. Het is maandagmiddag vier uur. We zijn net klaar met Lucas en hadden niet verwacht dat Carponelli al zo snel iets van zich zou laten horen. Om eerlijk te zijn had ik totaal niet verwacht ook maar íéts van hem te horen. 'Bedankt dat u ons hebt teruggebeld,' zeg ik.

'Graag gedaan. Ik heb begrepen dat u gisteravond in ons etablissement bent langs geweest.'

'Dat klopt. We hebben even met Kenny Vinson gesproken.'

'Ik mag hopen dat hij u behulpzaam is geweest?'

Tja. 'Jazeker.'

Rosie kijkt me nieuwsgierig aan. Ik dek even mijn gsm af en fluister: 'Artie Carponelli. Hij klinkt als Peter Jennings.' Ik zet het gesprek met mijn nieuwe vriend voort. 'Meneer Carponelli,' zeg ik, 'Kenny heeft u misschien doorgegeven dat wij Leon Walker zullen verdedigen.'

'Ik zag u gisteravond op het nieuws.'

Roem! Ik zoek even naar de juiste woorden. 'Ik heb gehoord dat u donderdagavond in uw, eh... etablissement aanwezig was?'

'Inderdaad, ja. Ik heb mijn verhaal al aan de politie verteld.'

'Hebben die u ook verteld dat het slachtoffer, vlak voor zijn dood, naar een mobiele telefoon heeft gebeld dat op naam van uw bedrijf stond?'

'Ja.'

'We zouden daar graag even met u over willen praten.'

'Dat lijkt me een prima idee. Ik zou zeggen: kom even langs op mijn kantoor als u in de gelegenheid bent. Dan zoek ik intussen alle informatie bij elkaar.'

Niet dat ik zo veel ervaring heb, maar hij is zonder twijfel de meest hulpvaardige pornograaf die ik ooit heb ontmoet. 'Goed, dan zien we u wel in uw club.'

'Nou, mijn kantoor is in Montgomery Street, nummer 300, op de negenendertigste verdieping.'

O? 'Goed, afgesproken.' Ik zet mijn gsm uit en klap hem dicht. Ik kijk Rosie aan en ik vertel haar dat Carponelli ons heeft uitgenodigd voor een gesprek.

'Kunnen we vanmiddag misschien mooi de floorshow nog even meepikken,' oppert ze.

'Nou, het lijkt erop dat hij vanuit het penthouse van de Transamerica Pyramid een porno-imperium leidt.'

27
'WE BIEDEN EEN PROFESSIONELE SERVICE VOOR EEN RIJK GEVARIEERDE KLANTENKRING'

Voor ons professionele managementteam telt alleen een tevreden klant.
Website van Basic Needs

Het is maandagmiddag vijf uur. In plaats van in een rokerig achterkamertje van Sixth Street zitten Rosie en ik, in afwachting van onze audiëntie bij Artie Carponelli, in de gelambriseerde receptie op de negenendertigste verdieping van de Transamerica Pyramid, San Francisco's meest herkenbare wolkenkrabber. Carponelli's imperium heeft meer weg van een investeringsbank dan van een seksshop. De belendende vergaderkamer beschikt over een glimmende marmeren vergadertafel en biedt ongehinderd uitzicht op Coit Tower, Alcatraz en de Golden Gate Bridge. Afgezien van de posters voor softpornofilms aan de muren zou het kantoor zo kunnen doorgaan voor een boardroom van een toko uit de Fortune 500.

Rosie kijkt even naar de jongedame achter de roodhouten receptiebalie, vlak onder het ranke BNI-bedrijfslogo. Met haar lange blonde haar, gave fotomodellenhuid en chirurgisch opgeblazen borsten lijkt ze verdacht veel op Cameron Diaz. Ze glimlacht naar ons en pakt de hoorn weer op. 'Ik had het kantoor toch wel iets aardser verwacht,' fluistert Rosie me toe.

Ze bestudeert het logo en vraagt me: 'Wat betekent BNI?'

Ik weet het antwoord vanwege de website. 'Basic Needs International.'

'Grapje.'

'Niks hoor.'

Ze neemt een slokje van haar Peet's-koffie uit het kopje van Chinees porselein. Wat koffie betreft verdient Artie Carponelli een pluim voor zijn goede smaak. Een andere jongedame met een volmaakt uiterlijk schrijdt de receptie binnen en begroet ons met een ferme handdruk. Als Cameron Diaz de receptioniste is, dan is dit Drew Barrymore. In tegenstelling tot Cameron, die is uitgedost in een onthullende blauwe blouse en een strak rokje, gaat Drew gekleed als een compagnon van een groot advocatenkantoor. Ze glimlacht geroutineerd en stelt zich voor in korte bewoordingen waarin een vleugje Frans doorklinkt: 'Ik ben Simone, de secretaresse van meneer Carponelli.'

Ere wie ere toekomt. Of het nu de keuze van zijn kantoorinterieur of de keuze van zijn secretaresse betreft, Arties smaak is boven alle twijfel verheven.

Ze gaat ons voor de trap op naar de veertigste verdieping en leidt ons door enkele gangen, die weliswaar minder chic maar nog altijd goed uitgerust zijn. Ten slotte opent ze de zware deuren naar Carponelli's heiligdom en ik ben volkomen onvoorbereid op wat ik te zien krijg. Zijn kantoor is vijfmaal zo groot als dat van Brad Lucas en de wolkeloze blauwe hemel vormt het decor voor een verpletterend panorama dat zich van de Farallon Islands honderdtachtig graden uitstrekt tot aan de heuvels van Berkeley.

Qua inrichting overtreft Carponelli's kantoor dat van Brad Lucas in de categorie bureaus (vier versus twee), banken (vier versus een), boekenkasten (acht versus twee), vergadertafels (drie versus een) en supermoderne audiovisuele systemen (een versus nul). Bureau Een is een zwaar, handgemaakt, kersenhouten bolwerk dat staat voor de gezinswoning in Pacific Heights. Bureau Twee is van palissander en symboliseert het zomerverblijf aan Lake Tahoe. Nummer Drie is vervaardigd uit dun plexiglas en chroom, en staat voor het appartement in Maui. Nummer Vier is een antiek cilinderbureau dat misschien zou kunnen doorgaan voor het stijlvolle pied-à-terre in Parijs, en wekt hier tussen zijn jongere en pretentieuzere buren een wat opgelaten indruk. Ernaast is een minibios met plasmascherm, zo'n ding dat je ook wel in sportcafés ziet, met een stuk of vijfentwintig leren stoelen ervoor. George Lucas heeft me ooit meegetroond naar zijn huisbioscoop op de Skywalker Ranch. De sterren van Carponelli's vieze filmpjes maken weliswaar niet hun opwachting in Happy Meals, maar de huisbios van de Head Jedi Knight overtreft die van Artie in generlei opzicht.

Een meneer met een strak gezicht en gekleed in een superstijlvol Italiaans pak schenkt zichzelf een Perrier in. Op zijn gemak slentert hij op ons af en reikt ons de hand. Zijn handdruk is ferm en zijn glimlach lijkt oprecht terwijl hij ons begroet met een innemende bariton: 'Hallo, ik ben Artie Carponelli.'

En ik ben geschokt. Ik heb nog nooit eerder een pornograaf ontmoet, maar Artie Carponelli is nu niet direct het type dat ik had verwacht. Hij oogt en klinkt als een MBA'er van Harvard. En is ook nog eens jonger dan ik me had voorgesteld. Een strakke, jongensachtige vent van eind dertig, met glimmende ogen die harmoniëren met zijn gladde ravenzwarte haar. Een jonge Robert de Niro, en op z'n minst een kop groter dan ik.

Ik probeer niet al te verbluft te klinken. 'Bedankt dat u tijd voor ons hebt willen vrijmaken.'

'Graag gedaan, meneer Daley.'

'Zeg maar Mike.'

'En ik heet Art.' Hij vraagt Simone of ze voor wat koffie kan zorgen en reikt Rosie vervolgens een hand. 'Laat me jullie even rondleiden in mijn kantoor.'

Je kunt pas echt van status spreken als je kantoor groot genoeg is voor een rondleiding. Met evenveel trots toont hij ons het uitzicht en zijn minibios. Daarna verzoekt hij ons plaats te nemen op een van de vier halfcirkelvormige banken die rondom een antieke salontafel zijn gearrangeerd. Voor iemand die een naakttent runt, heeft hij uitstekende manieren. 'Dit was ooit de vergaderruimte van een groot advocatenkantoor,' legt hij uit. 'Er waren wat kleine aanpassingen nodig, maar volgens mij is het wel geslaagd zo.'

Nou en of. Ik zoek naar iets om het ijs te kunnen breken. Mijn oog valt op het dressoir en ik vind al meteen wat ik zoek. Ik veins bewondering terwijl ik naar de foto van zijn vrouw en twee dochters kijk. 'Hoe oud zijn je kinderen?'

'Twaalf en tien.'

Zelfs pornokoningen hebben een gezin. De innemendheid regeert terwijl we elkaar middels kletspraatjes over school, kinderopvang en speeldagen aftasten. Op mij komt hij over als een intelligent, hoogopgeleid iemand die charmant kan zijn wanneer hij dat wil.

Rosie glimlacht ontwapenend en vraagt waar hij woont.

'In Ross.'

Zijn familie moet flink wat poen dan wel schulden hebben. Ross is een enclave van miljoenenstulpjes in Marin County, dat zich op de 'onbetaalbaar'-index kan meten met Atherton. De bewoners zijn degelijke senioren en enkele hightech titanen, advocaten, artsen, investeringsbankiers en filmsterren. Een stripclub annex verzendhuisexploitant symboliseert het kleine beetje diversiteit dat deze homogene gemeenschap te bieden heeft. Ik vraag me af of de buren weten wat hij doet voor de kost. 'Ben je ook daar opgegroeid?' vraag ik.

'Geboren en getogen. Ik heb op Branson gezeten.'

Branson is een zeer exclusieve privé-school in een glooiende vallei aan de voet van Mount Tamalpais. De dorpsvaderen zullen wel trots zijn op hun dorpszoon.

Het krampachtige gekeuvel maakt geleidelijk aan plaats voor een aarzelend gesprek over de ware reden van ons bezoek. Over zijn werk krijgen we alleen maar vrijblijvende antwoorden te horen, en omgekeerd is het van hetzelfde laken een pak als hij ons naar Leon vraagt. Ten slotte breekt zijn jongensachtige gezicht open in een geoefende grijns. 'Jullie zullen wel nieuwsgierig zijn,' zegt hij.

Ik doe even of ik hem niet begrijp. 'Waarnaar?'

'Naar hoe een nette katholieke jongen met een technische graad van Princeton en een MBA van Harvard op zak in 's hemelsnaam kon eindigen als exploitant van een stripclub in Sixth Street.'

Ik waardeer zijn openhartigheid, maar zijn poging tot bescheidenheid komt op mij wat geforceerd over. Ik sla terug met een al even routineuze glimlach en antwoord: 'Die gedachte is inderdaad even in me opgekomen, ja.'

'Als schooljochie droomde ik al dat ik Hugh Hefner was,' antwoordt hij met een ondeugende knipoog.

Hij probeert ontwapenend over te komen, maar het effect is er niet naar. 'Je maakt zeker een grapje?' zeg ik.

'Ja.' De glimlach verdwijnt. 'Sommige vaders zijn arts of advocaat. Mijn familie runde toevallig een stripclub. Mijn grootvader begon in de jaren dertig een vaudevilletheater. Naarmate de buurt veranderde, paste hij zich aan. Zijn theater was de eerste toplessclub in de jaren zestig. Niet echt een gespreksonderwerp voor Thanksgiving, maar we hielden het ook weer niet verborgen en we schaamden ons er niet voor. Als mensen me naar mijn beroep vragen, zeg ik ze gewoon dat ik een stripclub exploiteer. Dat is mijn beroep.'

Hij lijkt een stuk toeschietelijker dan de gemiddelde pornokoning.

Hij vertelt dat zijn vader de club bijna veertig jaar heeft geleid. 'We bieden een professionele service voor een rijk gevarieerde klantenkring. Mensen uit alle lagen van de bevolking maken van onze diensten gebruik. Sommigen wonen in Sixth Street, maar we hebben veel zakenmensen uit de voorsteden. We betalen onze rekeningen en bieden werkgelegenheid. Ook al ben je het niet eens met de aard van het vertier dat we bieden, je zult moeten erkennen dat we ons werk goed doen.'

Het feit dat je schaamteloos vrouwen exploiteert, ontbrak in je standaardpraatje, en ik neem aan dat je ook niet zou willen dat je eigen dochters daar zouden komen te werken. 'Heb je wel eens een ander soort werk overwogen?'

'Ik heb vijf jaar lang op Wall Street gewerkt. Ongeveer acht jaar geleden overleed mijn vader plotseling en mijn zus had geen belangstelling voor het bedrijf. Mijn moeder vroeg of ik wilde terugkomen om de club lang genoeg te runnen om hem te kunnen verkopen.'

'Maar je zit hier nog steeds.'

'We zijn eigenaar van het pand, maar een voormalige stripclub laat zich niet makkelijk verkopen. Ons personeel werkt al heel lang bij ons. Mijn moeder vond het tegen haar principes om hen op straat te zetten.'

Een pornograaf met een geweten.

Zijn toon is totaal niet verontschuldigend: 'Naarmate ik meer ingewerkt raakte, ontdekte ik iets: seks blijkt een opmerkelijk winstgevende zaak, vooral met de opkomst van internet. De stigma's verdwijnen en je kunt nu thuis vanuit je luie stoel onze producten bestellen. Onze club genereert slechts een fractie van de omzet en we zijn bezig onze meer marginale productlijnen geleidelijk te elimineren om ons op de meer winstgevende divisies te richten. We bezitten verzendhuizen in vijftien staten en onze internetverkoopdivisie vormt het snelst groeiende segment van ons bedrijf. We hebben al diverse prijzen gewonnen voor het ontwerp van onze site.'

Hij klinkt als de *brandmanager* van Procter & Gamble die een nieuw afwasmiddel aan het promoten is. 'Waar bestaan jullie productlijnen uit?' vraag ik.

'We verkopen lingerie, sportkleding, films, video's, dvd's, tijdschriften, cosmetica en accessoires. We ontwerpen onze eigen producten, die daarna volgens onze specificaties in het buitenland worden gemaakt.'

Je weet dat je zult binnenlopen als arbeiders in derdewereldlanden worden uitgebuit om de seksspeeltjes voor jouw bedrijf te maken.

'Ons heilige doel,' vervolgt hij, 'is om dé leverancier te worden van alles wat je maar wilt om je seksleven te verrijken. Marktspelers als *Playboy* en *Hustler* zijn nu mainstream. Wij bezitten de infrastructuur en de knowhow om ook zo'n speler te worden. Ons doel is om uit te groeien tot de Bloomingdale's van de seksbranche.'

Ik vrees dat de Bloomie-bazen bepaald niet aangenaam verrast zouden zijn om hun bedrijfsnaam in een dergelijke context genoemd te zien worden. Het is bizar, maar tegelijkertijd volkomen logisch. Hij gebruikt zijn Harvard Business School-kennis om een pornobedrijf te runnen. Wie weet wordt het ooit een casestudy.

Zijn enthousiasme lijkt oprecht en ik wil dat hij blijft praten. 'Hoe til je zoiets naar een hoger plan?' vraag ik.

'We hebben een driepuntsstrategie ontwikkeld.'

Geen ondernemer die daar niet over beschikt.

'Om te beginnen,' legt hij uit, 'hebben we professionele managers aangetrokken en geavanceerde financiële software geïmplementeerd. We kunnen alleen maar concurreren als we slimmer, sneller en meer gedisciplineerd zijn. Ten tweede hebben we investeringskapitaal aangeboord om onze uitbreidingsplannen te financieren.' Hij zwijgt even en komt met de bekende uitsmijter: 'Ten derde willen we binnen een jaar tot anderhalf jaar een IPO hebben gerealiseerd. We willen voldoende kapitaal genereren om binnen alle grote marktsegmenten binnen de VS winkels te kunnen openen, en ook daarbuiten. Verscheidene assuradeurs hebben al belangstelling getoond.'

Ze willen de Starbucks van de porno-industrie worden. We luisteren geduldig terwijl hij ons wil imponeren met investeerdersjargon over prijsmodellen, *road shows*, *green shoes* en overtoewijzingen. Terwijl hij verdergaat ons te overtuigen van de haalbaarheid van zijn optimistische uitbreidingsplannen, snijden we voorzichtig het onderwerp Tower Grayson aan.

Hij is meteen op zijn hoede. 'Ik heb mijn verhaal al aan de politie verteld.'

'We wachten nog op de rapporten,' zeg ik. 'We zouden het fijn vinden als je ons alvast de belangrijkste punten kunt vertellen.'

Ik verwacht het standaardantwoord, namelijk dat hij niets meer te zeggen heeft, maar hij verrast me. 'Mijn advocaat heeft me geadviseerd mee te werken.'

Wat waarschijnlijk betekent dat hij niets interessants te melden heeft.

'Grayson belde vrijdagochtend, zo rond zeven over twee, naar een gsm die op naam van uw club geregistreerd staat,' deelt Rosie hem op kalme toon mee.

Carponelli probeert welwillend te klinken: 'We verstrekken al ons gekwalificeerd personeel een gsm. Zo kunnen we ze tenminste snel bereiken.'

Ik betwijfel of de meeste sekstenten hun danseressen als 'gekwalificeerd' zouden omschrijven.

'Kon je degene die werd gebeld identificeren?'

'Wel degene aan wie de gsm is verstrekt, maar ik weet niet of ze hem vrijdagochtend ook bij zich had.'

Rosie gunt hem zijn semantische overwinning. 'Hoe heet ze?'

'Alicia Morales. Ze is danseres en werkt al twee jaar voor ons.'

'Is ze goed?'

'Een van de besten.'

'Waar kunnen we haar vinden?'

Hij aarzelt even en antwoordt dan: 'Dat weet ik niet precies. We hebben haar twee weken geleden helaas moeten laten gaan.'

Het wordt interessanter. 'Waarom heb je haar ontslagen?'

'Vanwege haar prestaties.'

Hij klinkt als de beherend vennoot van mijn oude werkgever. 'Kun je iets specifieker zijn?'

'Drugs.'

'Gebruik of handel?'

'Allebei. Het is een van mijn prioriteiten geweest om ervoor te zorgen dat al onze employees op adequate wijze worden gecompenseerd en met respect worden behandeld. We bieden een ziektekosten- en een pensioensverzekering. Hoeveel exotische danseressen, denken jullie, komen in aanmerking voor een pensioen?'

Wat heeft dat te maken met haar drugsprobleem? Maar ik speel het spel mee. 'Maar weinig.'

'Juist. Het is onderdeel van onze inspanningen om ons imago wat te verbeteren en ons bedrijf een plek binnen de mainstream-markt te bezorgen. Het is slecht voor zaken om met drugs of prostitutie te worden geassocieerd.'

Maar toch ook wel een beetje naïef als je weet dat hij vieze filmpjes maakt en toestaat dat zijn werknemers ten overstaan van vreemden uit de kleren gaan.

'Hoe dan ook,' vervolgt hij, 'op onze beurt verwachten wij van onze employees dat ze clean blijven. Geen drugs, geen ziekten. Niks bijklussen. We doen steekproefsgewijze drugs- en aidstests, en we houden onze medewerkers goed in de gaten. Kenny Vinson heeft Alicia betrapt toen ze in het steegje achter de club crack dealde. We hebben haar een proeftijd gegeven en hebben regelmatige drugstests geëist.'

'En ze ging akkoord?'

'Ze moest wel. Maar bij de volgende drugstest viel ze opnieuw door de mand, en hebben we haar de deur gewezen.'

'Enig idee waar we haar kunnen vinden?'

Hij overhandigt me een adres en een glossy foto van een jonge vrouw die opvallend veel gelijkenis vertoont met Halle Berry. 'Ze woonde in het Gold Rush Hotel op de hoek van Sixth en Folsom. Hoofdinspecteur Banks is op de hoogte.'

'En haar gsm?'

'Die heeft ze nog steeds niet teruggegeven.'

Ik moet met Roosevelt overleggen. 'Enig idee waarom Grayson haar vrijdagochtend heeft gebeld?' vraag ik.

'Ik zou het niet weten.'

Maar ik kan het wel raden. 'Kunt u me iets over haar vertellen?'

'Ze is single, intelligent en zeer ambitieus.'

Ik bekijk de foto en geef hem terug aan Carponelli. 'Ik heb begrepen dat je donderdagavond in de club aanwezig was?'

'Klopt. Ik ben er een paar avonden in de week om een oogje in het zeil te houden. Kenny is een goede manager, maar als het om contant geld gaat mag niets aan je aandacht ontsnappen.'

Dat zal best. 'Heb je Grayson die avond toevallig nog gezien?'

Hij antwoordt meteen: 'Nee.'

'En op andere dagen?'

'Een paar keer.'

O? 'Kende je hem?'

'Natuurlijk.'

Hè? Ondanks zijn knappe uiterlijk en zijn Harvard-referenties vermoed ik toch dat investeerders niet veel met stripclubexploitanten optrekken. 'Hoezo dat?'

Hij aanschouwt de blik op mijn gezicht. 'Ik dacht dat je dat wel wist.'

Ik heb geen idee waar hij het over heeft. 'Wát dan?'

'Paradigm heeft tien miljoen in ons bedrijf geïnvesteerd. Ze behoren tot onze grootste aandeelhouders.'

28
'WE MAKEN WINST OP ELK PRODUCT DAT WE VERKOPEN'

Paradigm Partners wordt opgericht om te investeren in startende bedrijven die buitengewoon veelbelovend zijn.
Uit de aanbiedingsbrochure van Paradigm Partners

Rosie en ik staren Artie Carponelli sprakeloos aan. Ik weet me als eerste te herstellen. 'Heeft Graysons fonds tien miljoen dollar in BNI gestopt?'

'Ja.'

'Maar Paradigm is een fonds dat in risicokapitaal doet.'

'Ja, dat klopt.'

'Ik dacht dat zulke fondsen alleen in hightech bedrijven investeerden.'

'Dit ís een hightech bedrijf,' reageert hij gepikeerd.

Je kunt het omschrijven zoals je wilt, maar het blijft toch het oudste beroep van de wereld.

'We halen zesenzeventig procent van onze omzet uit verkopen via het web.'

Ik vermoed dat ze de rest dus op de ouderwetse manier verdienen.

'We zijn Amazon.com niet,' gaat hij verder, 'maar onze inkomsten zijn hoger dan die van de meeste internetwinkels, én we maken winst.' Hij voegt er met zachte stem aan toe: 'Buitensporig veel winst.'

Gezien zijn indrukwekkende werkplek ben ik geneigd hem te geloven.

Hij knijpt zijn ogen toe. 'Dit is niet een of ander halfbakken plan om met een marionet als woordvoerder op het web hondenvoer aan de man te brengen,' zegt hij. 'Wij leiden een strak georganiseerd bedrijf dat gebruikmaakt van de allernieuwste software om de voorraad in onze magazijnen op peil te houden. Onze marges zijn hoog en we maken winst op elk product dat we verkopen.'

Hij zou zo te horen alles van computers tot tweedehands auto's kunnen slijten. 'Je moet Grayson wel behoorlijk goed hebben gekend als hij in je bedrijf heeft geïnvesteerd.'

'Hij was slim en nauwgezet. Ik heb hem vol toewijding onderzoek zien doen naar ons bedrijf en ons managementteam, inclusief mijn eigen persoontje. Hij bestudeerde onze boeken en heeft ons distributiecentrum in Oakland, onze club en al onze outlets bezocht. We hebben uitvoerig gesproken over de doelstellingen en de strategie.'

Ik vraag me af hoeveel vieze filmpjes ze hebben zitten kijken.

'Tower was altijd professioneel,' voegt hij eraan toe. 'Zijn aanpak was niet anders dan die van verschillende andere maatschappijen die toenadering tot ons zochten.'

'Waarom koos je voor Paradigm?'

'Tower was het meest enthousiast over ons bedrijfsmodel en kwam met het beste bod.'

Misschien was het ook wel het énige bod. 'We hebben gehoord dat hij wel eens in de club kwam.'

'Hij had het recht om op zijn investering toe te zien.'

Ik vraag me af of hij ook op een aantal van Carponelli's dienstverleners 'toezag'. 'Wat deed hij als hij in de club was?' vraag ik.

'Hetzelfde als wanneer hij onze outlets bezocht: hij observeerde onze activiteiten en droeg suggesties aan om onze concurrentiepositie te versterken.'

Misschien vroeg hij Carponelli's danseressen om ook zijn eigen concurrentiepositie te versterken. Tijd voor een wat bottere bijl. 'Maakte hij ook gebruik van de diensten die je werknemers aanbieden?'

Hij schraapt zijn keel. 'Het is niet ongebruikelijk dat financieringsbedrijven hun investeerders van monsters voorzien.'

'Monsterde hij jóúw inventaris?'

'Hij zag onze dames dansen en nam wel eens wat video's mee naar huis,' antwoordt hij op vlakke toon.

'Nam hij verder nog iets mee naar huis?'

'Nee.'

Ik geloof hem niet. 'En andere diensten? Je biedt immers een volledige productenlijn aan.'

'Ons bedrijfsmodel omvat geen prostitutie. Dat is illegaal en strookt niet met onze strategie van merkpositionering.'

Alsof hij Snickers verkoopt. 'Iedereen weet toch wat zich in je club afspeelt?'

'We laten ons niet in met illegale zaken. Dat zou onze merknaam niet bepaald ten goede komen.'

Gelul.

Hij steekt zijn kin naar voren, wat erop duidt dat dit gespreksonderwerp hiermee is afgerond. Ik gooi het over een andere boeg: 'Was meneer Grayson blij met zijn investering in je bedrijf?'

'Ja.'

'Boekten zijn investeerders en hij winst op hun investering?'

Carponelli antwoordt op effen toon: 'Hun eerste investering is van nog maar een jaar geleden. Verwacht wordt dat het pas iets gaat opleveren zodra we over een jaar of anderhalf een open NV worden.'

'Wat vond meneer Chamberlain van je onderneming?'

'Hij was in het begin niet zo enthousiast als Tower, maar uiteindelijk draaide hij bij.'

Misschien gunde Carponelli hem ook wel wat tijd met zijn dienstverleensters. 'Waarschijnlijk neemt Chamberlain het management van het fonds over. Heb je daar geen moeite mee?' vraag ik.

'Het zal niet van invloed zijn op ons bedrijfsplan of onze activiteiten.'

Dat is vermoedelijk waar. Het geld van Paradigm hebben ze al gekregen. 'Heb je tijdens de onderhandelingen over het akkoord te maken gehad met Paradigms jurist?'

'Uiteraard. Meneer Lucas is een voortreffelijk jurist met een uitstekend zakelijk instinct.'

Hij is ook een zelfingenomen klootzak die niet heeft verteld dat hij bezig was met zaken rond Basic Needs. 'Was hij veel tijd kwijt met de overeenkomst?'

'Ja, hoewel hij wel een paar jongere juristen had die een deel van het routinewerk voor hun rekening namen. Bij verscheidene bezoeken heeft hij Tower persoonlijk vergezeld.'

'Ook bij zijn bezoek aan de club in Sixth Street?'

'Ja.'

Dat verbaast me niets. 'Wat vond meneer Lucas van de overeenkomst?'

'Hij vond dat ons bedrijf veel potentie had.'

Dat wil ik wel geloven.

'In sommige opzichten,' zegt hij, 'vond ik Lucas wat creatiever dan mijn eigen juristen. Misschien dat ik hem in de arm neem zodra we een open NV worden.'

Een beursgang van BNI zal Story, Short & Thompson een honorarium opleveren van een bedrag met zes cijfers. 'Leidt dat niet tot belangenverstrengeling als hij een van je grootste investeerders vertegenwoordigt?'

'Hij zei dat we dat wel zouden kunnen omzeilen.'

Ook dat zou me niets verbazen.

'Heb je Lucas nog gesproken sinds de overeenkomst werd gesloten?'

'Zo nu en dan. We hebben van tijd tot tijd wat zakelijke dingetjes doorgenomen.'

'Heb je hem op de club gezien?'

Hij aarzelt heel even. 'Nee,' antwoordt hij.

Hier zullen we het nog even met Brad over moeten hebben.

Zijn telefoon gaat en hij neemt op. Hij knikt een paar keer en zegt tegen Simone dat we binnen een paar minuten klaar zullen zijn. 'Ik moet me excuseren,' zegt hij tegen mij als hij heeft opgehangen. Ik probeer nog iets te vragen, maar hij maakt een afwerend gebaar. 'Ik moet nu echt naar een andere vergadering,' zegt hij.

Waarschijnlijk gaf hij haar opdracht hem om halfzes te bellen om hem te ontzetten. 'Mocht je Alicia toevallig treffen,' zegt hij, 'dan zou ik je dankbaar zijn als je haar zegt dat we haar willen spreken.'

Dat zouden wij ook zijn.

'En misschien dat je wilt zeggen dat we ons mobieltje terug willen,' voegt hij eraan toe.

'Er klopt helemaal niets van,' zegt Rosie. Terwijl we geteisterd door windvlagen in zuidelijke richting over Montgomery Street lopen, drijft de mist ons tegemoet. We stoppen bij het verkeerslicht in California Street, waar ze even haar adem inhoudt. Ze traint regelmatig, maar heeft nog niet de conditie van vóór haar behandelingen van afgelopen jaar. 'We hebben een vent die in risicokapitaal heeft gedaan, in een lullig kantoortje heeft gewerkt en in een stripclub heeft geïnvesteerd. We hebben een Harvard-alumnus die zichzelf graag ziet als een soort Bill Gates, die de betreffende stripclub runt en porno verkoopt op het web.'

Mijn beurt. 'De grootinvesteerder pleegde zijn laatste telefoontje naar een stripper die werd ontslagen omdat ze de strikte morele normen van haar werkgever geweld aandeed, en die vervolgens verdween.'

Ze ademt een paar keer diep in.

'Gaat het?' vraag ik.

'Ja hoor.'

Sinds haar behandelingen heeft ze van tijd tot tijd pijn op de borst gehad. Haar dokter heeft haar verteld dat dat normaal is, maar het is nog steeds zenuwslopend. 'Je borst?'

'Mijn buik.'

'Wil je een taxi nemen?'

'Nee. Het is maar een paar straten naar kantoor.'

Ik heb geleerd dat het beter is om niet aan te dringen. Mijn mobiele telefoon gaat en ik hoor de geagiteerde stem van Carolyn. 'McNulty heeft gebeld,' zegt ze. 'Er is een probleem.'

McNulty belt alleen met problemen.

'Leon is in elkaar gezakt in zijn cel,' zegt ze. 'Ze hebben hem naar San Francisco General overgebracht.'

Verdomme. 'Leeft hij nog?' vraag ik omzichtig.

'Ja.'

'Gaat hij het redden?' Terwijl ik het zeg, realiseer ik me dat het een zinloze vraag is voor een man die ten dode opgeschreven is.

'Dat kon hij nog niet inschatten. Leon was buiten bewustzijn, maar ademde nog wel.'

'We komen meteen.'

'Er is nog iets. Roosevelt heeft gebeld. Hij wil met je afspreken in het

Gold Rush Hotel op de hoek van Sixth en Folsom. Ze doorzoeken de kamer van Alicia Morales.'

'Hebben ze haar gevonden?'

'Nee.'

Ik hang op en leg Rosie de situatie uit. Weer helemaal helder neemt ze de ruwe feiten op en verdeelt de taken. 'Ik ga naar het ziekenhuis om te zien hoe Leon het maakt,' zegt ze. 'Jij gaat naar het Gold Rush.'

29
'ZE IS HAASTIG VERTROKKEN'

NA ZES UUR 'S AVONDS BESLIST GEEN BEZOEK.
Bordje bij de ingang van het Gold Rush Hotel

'Als je ook maar iets aanraakt,' zegt Roosevelt tegen me, 'maak ik je ter plekke af.'

Hij meent het. In zijn perfect geperste pak en oogverblindend witte overhemd lijkt hij, staand in de deuropening van kamer 202 van het Gold Rush Hotel, een bouwvallig bouwwerk van driehoog met uitzicht op een benzinestation in Sixth Street, iets ten noorden van Folsom, niet op zijn plaats. De sfeer is hetzelfde als die van het Thunderbird, alleen is het verval verder gevorderd en laten de langsdenderende vrachtwagens op de autoweg een half blok zuidwaarts de muren trillen. De muffe lobby is opgeschilderd met een soort verbleekt koningsblauw en de vloeren zijn plakkerig en stinken naar urine. De stank die vanuit de toiletten de hal in drijft, is te ranzig voor woorden. Oude matrassen staan tegen de muren en afgedankte meubels maken de hal tot een hindernisbaan. Positief punt is dat er minder knaagdieren te zien zijn.

Marcus Banks ziet toe op het werk van een forensisch rechercheur in de kamer. In tegenstelling tot Leons eilandje van beschaving in het uitgewoonde Thunderbird ziet de kamer van Alicia Morales eruit alsof hij is getroffen door een hittezoekende raket. Het matras leunt tegen de muur en de vloer is bezaaid met beddengoed. De laden van het dressoir zijn eruit gerukt en de kleren liggen verspreid over de vloer. Een steelpan op het aanrecht zit vol schimmelige stamppot en in de gootsteen staat de vuile vaat gevaarlijk hoog opgestapeld. Een witbrood op het aanrecht is groen uitgeslagen. De kastdeur staat open en de inhoud is geroofd.

Ik aanschouw het surrealistische tafereel. 'Er is iemand naar iets op zoek geweest,' zeg ik.

Roosevelt knikt. 'Ze is haastig vertrokken, zei de manager. Dat was donderdagavond rond een uur of elf. Ze is niet meer terug geweest.'

Dat maakt haar tot een vermiste. 'Enig idee wie haar kamer overhoopgehaald heeft?'

'Dat weten we niet. Niemand die iets zegt.'

We bekijken het slagveld nog een poosje. 'Het kan een ontevreden klant zijn geweest,' opper ik.

Hij wil geen overhaaste conclusies trekken. 'Niemand heeft iets gehoord en er is geen bewijs dat de deur geforceerd is.'

'Misschien was het iemand die ze kende. Hebben jullie een agenda of telefoonlijst gevonden?' Ik hoop op iets waar Tower Graysons naam in zou kunnen staan.

'Nee.' Hij zegt dat niemand anders haar heeft zien weggaan en hij wijst naar de kast. 'Er zaten wat drugsattributen in en wat crack ter waarde van een paar honderd dollar.'

Ik denk terug aan mijn gesprek met Carponelli. 'Gebruikte ze of verkocht ze het spul?' vraag ik.

'Allebei waarschijnlijk.' Hij vertelt dat ze in haar ladekast een ongelukkige combinatie van de pil, antibiotica en antidepressiva hebben aangetroffen.

'Hebben jullie iemand kunnen vinden die haar goed genoeg kende om informatie te verstrekken?'

'De man in kamer 304 woont hier al heel lang en zegt dat hij jou kent. Hij heet Terrence Love en zegt dat hij vroeger bokser was.'

Hij is bovendien een crimineel. 'Heeft hij je iets verteld?'

'Hij wou niets zeggen voordat hij met zijn advocaat heeft gesproken. Daarom belde ik jou.'

Terrence heeft in elk geval naar mijn advies geluisterd.

'Laat je cliënt het gebouw niet verlaten zonder het ons te laten weten,' voegt hij eraan toe.

De kamer van de Terminator bevat slechts een bed, een stoel en een ladekast. Zijn garderobe bestaat uit twee spijkerbroeken, drie overhemden en een oud joggingpak. Een ongebruikt Mr. Coffee-apparaat staat op het aanrecht en in de gootsteen ligt een enkel bord. De enige wandversiering is een vergeelde poster van Mohammed Ali.

We wisselen wat beleefdheden uit. Alleen maar dat je dik honderdvijfendertig kilo weegt en vroeger je geld hebt verdiend met mensen in elkaar timmeren wil nog niet zeggen dat je niet hoffelijk kunt zijn. Van de andere kant: dat je goede manieren hebt, wil nog niet zeggen dat we niet terzake komen.

Ik zet mijn advocatenstem op: 'Terrence, ik heb je hulp nodig.'

'Zit ik in de penarie?'

'Nee, maar een van je buren wordt vermist. Ken je Alicia Morales?'

De vriendelijke glimlach verdwijnt. 'Zou kunnen.'
'Ik neem aan dat dit ja betekent? Ze is verdwenen en ik heb je hulp nodig om haar te kunnen vinden.'
'Sinds wanneer houden advocaten zich bezig met vermiste personen opsporen?'
'Wanneer ze een belangrijke getuige in een moordzaak zijn.'
Hij reageert niet enthousiast. 'Ik werk mezelf kennelijk in de nesten zodra ik bij politiezaken betrokken raak.'
'Dat is me opgevallen, ja.' Ik staar de zachtaardige reus, die al zijn hele leven lang gevangenis in en gevangenis uit loopt, aan totdat hij zijn ogen neerslaat. 'Laat me je de feiten des leven eens uitleggen,' zeg ik. 'Je staat al op twee slag en de officier van justitie heeft geprobeerd je met een derde uit te werpen. Het parket was niet blij toen ik jou met een hoop tamtam weer vrij kreeg. Als je ook maar één keer door een rood licht loopt, beschuldigen ze je van een misdrijf en proberen ze je voorgoed achter de tralies te krijgen.'
'Daarom heb ik jou toch?'
Ik negeer zijn geintje. 'Je staat nog steeds voor tien jaar aan juridische kosten bij me in het krijt. Dit is een kans om je schuld af te lossen.'
Hij bijt op zijn lip en denkt erover na, maar reageert verder niet.
Ik kijk hem recht in de ogen. 'Jij bent de enige die ik ken die me zou kunnen helpen. De volgende keer dat je wordt aangehouden, zal het voor je eigen bestwil zijn.'
'Waarom denk je dat dat weer zal gebeuren?'
'Kom nou toch, Terrence.'
Zijn mondhoeken gaan omlaag. 'Zeg je soms dat ik een verklikker moet worden?'
Dat is geen slecht idee. 'Ik zie het liever als een aanvulling op je cv.'
'Moet dat echt?' Hij lijkt nu op Grace.
'Doe je het niet, dan moet je de volgende keer dat je wordt gearresteerd maar op zoek naar een andere advocaat.'
Hiermee lijk ik de juiste snaar te hebben geraakt. Hij denkt nog even na. 'Oké, ik doe het,' zegt hij, en hij gebaart naar de trap. 'Kom maar mee. Ik wil je aan iemand voorstellen.'

30
'ZE HEEFT WAT PRIVÉ-KLANTEN'

Ieder personeelslid doorloopt een rigoureus trainingsprogramma. Tevreden klanten zijn onze hoogste prioriteit.
Website van Basic Needs

Een jonge Afro-Amerikaanse vrouw met vlechten en lusteloze ogen zit op een stretcher die in een raamloze opslagruimte in de kelderverdieping van het Gold Rush strak tegen een grijze muur staat. De deur naar de steeg vormt de enige lichtbron. Het vereist de nodige planning om hier een toilet te vinden of een douche te nemen.

De Terminator gaat naast haar zitten en fluistert zacht. 'Paula,' zegt hij, 'dit is Mike. Hij wil je wat vragen stellen.'

Ze frunnikt wat aan een zakmes in haar schoot, maar reageert niet.

Hij probeert het nog eens: 'Hij is advocaat en probeert Alicia op te sporen.'

Ze loopt naar de deur. 'Ik moet aan het werk.'

Terrence houdt haar tegen. 'Paula, hij kan je helpen.'

Ze knipt het mes open. 'Ik heb geen hulp nodig.'

'Ik wil je wel even op een kop koffie trakteren en je wat vragen stellen,' zeg ik.

Veel ouder dan een jaar of achttien kan ze niet zijn, en ze is getraumatiseerd, onder invloed van drugs of misschien allebei. 'Ik kan u niet helpen,' zegt ze beleefd, maar resoluut.

Ik kijk even naar de Terminator. 'Terrence is al lange tijd een van mijn cliënten,' zeg ik.

Hij probeert haar gerust te stellen. 'Je kunt hem vertrouwen,' zegt hij.

Zijn goedkeuring helpt niet. 'U zult met iemand anders moeten gaan praten,' zegt ze.

'Alles wat je zegt, is vertrouwelijk,' laat ik haar weten. Een leugentje, maar ik zal niets onthullen, tenzij het echt moet. Ik geef haar mijn visitekaartje en zeg dan wat zachter, op biechtvolume: 'Toe, Paula. Je vriendin zit misschien in de penarie.'

De angst in haar ogen lijkt iets af te nemen. Een eindeloos moment overdenkt ze mijn woorden en dan klapt ze het mes weer dicht. 'Die kop koffie lijkt me wel lekker.'

Op het bord boven de deur staat HAPPY DONUTS, maar de kleine shop, een paar deuren van Basic Needs, wekt geen bijzonder happy indruk. Terrence, Paula en ik hebben plaatsgenomen in een hokje achter in de zaak, waar de werknemers achter een versleten plexiglazen afscherming werken en de tafeltjes, stoelen, servethouders en vuilnisbakken met bouten aan de vloer bevestigd zijn. Een bordje op de deur van het afgesloten toilet maakt duidelijk dat de bezoekers niet worden uitgenodigd er gebruik van te maken.

De blik van Paula Howard glijdt langs de clientèle van daklozen, prostituees en drugsdealers, op zoek naar vertrouwde gezichten, en ze reageert opgelucht wanneer niemand haar herkent. Haar omfloerste stem klinkt te rijp voor haar leeftijd. 'Alicia zit in de problemen,' zegt ze.

Ik probeer een geruststellende toon aan te slaan. 'We vinden haar wel. Hoe oud ben je?'

'Negentien.'

Ja, ja.

Haar levensverhaal wijkt niet veel af van het gebruikelijke: haar vader misbruikte haar en liep weg toen zij tien was; haar moeder was een alcoholist die afkickklinieken platliep. Paula probeerde een kantoorbaantje te krijgen, maar zonder middelbareschooldiploma was dat lastig. Na een tijdje bij Burger King achter de grill te hebben gestaan, kreeg ze een baantje bij Basic Needs. 'Dat verdient beter,' legt ze uit.

Daar twijfel ik niet aan. 'Heb je daar Alicia leren kennen?'

'Ja. Ze werkte er al een paar jaar.'

Iedereen heeft een voorbeeld nodig.

'Ze heeft me geholpen woonruimte te vinden,' zegt ze. 'Mijn kamer stelt niet veel voor, maar ik kan de huur betalen. Later dit jaar hoop ik te verhuizen.'

Dat hoop ik ook. Ik vraag haar wat ze doet bij Basic Needs.

'Ik ben danseres.' Dan aarzelt ze even. 'En gastvrouw,' voegt ze eraan toe.

'Wat doet een gastvrouw?'

'Ik werk in een privé-kamer achterin.'

'Wat doe je dan?'

'Privé-dansen. Meestal speel ik de slavin.'

Dat verbaast me niets. 'En verder?'

Ze slaat haar ogen neer. 'Wat ze maar willen.'

'Hoort seks met de bezoekers daar ook bij?'

'Wat ze maar willen,' herhaalt ze.

Dit is in tegenspraak met Carponelli's resolute verklaringen dat Basic Needs zich wijdt aan eersteklas, heilzaam vertier. Ik kom in de verleiding haar wat vaderlijk advies te geven, maar bedenk me. Ik vraag haar of ze me iets wil vertellen over Alicia Morales.

'Ze is anders dan de andere meiden die al tevreden zijn met genoeg geld voor de huur van hun kamer en voor drugs. Alicia heeft een plan. Ze heeft een diploma en wil geld sparen om naar de universiteit te gaan.'

Ik moet aan Grace denken. 'Ik begrijp dat Alicia niet meer op de club werkt.'

'Een week of twee geleden is ze ermee gekapt.'

Carponelli had gezegd dat ze was ontslagen. 'Waarom?'

'Onze baas mocht haar niet, omdat ze niet met hem naar bed wou.' Ze kijkt kwaad. 'Zij mocht hem ook niet. Hij zei dat ze drugs gebruikte.'

'En klopte dat?'

'Nee.'

De crack in Alicia's kast doet vermoeden dat Paula misschien niet over alle feiten beschikt. 'Wat heeft ze sindsdien gedaan?'

Ze slaat haar ogen neer. 'Ze heeft wat privé-klanten.'

Misschien was Grayson er daar wel een van.

'Dat is tegen de regels,' gaat ze verder, 'maar de meeste meiden doen het. Met wat we op de club verdienen kunnen we niet rondkomen.'

Daar gaan Carponelli's gulle onkostenvergoedingen. 'Wanneer heb je haar voor het laatst gezien?'

'Donderdagavond omstreeks elf uur was ze in de lobby.'

Ik vraag haar of haar de afgelopen weken iets ongewoons is opgevallen aan Alicia's gedrag.

Haar onderlip trilt even. 'Ze was bang dat ze haar kamer uit zou worden gezet als ze geen nieuwe baan kreeg.' Ze slikt een keer. 'Ze zei dat er iemand achter haar aan zat.'

'Weet je ook wie?'

'Nee.'

Ik laat haar een foto van Tower Grayson zien. 'Heb je deze man ooit in de club gezien?'

Ze bekijkt de foto aandachtig, maar slaat dan haar ogen neer.

'Wat is er, Paula?'

'We mogen niet over onze klanten praten.'

'Alles wat je tegen mij zegt, blijft vertrouwelijk.'

Dit is niet helemaal waar, maar ze vertrouwt me toch. 'Hij was lid van onze Premiere Club,' zegt ze.

Ik werp even een blik op Terrence, die zijn schouders ophaalt. Dan vraag ik haar wat dat inhoudt.

'Hij kreeg een speciale behandeling.'

'Waaruit bestond die?'

Ze slikt. 'Wat hij maar wilde.'
'En wat wilde hij?'
'Meestal keek hij alleen naar de meiden die dansten. Zo af en toe kwam hij achterin en vroeg dan om iets bijzonders. Hij was best aardig en gaf flinke fooien.'
Paula's wereld bestaat slechts uit goede en slechte fooiengevers. 'Kwam hij alleen?'
'Meestal wel. Soms kwam hij met andere mannen.'
Dit is nieuw. 'Zou je ze kunnen herkennen?'
'Ik denk het niet.'
'Praatte hij ooit met Alicia?'
'Ja. Zij was een van zijn favorieten.'
Ik probeer naar de juiste woorden te zoeken. 'Leverde ze hem ook bepaalde diensten?'
'Ja.'
'Hadden ze ooit ruzie?'
'Niet dat ik weet.'
Dat sluit niet uit dat er vrijdagmorgen tussen Alicia Morales en Tower Grayson iets uit de hand gelopen kan zijn.
De jonge vrouw met de fijne gelaatstrekken en de futloze ogen zucht diep. 'Een paar weken geleden zei ze tegen me dat er iets groots stond te gebeuren. Ze wilde me niet vertellen wat, maar ze zei dat er een hoop geld mee gemoeid was en dat ze de stad misschien uit zou moeten.'
'Heb je ook enig idee wat dat geweest kan zijn?'
Ze zei dat alles geregeld was en dat ik haar kamer kon krijgen en dat ik alles wat ik wilde kon houden.' Ze aarzelt. 'Ze zei dat ik niet de politie mocht bellen, wat er ook zou gebeuren.'
In de vaktaal van investeerders klinkt het alsof Alicia Morales van tevoren al haar vertrekstrategie had uitgestippeld. 'Weet je wie er nog meer bij betrokken was?'
'Nee.'
Shit. 'Op vrijdagochtend kreeg ze van de man op deze foto een telefoontje. Een paar uur later werd hij dood aangetroffen,' zeg ik. 'Volgens mij weet ze iets, en ik wil dat jij de politie vertelt wat je weet.'
'In mijn vak praat je niet met de politie.'
'Ik zal ervoor zorgen dat ze je niet lastigvallen.'
'Ik heb Alicia beloofd dat ik niets zou zeggen.'
'Dat begrijp ik. Maar aan de andere kant: als ze weet wat zich achter Alcatraz Liquors heeft afgespeeld, zou het beter voor haar zijn om uit eigen beweging met de politie te praten. Belangrijker is dat ze haar ook bescherming zullen bieden. Iemand is haar al aan het zoeken; haar kamer is overhoopgehaald.'
Paula drinkt haar zwarte koffie op en overdenkt haar mogelijkheden. Ze wendt zich tot de Terminator. 'Wat zou jij doen?'

Hij aarzelt geen moment. 'Ten eerste zou ik Mike inhuren. Daarna zou ik met de politie gaan praten, maar ik zou wel proberen iets van ze gedaan te krijgen.'

Niemand die beter het systeem kan bespelen dan hij.

Paula snapt waar hij heen wil. 'Wat denk je dan dat ik gedaan zou kunnen krijgen?'

'Ze moeten je immuniteit bieden. Je wilt immers niet voor de rechter worden gesleept, terwijl je juist bewijst dat je zo'n behulpzame meid bent.'

Hij heeft honderd procent gelijk.

'Vervolgens,' zegt hij, 'moeten ze werk en nieuwe woonruimte voor je regelen. Ze zijn best creatief hoor, als ze willen.' Hij geeft me een speels tikje op de schouder. 'Mike heeft ooit een nieuw appartement voor me geregeld toen ik getuigde tegen mijn medeplichtigen.'

Dat hij drie maanden later wegens wanbetaling weer op straat stond, verzwijgt hij gemakshalve maar. Ik kijk haar aan. 'Ik kan niets beloven,' zeg ik.

Ze kijkt me hoopvol aan. 'Maar u kunt het wel proberen, toch?' vraagt ze.

'Reken maar.'

Ze telt alle plussen en minnen bij elkaar op en kiest dan voor een praktische oplossing. 'Oké,' zegt ze. 'Ik zal met de politie praten, maar alleen als u mijn advocaat wilt zijn. Dat betekent dat alles wat ik heb gezegd vertrouwelijk blijft.'

Ze is een snelle leerling. Volgens de Californische wet op de gedragscode die Brad Lucas me zo welsprekend heeft geciteerd, zou er belangenverstrengeling kunnen ontstaan als haar belangen strijdig zijn met die van Leon. Ik oordeel impulsief door het op een heel Brad-achtige manier aan te pakken: ik zie wel wat er op ons af komt. De juridische term hiervoor luidt 'eromheen draaien'. Ik kijk mijn nieuwe cliënte aan en zeg: 'Oké.'

Ik voel opluchting. Ze wil haar hart luchten. 'Wat doen we nu?' vraagt ze.

'We gaan een praatje maken met hoofdinspecteur Roosevelt Johnson.'

31
'ER VOND EEN TOPCONFERENTIE PLAATS'

'Mijn ervaring als politieagent is me als privé-detective van groot nut geweest.'
Pete Daley, *PI Quarterly*

We keren terug naar het Gold Rush Hotel en ik woon het gesprek tussen Paula en Roosevelt bij. Ze vertelt hem alles wat ze weet over Alicia Morales en Tower Grayson. Ze onthult niets meer dan wat ze mij niet al heeft verteld, maar Roosevelt reageert ingenomen wanneer ze het eerste directe verband tussen Grayson en Morales aandraagt. Het betekent niet dat Leon onschuldig is, maar het doet vermoeden dat Grayson zich inliet met drugs en prostitutie. Roosevelt stemt toe een opsporingsbericht voor Alicia Morales uit te vaardigen. Het zal vanavond op het nieuws in elk geval een frisse benadering van het verhaal opleveren.

Als ik even later door de lobby van het Gold Rush loop, vang ik een bekend gekuch op. Jerry Edwards volgt me naar buiten en steekt een sigaret op. 'Die bron van jou bleek toch niet zo geweldig te zijn,' krast hij. 'Hij heeft me verdomme helemaal niks gegeven waar ik iets aan had.'

'Verwacht je nu soms excuses van me?'

'Ja. Door jou is mijn hele dag verpest.'

'Nou, schrijf dat maar op je buik. Ik heb niets beloofd.'

'Je had gezegd dat ik er een verhaal aan over zou houden.'

'Jij bent de schrijver; ga schrijven.'

'In tegenstelling tot wat iedereen denkt, zuig ik deze dingen niet zomaar uit mijn duim. Ik kan niet iets in de krant zetten op basis van onbevestigde, warrige geruchten uit de mond van een dakloze verslaafde.'

Dat heb je anders al tientallen keren gedaan. 'Heb je nog gepraat met de politie, die mensen lastigviel?'

'Ja. Het zijn allebei vaak onderscheiden veteranen die alles ontkenden.'

'Weet ik. Van een van hen kreeg ik een telefoontje. Ze leken niet echt blij met een paar van je vragen.'

Hij haalt moeizaam adem en zijn ogen gloeien wild op. 'Je hebt me om de tuin geleid,' zegt hij. 'Jij hebt me die tip gegeven om voor commotie te zorgen en jou met rust te laten.'

Ik blijf staan en kijk in de bloeddoorlopen ogen van San Francisco's meest beruchte herrieschopper. We worden van alle kanten bestookt, en nu is mijn geduld op en is het gedaan met al mijn diplomatieke tact. 'Laat me met rust, Jerry,' zeg ik. 'Ik heb je bij voorbaat al gewaarschuwd dat Willie een dakloze was met drugs- en alcoholproblemen én een strafblad. Als je geen van zijn beweringen bevestigd hebt kunnen krijgen, dan heb je gewoon dikke pech.'

Hij gooit zijn sigaret op het trottoir en trapt hem nijdig uit. 'Als je met me blijft sollen, pak ik je in mijn column zo hard aan dat je je nooit meer in het paleis van justitie hoeft te vertonen.'

Ik heb de afgelopen drie dagen in deze klote-uithoek van de stad doorgebracht. Ik ben bedreigd. Ik werk voor noppes en ik ben moe en zwaar over de rooie. 'Schrijf maar wat je wilt,' zeg ik. 'Als het moet, verzin je maar iets. Ik heb je op een zilveren dienblaadje een verhaal aangeboden over corruptie in het politiekorps. Nu heb ik het parket, de afdeling Moordzaken, de politie en jóú op mijn nek. Ik ben maar een onbeduidend strafpleitertje, met een kantoor tegenover het busstation, ja?! Als jij zo nodig je column wilt vullen met lariekoek over mij, dan ga je je gang maar, maar het kan niemand ene moer schelen. De volgende keer dat je over deze zaak informatie wilt, probeer je het maar bij Marcus Banks en Roosevelt Johnson.'

'Die praten niet met me.'

'Dat komt doordat ze slimmer zijn dan ik.'

Hij doet een stap achteruit. Hij is eraan gewend om klappen uit te delen, maar incasseert niet graag. 'Kun je me verder nog iets vertellen?' vraagt hij met zachte stem.

'Geef je ons er morgen van langs in de krant?'

'Vermoedelijk wel.'

'Ik ben weg.'

Hij is niet blij. Hoewel hij maar wat graag nog een keer vals naar me zou willen uithalen, is hij ook praktisch en realiseert hij zich dat hij van Johnson en Banks helemaal niets los zal krijgen. Ik ben zijn enige optie. 'Moet je horen,' zegt hij. 'Ik haal die Pulitzer Prize echt niet binnen als ik jou morgen in de krant weer een veeg uit de pan geef. Als jij me iets kunt geven wat ik nog niet weet, mats ik je.'

'Waarom zou ik je vertrouwen?'

'Je zult me op mijn woord moeten geloven.'

Hoewel ik Jerry Edwards een egoïstische zakkenwasser vind, is het in Leons belang om hem betrokken te houden. Ik kijk hem recht in het gezicht en zeg: 'Dit heb je niet van mij.'

'Begrepen.'

'Vlak voordat hij overleed, heeft Grayson een telefoontje gepleegd naar een mobiele telefoon die geregistreerd staat op naam van die gezellige club aan de overkant, Basic Needs. Het mobieltje werd verstrekt aan een exotische danseres die Alicia Morales heet en die in dit hotel woonde en nu opeens op raadselachtige wijze is verdwenen. Een van haar collegaatjes heeft ons al toevertrouwd dat Morales en Grayson elkaar kenden.'

Zijn ogen lichten op. 'In de bijbelse zin van het woord?'

'Dat weet ik niet zeker. Maar als je een beetje je fantasie gebruikt, denk ik dat je wel een antwoord kunt verzinnen. Als je haar weet te vinden, kom je er ook achter wat er met Tower Grayson is gebeurd.'

Maandagavond halfnegen is de stemming pessimistisch. Rosie, Carolyn, Pete en ik hebben op mijn werkkamer de koppen bij elkaar gestoken. Ik ben net terug van het Gold Rush, en Rosie is naar het ziekenhuis geweest. Carolyn heeft politie- en autopsierapporten doorgespit en Pete heeft Debbie Grayson geschaduwd.

Ik vraag Rosie naar Leons toestand.

'Zijn vitale functies zijn stabiel, maar hij is nog niet bij bewustzijn. De arts zei dat het vermoedelijk is veroorzaakt door stress en uitdroging. Er is kans dat hij binnen een paar dagen wat opknapt.'

Geen goed nieuws. Ik vertel haar over mijn bezoek aan het Gold Rush Hotel en mijn gesprekken met Terrence Love, Paula Howard en Jerry Edwards.

Rosies reactie is niet erg enthousiast. 'Ik kan níét geloven dat je die Jerry Edwards over Alicia Morales hebt verteld!'

'Als de politie haar niet kan vinden, lukt het hem misschien wel.'

'Belachelijk.'

'Op dit moment hebben we niets beters. Misschien kan ik hem overhalen me op *Mornings on Two* te krijgen om hulp te vragen bij de zoektocht naar Morales.'

'Het is tijdverspilling.'

'We zullen wel zien.'

Ze heeft nóg een appeltje met me te schillen. 'Ik kan ook niet geloven dat je de hulp van de Terminator hebt ingeroepen.'

Ik probeer niet te defensief te klinken: 'Hij woont in hetzelfde pand als Alicia Morales.'

'Hij is een veroordeelde misdadiger, en bovendien onbetrouwbaar.'

'We gaan hem heus niet inzetten als getuige.'

Ze is moe en in het geheel niet overtuigd. 'Het is de zoveelste wanhoopsdaad.'

'Meer hebben we niet.' En eerlijk gezegd ís het de zoveelste wanhoopsdaad.

Zo praten we nog een poosje door over strategie als Carolyn de discussie opeens afkapt. 'Hoelang heeft Leon nog,' vraagt ze, 'realistisch gezien?'

'De arts zei hooguit twee tot drie weken,' antwoordt Rosie.

Ik vraag of er kans is dat hij de voorlopige hoorzitting zal kunnen bijwonen.

'Ik weet het niet,' antwoordt Rosie in alle eerlijkheid. 'Ik neem aan dat we om uitstel van conclusie kunnen verzoeken,' zegt ze met een omlaagwijzende mondhoek.

Dat zou kunnen, maar waarschijnlijk overlijdt onze cliënt ondertussen al. 'Leon wilde de zaak voortzetten.'

'De omstandigheden zijn veranderd.'

'Dat ontken ik niet, maar hij is nog steeds de cliënt en wij hebben onze instructies.'

'Stel dat hij niet meer bij kennis komt?'

Tja, wat dan? 'Als zijn toestand over een paar dagen niet is verbeterd, bekijken we het opnieuw.'

Rosie kijkt me peinzend aan. 'In sommige opzichten is hij misschien beter af als hij in het ziekenhuis moet blijven. Dat is een menswaardiger omgeving dan een cel.'

Dat is helaas waar.

Ze schakelt over op een ander onderwerp. 'Had Roosevelt enig idee wie Morales' kamer overhoop had gehaald?'

'Nee, maar de dader toverde haar naam niet uit een hoge hoed.' We gaan de mogelijkheden na: een boos vriendje of een ontevreden hoerenloper, een onbetaalde pooier, een mislukte drugsdeal. De iets meer vergezochte mogelijkheden omvatten roof, drugsleveranciers of zelfs afpersing en chantage.

Rosie bewaart haar kalmte. 'Dat haar kamer overhoop werd gehaald, bewijst nog niet dat ze bij Graysons dood betrokken was.'

'Grayson heeft haar vlak voordat hij stierf gebeld,' zeg ik. 'Het leven hangt van toevalligheden aan elkaar, maar hier is iets anders aan de hand.'

Ze erkent dat mijn argument enig hout snijdt, maar ze hengelt naar een tweede mening. 'Wat denkt Roosevelt?'

'Hij oordeelt niet voordat hij de labrapporten over Morales' kamer onder ogen krijgt.'

'Ik voel wel voor een vergelijkbare benadering.'

Ik wend me tot Carolyn. 'Heb je nog hiaten aangetroffen in de laatste politierapporten?' vraag ik.

Ze trekt een pruilmondje terwijl ze haar aantekeningen raadpleegt. 'Misschien,' zegt ze. Ze begint met haar pen te tikken. 'Het mes en het geld werden in de réchterzak van Leons jasje aangetroffen.'

Ik kijk eerst naar Rosie en dan naar Pete, die me een uitgesproken

fronsende blik toewerpt, alsof hij wil zeggen: niet slecht.
'Waarom zou een linkshandige het mes in zijn rechterzak stoppen?' vraag ik aan Carolyn.
'Ik weet het niet. Je zou denken dat hij het in zijn linkerzak zou stoppen.'
'Tenzij iemand die niet wist dat hij linkshandig was, heeft geprobeerd hem erin te luizen.'
Rosie speelt de advocaat van de duivel: 'Of zijn sterkere linkerarm heeft gebruikt om Grayson vast te houden.'
'Daar hebben we geen bewijs voor,' reageert Carolyn.
Rosie is niet overtuigd. 'De aanklager zal het bagatelliseren,' beweert ze. 'Ze zullen zeggen dat het niet uitmaakt. Het enige wat ertoe doet, is dat hij het moordwapen had.'
Ik kom tussenbeide. 'Het blijft vermeldenswaardig.'
'Daar wil ik niet ons hele verweer op baseren.'
'Er zat ook een relatief kleine hoeveelheid bloed op het jasje, maar niets op zijn broek,' zegt Carolyn.
Dat kan een opening zijn. 'Hij kan Grayson niet hebben gestoken zonder een behoorlijke hoeveelheid bloedspatten op te vangen,' zeg ik. In een normale zaak zou zo'n detail genoeg kunnen zijn voor gerede twijfel. In deze situatie is het gewoon nog een feit dat we tijdens de voorlopige hoorzitting zullen proberen te benutten. Ik vraag Carolyn of de definitieve rapporten over de vingerafdrukken al terug zijn.
'Nog niet.'
'Het zou interessant zijn om te zien of ze op het mes afdrukken van Leons linkerhand hebben gevonden.'
Carolyn vertelt dat ze een kopie van het associatiecontract voor Paradigm Partners heeft gekregen. Er zijn zes investeerders, zegt ze, onder wie Tower Grayson en zijn zoon en Lawrence Chamberlain. 'De andere zijn het ambtenarenpensioenfonds van de staat Californië, de investeringstak van de regering van Singapore en een particulier waarborgfonds dat SST Partner Capital Fund heet.'
De eerste twee kan ik nog wel thuisbrengen, maar de derde is me een raadsel. 'Wat is dat, SST?'
'Het investeringsfonds voor de partners van Story, Short & Thompson.'
Dat is het advocatenkantoor van Brad Lucas. 'Heb je het daar met Brad al over gehad?' vraag ik.
'Ik dacht dat jij de honneurs wel zou willen waarnemen.'
'Zeker weten.' En misschien wel ten overstaan van de rechter. Ik vraag Pete naar Debbie Grayson.
'De ochtend heeft ze thuis doorgebracht en de middag op de countryclub. Ze at in een besloten eetzaal met Susan Morrow, de vrouw van haar etentje bij Postrio. Mevrouw Grayson koos voor de geroosterde kip en

mevrouw Morrow nam een maaltijdsalade. Beide dames dronken ijsthee.'

De Björns zijn behulpzaam geweest, maar zijn niet bij machte gebleken Pete de inhoud van het tafelgesprek toe te spelen.

Hij zegt dat hij haar is gevolgd naar haar huis. 'Er vond een topconferentie plaats,' zegt hij. 'De gebruikelijke verdachten waren aanwezig: haar zoon, Chamberlain en Lucas.'

'Heb je ook enig idee waar ze het over hadden?'

'Nee.' Hij zegt dat hij niet binnen de poort kon komen en dat zijn hightech afluisterapparatuur tussen al die bomen niet werkte. 'Ik ga een hartig woordje wisselen met de vent die me dat spul heeft verkocht.'

Eerst was er de meubelboulevard. Toen kwam er een kantoorboulevard. En nu is er misschien wel een afluisterboulevard?

'Een uur geleden is iedereen weer vertrokken,' zegt hij. 'Ik volgde Lucas terug naar zijn kantoor. Ook Chamberlain reed richting stad.' Hij zegt dat hij beide heren door iemand laat schaduwen. 'Ik heb ook iemand op J.T. Grayson gezet.' Hij overhandigt me een kopie van een uitdraai. 'Een vriend van me werkt bij Verizon Wireless. Ik heb hem gevraagd om een kopie van de belgegevens van Tower Graysons mobieltje. Ongeveer dertig telefoontjes naar Alicia Morales' gsm heb ik gemarkeerd.'

Ik bekijk het document. De telefoontjes naar Morales werden een week of vier geleden opeens tamelijk frequent. 'Kun je haar opsporen?'

'Ik zal mijn best doen. Wat ben je nu van plan?'

'Rosie en ik gaan eten in E'Angelo. Zin om mee te gaan?'

'Graag. Vieren jullie Rosies verjaardag?'

'Ja. En we hebben afgesproken met Kaela Joy Gullion.'

32
KAELA JOY

'Mijn carrière als privé-detective begon bij toeval. Ik kreeg verontrustende informatie over de gedragingen van mijn ex-man tijdens een trip en besloot die na te trekken.'
Kaela Joy Gullion, profiel in de *San Francisco Chronicle*

De statige brunette buigt zich over het roodgeruite tafelkleed naar me toe en zegt met omfloerste stem: 'Tower Grayson was niet wat hij leek te zijn.'

Kaela Joy Gullion is het evenbeeld van Xena, de krijgshaftige prinses, alleen draagt zij een strakke grijze bloes en een verschoten spijkerbroek in plaats van een zwartleren tanga. Ze is halverwege de veertig, maar de bijna een meter negentig lange voormalige cheerleader voor de Niners en ex-model heeft nog steeds de romige teint, hoge jukbeenderen en strakke gelaatstrekken die twintig jaar geleden elk modeblad opsierden. Nog altijd weet ze die schitterende, bekroonde glimlach op haar gezicht te toveren, maar haar getrainde spieren maken duidelijk dat ze nu op een ander niveau speelt. Vraag het haar echtgenoot maar, die zweert dat hij de linkse directe die hem midden in het French Quarter vloerde geen moment had zien aankomen.

Kaela Joy, Rosie, Pete en ik zitten achterin bij E'Angelo, een eettentje in Chestnut Street dat oogt alsof het in zijn geheel vanuit Florence is getransporteerd. Het smalle vertrek telt ongeveer tien tafeltjes, die strak tegen de muur staan geschoven. In de donkere eetruimte hangt het aroma van een voortreffelijke combinatie van tomatensaus, knoflook en mozzarella. Hoewel het niet zo hip is als zijn tijdgenoten in North Beach serveert het restaurantje hier al tientallen jaren eerlijk Noord-Italiaans eten. Het is een van de laatste restanten van een tijd dat deze buurt werd bewoond door meer arbeidersgezinnen dan de in spandex gehesen singles die nu in de Starbucks een paar deuren verderop en het trendy retrorestaurant aan de overkant rondhangen. E'Angelo besteedt nog aandacht aan zijn trouwe bezoekers, die zich te goed doen aan zelfgemaakte pasta en minestrone. Maandagavond om tien uur staat er een rij voor de deur.

Privé-detectives kenmerken zich door een zekere mate van beroepsmatige hoffelijkheid die die van advocaten vaak overtreft. Pete neemt het voortouw en vraagt of Debbie Grayson weet dat Kaela Joy met ons praat.

'Ja.'

'Vond ze het geen bezwaar?'

'Ik heb haar geen keus gegeven. Dit is een onderzoek naar een moord en ik heb ook met Johnson en Banks gesproken. Ik doe mijn best om met de politie op goede voet te blijven.'

Pete is niet altijd zo toeschietelijk tegenover zijn vroegere werkgever. Kaela Joy heeft niet dezelfde geschiedenis. 'Was mevrouw Grayson tevreden over jouw werk?' vraagt hij.

'Ja, maar ze was niet zo blij met de informatie die ik over haar man gaf. Hij was een varken dat naast de pot piste,' klinkt het vol minachting. De schone verleidster schudt haar zijdezachte haar. 'Het begon drie maanden geleden, toen mevrouw Grayson vermoedde dat hij met de marketingdirecteur van een bedrijf in de Valley naar bed ging.'

'En, deed hij dat?'

'Ja, maar dat was nog niks vergeleken met zijn andere bezigheden. Overdag was hij de grote investeerder uit Silicon Valley; 's avonds verlustigde hij zich aan drugs en vrouwen in Sixth Street.'

Het plaatje wordt helderder. 'Hij woonde in Atherton,' zeg ik. 'Hij had genoeg geld om te krijgen wat hij maar wilde. Waarom zou hij zijn vrije tijd in een achterbuurt hebben doorgebracht?'

'Op zoek naar spanning.'

Het is moeilijk te geloven dat hij alles op het spel zette voor een beetje leven in de brouwerij. 'Wat ging er door zijn hoofd?'

'Mannen als Grayson laten zich leiden door hun pik, niet door hun hoofd. Mijn ex-man verdiende jaarlijks een miljoen bij de Niners, maar zocht zijn pleziertjes toch liever buitenshuis. Niet voor de seks. Hij deed het om te zien of hij ermee weg kon komen. Als ze de kans maar krijgen, doen de meeste mannen dat.'

Ik bespeur enige vijandigheid en besluit dat dit misschien niet het moment is om een lans te breken voor het mannelijk geslacht.

Kaela Joy is nog niet klaar met haar analyse. 'Het onvermogen van de man om zijn gulp dicht te houden verklaart negentig procent van alle ellende in de wereld. Grayson was heus niet uniek. Er deed zich een storinkje voor in zijn bedrading en de gevolgen waren voorspelbaar.'

'Waarom geen fotomodel of een studente, of zelfs een chique callgirl?' vraag ik. 'Hij kon toch ook wel een aantrekkelijke jonge vrouw krijgen die met hem de koffer in wilde duiken? Hij nam een enorm risico, van een vrij onschuldige geslachtsziekte tot aids.'

Ze neemt een hapje stokbrood en werkt vervolgens de rest van haar ravioli naar binnen. 'Verplaats jezelf eens in zijn positie,' zegt ze. 'Je hebt hard gewerkt en altijd volgens de regels gespeeld. Je kinderen zijn volwassen en je vrouw zit meer op de club dan bij jou. Op een dag heb je mazzel en je verdient een smak geld. Je krijgt twintig miljoen dollar van mensen die denken dat je weet wat je doet. Opeens logeer je in vijfsterrenhotels en rijd je in limousines. Directeuren van startende bedrijven likken je hielen omdat ze je geld willen. Je begaat de fundamentele fout dat je in je eigen onzin gelooft. Je wordt verleid door de Valley-mentaliteit en denkt dat je onverwoestbaar bent. Je wilt het snel en geld speelt geen rol.'

Rosie komt tussenbeide. 'Rondhangen in een tent als Basic Needs is wel even heel iets anders dan kampen met een midlifecrisis.'

'Op dierlijke instincten kun je geen logische analyses loslaten. Het begon een jaar geleden, toen ene Arthur Carponelli onze Tower Grayson benaderde voor een financiering.'

'We kennen zijn bedrijf,' merk ik op.

'Hij rolde de rode loper uit en leerde Grayson alles wat hij altijd al had willen weten over de seksbusiness. Hij nodigde hem uit in zijn club en bood hem toegang tot zijn strippers.'

'Hij was als een kind in een snoepwinkel,' zegt Rosie.

'Erger nog,' zegt Kaela Joy. 'Hij was als een opgefokte puber in een seksshop.'

Een betere beeldspraak.

Ze vertelt haar versie van het verhaal in liefdevol detail: het begon met af en toe een bezoekje om de meiden te zien dansen. Dat leidde tot vreemdgaan in de achterkamer, gevolgd door privé-sessies met Carponelli's beste dienstverleensters. 'Het werd zo erg,' zegt ze, 'dat hij een ton uit het fonds pikte om zijn drugsschulden te kunnen betalen. Chamberlain kwam erachter en sprak hem erop aan.'

Het Geheime Leven van Tower Grayson is dus toch niet zo geheim.

Kaela Joy is nog niet uitgepraat. 'Carponelli droeg Alicia Morales op om voor Grayson te zorgen. Kennelijk heeft ze zich voortreffelijk van haar taak gekweten.'

'Waarom werd ze dan toch ontslagen?' vraagt Rosie.

'Ze werd inhalig en had een agenda die niet strookte met Carponelli's zakenplan. Ze had wat eigen klanten en verkocht crack via de achterdeur van Basic Needs.'

Niet bepaald het chique beeld dat Carponelli met zijn website probeert uit te dragen. 'Heb je met haar gesproken?'

'Eén keer maar. Ze liet zich niet in de kaart kijken. Ik heb gehoord dat ze verdwenen is en dat haar kamer overhoop is gehaald.'

Ze beschikt over goede bronnen. 'Weet je waar ze zou kunnen uithangen?' vraag ik.

'Nee. Voorzover ik weet, is de manager van het Gold Rush de laatste die haar heeft gezien. Hij zei dat ze donderdagavond rond een uur of elf is weggegaan.'

Tegen ons zei hij hetzelfde. 'Enig idee wie haar kamer overhoop kan hebben gehaald?'

'Carponelli vermoedde dat ze zich inmiddels ook bezighield met chantage. Misschien dat een ontevreden klant haar iets duidelijk wilde maken.'

'Denk je dat ze Grayson chanteerde?'

'Dat zou me niks verbazen, maar ik heb er geen bewijs voor. Drie weken geleden vertelde ik mevrouw Grayson over de bezoekjes van haar man aan Basic Needs. Ze sprak hem erop aan, maar vorige week zag ik hem daar weer. Donderdagavond trof ik mevrouw Grayson in de Redwood Room om haar bij te praten.'

'Waarom niet bij haar thuis?'

'Ze was bang dat haar man mij zou zien. Ze overwoog een echtscheiding en wilde haar hand niet overspelen. Ik vertelde haar dat haar man nog steeds Basic Needs bezocht en gaf haar wat foto's en ander bewijsmateriaal voor zijn affaire met Alicia Morales.'

Ik staar naar de flakkerende kaars op het tafeltje. 'Hoe reageerde ze?' vraag ik.

Ze knijpt haar ogen toe. 'Ze zei dat ze hem zou laten boeten.'

'Door een echtscheiding aan te vragen, of...?'

'Ze maakte geen onderscheid.'

Rosie en ik wisselen een zorgelijke blik. Een ontrouwe echtgenoot. Een boze vrouw. Een vette verzekeringspolis. Alle bekende verontrustende ingrediënten zijn aanwezig en verklaard.

'Heb je Tower Grayson nog in de gaten gehouden nadat je met zijn vrouw had gesproken?' vraagt Pete.

'Ja. Mevrouw Grayson zei dat hij in restaurant Boulevard zat, dus ik ging erheen. Hij zat er inderdaad te eten met Chamberlain en Lucas. Even na enen vertrokken ze.'

Dit is geen nieuws, maar het bevestigt wel de tijden die Lucas en Chamberlain hebben genoemd. Ze zegt dat Chamberlain met Grayson wegreed en dat Lucas naar het Embarcadero Center liep. Ze schaduwde Grayson tot Broadway en Columbus, maar werd door een stadsbusje afgesneden en verloor hem uit het oog.

'Heb je enig idee waar Grayson naartoe ging?' vraag ik.

'Ik neem aan dat hij Chamberlain bij zijn flat afzette en daarna naar Sixth Street is gereden, maar ik heb hem daar niet gezien.'

We komen in de buurt. 'Is het mogelijk dat Chamberlain of iemand anders bij hem geweest is?'

'Alles is mogelijk.'

Dit biedt een aantal intrigerende mogelijkheden, maar we zijn nog altijd ver verwijderd van die ene mogelijkheid dat de aanklacht wordt geseponeerd. 'Heb je iets gezien bij het Boulevard?' vraag ik.

Ze denkt even na, bijna alsof ze probeert te bepalen wat ze ons moet vertellen. 'Debbie Grayson zat in haar auto aan de overkant.'

Nu begrijp ik haar aarzeling. Het druist tegen de etiquette in om over je eigen cliënt te roddelen. 'Wat deed ze daar?'

'Ze zei dat ze haar man wilde confronteren in het restaurant, maar de moed zonk haar in de schoenen. De laatste keer dat ik haar zag, reed ze in westelijke richting in Mission Street, dus in de richting van de snelweg, en ik dacht dat ze naar huis ging.'

Maar ook in de richting van Sixth Street. Ik vraag haar waar ze daarna heen is gegaan.

'Ik reed erheen om te zien of Tower Grayson bij Basic Needs zou opdagen.'

'En?'

'Niet dus. Tot ongeveer halfvier heb ik de ingang van de club in de gaten gehouden.'

Ik vraag of ze Debbie Grayson heeft gezien.

'Nee.' Er volgt opnieuw een lichte aarzeling. 'Maar haar auto stond een paar straten verderop geparkeerd. Ze zat er niet in, maar naderhand gaf ze toe dat ze er was.'

Wat betekent dat ze tegen ons heeft gelogen over waar ze op vrijdagmorgen was. Ik probeer mijn toon rustig te houden: 'Wat deed ze in Sixth Street?'

'Ze zei dat ze haar man met zijn escapades wilde confronteren bij Basic Needs.'

Het is gekkenwerk om op dat uur rond te hangen in Sixth Street. Ze heeft geluk gehad dat ze niet net als haar man in een vuilcontainer is beland. Ik ga de mogelijkheden na. 'Is ze de club ook binnengegaan?' vraag ik.

'Voorzover ik weet niet.'

'Als ze niet naar binnen ging en ook niet in de auto bleef, waar was ze dan?'

'Ze zei dat ze een eindje was gaan wandelen.'

Daar heeft ze ons niets over verteld. 'Hoe laat ging ze naar huis?'

'Tegen mij zei ze rond een uur of twee.'

Dat is het tijdstip waarop haar man in de drankwinkel aankwam. 'Ze loog tegen ons en tegen de politie.'

'Ze was erg overstuur.'

'Denk je dat ze betrokken was bij de dood van haar man?'

Over deze vraag denkt ze lang na. 'Nee.'

'Mensen doen vreemde dingen als ze boos zijn,' zeg ik.

Ze reageert niet.

'Heb je iemand onder de bezoekers van Basic Needs op vrijdagmorgen herkend?'

Ze slikt moeizaam. 'Ja.'

Ik overpeins de mogelijkheden. 'Ik dacht dat je net zei dat Tower Grayson niet kwam opdagen,' zeg ik.

'Klopt.' Ze aarzelt weer even en voegt er dan aan toe: 'Maar zijn zoon wel.'

33
'ER WAS NÓG IEMAND'

'Een privé-detective moet buitengewoon geduldig zijn en over een onbeperkt vermogen beschikken om wakker te blijven. Ook helpt het als je leert voor langere perioden niet naar de wc te gaan.'
Kaela Joy Gullion, profiel in de *San Francisco Chronicle*

E'Angelo is inmiddels leeg, en ik bestook Kaela Joy nu met een spervuur van vragen. 'Hoe laat arriveerde J.T. Grayson bij Basic Needs?'

'Tien over halftwee.' Ze vertelt dat hij via de voordeur naar binnen ging en dat ze hem daar nog niet eerder had gezien.

Ik vraag haar wat de jonge Grayson daar dan deed.

'Misschien keek hij graag naar naakte vrouwen. Zo vader, zo zoon.'

'Kom op, Kaela Joy.'

'Ik heb zijn moeder ernaar gevraagd,' zegt ze op zachtere toon. 'Ze zei dat ze hem had gebeld en hem over ons gesprek had verteld en dat hij vermoedelijk zijn vader erop aan wilde spreken.'

'Nam hij contact op met zijn vader voordat hij daar verscheen?'

'Niet dat ik weet. Na donderdagavond tien uur is er met zijn mobieltje niet meer naar andere nummers gebeld.'

Ik vraag haar hoe laat hij Basic Needs verliet.

'Dat weet ik niet. Ik zag dat de manager om halfvier het licht uitdeed. J.T. kwam niet door de voordeur naar buiten. Hij moet dus de achterdeur naar de steeg hebben genomen.'

Dat is dezelfde steeg als die achter Alcatraz Liquors ligt. Ik vraag door, maar meer details heeft ze niet. Ten slotte vraag ik of ze bereid is te getuigen bij Leons voorlopige hoorzitting.

'Natuurlijk.'

Hiermee is Leon misschien niet buiten gevaar, maar ze kan wel een paar mensen, die zelf motieven kunnen hebben gehad, in de onmiddellijke omgeving van de moord plaatsen. 'Kunnen anderen je verhaal bevestigen?'

Ze denkt even na. 'Misschien wel. Er was nóg iemand. Er stond vrijdagmorgen bij Basic Needs een andere privé-detective op de uitkijk.'

Hè? 'Waarom?'

'Hij hield Grayson ook in de gaten.'

'Wie had hem dan ingehuurd?'

'Chamberlain.'

Rosie, Pete en ik staren elkaar ongelovig aan. Grayson werd in de gaten gehouden door een privé-detective die zijn vrouw had ingehuurd én door een privé-detective die zijn zakenpartner had ingehuurd? Fijn om te weten dat iedereen op zowel het zakelijke als het persoonlijke vlak zo veel vertrouwen in hem had.

Ik moet het vragen: 'Ken je die andere privé-detective?'

'Ja. We schaduwden dezelfde man, dus we hebben wat bijgepraat. Het was niet de eerste keer dat we elkaar tegenkwamen. Hij vertelde me niets wat ik niet al aan jullie heb verteld.'

'Weet je of hij met de politie heeft gesproken?'

'Ik vermoed van wel. Hij is een fatsoenlijke kerel.'

Ik zal Roosevelt ernaar vragen. 'Hoe heet hij?'

'Nick Hanson.'

Krijg nou wat...

34
'IEDEREEN HEEFT WEL IETS TE VERBERGEN'

'De politie probeert nog steeds te achterhalen waarom investeerder Tower Grayson afgelopen vrijdagmorgen om twee uur een drankzaak in Sixth Street bezocht.'

KGO Radio, dinsdag 7 juni, 12.30 uur

Nick 'the Dick' Hanson is een van San Francisco's prominente figuren. De meest charismatische en kleinste man van de stad is inmiddels dik in de tachtig en werkt met zijn twee zonen en vier kleinkinderen vanuit een kantoor in North Beach. In zijn vrije tijd schrijft hij detectiveromans. We hebben bij een paar zaken met hem samengewerkt. Hij is slim, gewiekst en volkomen onvermoeibaar, maar ook publiciteitsgeil en een onverbeterlijke bon-vivant. Hij weet misschien iets over Graysons dood, of misschien ook niet, maar de amusementswaarde van deze zaak is zojuist exponentieel gestegen.

Even na middernacht rijden Rosie en ik langs de noordtoren van de Golden Gate Bridge als ik het nummer van Nicks kantoor op mijn mobiele telefoon intoets. Lang voordat het mode werd, werkten privé-detectives al zeven dagen lang vierentwintig uur per dag.

'Hanson Investigation Agency,' zegt een vrolijke stem die lijkt op die van Betty Rubble van de Flintstones.

'Nick Hanson alstublieft.'

'Senior of junior?'

'Senior.'

'Met wie spreek ik?'

Niemand zou zo opgewekt mogen zijn op dit uur van de dag. 'Michael Daley.'

Betty's stem wordt nog hoger. 'O, hallo meneer Daley! Dit is Dena Hanson.'

Nicks achterkleindochter is negentien jaar en waarschijnlijk een adembenemend mooie meid, maar ik zie een hoog getoupeerd kapsel uit de jaren vijftig en een hoornen brilletje met nepdiamantjes op het montuur voor me. 'Zit je nog steeds op de universiteit, Dena?' vraag ik.

'Ik heb nu zomervakantie.' Ze giechelt even. 'Ik had een baantje in de horeca kunnen nemen, maar het is veel leuker om voor opa te werken,' voegt ze eraan toe.

Dat durf ik te wedden. 'Is hij er ook?'

'Hij is aan het werk, meneer Daley.'

Uiteraard. 'Kun je hem oppiepen?'

'Een ogenblikje.'

De lijn valt stil. 'Met wie zit je nu weer te flirten zo laat?' vraagt Rosie.

'Met de receptioniste van Nick the Dick. Het blijkt zijn achterkleindochter te zijn.'

'Heeft hij ooit personeel ingehuurd dat géén familie was?'

'Ik geloof van niet.'

'Jij wordt echt een kletskous.'

'Ik ga al mijn wijsheden vastleggen in een zelfhulpboek met de titel *Making Small Talk Long*.'

Ze wordt weer zakelijk. 'Heb je Roosevelt kunnen bereiken?'

'Ik heb een bericht achtergelaten.'

'En J.T. Grayson?'

'Die zal ik later bellen. Ik denk niet dat hij blij zou zijn geweest met een telefoontje na middernacht.'

Betty Rubble is terug. 'Meneer Daley?' zingt ze. 'Opa zei dat hij u later wel zal terugbellen.'

'Dat is prima.' Ik geef haar mijn nummer thuis en het nummer van mijn mobiele telefoon.

'Dank u, meneer Daley,' kweelt ze. 'Prettige nacht verder.'

'Wat is ze toch mooi,' zegt Rosie als ze een liefdevolle blik werpt op Grace, die op de bank in de woonkamer ligt te slapen. Ze heeft dezelfde tevreden glimlach als Rosie als ze slaapt, hoewel Rosie haar Winnie de Poeh-beer een paar jaar geleden voor mij heeft ingeruild.

'Precies haar moeder,' fluister ik.

Dit ontlokt haar een grijns. 'Waarom vleide je me nooit zo toen we nog getrouwd waren?'

'Dat deed ik heus wel.'

'Nou, ik kan me er anders niets van herinneren.'

'Misschien viel het je gewoon niet meer op.'

Het is een paar minuten over enen. Rosies moeder zit aan de keukentafel achter Graces pc. Ook Sylvia is een spiegelbeeld van Rosie, met tot de schouders reikend grijs haar, helderbruine ogen en nog even eigenzinnig en onafhankelijk als altijd. Ze is net vijfenzeventig geworden, maar heeft nog een grenzeloze energie. Als je de overlevering van de familie Fernandez mag geloven, was ze in haar jeugd al een vurig type. Als ze veertig jaar later was geboren, zou ze een wervelwind in de rechtszaal zijn geweest. Vijftien jaar geleden werd ze weduwe en ze woont nog steeds in het huis in de wijk Mission waar Rosie en haar broer zijn opgegroeid. Ze zal hier bij Rosie blijven logeren totdat Leons zaak achter de rug is. Elk voorstel dat ze wat dichter bij ons moet komen wonen, pareert ze fel. Ze is vastbesloten om in haar bungalow, in de schaduw van de katholieke kerk, de St. Peter's, te blijven wonen.

Sylvia kijkt naar haar kleindochter. 'Om halftien heb ik geprobeerd haar naar bed te krijgen, maar ze wilde opblijven tot je thuiskwam. Ze is in slaap gevallen op de bank. Ik wilde haar wel naar haar kamer dragen, maar ze is te zwaar voor me.'

Grace is al net zo lang als Rosie en een halve kop groter dan haar oma. 'Laat maar, mam,' zegt Rosie. 'Volgende week is het schoolvakantie.'

'Er staan een paar berichten op het antwoordapparaat,' zegt Sylvia. Ze zal Rosies telefoon nooit opnemen. De beller kan wel een crimineel zijn, of een verslaggever, of – nog erger – een aanklager. 'Vooral de pers. Die rotjournalist van de *Chronicle* heeft ook gebeld.'

'Jerry Edwards?'

'Ja, die bedoel ik. Hij zei dat jullie morgenochtend wel je naam in zijn column zullen terugvinden.'

Geweldig.

'Roosevelt heeft gevraagd of je hem morgenochtend even wilt bellen,' voegt ze eraan toe.

Roosevelt weet dat het geen goed idee is om vertrouwelijke informatie in te spreken op het antwoordapparaat van een strafpleiter. Ik hoop dat hij heeft gebeld over de bezoekjes die Debbie Grayson en haar zoon donderdagavond in Sixth Street hebben afgelegd. Beter nog: misschien heeft hij wel informatie over de auto van Tower Grayson of de verblijfplaats van Alicia Morales. Toch probeer ik geen al te hoge verwachtingen te hebben.

'Carolyn heeft ook nog gebeld met de boodschap dat de toestand van Leon Walker iets is verbeterd, van kritiek naar ernstig. Alles bij elkaar genomen denk ik dat dit goed nieuws is.'

Rosie en ik weten Grace haar kamer in te krijgen, waar ze zodra haar hoofd haar kussen raakt alweer in slaap valt. Ook wat slapen betreft is ze net haar moeder.

In de woonkamer komen we weer bijeen. Rosies slaapmutsje bestaat uit een cafeïnevrije Diet Coke en ik heb een Diet Dr. Pepper. Sylvia drinkt ijsthee. 'Op het nieuws interviewden ze Marcus Banks,' zegt ze. Ze kent alle spelers in het strafrechtsysteem van San Francisco. 'Hij zei dat Grayson door een privé-detective in de gaten werd gehouden.'

'Eigenlijk werd hij door twee detectives in de gaten gehouden,' zegt Rosie. 'Zijn vrouw en zijn zakenpartner hebben ieder een privé-detective in de arm genomen om hem te schaduwen.'

'Niemand vertrouwde hem.'
Sylvia heeft er kijk op.
Rosie werpt haar moeder een veelbetekenende grijns toe. 'Deze zaak heeft echt álles, mam. Je raadt nooit wie die vrouw heeft ingehuurd om haar man te schaduwen.'
'Kaela Joy Gullion.'
'Hoe weet jij dat?'
'Dat zeiden ze op het nieuws. Wie werd er door de zakenpartner ingehuurd?'
Rosie probeert haar toon vlak te houden. 'Nick Hanson.'
Sylvia's serieuze blik verandert in een brede glimlach. 'Nick the Dick! Ik heb eindelijk een van zijn boeken gelezen. Niet slecht.'
'Hij heeft alles meegemaakt,' zegt Rosie.
'Nee,' corrigeert Sylvia haar. 'Hij heeft véél meegemaakt. Ik heb alles meegemaakt.' Haar glimlach verdwijnt. 'Ze zeiden dat Grayson een geheim leven leidde. Hij kocht drugs en pikte danseressen op bij een stripclub in Sixth Street.'
Graysons geheim is uitgelekt. Mijn sympathie voor zijn vrouw en zoon wordt getemperd door het feit dat ze ons recht in het gezicht hebben voorgelogen over zijn ranzige bezigheden.
'Er is nog meer aan de hand,' zegt Rosie. Ze vertelt Sylvia het fijne van Graysons capriolen, Kaela Joys gesnuffel, Debbie Graysons pogingen tot misleiding en J.T. Graysons aperte leugens. We hoeven haar er niet aan te herinneren dat alles wat we haar vertellen vertrouwelijk is. Ze is beter in geheimen bewaren dan ik.
Uiterlijk onbewogen hoort Sylvia alles aan. 'Iedereen heeft wel iets te verbergen, lijkt het,' merkt ze op. 'Maar wat heeft dit te maken met de schuld of onschuld van jullie cliënt?'
Sylvia blijft steevast bij de les.
'Aan ons de taak om daarachter te komen,' antwoordt Rosie.
'Dan zou ik maar eens snel aan het werk gaan als ik jullie was. Ze zeiden dat hij niet meer dan een paar weken te gaan heeft.'

Rosies hoofd rust op mijn schouder als we samen op haar bank zitten. Het is na tweeën en we hebben net naar een herhaling van het late nieuws gekeken. 'De voorlopige hoorzitting begint overmorgen,' zegt ze. 'We moeten J.T. Grayson te pakken zien te krijgen.'
'Morgenochtend zal ik hem meteen bellen,' zeg ik.
'En we moeten weer een afspraak maken met zijn moeder.'
Ze is niet in staat een tandje terug te schakelen. 'Misschien wil ze wel helemaal niet meer met ons praten,' zeg ik.
'Bel Roosevelt morgen ook meteen.'
'Dat zal ik doen.' Ik zet de tv uit. 'Hoe voel je je?' vraag ik.
Ze probeert haar vermoeidheid te verbergen en geeuwt. 'Moe.'

Haar moeder is een halfuur geleden naar bed gegaan. Het is stil in huis. Rosie strijkt met een hand door mijn haar. Ik knijp in haar andere hand. 'Voelt je buik al wat beter?'

'Ik voel me verder goed. Het helpt dat ik vandaag niet veel heb gegeten.'

'Dat is voedingstechnisch gezien niet echt verantwoord.'

'Beter dan kotsen. Jij denkt dat pizza's en Diet Dr. Peppers tot de Schijf van Vijf behoren.'

Klopt helemaal. We luisteren naar de krekels buiten onder haar raam. Een geruststellend geluid. Waar ik ben opgegroeid, hadden we geen krekels. Ze hielden niet van de mist in Sunset. Ik aai over haar wang. 'Nog een week of twee, dan is dit achter de rug,' zeg ik.

Ze kust mijn vingers. 'Ja.' Opnieuw probeert ze een geeuw te onderdrukken. 'Krijg jij niet een gevoel van déjà vu?'

'Hoezo, omdat we opnieuw Leon Walker vertegenwoordigen?'

'In alweer een hopeloze zaak waarbij hij misschien niet de waarheid spreekt en iedereen zijn gram wil halen.'

'Het begint me wel vaag bekend voor te komen,' zeg ik.

Ze zucht. 'En sinds vrijdag hebben we elkaar alleen maar vegen uit de pan gegeven.'

Ik onderdruk mijn eerste impuls om haar tegen te spreken. 'Dit keer viel het toch wel mee?'

'Dat weet ik nog zo net niet.'

Ik kijk in haar diepliggende ogen. 'Denk je dat hij het heeft gedaan?' vraag ik.

'Ik ben nu te moe om de mogelijke combinaties af te draaien. Wat denk jij?'

'Tja, wat zal ik zeggen? We hebben in elk geval een paar mensen die in de directe omgeving waren en een motief kunnen hebben gehad.'

Ze sluit haar ogen. 'Daar hebben we nogal wat aan. Voor de hoorzitting zullen we niet met iedereen kunnen praten. Zelfs al weten we ze te bereiken, ze zijn niet verplicht om met ons te praten en zullen nooit iets toegeven.'

'Zodra ze hun naam op een dagvaarding zien staan, worden mensen soms wat loslippiger.'

'Niet per se. Iedereen die redelijk bij zijn verstand is, belt zijn advocaat zodra hij een deurwaarder ziet. Iedere advocaat met een gemiddeld IQ adviseert zijn cliënt om zijn kop te houden.'

'Als een rechter hun beveelt te praten, worden mensen vaak wat toeschietelijker,' werp ik tegen.

Plotseling kijkt ze me aan. 'Ben je soms van plan deze mensen tijdens een openbare rechtszitting te ondervragen?'

'Ja.'

'Je hebt geen idee wat ze gaan zeggen.'

'Nou en? Als we een paar van die lui van de kook kunnen brengen, kunnen wij misschien genoeg twijfel zaaien zodat rechter McDaniel de aanklacht zal seponeren.'

'Wil je dit ten overstaan van een publieke tribune uitspelen?'

'Dat is wel het idee.'

'Het is in strijd met elke conventie van de advocatuur.'

'Maar dit is geen conventionele zaak. Als de aanklagers een stervende gaan aanklagen wegens moord en hij de doodstraf kan krijgen, moeten wij wel ongebruikelijke stappen ondernemen.'

'Dat vindt rechter McDaniel vast niet leuk.'

'Zij staat niet terecht.'

'En wij komen straks misschien als enorme idioten uit de bus.'

'Dat zou niet de eerste keer zijn.'

'Jerry Edwards laat niets van ons heel.'

'Daar ga ik me niet druk over maken.' Maar dat is gelogen.

'Omvat jouw ingenieuze plan ook een optreden van Leon in de getuigenbank?'

'Als hij daar lichamelijk toe in staat is wel ja.'

'We kunnen echt vreselijk afgaan.'

'Het wordt zijn enige kans om zijn onschuld uit te spreken.'

'Denk je echt dat dit een kans van slagen heeft?'

Mijn antwoord is eerlijk: 'Ik weet het niet. Gezien de omstandigheden zijn onze mogelijkheden beperkt.'

Rosie sluit even haar ogen en opent ze dan weer langzaam. 'Denk je nu nog steeds dat wij er goed aan doen om Leon te verdedigen?'

'Voor dit late uur is dat een erg filosofische vraag.'

'Ik ben in een filosofische bui.'

Ik ben te moe om me met al te gewichtige gedachten in te laten. 'Leon heeft recht op een advocaat, en wij zijn zijn beste kans,' zeg ik. 'Meer zullen ze niet van me krijgen totdat dit achter de rug is.'

Ze zoent me vluchtig op de wang. 'Heb je zin om nog even te blijven?'

Ja. 'Het is al laat en morgen is het een drukke dag.'

'Zul je het goed maken met me?'

'Zodra deze zaak achter de rug is.'

Haar vermoeide glimlach verandert in een grijns.

Wanneer ik om halfdrie thuiskom, knippert het lampje op mijn antwoordapparaat. Ik druk op de toets en de computerstem deelt me mee dat ik één nieuw bericht heb. Na de pieptoon hoor ik een stem die op die van filmacteur Walter Matthau lijkt: 'Met Nick Hanson. Dat is lang geleden.'

Zeg dat wel.

'Dena zei dat je had gebeld. Ik ga de komende paar dagen ergens posten waar ik mijn mobieltje niet zal kunnen gebruiken. Ik bel je zodra ik daar gelegenheid toe heb.'

Nick the Dick werkt volgens zijn eigen tijdschema.

'Ik verheug me erop weer met je samen te werken,' zegt hij. 'Ik kan je een paar ongelofelijke verhalen over Tower Grayson vertellen.'

35
'WE HEBBEN HEM GEVONDEN'

'De politie probeert nog steeds de Mercedes van Tower Grayson op te sporen.'
Hoofdinspecteur Marcus Banks, KGO Radio, dinsdag 7 juni, 5.30 uur

Een luid gerinkel schudt me wakker uit een onrustige slaap. Twee keer haal ik uit naar de klokradio, waarna ik me realiseer dat het niet de wekker is. De groene cijfers geven aan dat het tien over zes is. De zon komt al op. Na slechts drie uur slaap weet ik me amper te oriënteren en pas bij de tweede poging krijg ik de telefoon te pakken. Roosevelts stem klinkt enigszins verontrust. 'Ben je wakker?' vraagt hij.

'Ik begrijp dat je ons gisteravond hebt geprobeerd te bereiken,' zeg ik.

'Daar hebben we het later nog wel over.' Er klinkt ruis op zijn mobiele telefoon en op de achtergrond hoor ik sirenes. 'Zet je tv eens op Channel 2.'

Ik grijp naar de afstandsbediening en zet de stokoude Sony aan, een troostprijs bij onze echtscheiding. Jerry Edwards draagt hetzelfde gekreukte pak en dezelfde das als gisteren in het Gold Rush Hotel. Met een vinger wijst hij dreigend naar de camera en hij hapt naar lucht. 'Ons is ter ore gekomen dat Tower Grayson vlak voordat hij werd vermoord nog heeft gebeld met een bekende drugsdealer en prostituee die Alicia Morales heet.' Er verschijnt een foto van Morales in beeld. 'Waarom deed hij dat? Waarom is dat ons niet eerder verteld? Houdt het parket soms bewijsmateriaal achter? Spelen de advocaten van de verdachte een spelletje? Gisteren vroeg ik hun ernaar toen ik ze in het Gold Rush Hotel tegenkwam, maar ze hadden geen commentaar.'

Hij staat op het punt los te branden met zijn dagelijkse tirade over mijn wanprestaties als advocaat en als mens als het beeld overschakelt naar een anchorman met volmaakte gelaatstrekken en geföhnd haar, die met het gebruikelijke melodrama van de ervaren tv-nieuwspresentator meedeelt: 'We gaan nu live over naar een brand in China Basin.' Een boven PacBell Park hangende verkeershelikopter verschaft beelden van vlammen die uit het dak van een pakhuis ten zuiden van McCovey Cove slaan.

Roosevelt is terug op de lijn. 'Laten ze nu de brand zien?'

'Ja. Wat is er allemaal aan de hand?'

'We hebben hem gevonden. Graysons auto. Hij stond naast het pakhuis.'

Yes! 'Zat er iemand in?'

'Dat weet ik nog niet.'

'Wanneer ga je dat onderzoeken?'

'Zodra dat ding uitgesmeuld is. Iemand heeft hem in de fik gestoken en het vuur is naar het gebouw overgeslagen. Hoe snel kun je hier zijn?'

Eerst bel ik Rosie, maar ouderlijke verplichtingen gaan nu even voor. Ze zegt dat ze me wel ziet zodra ze Grace naar school heeft gebracht.

Vervolgens bel ik Pete, die sinds ons etentje met Kaela Joy voor Debbie Graysons huis geparkeerd staat. Hij klinkt meteen weer helemaal als een agent. 'Brandstichting?' vraagt hij.

'Weet ik niet.'

'Ik kan je één ding zeggen,' zegt hij. 'Debbie Grayson heeft het niet gedaan. Ze ligt te slapen.'

'In haar eentje?'

'Ja.'

Ze is dan misschien geen brandstichter, maar ik ben niet bereid haar uit te sluiten als een mogelijke verdachte in de moord op haar man.

Kwart over zeven. Roosevelt, Pete en ik staan op het parkeerterrein van de Giants, een kleine honderd meter ten westen van het brandende gebouw. Op de voertuigen van de brandweer, de politie en andere hulpdiensten en een armada van mediabusjes na is de omgeving verlaten. Over twaalf uur komen hier massa's mensen bijeen voor de wedstrijd van de Giants tegen de Dodgers. De meeuwen die vlak bij het honkbalstadion een thuis hebben gevonden, scheren door een scherpe lucht. Er staan een stuk of tien brandweerwagens opgesteld en de spuitgasten doen hun best de schade te beperken tot een vervallen pakhuis iets ten noorden van de reusachtige Mission Rock Terminal. Er was sprake van dat deze doorn in het oog zou worden omgebouwd tot een woonproject met diverse toepassingen, maar nu de zwarte rookpluim uit het gat in het ingestorte dak opstijgt, lijkt de kans op enige stadsvernieuwing van betekenis op deze plek erg klein.

'Graysons auto stond geparkeerd bij het laadplatform. Hij is volkomen uitgebrand en het gebouw ligt in de as.'

Ik vraag of het brandstichting was.

'Tussen jou en mij gezegd en gezwegen? Een van de brandweerlieden zei dat ze vlak bij de auto een paar lege benzineblikken hebben aangetroffen.'

Een grote brand heeft iets hypnotiserends en we staren naar het inferno. Het journaal zal vanavond met deze beelden openen. Een vriend van me werkt als regisseur bij Channel 7 en hij vertelde me eens dat branden op een visueel medium als tv prachtig beeldmateriaal opleveren. Een brand met een mogelijke link naar een moordzaak is zelfs nog beter.

'Zijn er gewonden gevallen?' vraag ik.

'Voorzover we weten niet. Er zat niemand in de auto.' Hij zegt dat de nachtportier van het China Basin Building aan de overkant van de baai het alarmnummer heeft gebeld, maar niemand bij de auto zag. Er waren verder geen ooggetuigen.

'Zat er wat in de kofferbak?'

'Zoek je soms iemand?'

'Ja. Alicia Morales.'

'Ik weet het niet.'

Daar komen we snel genoeg achter. 'Het zal je duidelijk zijn dat Leon hier niets mee te maken had,' zeg ik.

'Natuurlijk.'

'En ook dat het mogelijk is dat iemand anders Grayson heeft vermoord en zijn auto heeft gestolen. De moordenaar kan Graysons auto wel eens in brand hebben gestoken om elk stukje bewijs te vernietigen.'

Roosevelt legt me met een kille blik het zwijgen op. Zo vroeg in de morgen naast een brandend gebouw heeft hij geen zin om te speculeren op hypothetische vragen. 'Loop nou niet op de feiten vooruit,' zegt hij.

'Je kunt er toch niet omheen? Dit is meer dan toeval.'

'Laten we eerst eens afwachten wat de technische recherche in de auto vindt.'

Een wit busje met een satellietzender op het dak en het logo van Channel 2 op de zijkant komt met piepende banden voor ons tot stilstand. Het portier zwaait open en Jerry Edwards stormt naar buiten. Zijn cameraman moet hollen om hem bij te houden. Hij duwt een microfoon onder Roosevelts neus en vraagt: 'Wie heeft de auto in de fik gestoken?'

'Geen commentaar.'

'U moet toch zeker iets weten?'

Roosevelt heeft geen zin erop in te gaan. 'Zo gauw we informatie hebben, komen we met details.'

Hij kijkt naar mij. 'En jij?' vraagt hij.

Ik wijs naar Marcus Banks, die op het punt staat een groepje verslaggevers te woord te staan. 'Ik wacht op nieuws van de brandweercommandant en van hoofdinspecteur Banks,' zeg ik. 'Daarna ben ik misschien in staat commentaar te leveren.'

Tijd voor de soundbites. Nicole Ward, Marcus Banks en de brandweercommandant worden omringd door verslaggevers, en cameramannen gebruiken hun ellebogen om het beste plekje te bemachtigen om de geïmproviseerde persconferentie, met de brand als achtergrond, in beeld te brengen.

Pete en ik banen ons een weg naar de buitenste ring van de mediakliek terwijl de brandweercommandant naar de microfoons stapt. Hij is een zwaargebouwde vent van eind vijftig, met mismoedige ogen en een grijze snor, en klinkt als veel van mijn vrienden uit de oude buurt. 'Dames en heren,' begint hij, 'het brandweerkorps van San Francisco kreeg om tien over vijf vanmorgen een telefoontje op het alarmnummer. We kwamen meteen in actie en om tien voor halfzes arriveerde de eerste blusapparatuur. Een Mercedes coupé, geparkeerd bij het laadplatform, stond in brand. Het vuur verspreidde zich naar het belendende pakhuis, dat leegstond en zou worden verkocht en/of gesloopt.'

Ik neem aan dat ze nu allemaal gesloopt zullen worden.

Hij zegt dat de auto volledig verwoest werd en het gebouw in de as ligt. De totale schade moet nog worden geraamd. Hij sluit af met een bedankje aan de brandweerlieden voor hun heldhaftige inspanningen en belooft zodra men meer weet met meer informatie te komen. De pers heeft wat die nodig had, maar men blijft de gebruikelijke vragen brullen, waarop de commandant met oppervlakkige antwoorden reageert. Ja, ze doen onderzoek naar mogelijke brandstichting. Nee, de inhoud van de auto hebben ze nog niet geanalyseerd. Ja, de Giants spelen vanavond gewoon hun wedstrijd.

Jerry Edwards geeft een imitatie van een sprintende achterhoedespeler die door de scrimmagelijn breekt ten beste en vraagt: 'Hebt u iets aangetroffen in de kofferbak?'

De hondenogen van de commandant leven iets op. 'Alleen een reserveband,' zegt hij. Hij komt niet met nadere details.

Nicole Ward neemt het woord. Onze officier van justitie oogt gereed voor een fotosessie voor een centerfold in de *Cosmo* nu ze live wordt overgestraald naar alle nieuwszenders in de Bay Area. Als er weinig landelijk nieuws te melden valt, is ze vanavond misschien wel op CNN of Fox te zien. 'De auto die bij de brand werd verwoest, stond op naam van Tower Grayson,' zegt ze.

Een perfecte soundbite: kort, innemend en een ideale opener voor het nieuws van elf uur.

'Deze zaak houdt verband met een lopend politieonderzoek,' vervolgt ze. 'Ik heb verder geen commentaar en zou u willen verzoeken uw vragen tot hoofdinspecteur Marcus Banks te richten.'

In tegenstelling tot veel van haar leeftijdgenoten in de politiek weet zij heel goed wanneer ze achter de coulissen moet verdwijnen.

Banks pikt haar seintje op en schrijdt pronkerig naar de batterij microfoons. Ze mogen hem dan misschien in de kleine uurtjes hebben gebeld, maar hij gaat niettemin gekleed in een opzichtig driedelig pak en een paisley das. Hij heeft me ooit verteld dat hij zich altijd goed kleedt, uit respect voor de doden. Sommigen hebben geopperd dat het eerder uit respect voor de tv-camera's is, die steevast opduiken wanneer hij zich met een belangrijke zaak bezighoudt.

Zijn opmerkingen zijn beknopt. Hij bevestigt nog eens dat de Mercedes geregistreerd stond op naam van Grayson. Hij zegt dat er geen inzittende is aangetroffen en dat er ook geen gewonden waren. Hij sluit af met de standaardzin: 'We zullen met meer informatie komen zo gauw die beschikbaar is.' Dan volgt nog de obligate, halfhartige poging om zich van de microfoons af te wenden, waarna hij zich bedenkt en zegt: 'Ik zal een paar vragen beantwoorden.'

De eerste komt van Edwards. 'Hebt u enig bewijs gevonden met betrekking tot de moord op Grayson?'

'Geen commentaar.'

'Hebt u iets gevonden wat enig licht werpt op de verblijfplaats van Alicia Morales?'

'Het is nog te vroeg om daar iets over te kunnen zeggen.' Hij voegt eraan toe dat het, als de auto echt helemaal verkoold is, lastig zal zijn om afdrukken of andere bewijzen te vinden die van nut zouden kunnen zijn. Hij maakt abrupt een einde aan de bijeenkomst en schiet weg achter de afzetting.

De verslaggevers keren terug naar hun busjes om hun inleiding en promo's te filmen als Edwards opeens een microfoon onder mijn neus duwt en zegt: 'We praten hier met Michael Daley, de advocaat van Leon Walker. Hebt ú enig commentaar op deze brand en het mogelijke verband met de zaak van Leon Walker?'

Ik ben live op tv en heb geen tijd om eerst mijn gedachten op een rijtje te zetten. 'Er heeft iemand een belangrijk stuk bewijsmateriaal vernietigd,' zeg ik, waarna ik er een schepje bovenop doe om de boel iets smeuiger te maken: 'Graag zouden we willen weten wie deze auto in brand heeft gestoken en waarom. Ook zouden we graag de hulp inroepen van het publiek bij de opsporing van een vrouw die Alicia Morales heet en die donderdagavond voor het laatst werd gezien in de lobby van het Gold Rush Hotel.' Ik trek een wenkbrauw op en voeg eraan toe: 'Volgens ons kan ze wel eens de laatste zijn die Tower Grayson in leven heeft gezien.'

36
'WE MOETEN HAAR ZIEN TE VINDEN'

'De politie van San Francisco probeert te achterhalen of er enig verband bestaat tussen de dood van investeerder Tower Grayson en de vondst van zijn uitgebrande Mercedes bij een door brand verwoest pakhuis vlak bij PacBell Park.'

KGO Radio, dinsdag 7 juni, 9.30 uur

'Je zou je voortaan echt even moeten scheren voordat je op tv gaat,' zegt Rosie.

'Ik had haast.'

Het is tien uur in de ochtend. We zijn terug op kantoor. Pete is in China Basin gebleven om te zien of hij misschien iemand kon vinden die iets meer zou kunnen vertellen over de brand en de verblijfplaats van Alicia Morales. Carolyn is bezig met verzoeken om documenten, dagvaardingen en getuigenlijsten. We hebben nog maar twee dagen voor de voorlopige hoorzitting.

'Stond er vanmorgen nog iets interessants in Jerry Edwards' column?' vraag ik.

'Hij wist van Alicia Morales en beschuldigde ons ervan dat we bewijsmateriaal achterhielden.'

Daar gaat mijn poging volledige openheid van zaken te geven. 'Hij komt er wel overheen.'

'We moeten haar zien te vinden,' zegt Rosie.

'Pete doet zijn best.'

Ze vraagt naar Graysons auto.

'Volledig uitgebrand, dus onherkenbaar,' laat ik haar weten.

Met een stuurse blik verwerkt ze de informatie. 'Heb je Roosevelt erop gewezen dat Leon hem met geen mogelijkheid in de fik kan hebben gestoken?'

'Ja.'

'En heb je ook gezegd dat iemand anders Grayson kan hebben omgebracht en zijn auto kan hebben gestolen?'

'Hij zal ernaar kijken, maar er is geen bewijs dat de autobrand iets te maken heeft met Graysons dood.'
'Wat doen wij in de tussentijd?'
'Proberen Alicia Morales te vinden.'

'Aardig dat jullie langskomen,' zegt Leon. 'Ik had beloofd dat ik niet zou doodgaan voor mijn voorlopige hoorzitting.'
'We wilden er zeker van zijn dat jij je aan je woord zou houden,' zeg ik.
Dit lokt een zwakke glimlach uit. De intensive care van het ziekenhuis in San Francisco is een bescheiden verbetering ten opzichte van zijn cel in de Glamour Slammer, maar niet veel. Buiten zijn deur staan twee agenten. Het infuus in zijn arm maakt bewegen lastig, en hij is de afgelopen vierentwintig uur zo nu en dan bij kennis geweest. De kans dat hij een ontsnappingspoging zal wagen, lijkt uitgesproken klein.
Ik vraag hem hoe hij zich voelt.
Zijn stem klinkt als een schor gefluister: 'Al met al niet slecht voor iemand die op sterven ligt.'
Het stelt me gerust dat hij probeert grapjes te maken, maar doorgaans is het beter wanneer de advocaat zijn cliënt probeert op te beuren. 'Verwacht je hier op korte termijn nog uit te komen?'
'Hoe dan ook.'
'Ik bedoelde eigenlijk de mogelijkheid dat je in staat zult zijn te lopen.'
'Ik ook.' Hij gebaart me wat dichterbij te komen. 'Ik voel me niet eens zo slecht,' fluistert hij. Zijn ogen schieten naar de deur. 'Maar,' voegt hij eraan toe, 'dat vertel ik hún niet. Het eten is hier beter en op dit klote-infuus na zijn de voorzieningen prettiger.'
'Zit je de boel te belazeren?'
'Een beetje.'
Ik kan niet zeggen dat ik het hem kwalijk neem. 'We kunnen je bij de hoorzitting wel eens nodig hebben als getuige.'
'Ik ben er klaar voor.' Hij knipoogt naar me. 'Ik dacht juist dat je doorgaans niet wordt geacht je cliënt te laten getuigen, tenzij je niet anders kunt.'
'De situatie is doorgaans ook anders. Het kan wel eens onze beste kans zijn om je zaak te bepleiten.'
Zijn blik wordt serieus. 'Het wordt mijn enige kans,' zegt hij.
Ik zeg het niet hardop, maar ik weet dat hij gelijk heeft. Ik praat hem bij en hij lijkt de naam Alicia Morales te kennen. 'Ken je haar?' vraag ik.
'Ze kwam altijd in de winkel. Ze werkte iets verderop in de straat en ze handelde altijd zaken af in de steeg.'
'Wat voor zaken?'
'Drugs. Je zou, denk ik, kunnen zeggen dat ze ook in de amusementssector werkzaam was. In de steeg sprak ze af met hoerenlopers.'
'Hoorde Tower Grayson daar ook bij?'

'Dat weet ik niet.' Hij zegt het op een berustende toon.
'Heb je haar op donderdagavond gezien?'
'Nee.'
Ik vraag of hij enig idee heeft waar we haar zouden kunnen vinden.
Hij trekt wat aan het infuus in zijn arm en denkt erover na. Dan zegt hij: 'Ze heeft een zus die bij Hunters Point in het Griffith-woningbouwproject woont. Vanessa kent haar.'

Terwijl Rosie en ik naar het paleis van justitie rijden, pak ik mijn mobiele telefoon. Bij de tweede keer overgaan neemt Vanessa Sanders op. 'Hoe is het met Leon?' vraagt ze.
'Redelijk. De dokter zei dat hij later deze week misschien het ziekenhuis uit mag.'
'Is dat goed nieuws?'
Rosie en ik nemen de afrit en draaien Bryant Street op. 'Dat weet ik niet zeker,' antwoord ik. 'Ze ontslaan hem misschien wel uit het ziekenhuis, maar hij mag niet naar huis.'
Ik hoor een diepe zucht.
'We vroegen ons af of jij ooit een vrouw hebt gekend die Alicia Morales heet,' zeg ik.
'Vanmorgen hadden ze het over haar op het nieuws,' reageert ze behoedzaam.
'Dat weet ik.' Ik leg het uit. 'We zijn op zoek naar haar. Leon zei dat je haar zus kent.'
'Dat klopt. Ze woont in het pand aan de overkant van het pleintje.'
Yes! 'We zouden graag even met haar praten.'
'Dat zal lastig worden. Ze is vrijdagochtend vertrokken en is sindsdien niet meer terug geweest.'

37
'MARCUS LAAT ZICH VERONTSCHULDIGEN'

'We besteden al onze beschikbare middelen aan de opsporing van Alicia Morales, de vrouw die volgens ons de laatste persoon is die met Tower Grayson heeft gesproken.'
Hoofdinspecteur Marcus Banks, KGO Radio, dinsdag 7 juni, 11.30 uur

Roosevelt Johnson staat met zijn armen over elkaar in een grijze spreekkamer op de afdeling Moordzaken. Hij trekt wat aan zijn dubbele manchetten, schraapt zijn keel en zegt met zware stem: 'Marcus laat zich verontschuldigen. Hij heeft een afspraak met Bill McNulty.'

Rosie en ik werpen elkaar heel even een blik toe, maar we reageren niet. Banks bereidt zich voor op de hoorzitting en wil niet uit de school klappen over zijn getuigenis tegenover ons.

Roosevelt kauwt op een tandenstoker. 'Gezien de omstandigheden en de gezondheid van jullie cliënt,' zegt hij, 'is mij verzocht om alles wat ik aan info heb aan jullie door te spelen.'

Hij zal het eerlijk spelen, want hij wil me niet horen jammeren tegen rechter McDaniel. Een hoopvolle interpretatie van zijn ogenschijnlijke bereidheid om informatie door te spelen, is dat zijn zaak hiaten vertoont die hij graag door ons ingevuld ziet worden. Maar dat weet je pas als je vragen begint te stellen.

Ik los het eerste schot. 'Roosevelt,' zeg ik, 'we wachten nog steeds op de definitieve politierapporten.'

'Je hebt ze morgen tegen het eind van de dag.'

Dat wordt nogal krap. 'Misschien kun je ons nu alvast wat bijzonderheden geven?'

'Grayson is overleden tussen tien over twee en vijf uur 's ochtends in de vuilcontainer. Hij werd vlak bij de laad- en losplek neergestoken door een linkshandige man, die hem vervolgens bleef belagen terwijl hij naar de container wankelde. Het mes zat in de zak van jullie cliënt.'

'Dat weten we allemaal al.'

'Meer wéten we ook niet. Je moet wel realistisch zijn. We hebben meer dan genoeg om ons door de hoorzitting te loodsen en jullie cliënt te dagvaarden.'

'Wat zijn jullie te weten gekomen over de auto die bij China Basin in brand werd gestoken?' vraagt Rosie.

'Die was helemaal uitgebrand. Iemand overgoot hem met benzine en stak een lucifer aan. De technische recherche heeft niets aangetroffen wat enig licht werpt op de dader.'

Ik ga in de aanval: 'Realiseer je je dat dit een hiaat in jullie zaak betekent?'

Hij reageert terughoudend. 'Hoezo?'

'Zonder goede reden neem je niet de moeite om een auto in de fik te steken.'

'Een goede reden, zoals?'

'Een poging om bewijsmateriaal te vernietigen dat hem of haar met een moord in verband zou kunnen brengen.'

Hij reageert niet, maar zijn lichaamstaal maakt duidelijk dat de gedachte ook bij hem al is opgekomen.

'Je weet hoe het gaat,' zeg ik. 'In de rechtszaal zullen we ernaar vragen.'

'We zullen antwoorden dat er geen aanwijzingen zijn die de brand in verband brengen met Graysons dood.'

'Denk je nu echt dat rechter McDaniel dat accepteert?'

'Haar taak bij de voorlopige hoorzitting is te bepalen of er genoeg bewijzen zijn om deze zaak tot een proces te laten komen. De vraag wie de auto in brand heeft gestoken, is van marginale betekenis.'

Dat is waarschijnlijk waar. 'Jullie zaak heeft nog een gapend gat: Alicia Morales.'

Hij blijft gereserveerd. 'Hoe bedoel je?'

'Ze sprak met Grayson vlak voordat hij overleed.'

Hij corrigeert me. 'Hij belde met een mobiele telefoon die haar door haar werkgever was verstrekt. We weten niet of ze met hem heeft gesproken.'

'Ik durf te wedden dat rechter McDaniel zal concluderen dat Grayson haar aan de lijn had.'

Hij is niet onder de indruk. 'Dus?'

'Zij was de laatste die met Grayson sprak voordat hij werd vermoord. Ze woonde in de straat, hing de hoer uit en verkocht drugs in de steeg. Ze zou toch een verdachte moeten zijn.'

'We zijn op zoek naar haar.'

Wij ook. 'Aanknopingspunten?'

'Nee.' Hij haalt zijn schouders op. 'Jullie zijn toch zeker niet van plan je verdediging te baseren op een aantal hypothetische beweringen over een vermiste prostituee, of wel soms?'

'Hoe weet je dat zíj niet Grayson heeft vermoord, zijn auto heeft gestolen en hem vervolgens in de fik heeft gestoken?'
'Omdat we daar geen greintje bewijs voor hebben.'
'Op het telefoongesprek met dat mobieltje na.'
'Dat niet overtuigend is.'
'En de uitgebrande auto.'
'Die niet met haar in verband gebracht kan worden.'
'Jullie negeren het omdat het niet past binnen jullie theorie over de zaak.'
Roosevelt zucht. 'Voor de rechter zal het duidelijk zijn dat je je in bochten wringt. Weesgegroetjes doen het niet zo goed in de rechtszaal.'
Nee, dat klopt. Ik buig iets naar hem toe en zet mijn handen pal voor me op het tafeltje wanneer ik hem een brokje toewerp. 'Als jullie Alicia Morales kunnen opsporen en zij Leon als dader aanwijst en voor zichzelf een goed alibi heeft,' zeg ik, 'dan adviseer ik Leon akkoord te gaan met een schuldbekentenis in ruil voor strafvermindering.'
Hij blijft argwanend. 'Fijn. Wat weet je van die Alicia Morales?'
Ik vertel hem dat ze donderdagavond om elf uur voor het laatst werd gezien in het Gold Rush Hotel en dat de dag daarop haar kamer overhoop werd gehaald. Ze heeft een zus die in het Alice Griffith-woningbouwproject woont, daar op vrijdagmorgen is vertrokken en sindsdien niet meer is gezien.
'Heb je enig idee waar we die zus zouden kunnen vinden?'
'Ik hoopte eigenlijk dat jij ons dat misschien kon vertellen. Pete is naar Hunters Point om haar op te sporen.'
Roosevelt wrijft oneindig lang over zijn kin. 'We zullen er iemand heen sturen om wat vragen te stellen,' zegt hij. 'We hebben nog wel iets gevonden over Alicia Morales wat voor jullie van belang kan zijn.' Hij reikt in zijn koffertje en overhandigt me een uitdraai. 'Dit is een overzicht van haar bankoverschrijvingen van de afgelopen twee weken. Op donderdag ging ze naar de Wells Fargo in Market Street om haar rekening op te zeggen. Op dezelfde dag zegde ook haar zus haar rekening op.'
'Wat heeft dat met de zaak te maken?'
'Het kan erop duiden dat ze van plan waren de stad te verlaten. Waarom weten we niet.'
'En wat heeft dit te maken met de dood van Tower Grayson?'
'Ook dat weten we niet.'
Verdomme. 'Hoe vergroten we de kans dat we haar vinden?' vraag ik.
Hij denkt even na. 'We zouden de media erbij moeten betrekken,' oppert hij. 'Misschien moeten we wel een persconferentie geven. Wie weet kunnen we je goede vriend Jerry Edwards een worst voorhouden.'
Het kan natuurlijk geen kwaad. 'Wat stel je voor te gaan zeggen?'
'Dat we de hulp van het publiek willen inroepen om een belangrijke getuige in een moordzaak op te sporen.'

Het is de moeite van het proberen waard.

Hij ademt hoorbaar uit. 'Er zijn nog een paar dingen die jullie moeten weten.'

O, jee. 'Zeg het maar.'

'We hebben een man gesproken die in Sixth Street een winkel heeft en die zei dat jullie cliënt enkele weken geleden bij hem een jachtmes heeft gekocht.'

'In die buurt heeft iedereen een mes op zak.'

'Niet iedereen gebruikt zo'n ding voor een moord.'

'Kunnen jullie bewijzen dat het hetzelfde mes was?'

Hij spreekt de waarheid. 'Dat weet ik niet. Hij betaalde contant en de man wist niet meer honderd procent zeker welk merk en model mes het was.'

Het is geen doodsteek, maar het helpt ook niet echt. We zullen Leon ernaar vragen. 'Verder nog iets?'

'De technische recherche vond een paar spullen in Graysons auto.'

Dit is nieuws. 'Vingerafdrukken?'

'Een verkoolde sporttas die van mevrouw Grayson was. We vroegen haar ernaar en ze zei dat ze die vorige week in de auto had laten liggen. Ik heb geen reden haar niet te geloven. Mochten jullie het je afvragen: ze zei dat ze gisteravond gewoon thuis was.'

Helaas heeft onze eigen privé-detective dat ook al bevestigd. 'Is het mogelijk dat ze iemand anders geregeld heeft om de auto in de fik te steken?'

Hij geeft me het gepaste non-antwoord: 'We onderzoeken alle mogelijkheden.'

Wij ook. 'Je zei dat er nog iets was?'

'Ja, dat klopt.' Hij reikt in zijn koffertje en haalt een verzegeld plastic zakje te voorschijn dat met zorg van een labeltje is voorzien. Erin zit een aansteker, helemaal onder het roet. Hij legt het bewijsstuk op het tafeltje voor me. 'Deze hebben we gevonden op de bodem van de auto,' zegt hij.

'Grayson rookte.'

'Hij is niet van hem.' Hij schuift de aansteker dichter naar me toe en zegt: 'De inscriptie is vrij lastig te lezen.'

'Wat staat er?' vraag ik.

'"Met dank aan Leon Walker. De San Francisco Boys Club."'

38
'HIJ HOUDT IETS ACHTER'

'We hebben er alle vertrouwen in dat het recht zal worden gediend.'
Hoofdinspecteur Marcus Banks, KGO Radio, dinsdag 7 juni, 13.00 uur

Opnieuw bezoeken we de intensive care van het ziekenhuis van San Francisco, en ik ben niet in de stemming om er omheen te draaien. 'Ben je toevallig een aansteker kwijt?' vraag ik.

Hij kijkt me wat achterdochtig aan. 'Ja.'

'Met een inscriptie van de San Francisco Boys Club?'

Een vermoeide blik. 'Ja. Die heb ik van iemand gekregen.'

'Wanneer heb je hem voor het laatst gezien?'

Hij denkt even na en antwoordt: 'Donderdagavond. Hij zat in mijn jaszak.' Hij kucht even. 'Wat heeft mijn aansteker ermee te maken?'

Rosie geeft het antwoord. 'De politie heeft hem in de auto van Tower Grayson gevonden.'

Hij schiet overeind. 'Wat heeft dat ding daar verdomme te zoeken?'

'We hoopten dat jij ons dat kunt vertellen.'

'Ik heb geen idee.'

'Wat deed je in zijn wagen?'

'Ik ben helemaal niet in zijn wagen geweest!'

'De politie zal het weerleggen en beweren dat je ermee wilde wegrijden. Bovendien zullen ze aanvoeren dat je iets had vergeten – de autosleuteltjes wellicht – en dat je bent teruggelopen naar het lichaam, waarna je het bewustzijn verloor.'

'En even later liep iemand langs en die heeft die kar gejat?'

'Ja.'

'Ik ben níét in Graysons auto geweest!' stelt hij nadrukkelijk. 'Ik zweer het je op het graf van mijn moeder.'

'Waarom lag jouw aansteker in de auto?'

'Degene die me bewusteloos heeft geslagen moet hem uit mijn jaszak hebben gegrist.'

'Kun je dat bewijzen?'

'Nee, natuurlijk niet. Ik bewaarde die aansteker in mijn jas. Toen die vent dat mes en het geld in mijn zak propte moet hij die aansteker hebben gevoeld en hem bij zich hebben gestoken.'

'Denk je dat de rechter dat gelooft?'

'Het is de waarheid.'

Hij klinkt geloofwaardig, maar het zou niet voor het eerst zijn dat hij belangrijke informatie achterhoudt. 'Als jij tegen ons liegt, doe ik je wat.'

'Ik lieg niet.' Zijn ogen lichten op. 'Maar dan moeten er dus vingerafdrukken op zitten.'

'Ze hebben niets herkenbaars gevonden,' zeg ik. 'De hitte van de brand was te intens en de aansteker zat onder het roet.'

We vissen nog wat, maar de ontkenningen worden heftiger. Ik verander van koers. 'Heb je een paar weken geleden toevallig een mes gekocht?'

'Iedereen op straat heeft zo'n ding.'

'Waarom heb je ons dat niet verteld?'

'Wat maakt het uit?'

'De politie zal nu aanvoeren dat je Grayson ermee hebt vermoord.'

'Dat hebben ze dan verkeerd.'

Weer een ontkenning. 'Wat voor mes was het?'

'Weet ik niet meer.'

'Wat is ermee gebeurd?'

'Geen idee. Ik ben het kwijtgeraakt.'

'Wanneer?'

'Vorige week.'

'Je helpt ons niet echt, Leon.'

'Weet ik.'

We voelen hem nog even aan de tand, maar hij kan ons verder geen details geven. Ten slotte buigt Rosie zich naar hem toe en kijkt hem recht in de ogen. 'Is er verder nog iets wat je ons nog niet hebt verteld en dat ons kan opbreken?'

'Helemaal niets.'

Rosie praat zacht, maar haar blik spreekt boekdelen. 'Hij houdt iets achter,' stelt ze vast. 'Hij heeft eerder iets verzwegen.'

Het is dinsdagavond acht uur en we zitten in haar werkkamer. Rosie en Carolyn houden even pauze met een Diet Coke en ik heb een Diet Dr. Pepper. Pete heeft zijn bomberjack, dat bijna met zijn lichaam lijkt te zijn vergroeid, uitgetrokken en geniet van een Gatorade-sportdrankje.

'Ik denk dat hij de waarheid heeft gesproken,' zeg ik.

Rosie geeft geen krimp. 'Ik niet.'

'Hij is stervende en hij wint er niets bij om te liegen. Bovendien heeft hij bekend dat hij een mes heeft gekocht.'

'En weer heeft verloren.'

'De politie zal nooit kunnen bewijzen dat het zijn mes was.'

'En wij het tegendeel niet. Het gaat in deze zaak niet om onweerlegbare bewijzen, Mike. We moeten zijn onschuld aantonen, en tot dusver zijn we daar niet echt mee opgeschoten. Hoe verklaar jij die aansteker?' vraagt ze me.

'Graysons moordenaar stal hem van Leon en legde hem in de auto.'

Ze is niet overtuigd. 'Jij gunt hem keer op keer het voordeel van de twijfel.'

'En jij veroordeelt hem de hele tijd.'

'Je moet er eens mee kappen je te laten leiden door je gevoelens.'

'Ik ken hem beter dan jij.'

'Niet waar. En je komt geen steek verder als je hem telkens maar vertelt dat je hem gelooft, terwijl je weet dat hij liegt.'

'Volgens mij liegt hij niet.'

'Misschien dat je mij dan eens het voortouw moet laten nemen zodra we hem weer spreken.'

'Prima.'

'Dit begint alweer aardig op een nachtmerrie te lijken,' zegt ze.

'Laten we de boel nog eens nalopen en kijken waar we uitkomen,' stel ik voor.

We laten de reeks hoogtepunten van deze hoogst frustrerende middag nogmaals de revue passeren. Na ons gesprek met Leon zochten we wederom Sixth Street op in een vruchteloze poging iemand tegen het lijf te lopen die ons iets over Alicia Morales kon vertellen. We deden ons best, maar met bedroevend resultaat. Een paar mensen herkenden haar op de foto, maar niemand heeft haar sinds vorige week nog gezien. Willie Kidd zweeg als het graf en Terrence de Terminator was bezig zijn roes uit te slapen.

Ook de persconferentie van Marcus Banks en mij, waarin we de burgers opriepen ons te helpen, leverde niet veel op. We ontvingen twee telefoontjes van een paar nauwelijks betrouwbare informanten, die al meteen geld eisten. Zoals verwacht bleek hun informatie volkomen waardeloos. Roosevelt vergaat het al niet beter. Toen ik hem een kwartiertje geleden sprak, had hij nog geen aanwijzingen binnen, en helaas beschikken we niet over geld om een beloning uit te loven. We hebben nog een halfuur met Jerry Edwards gesproken en hem alles verteld wat we over Alicia Morales te weten zijn gekomen. Als wij haar niet kunnen vinden, krijgt hij het misschien voor elkaar.

Ook voor Pete was het een weinig verhelderende dag. In de wijk Griffith ging hij langs de deuren in de hoop iets over Morales' zus te weten te komen. Hij bevestigt dat ze afgelopen donderdag haar bankrekening heeft opgeheven en op vrijdag is verdwenen. 'Het klinkt alsof Alicia Morales en haar zus een plan hadden,' zegt hij, 'maar Alicia had hooguit zo'n veertienhonderd dollar op de bank.'

'Te weinig om te kunnen rentenieren op de Bahama's,' stel ik vast, 'tenzij ze de loterij heeft gewonnen of een aanzienlijke som van iemand heeft ontvangen.'

Petes brein werkt op volle toeren. 'Wie zou haar pensioen kunnen hebben gefinancierd?'

'Grayson had anders een dikke stapel flappen bij zich toen hij die drankzaak binnenging.'

'Betekent dat dat zij hem heeft vermoord, denk je?'

'Geen idee. Maar misschien dat we haar als mogelijke dader kunnen opvoeren.'

'Heb je enig bewijs?'

Helaas niet. 'Ik kan haar niet wegstrepen, en bovendien is ze er niet om zichzelf te verdedigen.'

'Daar ga je toch niet je hele verweer op baseren, hè?'

Mijn broer weet de dingen altijd weer op een heel directe manier in perspectief te plaatsen. 'Je begint op Roosevelt te lijken,' zeg ik.

'Ik probeer alleen harde bewijzen te verzamelen,' is zijn reactie. 'Speculeren en toespelingen maken laat ik aan jullie strafpleiters over.'

Diep in zijn hart is hij nog steeds een smeris. Er valt even een stilte. Daarna beginnen we te brainstormen. Misschien heeft Alicia Morales Grayson drugs of seks aangeboden en is de deal in het honderd gelopen. Of raakte Grayson zijdelings in contact met iemand van Basic Needs. Wie weet kreeg hij ruzie met een van zijn investeerders. Misschien pikte zijn vrouw of zijn zoon bepaalde dingen niet langer. Zo veel mogelijkheden en zo weinig bewijzen in de richting van anderen behalve Leon. De ontdekking van Leons aansteker in Graysons auto helpt ons ook niet bepaald.

Het enige goede nieuws, voorzover we daarvan kunnen spreken, is dat Leon enigszins aan het herstellen is en misschien zelfs kan worden gehoord. Juridisch gezien misschien niet helemaal volgens het boekje, maar wel een teken van respect voor de laatste wens van een stervende.

Carolyn praat ons bij over onze verzoeken tot uitspraak, dagvaardingen en andere juridische zaken. Haar evenwichtigheid komt goed van pas nu de voorlopige hoorzitting dichterbij komt. 'We hebben de getuigen op onze lijst gedagvaard. Voor Carponelli is het bijna dagelijkse kost en dus kon dit er ook nog wel bij. J.T. Grayson en zijn moeder sprongen niet echt een gat in de lucht. Chamberlain belde zijn advocaat. Lucas dreigde onze deurwaarder met juridische stappen.'

Ze herinnert ons eraan dat we morgenmiddag een hoorzitting voor rechter McDaniel hebben om te delibereren over getuigenlijsten, zaken omtrent de bewijslast en andere dingen. We zullen vaker bakzeil halen dan winnen.

'Je moet je gaan concentreren op je openingspleidooi en de bewijsstukken,' zegt Rosie.

'Ik weet het.' Ik leun achterover. 'Welke idioot stond erop dat we per se over drie dagen al een voorlopige hoorzitting moesten hebben?'

'Dat kan alleen jij zijn geweest.'

'Help me eraan herinneren dat ik mezelf bij onze volgende partnerbespreking de wacht aanzeg.' Ik kijk Pete aan. 'Houdt iemand Debbie Grayson in de gaten?'

'Ja. En ik heb ook een mannetje op haar zoon gezet.'

Mooi. 'Wat doe je vanavond?'

'Ik ga nog even langs bij Basic Needs; even mijn intuïtie toetsen.'

'Denk je dat je Alicia Morales tegen het lijf loopt?'

'Geen idee. Kun je me daar vanavond tegen tienen treffen?'

'Misschien wat later.'

'Een spannend afspraakje?'

'Ja nou. Een etentje met een vent van zevenentachtig.'

39
NICK THE DICK

Al meer dan zestig jaar biedt detectivebureau Hanson een keur van diensten. Korting mogelijk voor langdurig observatiewerk.
Brochure detectivebureau Hanson

'Leuk je weer te zien,' begroet Nick Hanson me met zijn kikkerstem. Hij praat uit zijn rechtermondhoek, aangezien hij met zijn linker- op een stuk stokbrood kauwt. 'Alweer veel te lang geleden.'

'Nou en of, Nick.'

Het is dinsdagavond negen uur en de privé-detective van in de tachtig frunnikt even aan de boutonnière op de revers van zijn perfect geperste Italiaanse pak dat overeenstemt met zijn onkreukbare toupet. Met zijn lengte van nauwelijks een meter vijftig en – 'schoon aan de haak' – zo rond de zeventig kilo, heeft de voormalig kampioen lichtgewicht letterlijk nog weinig aan stootkracht ingeboet. Vorige maand prijkte zijn foto in de *Chronicle* toen hij de twaalf kilometer lange, loodzware Bay-to-Breakers-loop voor het vijftigste achtereenvolgende jaar had uitgelopen. Voorlopig blijft hij nog wel even in de running.

'Ik zag je persconferentie met Banks,' zegt hij. 'Heb je de verdwenen hoer al gevonden?'

Wat hem aan politieke correctheid ontbeert, maakt hij goed met zijn directheid. 'Nog niet,' antwoord ik.

'Ze komt wel weer boven water.'

'Ik hoop het.'

Eten met Nick betekent een aanslag op je tijd. Op zijn instigatie houden we het eenvoudig en hebben we gekozen voor Capp's Corner, een aloude tent op de hoek van Green en Powell, en ongeveer een straat verwijderd van zijn kantoor aan Columbus. Sinds de kelners hem bijna zestig jaar geleden hier zijn eigen tafeltje hebben geschonken, is er weinig veranderd. Het aroma belooft veel goeds, het donkere interieur is eenvoudig en het eten is eerder overvloedig dan verfijnd. Het is een van de weinige restaurants van North Beach waar je voor nog geen twintig dollar nog een goed vijfgangenmenu kunt eten.

'Ik heb je achterkleindochter gesproken,' zeg ik als opwarmertje. 'Je zult wel trots op haar zijn.'

'Nou en of.'

Daar gaan we. Een etentje met Nick begint steevast met een twintig minuten durend exposé over zijn kinderen, kleinkinderen en, inmiddels, achterkleinkinderen. Nick voert het woord. Daarna volgt een halfuur durende monoloog over de plot en de publiciteitscampagne voor zijn nieuwste roman. Doodgemoedereerd vertelt hij me dat zijn uitgever hem gaat promoten als een moderne Sam Spade. Voor de verfilming wil acteur Ben Stiller graag de jonge Nick spelen en zijn vader, Jerry, de oude Nick. Leefde Humphrey Bogart nog maar.

Het is inmiddels elf uur. Nick is halverwege zijn monoloog en vertoont nog steeds geen enkel teken van vermoeidheid. Hij schuift wat van zijn *petrale* op een broodbordje en duwt het naar me toe. 'Je moet meer eiwitten eten, jij.'

De tong aanvaarden is minder vermoeiend dan in discussie gaan. Speciaal voor mij bestelt hij nog een portie en stort zich daarna op een beschrijving van zijn avonturen van weleer in het bokscircuit van North Beach met zijn jeugdvriend Joe DiMaggio. Met de jaren zijn de verhalen sterker geworden. Het verhaal gaat dat Nick de Yankee Clipper aan Marilyn Monroe heeft voorgesteld. Het was dezelfde Nick die dit verhaal de wereld in bracht.

Het loopt tegen middernacht en het restaurant is inmiddels leeg als hij het eindelijk tijd vindt worden om het eens over het vak te hebben. 'En,' begint hij, 'heeft Walker Grayson inderdaad koudgemaakt?'

Nick Hanson mag zich prijzen met vele deugden, maar omzichtigheid hoort daar zeker niet bij. 'Nee,' antwoord ik.

'Ze hebben het moordwapen in zijn zak aangetroffen.'

'Dat is daar opzettelijk ingestopt.'

'Het ding zat onder het bloed en jouw klant had een hele hoop gestolen poen op zak.'

Hij heeft zijn huiswerk gedaan. 'Hij is erin geluisd,' zeg ik.

'Ze hebben zijn aansteker in Graysons auto gevonden.'

Bovendien heeft hij goede bronnen. Deze informatie is nog niet vrijgegeven. 'Hij heeft hem daar zelf niet achtergelaten.'

Nick neemt een slokje van zijn chianti en glimlacht eens veelbetekenend. Op vaderlijke toon spreekt hij me toe: 'Laat ik je wat welgemeende raad geven.'

Proberen hem op andere gedachten te brengen is verspilde moeite, zo weet ik.

'Er is een oud gezegde: "Verkoop geen praatjes aan een praatjesmaker."'

'Zelf verzonnen?'
'Zó oud ben ik nou ook weer niet.'
Het spel is begonnen. Ik neem het woord: 'Ik heb gehoord dat je was ingehuurd om Grayson in de gaten te houden.'
'Dat klopt.'
'Door wie?'
Hij kijkt me recht in de ogen. 'Dat weet je toch al?'
Helemaal waar. 'Lawrence Chamberlain. Wat kun je me over hem vertellen?'
'Hij is jong, ziet er goed uit en is stinkend rijk. Hij doet me denken aan een jongere versie van mezelf. Behalve dat laatste dan.'
'Waarom heeft hij je ingehuurd?'
'Grayson knoeide met de boeken van zijn participatiefonds. We betrapten hem met zijn handjes in de koektrommel en we zorgden ervoor dat hij de boel terugbetaalde.'
'Waarom was de zaak daar niet mee afgedaan?'
'Chamberlain wil het fonds zelf runnen, en Graysons gedrag werd steeds merkwaardiger.'
Twee uur lang heb ik op deze opening gewacht. 'Waar was Grayson mee bezig?'
'Met van alles.' Hij begint warm te lopen en vertelt me dat Grayson vijf avonden per week in Basic Needs doorbracht, waar Alicia Morales hem met drugs en seks op zijn wenken bediende. Hij toont me een reeks foto's van Grayson en Morales in de club, in Graysons auto en in het steegje achter de stripclub. 'Zijn leven was één groot carnaval,' vertelt hij me met glimmende ogen.
'Zijn vrouw en zoon zeiden dat hij een steunpilaar voor de gemeenschap was,' werp ik tegen.
Hij draait er niet omheen. 'Ja, tótdat hij een gênante affaire kreeg met de studiebegeleidster van de school van zijn kinderen.'
Ik kijk hem vorsend aan om me ervan te overtuigen dat hij me niet voor de gek houdt.
'Die misstap viel niet echt lekker bij de inwoners van Atherton, én zijn vrouw. Het zal duidelijk zijn dat dit niet zijn enige pleziertje was.'
Vertellen kan hij in elk geval goed.
'Hoe dan ook,' gaat hij verder, 'zijn huwelijk liep op de klippen en zijn vrouw wilde een scheiding. Vandaar dus dat ze Kaela Joy inhuurde om hem te bespieden. Met zijn zoon boterde het ook al niet. Hij vond J.T. een nietsnut en stak dat niet onder stoelen of banken.'
'Hield jij zijn zoon ook in de gaten?'
'Alleen als hij samen met zijn vader was, wat niet vaak gebeurde.'
'Was je die vrijdagochtend ook op pad?' vraag ik.
'Ja. Ik zat op mijn vertrouwde stek in het steegje bij de achterdeur van de stripclub. Mijn zoon Rick hield de hoofdingang in de gaten. Grayson was er niet die avond. Maar zijn zoon wel.'

Dit bevestigt Kaela Joys waarneming. 'Wat deed hij daar?' vraag ik.
'Of hij zocht zijn pa, of hij wilde blote dames zien dansen.'
Ik laat het daarbij. 'Hoe laat ging hij weg?'
'Een paar minuten voor twee.'
Een paar minuten voor zijn vader werd vermoord. 'Waar liep hij heen?'
'Door het steegje naar Alcatraz Liquors, maar ik kon hem vanaf waar ik zat niet langer zien, en heb hem ook niet terug zien komen. Waarschijnlijk is hij via Fifth Street verdwenen.'
Ik vraag hem of hij verder nog iemand heeft gezien.
Hij glimlacht licht en antwoordt: 'Ik zag Alicia Morales.'
Bingo! 'Hoe laat was dat?'
'Ongeveer tien over twee. Ze verscheen via de achterdeur nadat Graysons zoon was verdwenen en ze liep door de steeg in de richting van de drankwinkel. Ik kon haar niet volgen, want dan zou ik mezelf hebben verraden. Ik kon haar niet zien, maar even later hoorde ik geschreeuw. Ik weet niet van wie, maar het klonk als een man en een vrouw.'
'Tower Grayson en Alicia Morales misschien?'
'Ik zou het je niet kunnen zeggen.' Nick vertelt dat Morales kort daarna weer was teruggekeerd naar de club. Ze was alleen.
'Je hebt toevallig geen mes of bloed gezien?'
Een mondhoek krult op. 'Helaas niet, Mike.'
Ik vraag hem of hij haar daarna de club nog heeft zien verlaten.
'Tegen drieën verdween ze via de achterdeur de steeg in. Maar ze liep nu de andere kant op, naar de snelweg.'
En dan nu dé grote vraag: 'Zou zij Grayson kunnen hebben vermoord?'
Hij neemt een grote slok wijn. 'Dat is aan jou om uit te zoeken, nietwaar?'
Nou en of. Toch vis ik nog wat verder, maar ik vang niets. Informatie achterhouden is niet zijn stijl, en ik geloof hem als hij zegt dat hij te veraf stond om iets te kunnen zien. Niet dat zijn verhaal Leon een alibi verschaft, maar het biedt ons wel enkele intrigerende aanknopingspunten. Ik vraag hem of hij Grayson op nog andere vreemde gedragingen heeft kunnen betrappen.
Hij drinkt zijn glas leeg en antwoordt: 'We hebben zijn bankrekening in de gaten gehouden. Afgelopen woensdag heeft hij vijfentwintigduizend dollar van zijn lopende rekening opgenomen.'
Een hoop geld. 'Enig idee waarvoor?'
Ik zie een veelbetekenende glimlach. 'Ik doe alleen in feiten, Mike.'
'Maar wat denk je?'
'Als ik jou was, zou ik een verband leggen tussen het geld en Alicia Morales.'
'Enig idee waar ze uithangt?'
Hij schudt zijn hoofd. 'Ze was een slimme meid, die meer uit haar le-

ven had kunnen halen. Volgens mij had ze een plan om ergens geld te scoren en de stad de rug toe te keren.'

Zestig jaar ervaring hebben zijn instinct vlijmscherp gemaakt. 'Nick,' vraag ik, 'zou jij de bankrekeningen van Artie Carponelli, Lawrence Chamberlain en Brad Lucas eens kunnen bekijken?'

Gereserveerd kijkt hij me aan. 'Zeg, zou jij me voor deze dienst willen honoreren?'

'Zeg, zou jij het pro Deo willen doen?'

'Ik ben bang van niet.'

Het ziet er naar uit dat ik mijn pensioenregeling moet openbreken. 'Ik zal je betalen,' beloof ik.

'Ik zorg voor een verslag,' is zijn besluit.

Rosie zal me vermoorden zodra ze ontdekt dat we met Leons verweer in de schulden zullen raken. We bespreken de details van zijn schaduwopdracht, maar er komt verder niets bruikbaars aan het licht. 'Heb je het al aan de politie gemeld?' vraag ik.

'Ik werk mee met de politie. Eind deze middag heb ik een paar uurtjes met Roosevelt gekletst. Voor zo'n jonge vent ziet hij er patent uit.'

'Jazeker. Sprak je hem voor het eerst?'

'Ja.'

Dat verklaart waarom Roosevelt me hiervan niet op de hoogte heeft gebracht toen ik hem eerder deze middag sprak. 'Zijn ze van plan je als getuige op te roepen?'

'Dat betwijfel ik. Mijn verhaal hebben ze niet nodig en mijn getuigenis zal de zaak alleen maar vertroebelen.'

Wat dus precies mijn bedoeling zal zijn. Ik betaal en hij bedankt me voor het etentje. 'Nick,' vraag ik, 'zou je voor ons willen getuigen als we zover zijn?' Ik kijk hem even schaapachtig aan en voeg eraan toe: 'Ik zou het vervelend vinden je te moeten dagvaarden…'

'Ja, dat zou ongepast zijn. Ben je bereid mijn normale uurtarief te betalen?'

'Uiteraard.'

'Dan kun je op me rekenen.'

40
'IK NEEM AAN DAT U DE ZAAK WILT DOORZETTEN?'

'De beste rechters tonen compassie en gezond verstand. We werken niet vanuit een ivoren toren en we mogen nooit vergeten dat onze beslissingen van invloed zijn op de levens van burgers.'
Rechter Elizabeth McDaniel, profiel in de *California State Bar Journal*

Toen ik als kind naar Perry Mason op tv keek, dacht ik altijd dat alle rechters sterke, verstandige en evenwichtige zielen waren die met vaste hand hun oordeel velden in hoogst gecompliceerde juridische kwesties, daarbij ongevoelig voor de stress die het dagelijks leven van de gemiddelde burger zo kenmerkt. Een verkeerd inzicht, zo bleek. Inmiddels weet ik dat ook zij gewone stervelingen zijn, die hun oordeel moeten vellen én moeten zien om te gaan met allerlei lichamelijke en emotionele problemen: depressies, verdovende middelen, zieke kinderen, chagrijnige partners, de hypotheek, een lekkend dak en een kapotte auto. Tegenover dit jongleren staat een bescheiden ambtenarensalaris, en dat terwijl velen bij de grote advocatenkantoren het grote geld zouden kunnen binnenhalen. Er zijn altijd wel een paar egotrippers en incompetente zielen binnen de magistratuur te vinden, maar de meeste rechters zijn wel degelijk gewetensvol. Zo ook Betsy McDaniel, die haar plicht met inzichtelijkheid, openhartigheid en wijsheid vervult. Niet dat ze me altijd op mijn wenken heeft bediend, maar ze is me doorgaans redelijk ter wille geweest.

Het is woensdagmiddag twee uur. Bill McNulty, Rosie en ik strijden om een plek op de versleten leren bank in de rechterskamer van rechter McDaniel. Ook Nicole Ward zou zich bij ons voegen, maar ze is verhinderd wegens een onderhoud met de burgemeester. Zo gaat dat als je ambities hebt. Het is verfrissend om eens een rechterskamer te zien zonder de verplichte foto's aan de muur van de rechter in gezelschap van allerlei plaatselijke politieke kopstukken. De rommelige werkkamer puilt uit van de juridische naslagwerken en foto's van rechter McDaniels kleinkinderen, en de ambiance is eerder vrolijk dan stoffig. Voor Betsy McDaniel zijn haar kleinkinderen belangrijker dan de burgemeester.

Ondanks het opgewekte interieur laat de norse blik van de rechter er geen twijfel over bestaan dat ze een slechte dag heeft. De lachrimpeltjes bij haar ogen zijn neerwaarts gericht en van haar gebruikelijke opgewekte voorkomen valt weinig te bespeuren. 'Ik ben net gebeld door mijn dochter,' deelt ze ons mee. 'Mijn kleinzoon is gevallen met de fiets en misschien heeft hij zijn arm gebroken. Ik moet zo meteen dus naar het ziekenhuis. Om het jullie nóg wat lastiger te maken, heb ik ook nog een spoedzitting. Het spijt me, maar u zult direct terzake moeten komen.'

Soms dient een perfecte rechtsgang even plaats te maken voor de praktische implicaties van gebroken armen en geschaafde knieën. 'Betsy,' zeg ik, 'als dit vervelend uitkomt kunnen we ook morgen terugkomen, hoor.'

Ze zet haar leesbril af en overlaadt me met haar grootmoederlijke charme. 'Dat vind ik heel vriendelijk aangeboden,' antwoordt ze, 'maar ik heb je documenten gelezen en ik ben bereid tot een uitspraak.'

Wat doet vermoeden dat haar besluit al vaststaat. Als we nog even wachten komen we er misschien beter vanaf, maar ze lijkt gemotiveerd en de tijd werkt tegen ons. 'Ik zal snel praten,' zeg ik.

'Dank je. Waar wil je beginnen?'

'We hebben je verzocht jouw verwerping van een borgtocht te heroverwegen.'

'Verworpen. Wat nog meer?'

Dit had ik wel verwacht, en ik ga verder. 'We hebben nog niet alle politierapporten ontvangen.'

Rechter McDaniel kijkt even naar McNulty. 'Klopt dat?'

In zijn antwoord klinkt geen greintje spijt door: 'Er zijn twee agenten mee bezig.'

Zeker twee beveiligingsmannen uit de catacomben van het Pacbell Park-honkbalstadion.

Hij voegt eraan toe: 'We zullen ze mevrouw Fernandez en meneer Daley zo spoedig mogelijk doen toekomen.'

Ik ben niet tevreden. 'Edelachtbare,' zeg ik, 'we hadden ze twee dagen geleden al moeten hebben. Bovendien hebben we begrepen dat bepaalde getuigen gisteravond zijn ondervraagd.' Ik wil graag Roosevelts verslag van zijn gesprek met Nick the Dick onder ogen krijgen.

Met een goedgeoefend gebaar dat zowel in de rechtszaal als ten overstaan van jonge kinderen zijn uitwerking niet mist, maant ze me tot kalmte. Ze richt zich tot McNulty. 'Mijn oordeel is simpel: ik verwacht die rapporten uiterlijk om vijf uur vanmiddag op het bureau van de heer Daley. Duidelijk?'

Een krachtig begin. Goed zo.

McNulty begint moeilijk te doen. 'Edelachtbare, met alle respect, maar ik weet niet zeker of we alle agenten op tijd kunnen bereiken.'

'Meneer McNulty, met alle respect, maar ik weet absoluut zeker dat u die rapporten op tijd bijeenkrijgt en uiterlijk vijf uur vanmiddag de kopieën bij meneer Daley hebt bezorgd. Zo niet, dan berisp ik u wegens minachting voor de rechtbank. Duidelijk?'

Het is meer machtsvertoon dan een mooie overwinning voor ons, maar elk beetje is meegenomen. 'Duidelijk,' mompelt McNulty met de staart tussen de benen.

De rechter kijkt me weer aan. 'Wat nog meer, meneer Daley?'

'We hebben de heer McNulty gevraagd om informatie over de bankrekeningen en het fondsbeheer van de heer Grayson en een aantal van zijn partners.'

De rechter is niet onder de indruk. 'Wat heeft dat met uw cliënt te maken?'

Ik wil niet te veel onthullen. 'De heer Grayson haalde geld uit zijn risicokapitaal om enige dubieuze schulden te kunnen inlossen. We willen achterhalen of daarbij sprake is geweest van schimmige transacties die enig licht op de zaak kunnen werpen.' Ik rep niet over mijn gesprek met Nick the Dick. Ik wil weten of McNulty iets weet wat Nick niet weet.

McNulty klinkt verontwaardigd. 'U hebt geen greintje bewijs dat dergelijke financiële zaken ook maar iets met de zaak te maken kunnen hebben. U probeert alleen maar om alle aandacht van uw cliënt af te leiden.'

Klopt. Ik sla een beleefde toon aan en ga verder met mijn visexpeditie. 'Edelachtbare, we beschikken over bewijzen dat de heer Grayson aanzienlijke bedragen spendeerde aan drugs en vrouwen. Daarbij ging het vooral om bezoekjes aan een stripclub, Basic Needs, en ene Alicia Morales, die inmiddels spoorloos is.'

Ik heb haar volledige aandacht. 'Over wat voor informatie beschikt u?' vraagt ze aan McNulty.

'De bankgegevens van de heer Grayson en Paradigm Partners over het laatste halfjaar.'

'Ik beveel u om voor vijf uur vanmiddag de heer Daley van de desbetreffende kopieën te voorzien.'

'Maar we zijn zelf nog niet in de gelegenheid geweest ze te bestuderen, edelachtbare.'

Ze herhaalt haar uitspraak: 'Ik beveel u om voor vijf uur vanmiddag de heer Daley van de desbetreffende kopieën te voorzien.'

Niet dat ik nu opeens vleugels heb gekregen, maar het kan geen kwaad om nog even door te gaan. 'We zouden ook graag kopieën willen van alle financiële gegevens over de participanten van Paradigm Partners.'

'Wie had u daarbij in gedachten?' wil de rechter weten.

'Lawrence Chamberlain en het SST Partner Capital Fund.'

'Die informatie heeft niets met de zaak te maken,' meent McNulty.

'Dat is dus precies wat we willen onderzoeken,' zeg ik. 'Bovendien willen we dezelfde gegevens van ene Arthur Carponelli en zijn bedrijf BNI.'

Rechter McDaniel oordeelt in ons voordeel, kijkt me weer aan en vraagt: 'Verder nog iets?'

'We hebben nog steeds niet het forensisch analyserapport van het mes dat in de jaszak van de heer Walker werd aangetroffen en ook wachten we nog steeds op het eindrapport over de vingerafdrukken en het onderzoek naar de bloedvlekken op zijn jas.'

McNulty begint te jammeren. 'Edelachtbare, onze technische recherche is er druk mee bezig.'

Rechter McDaniel slaakt een ongeduldige zucht. 'Meneer McNulty, u zorgt maar dat u uw mensen op de huid zit. Duidelijk?'

'Duidelijk.' Hij lijkt boetvaardig, maar voor ons is het maar een kleine overwinning. Hij zal zijn kameraden op de werkvloer toeblaffen dat ze er iets meer vaart achter moeten zetten.

Ik ben nog niet klaar. 'We hebben binnen dit kader nog niet de kans gekregen eens te praten met de technische recherche dan wel de laborant die belast is met de vingerafdrukken.'

De rechter kijkt McNulty aan. 'Zijn deze mensen beschikbaar?'

'Ze werken continu aan de analyse.'

Bullshit. 'Ze vertragen de boel en werken ons dus tegen.'

We ruziën een tijdje over wie wat voor wie achterhoudt, waarna rechter McDaniel het woord tot McNulty richt: 'Ik verwacht dat u voor vijf uur alle benodigde documenten bij de heer Daley hebt bezorgt.'

'Goed, edelachtbare.'

'En dat u ervoor zorgt dat meneer Daley vanavond de gerechtelijk laboranten kan ondervragen als hij dat wenst.'

'Ik zal mijn best doen, edelachtbare.'

'Doe vooràl uw best, meneer McNulty.'

'De analist van de vingerafdrukken is ziek en de vrouw van een van onze andere technisch rechercheurs kan elk moment bevallen.'

Er zijn van die dingen die zelfs met pure wilskracht of dreigen met een berisping wegens minachting door een rechter niet ongedaan kunnen worden gemaakt. Rechter McDaniel wrijft zich in de ogen. 'Doe uw uiterste best, meneer McNulty.'

Die rapporten krijgen we wel, maar de gesprekken met de technische recherche kunnen we wel vergeten.

Wat de bewijslast betreft boeken we een gemengd resultaat. McNulty mag meer foto's van de plaats delict meenemen dan ik had gehoopt, en wij mogen een arts horen die zal uitleggen dat Leon lichamelijk te zwak was om Grayson te kunnen hebben neergestoken. Geen van beide partijen wordt volledig op zijn wenken bediend. Ten slotte vraagt rechter McDaniel aan McNulty of hij verder nog iets op zijn lijstje heeft staan.

'Slechts het volgende, edelachtbare: meneer Daleys getuigenlijst is dikker dan een telefoonboek.'

Ho ho, ongeveer de helft van een telefoonboek. 'Edelachtbare,' zeg ik, 'de heer McNulty overdrijft. We maken er geen geheim van dat we, gezien de ziekte van onze cliënt, tot een volledig verweer moeten komen.'

'Edelachtbare,' werpt McNulty tegen, 'meneer Daley heeft de namen van de agenten en technisch rechercheurs die sinds donderdagavond dienst hebben gehad op de lijst gezet.'

'We moeten alle mogelijkheden openhouden, edelachtbare. Onder normale omstandigheden zouden we het anders hebben aangepakt. Maar als de heer McNulty per se de ongefundeerde aanklacht wil doorzetten, dan hebben we geen keuze.'

McNulty veinst verontwaardiging. 'We kunnen ons onmogelijk op al deze getuigen voorbereiden!'

'Het ziet ernaar uit dat het niet anders kan, meneer McNulty.'

Hij moppert nog wat en schiet een nieuwe pijl af: 'Is het u opgevallen dat zelfs de gedaagde op de getuigenlijst voorkomt?'

'Ja.'

Hij kijkt me aan. 'Zijn jullie echt van plan de gedaagde te laten getuigen?'

Hij wil weten of hij zich moet voorbereiden op een kruisverhoor met Leon. Ik wil Leon in de getuigenbank laten plaatsnemen voor een krachtige ontkenning, waarna ik hem weer laat gaan. 'We houden alle mogelijkheden open, Bill.'

Rechter McDaniel knijpt haar ogen iets toe. 'Is uw cliënt sterk genoeg om morgen de hoorzitting te kunnen bijwonen?'

Ik geef een eerlijk antwoord: 'Dat weet ik niet, edelachtbare.'

Ze kijkt McNulty aan. 'Ik neem aan dat u de zaak wilt doorzetten?'

'Ja, edelachtbare.'

'Mag ik weten of er een mogelijkheid is dat u en uw superieur de zaak heroverwegen?'

McNulty haalt zijn schouders op, alsof hij wil zeggen dat hij alleen maar instructies opvolgt. 'Tenzij we eenduidige bewijzen vergaren die gerede twijfel werpen op de schuld van de gedaagde is het antwoord: nee.'

Rechter McDaniel kijkt me aan. 'Ik neem aan dat ik uw cliënt niet tot strafvermindering in ruil voor een bekentenis kan verleiden?'

'Nee, edelachtbare.'

Ze zet haar leesbril af en in haar altijd zo opgewekte toon klinkt een duidelijke gelatenheid door: 'We zien u op de zitting.'

41
'WE GAAN ERVOOR'

'Michael Daley en Rosita Fernandez zijn goede advocaten, maar ze zullen de aanklacht tegen Leon Walker niet kunnen wegnemen, tenzij iemand bekent.'
Jerry Edwards, *Channel 2 News*, woensdag 8 juni, 18.15 uur

'Heeft Nick the Dick je die financiële gegevens nog opgestuurd?' vraagt Rosie.

'Nog niet. Hij zou ze me morgen opsturen.'

'Denk je dat hij iets vindt?'

'Ik hoop het. Veel minder dan de bagger die McNulty ons aan het begin van de avond heeft opgestuurd kan het niet zijn.'

Het is woensdagavond tien uur en we zitten in mijn werkkamer. De afgelopen drie uur heb ik me beziggehouden met de hopeloze warboel bestaande uit vijf dozen aan politierapporten en ander bewijsmateriaal dat Bill McNulty ons om zeven uur heeft doen toekomen, slechts twee uurtjes na het verstrijken van de door rechter McDaniel gestelde deadline. Rechters kunnen heel goed bevelen uitvaardigen, maar het toezicht op de naleving kan wel wat beter. Bovendien kunnen ze de tijd niet stilzetten.

Rosie kijkt naar de stapels paperassen op mijn bureau. 'Al iets interessants gevonden?'

'Nog niet.' Roosevelts verslag van zijn onderhoud met Nick Hanson wijkt niet af van wat Nick me al heeft verteld. De doos bevatte tevens een beperkte hoeveelheid vage informatie over Paradigm, maar niets over de mede-investeerders. Maar dat is voor morgen. Rosie heeft de getuigenlijsten doorgespit en Carolyn is op de gang bezig met onze bewijslast te ordenen. Een van mijn oude mentoren zei altijd dat de beste strafpleiters meesters zijn in improviserend acteren. De komende paar dagen zullen we zijn wijsheid eens grondig gaan testen. 'Het zal improviseren worden,' zeg ik.

'Dat is niet voor het eerst,' reageert Rosie. 'Als je me nodig hebt: ik ben op mijn werkkamer.'

Ze loopt de gang op. Ik pak de telefoon en draai het nummer van Moordzaken op het paleis van justitie.

Al na de eerste keer overgaan neemt Roosevelt op. Zijn toon is beleefd, maar vermoeid. 'Sta je in de startblokken?' vraagt hij.

'Ja. Moet jij ook komen opdraven?'

'Daar ziet het niet naar uit. Marcus gaat het woord voeren.'

Dat verbaast me niet. 'Misschien dat ik je nog even een bijrol gun als we aan ons verweer beginnen.'

'Dat zou ik leuk vinden.' Een pregnante stilte. 'Vanwaar je belletje, Mike?'

'Ik zat net het verslag van jouw gesprek met Nick the Dick te lezen.'

'Een slim mannetje.'

'Dat is hij zeker. Bovendien heeft hij Alicia Morales en J.T. Grayson aan de plaats delict weten te koppelen.'

'Niet waar.'

'Hij heeft de twee in het steegje achter de drankwinkel gezien.'

'Hij zag ze bij de achterdeur van Basic Needs. Een straat van de winkel verwijderd.'

'Maar dichtbij genoeg. Hij zag ze naar die drankwinkel lopen. Tel een en een bij elkaar op.'

'Er is geen enkel bewijs dat ze in verband brengt met de moord op Grayson,' houdt hij vol.

Hij verbergt iets. 'Zeg op, Roosevelt.'

'We doen gewoon ons werk, Mike.'

Het lijkt erop dat iemand hem de mond heeft gesnoerd. Ik vraag hem naar het geld dat van Graysons bankrekening is opgenomen. 'Daar heb je het tijdens ons gesprek niet over gehad.'

'Ik ben er ook pas gisteren achter gekomen.'

'Waar is dat geld gebleven?'

'In de zakken van je cliënt.'

'Grayson heeft vijfentwintigduizend dollar opgenomen, maar in Leons jaszak is slechts tweeduizend teruggevonden.'

'Ik zou niet weten waar hij de rest heeft verstopt.'

'Is het al in je opgekomen dat hij Alicia Morales ermee heeft betaald?'

'Daar zijn we mee bezig.'

'Al enig idee waar ze uithangt?'

'Onze regendans op tv heeft tot dusver niets opgeleverd en Jerry Edwards heeft haar ook niet gevonden.'

Hij weet meer dan hij laat merken. 'Kun je me soms iets niet vertellen?'

'Ik zie je wel op de zitting.' Een korte stilte. 'Blijf spitten.'

Daarna een zoemtoon.

Met vermoeide, donkere ogen kijkt Rosie me aan. 'Nog iets te weten gekomen van Roosevelt?'

'Hij speelt verstoppertje.'

Haar vermoeidheid maakt plaats voor gelatenheid. 'Iemand heeft hem de duimschroeven aangedraaid.'

Kennelijk.

Haar volle lippen trekken zich samen tot een zuinig mondje. 'Ben je er klaar voor?'

'Zo klaar als maar kan. Maar een paar dagen extra zouden geen kwaad kunnen.'

'Die luxe hebben we niet.'

Het klokje op de schoorsteenmantel in haar zitkamer slaat middernacht. Over negen uur wordt het menens.

'Denk je dat Leon erbij kan zijn?'

'Daar ziet het wel naar uit. Ik heb een rolstoel geregeld en bij het ziekenhuis een pak en een stropdas bezorgd. Ik hoop dat het zijn maat is.'

De kledij van een gedaagde lijkt misschien iets triviaals, maar iedere strafpleiter weet dat de rechtszaal een podium is waar elke nuance telt. Hij zal in elk geval geen oranje overall dragen en op het journaal dus wat minder als een crimineel overkomen.

Rosie doet een poging onze verwachtingen te verwoorden: 'Je begrijpt dat er weinig kans is dat we de aanklacht ongedaan kunnen maken, tenzij iemand bekent.'

'We zien wel hoe het loopt,' zeg ik. We kunnen de hele nacht wel gaan zitten doemdenken, maar ik hou me liever bezig met de praktische aspecten van onze voorbereiding. 'Welke getuigen staan er op hun eindlijst?' vraag ik.

'De eerste agent ter plaatse, Rod Beckert, een forensisch expert en Marcus Banks.'

Klinkt niet onlogisch. De agent zal Leon aan de plaats van het misdrijf kunnen koppelen en het mes identificeren. Beckert zal bevestigen dat Grayson door messteken om het leven is gebracht. De forensisch expert zal verklaren dat Leons vingerafdrukken op het mes zijn aangetroffen en Banks zal het hele verhaal sluitend maken. Daarna zal McNulty weer gaan zitten en zijn klep houden.

'Hoelang denk je dat McNulty nodig zal hebben om zijn zaak te presenteren?' vraag ik.

'Als ik hem was nog geen uur.'

Ik ook.

Ik bespeur enige berusting in haar stem. 'Ook al delven we het onderspit, we gaan ervoor.'

We nemen nog eens onze eigen getuigenlijst door. Net als we het voor vanavond voor gezien willen houden, loopt Grace de kamer in. Rosie kijkt haar even bezorgd aan. 'Alles in orde, lieverd?'

'Ik kon niet slapen.'
We onderschatten de druk die we op onze kinderen leggen. Rosie pakt haar hand. 'Het komt allemaal goed, schat. Over een paar dagen is alles voorbij.'
Maar Grace is niet overtuigd. 'Gaat Leon Walker dood?'
Rosie slikt en antwoordt: 'Helaas wel, schat.'
Grace slaakt een zucht. 'Voel je je wel goed, mam? Je ziet er zo moe uit.'
'Met mij gaat het best.'
Onze wijze elfjarige kijkt haar moeder eens goed aan. 'Ik houd niet van moordzaken.'
'Ik ook niet.'
'Kun je niet even stoppen als deze afgelopen is?'
'Doe ik, schat. Dat beloof ik.'
Een paar minuten later zoekt ze haar bed weer op. Haar zelfstandigheid en praktische aard heeft ze helemaal van haar moeder, en haar neiging tot piekeren van mij. Nu ze de puberteit nadert, lijkt het getob erger te worden. Rosies chemotherapie doorlopen we met maar weinig emotionele uitbarstingen, maar ik vrees dat we zodra Grace naar de middelbare school gaat voor grotere uitdagingen komen te staan.
'We moeten haar goed in de gaten houden,' zeg ik.
'Ja, dat moeten we zeker. Ze redt het wel.'
Ik geef haar een kusje op haar wang. 'En jij, red jíj het wel?'
'Tuurlijk,' antwoordt ze. Ik hoor aarzeling in haar stem.
'Spijt dat we deze zaak op ons hebben genomen?'
'Nee.'
Ik geloof haar niet. 'Nog even, en we zijn ervanaf.'
'Weet ik,' zegt ze, maar het klinkt nog even vlak.
'Het zit je dus niet dwars?'
Haar ogen vlammen. 'Daar kunnen we nu niet over bakkeleien. Dit is niet de eerste hopeloze zaak, en het zal niet de laatste zijn. Dit is ons werk.'
'Maar?'
De frustratie stroomt naar buiten. 'Waarom wil je altijd van me horen dat ik het zo naar mijn zin heb? Jij ziet elke zaak als een toneelspel over zedelijk gedrag. Het is onze taak Leon te verdedigen en het is aan ons om dat zo goed mogelijk te doen. Ja, het is een uitdaging, maar de lol is er wel een beetje vanaf. Om eerlijk te zijn vraag ik me af of het ooit wel zo leuk is geweest. Dag in dag uit houden we ons bezig met de ellende van anderen. In Leons geval zelfs voor de tweede keer. Ik wil heus niet egoïstisch klinken, maar misschien is het na twintig jaar andermans problemen oplossen wel genoeg geweest.'
Zwijgend kijken we lange tijd voor ons uit. Rosie is mijn baken en ethisch kompas. Ik weet dat ze een doorzetter is. Maar toch, zelfs de grootste strijders lijden zo nu en dan aan gevechtsmoeheid. 'Als dit achter de rug is, doen we geen moordzaken meer,' zeg ik.

Ze knijpt haar ogen iets toe. 'En deze keer wil je die belofte ook echt nakomen?'
'Ja.'
'Ik houd je eraan.'
'Weet ik.'
Ze slaakt een vermoeide zucht en aait me over mijn wang. 'Sorry dat ik even tegen je uitviel, Miguel.'
'Sorry dat ik je steeds dingen vraag waar je niets mee kunt. Heb je dokter Urbach nog gebeld?'
'Ik heb volgende week een afspraak.' Ze zwijgt even. 'Het is geen kanker, Mike.'
Ik kus haar zacht op haar wang. 'Morgen hebben we een drukke dag, Rosita. Misschien dat ik eens moet opstappen.'
Maar ze is nog niet helemaal klaar. 'Nog iets van Pete gehoord?'
'Nee. Hij is naar Basic Needs gegaan, kijken of hij nog iets nieuws over Alicia Morales te weten kon komen.'
'En zo niet?'
'Dan staan we er heus niet minder slecht voor. En de *late show* schijnt behoorlijk spectaculair te zijn.'

Ik verkeer in het niemandsland tussen een onrustige slaap en ontwaken als ik opschrik van de rinkelende telefoon op mijn nachtkastje. De stem van mijn broer is nauwelijks meer dan een fluistering als hij me vraagt: 'Ben je wakker, Mick?'
De wekkerradio geeft aan dat het drie uur in de ochtend is. 'Ja, Pete. Waar zit je?'
'Bij Basic Needs.'
Slapen is iets vreemds voor hem. 'Heb je Alicia Morales gevonden?'
'Nee.'
'Iets meer te weten gekomen over Grayson?'
'Hij kwam hier minstens vijf keer per week. Meestal speciaal voor Morales.'
Dat wist ik al van Nick the Dick. Ik vraag hem of hij nog iets bruikbaars te weten is gekomen.
'Misschien wel. Grayson kwam hier niet in zijn eentje.'
Kat-en-muisspelletjes in het holst van de nacht kan ik inmiddels niet meer opbrengen. 'Met wie, Pete?'
'Lawrence Chamberlain en Brad Lucas. Alicia Morales had ze allebei als klant.'
Dat klinkt alsof Paradigm er als participatiefonds wel een heel uniek investeringsplan op na hield. Ik denk even na over de implicaties en vraag: 'Wat heeft dit allemaal met Graysons dood te maken?'
Er valt een stilte. Daarna slaakt Pete een zucht en antwoordt: 'Dat weet ik niet precies.'

En ik ook niet. Misschien werd een van Graysons partners opgelicht bij een drugsdeal. Misschien probeerde Morales ze te chanteren.

'Ik weet dat jij hoopte dat ik haar voor de hoorzitting zou vinden.' Het klinkt berustend.

En dat klopt. Ik bied hem een platitude van een oudere broer: 'Vakwerk, Pete.' Als we haar niet vinden, kan ik Brad Lucas dagen en hem vragen wat hij in een striptent in Sixth Street te zoeken had, in het gezelschap van een stripdanseres annex drugsdealer annex prostituee. Ik weet zeker dat de bobo's van de Orde van Advocaten zeer onder de indruk zullen zijn. Niet dat het Leons zaak zal helpen, maar het zal in elk geval leuk zijn hem te zien zweten.

'Ik denk dat we onze observaties moeten uitbreiden,' stelt Pete voor.

Ik vraag hem wat hij in gedachten heeft.

'Ik vind dat we een beetje bij Chamberlain en Lucas moeten rondsnuffelen.'

'Maar morgen zit ik de hele dag in de rechtszaal.'

'Geen probleem.' Hij zwijgt even en zegt: 'Dit is waarschijnlijk toch een klusje dat ik even in mijn eentje moet doen.'

O, jee. 'Je bent toch zeker niks illegaals van plan, hè?'

Het is drie uur in de ochtend en mijn broer de snuffelaar is klaarwakker. 'O nee, geen sprake van,' zegt hij. 'Dat zou verkeerd zijn.'

42
'DIT ZAL NIET LANG DUREN'

'Pak een luie stoel en zet alvast een grote bak popcorn klaar, want de voorlopige hoorzitting van Leon Walker zal vanochtend beginnen, en dat wordt genieten.'
Jerry Edwards, *Mornings On Two*, donderdag 9 juni, 7.15 uur

Rechter McDaniel loopt rustig naar haar hoge leren zetel in de afgeladen rechtszaal. Het is donderdagochtend, negen uur precies. Ze tikt één keer met haar hamer, knikt naar de gerechtsdienaar en wijst met haar bril naar Bill McNulty. 'Bent u zover?'

'Ja, edelachtbare.'

De bril wordt opgezet en ze kijkt naar mij. 'Meneer Daley?'

'We zijn zover, edelachtbare,' antwoord ik.

Het is zo'n dertig graden in de zaal en het stinkt er naar de kluisjes van het St. Ignatius. Leon leunt wat voorover in een grote rolstoel tussen Rosie en mij. Hij ziet er uitgemergeld en opgelaten uit in zijn slechtzittende zwarte pak en losse stropdas. Achter hem, op de voorste rij van de tribune en naast Vanessa Sanders, zit een verpleegster. Leons aandacht is gericht op Bill McNulty, die zich achter de katheder heeft opgesteld. Nicole Ward, gekleed in een grijs mantelpakje, biedt de eisende partij de nodige morele steun.

Op de tribune vechten verslaggevers nog steeds om een plek terwijl de rechter om orde verzoekt. Jerry Edwards zit op de voorste rij naast de misdaadverslaggever van de *Examiner*. Hoewel de zitting niet op tv wordt uitgezonden, wemelt het buiten van de reportagewagens. CNN en Court TV hebben reporters gestuurd.

Rechter McDaniel verzoekt de gerechtsdienaar de zaak en het nummer af te roepen, waarna ze de verzamelde media, gepensioneerden en rechtbankgroupies er nog eens op wijst dat we hier bijeen zijn om te bepalen of er voldoende bewijsmateriaal voorhanden is om Leons zaak voor de rechter te brengen. Na de noodzakelijke punten te hebben afgewerkt richt ze het woord tot McNulty: 'Hoelang denkt u nodig te hebben voor uw pleidooi?'

Zijn blik is zelfverzekerd. 'Dit zal niet lang duren. Tegen het middaguur zijn we klaar.'

Als dit gaat zoals ik denk dat het zal gaan, is hij al tegen tienen klaar.

De rechter lijkt opgelucht. Ze kijkt me aan en vraagt: 'Nog kwesties op de valreep, meneer Daley?'

Nou, het zou leuk zijn als u de aanklacht verwerpt. Aangezien ik niets substantieels te melden heb, kietel ik de media even. 'We protesteren nogmaals tegen het feit dat een stervende moet worden vervolgd.'

'Waarvan akte. Laten we beginnen.'

Een voorlopige hoorzitting is vooral een krachtsvertoning voor de aanklager, en McNulty zal net voldoende kaarten tonen om Leon voor de rechter te kunnen brengen. Onder normale omstandigheden zullen strafpleiters zo weinig mogelijk onthullen om tijdens het uiteindelijke proces niet te struikelen of zich hopeloos aan een bepaalde strategie te laten binden, tenzij de aanklacht volkomen uit de lucht gegrepen is of onze cliënt over een waterdicht alibi beschikt. Gezien de bewijslast tegen Leon zou ik geneigd zijn geweest een paar troeven nog even achter de hand te houden. Maar omdat de kans miniem is dat Leon de tijd tot een officieel proces zal overbruggen, wil ik zo snel mogelijk al mijn troeven uitspelen.

'Wilt u met een openingsverklaring komen?' vraagt rechter McDaniel aan McNulty.

'Ja, edelachtbare.' Hij komt met de kortste openingsverklaring uit de geschiedenis. 'Tower Grayson was een *venture capital*-investeerder uit Silicon Valley en een toegewijd echtgenoot en vader,' begint hij. In een poging het slachtoffer menselijker te maken zal hij Grayson bij zijn voornaam noemen en hem als een brave burger afschilderen die op het verkeerde tijdstip op de verkeerde plek verzeild was geraakt. 'Vrijdagnacht om een uur reed Tower na een zakendiner naar huis. Onderweg stopte hij even om ergens een pakje sigaretten te kopen. Een besluit dat hem fataal werd.'

Rechter McDaniel trekt haar rechterwenkbrauw op. Melodrama werkt soms goed bij lager opgeleide juryleden, maar is een stuk minder effectief tegenover een intelligente rechter.

'De verdachte zag Tower in een mooie auto komen aanrijden,' vertelt McNulty. 'De verdachte zag dat Tower wat contant geld in zijn jaszak had. Gedaagde volgde hem de winkel uit de steeg in en bracht hem diverse steekwonden toe. Een vooraanstaand zakenman onderging de ultieme vernedering door in een vuilcontainer achter een drankwinkel in een achterbuurt het leven te laten.'

Mooie zin wel.

McNulty priemt een lange vinger in de richting van Leon, die onwillekeurig en angstvallig terugdeinst in zijn rolstoel. 'De verdachte was ter plekke. Het moordwapen werd aangetroffen in zijn jaszak en was besmeurd met Towers bloed. We erkennen dat de verdachte ziek is, maar dat doet niets af aan onze verantwoordelijkheid Towers moordenaar voor het gerecht te brengen.'

Ik kom in de verleiding te protesteren op grond van het feit dat McNulty's openingsverklaring eerder lijkt op een slotpleidooi. Maar dat is ongepast en ik zou bekrompen overkomen.

Met dezelfde voortvarendheid als waarmee hij zo-even is begonnen, sluit hij af met een zakelijke, hoewel weinig gloedvolle samenvatting: 'We zullen aantonen dat de gedaagde een motief, de middelen en de gelegenheid had voor zijn daad. Hij vermoordde Tower Grayson en wij zullen er geen twijfel over laten bestaan dat hij een proces verdient.'

McNulty gaat weer zitten en krijgt een knikje van Nicole Ward, het rechtszaalequivalent van een *high five*. Een deugdelijke openingsverklaring, hoewel weinig spectaculair. Belangrijker nog: ze was kort. Niet langer dan anderhalve minuut.

Rechter McDaniel is tevreden over de inhoud, en vooral over de compactheid van McNulty's openingsverklaring. Ze richt het woord tot mij. 'Wenst u ook een openingsverklaring af te leggen, meneer Daley?'

'Jawel, edelachtbare.'

Ik sta op, maar voel Leons hand op mijn schouder. Hij buigt zich naar me toe en zegt op een toon die alle aanwezigen nog net kunnen verstaan: 'Allemaal niets van waar.'

'Niet zo hard!' fluister ik.

Zijn blik is meer dan gepijnigd als hij fluistert: 'Hij kan toch niet zomaar liegen?'

'We hebben het er nog wel over.'

Achter me hoor ik de stem van rechter McDaniel. 'Meneer Daley, wilt u uw cliënt alstublieft op het hart drukken zijn opmerkingen jegens dit hof via zijn raadsman te maken?'

Ik draai me om. 'Ja, edelachtbare,' antwoord ik obligaat. Daarna kijk ik Leon aan en fluister: 'Je zult het even voor je moeten houden.' Het lijkt wel of ik het tegen Grace heb. 'Als je je nu niet beheerst, kun je jouw kant van het verhaal niet meer vertellen.'

Hij slaat zijn armen over elkaar en zwijgt. Ik hoop maar dat hij in de eerste paar minuten van zijn hoorzitting zijn zaak geen onherstelbare schade heeft toegebracht.

Rosie buigt zich even naar me toe. 'Hou het kort,' fluistert ze.

Ik loop naar de katheder en leg drie kaartjes met wat korte aantekeningen naast de microfoon. Ik kijk even op naar de rechter. Haar grootmoederlijke charme van gisteren is geheel en al verdwenen. 'Edelachtbare,' begin ik, 'Leon Walker is ongeneeslijk ziek. Hij is een man die ten onrechte wordt beschuldigd van een misdaad die hij niet heeft begaan. De heer McNulty heeft gezegd dat het slachtoffer op het verkeerde tijdstip op de verkeerde plek was beland. Dat kan. Maar dat geldt ook voor Leon Walker. Hij had de pech dat hij door een steeg liep op het moment dat Tower Grayson stierf.'

Ik kijk even naar de rechter om te zien of ze enigszins meegaat in mijn verhaal, maar ze zet een pokerface op.

Ik ga verder: 'De heer Walker kwam van zijn werk en was op weg naar huis, maar belandde regelrecht in een nachtmerrie. Het gaat hier om de veroordeling van een man die ongeneeslijk ziek is, die niet eens de fysieke kracht had om Tower Grayson te vermoorden. In plaats van een grondig onderzoek in te stellen legt de aanklager de schuld liever bij mijn cliënt.'

McNulty komt overeind, maar bedenkt zich. Hij wint er niets mee mij te interrumperen. Rechter McDaniel kijkt me aan met een blik van: kan het iets minder?

'Edelachtbare,' zeg ik, 'in het licht van Leon Walkers medische gesteldheid hebben we geen andere keus dan tijdens deze voorlopige hoorzitting tot een volledig verweer te komen. We zullen aantonen dat er onvoldoende bewijs is om hem voor het gerecht te brengen.'

Ik ga zitten, kijk de rechter aan en probeer koffiedik te kijken. Als ze onder de indruk is, laat ze het in elk geval niet blijken. 'Dank u, meneer Daley,' zegt ze. Waarna ze, zonder verder nog mijn kant op te kijken, het woord tot McNulty richt: 'U kunt uw eerste getuige oproepen.'

'Het hof roept hoofdagent Jeff Roth op.'

Het is verstandig om te beginnen met de agent ter plekke. Dat die nog altijd kwaad op ons is, zal ons weinig goed doen.

Een goed begin is het halve werk, zeggen ze altijd. Ik ken Jeff Roth al veertig jaar en ik heb hem nog nooit kunnen betrappen op een zwak optreden in de getuigenbank. Als mijn vermoeden klopt, heeft hij langer nodig om via het middenpad naar zijn plek te lopen en de eed af te leggen dan om te getuigen. Hij is hier om de toon te zetten en zijn rol in dit melodrama zal gering zijn. Als hij zweert dat hij de waarheid zal spreken en niets dán de waarheid, ben je echt bereid hem te geloven.

Geleid door McNulty geeft hij een korte beschrijving van zijn staat van dienst, die onder meer dertig jaar bij de politie van San Francisco omvat en negenentwintig jaar als wijkagent in Sixth Street. Daarna volgt een bondige en weloverwogen beschrijving van wat hij de bewuste vrijdagochtend achter drankzaak Alcatraz Liquors aantrof. Roth antwoordt op de bekende afgemeten politiemanier terwijl hij uitlegt dat hij in actie kwam nadat de verkoper van Alcatraz Liquors het alarmnummer had gebeld. Hij zegt dat hij Graysons lijk in de vuilcontainer aantrof. 'De gedaagde lag iets verderop en was niet bij kennis.'

Waarmee hij Leon aan de plaats van het misdrijf heeft gekoppeld. De aanklager heeft zijn eerste punt gescoord.

McNulty komt met een tweede voorzet: 'Wat deed u daarna?'
'Ik verzocht om bijstand en zette volgens de gebruikelijke procedure de omgeving af.'
Ik had ook niet verwacht dat hij zegt dat hij eerst maar eens bewijsmateriaal ging vernietigen.
Roth voegt eraan toe: 'Daarna ging ik op zoek naar bewijsmateriaal en ik ondervroeg degenen die zich in de omgeving bevonden.'
'De verdachte inbegrepen?' vraagt McNulty.
'Ja.'
'Wat zag u toen u naar de verdachte toe liep?'
'Zijn jasje zat onder het bloed en er zat een mes in zijn zak.'
Een beetje overdreven om nu te beweren dat de jas onder het bloed zat, maar ik protesteer niet. Het bloed is immers wel duidelijk zichtbaar.
McNulty loopt naar het verrijdbare tafeltje met het bewijsmateriaal en houdt het mes omhoog, dat in een doorzichtig plastic zakje zit en waar een labeltje aan hangt. 'Is dit het mes?'
'Ja.'
Het tweede punt is binnen: het moordwapen was in Leons bezit.
Op identieke wijze laat McNulty hem het jasje identificeren. Daarna vraagt hij: 'Kon de verdachte op enigerlei wijze verklaren waarom zijn jasje onder het bloed zat of waarom hij een mes op zak had?'
'Nee.'
Zijn tactiek is geslaagd: Leon had geen alibi.
'Viel u verder nog iets opmerkelijks op aan het mes?'
'Het zat onder het opgedroogde bloed.'
'Weet u wiens bloed het was?'
Zo wordt het wel erg gemakkelijk voor ze, en ik moet hun wat tegengas bieden. Ik protesteer op beleefde toon. 'Protest, edelachtbare. Ongegrond. Hoofdagent Roth is geen expert op het gebied van bloedanalyse of DNA.'
'Aanvaard.'
McNulty tilt er niet zwaar aan. Hij zal er straks nog wel op terugkomen. Hij draait zich weer om naar Roth en vraagt of hij nog iets anders in Leons zak heeft aangetroffen.
'Een geldclip met ongeveer tweeduizend dollar aan contant geld.' Hij verklaart dat de initialen van Tower Grayson op de clip gegraveerd stonden.
McNulty loopt naar de tafel met bewijsstukken en verzoekt Roth de clip en het geld aan te wijzen. Vervolgens vraagt hij: 'Kon de verdachte uitleggen hoe hij aan dat geld kwam?'
'Nee.'
McNulty glimlacht even tevreden naar Roth en vraagt daarna: 'Wat deed u vervolgens?'
'Ik arresteerde de verdachte en wachtte op bijstand en op hoofdinspecteur Marcus Banks van Moordzaken.'

Hij heeft zijn werk gedaan. McNulty komt nog met wat routinevragen ter bevestiging van het feit dat het bewijsmateriaal op correcte wijze is behandeld. 'Geen vragen meer, edelachtbare,' klinkt het ten slotte.

Roths getuigenis heeft nog geen vijf minuten geduurd.

Met haar hamer wijst de rechter me aan. 'Een kruisverhoor, meneer Daley?'

Reken maar. 'Ja, edelachtbare.' Ik sta op, knoop mijn jasje dicht en loop naar de getuigenbank. Ik blijf op ongeveer anderhalve meter van Roth staan. Ik wil me niet opdringen of respectloos overkomen. Aan de andere kant moet hij zich ook weer niet te veel op zijn gemak gaan voelen.

Belangrijke zaken eerst. Ik wil vaststellen dat dit een zaak van stille getuigen is. 'Meneer Roth, hebt u gezien dat meneer Walker meneer Grayson neerstak?'

'Nee.'

'Hebt u iemand gevonden die heeft gezien dat hij de heer Grayson neerstak?'

'Nee.'

'U beschikt dus niet over eigen informatie over hoe de heer Grayson is gestorven, klopt dat?'

Roths antwoorden blijven correct: 'Het is aan dr. Beckert om de doodsoorzaak vast te stellen,' antwoordt hij.

Helemaal juist. Hij is zo meteen aan de beurt. 'Toch hebt u meneer Walker gearresteerd.'

'Toen ik het bebloede mes eenmaal in zijn jaszak had aangetroffen, leek dat me het beste.'

Dat kun je wel zeggen. We hakketakken nog wat over de vraag waarom dit bewijsstuk hem heeft doen besluiten om tot arrestatie over te gaan. Veel zal ik er niet mee winnen, dus ik zal met kleine scores genoegen moeten nemen. 'Meneer Roth,' vervolg ik, 'hebt u gezien dat meneer Walker het mes in zijn jaszak liet glijden?'

'Nee.'

'En hebt u getuigen gesproken die hebben gezien dat hij het mes in zijn jaszak liet glijden?'

'Nee.'

'Met andere woorden, het is dus mogelijk dat iemand anders dan meneer Walker de heer Grayson heeft neergestoken en vervolgens het mes in meneer Walkers jaszak heeft gestopt, nietwaar?'

Voor McNulty is het welletjes. 'Protest, edelachtbare. Speculatief.'

'Edelachtbare,' werp ik tegen, 'ik vraag hem, gezien zijn jarenlange ervaring als politieman, verscheidene alternatieve scenario's te overwegen.'

Wat neerkomt op klinkklare onzin.

Ze is me ter wille en oordeelt in mijn voordeel: 'Verworpen. De getuige moet antwoorden.'

Roth zucht en antwoordt: 'Theoretisch is het natuurlijk mogelijk dat iemand anders meneer Grayson heeft neergestoken en daarna het mes in de jaszak van de verdachte heeft gestopt.'

Dat is het enige wat ik wilde horen. 'Dank u, meneer Roth.'

'Maar de kans dat het ook werkelijk zo is gegaan, lijkt me zeer klein,' voegt hij er nog aan toe.

Ik wil niet dat hij het laatste woord heeft. 'Verzoek dit laatste te schrappen. Het is ongefundeerd en een antwoord op een niet-gestelde vraag.'

'Akkoord.'

Opnieuw een bescheiden overwinning. Niet dat ze Roths laatste woorden zal vergeten, overigens. Ik kijk even naar Jerry Edwards. 'Meneer Roth, u zei dat u potentiële getuigen in de omgeving hebt ondervraagd.'

'Ja.'

'En u hebt niemand gevonden die heeft gezien dat mijn cliënt Tower Grayson neerstak. Klopt dat?'

McNulty protesteert terecht. 'Is al gevraagd en beantwoord.'

'Aanvaard.'

Ik dring aan. 'Hebt u uw onderzoek afgerond?'

'Ja.'

'Dus nog geen week nadat het slachtoffer is neergestoken, hebt u vastgesteld dat er geen getuigen te vinden zijn die in deze zaak nog nuttige informatie kunnen verstrekken?'

Zijn toon is totaal niet defensief: 'We hebben de omgeving zorgvuldig uitgekamd en we zouden de burgers die over aanvullende informatie beschikken willen aanmoedigen dit te melden.'

Uiteraard. 'Maar wat u betreft is onze cliënt schuldig, nietwaar?'

'Ja.'

'Sterker nog: u hebt zelfs tegen mogelijke getuigen in de buurt laten weten dat u niet geïnteresseerd bent in welke informatie dan ook die het tegendeel bewijst. Klopt dat?'

'Protest, edelachtbare. Ongefundeerd en suggestief.'

'Aanvaard.'

Nu bespeel ik de media. 'U hebt op Sixth Street zelfs rondverteld dat de politie van San Francisco deze zaak niet wil verliezen en dat u degenen die wel informatie verstrekken die mijn cliënt kan ontlasten het leven zuur zult maken. Dat is toch zo?'

'Protest, edelachtbare. Suggestief.'

'Ik herroep mijn vraag,' zeg ik snel, voordat de rechter zijn protest kan honoreren. Ik werp opnieuw een blik op Jerry Edwards. 'Geen vragen meer, edelachtbare.'

McNulty is niet van plan het deukje dat ik Roths reputatie heb toegebracht te weerleggen. Hij staat op en zegt op zijn meest plechtige toon: 'Het hof roept dr. Roderick Beckert.'

De inzet wordt hoger. Jeff Roth was een opwarmertje, maar het hoofd van het pathologisch laboratorium van de stad San Francisco en omstreken is ontegenzeglijk een topper.

43
'IK BEN HOOFDLIJKSCHOUWER VAN HET PATHOLOGISCH LABORATORIUM VAN DE STAD SAN FRANCISCO EN OMSTREKEN'

Dr. Beckert is professor in de pathologische anatomie en al meer dan dertig jaar hoofdlijkschouwer van het pathologisch laboratorium van San Francisco. Hij is een autoriteit op het gebied van de forensische wetenschap.
Brochure medische faculteit van de universiteit van San Francisco

Op eerbiedige toon richt Bill McNulty het woord tot de volgende getuige: 'Wilt u voor de notulen alstublieft uw naam bekendmaken?'

De kale man met de peper-en-zoutbaard, de gestreepte das en het rustieke voorkomen glimlacht even flauwtjes maar zelfverzekerd. 'Mijn naam is dr. Roderick Beckert. Ik ben hoofdlijkschouwer van het pathologisch laboratorium van de stad San Francisco en omstreken. Deze positie bekleed ik al drieëndertig jaar.'

Rod Beckert paart een messcherp intellect en een onuitputtelijke kennis aan een grootvaderlijke toon. Ik zal de laatste zijn die twijfelt aan zijn kwaliteiten. Het hoofd van onze grootstedelijke lijkschouwers is een uitstekende getuige-deskundige, die met overtuigende welsprekendheid zelfs een telefoonboek zou kunnen reciteren.

McNulty betrekt het autopsierapport bij de bewijslast. Daarna laat hij Beckert bevestigen dat Grayson vrijdagochtend om elf uur in de vuilcontainer werd aangetroffen en dat zijn dood te wijten is aan diverse steekwonden in de rug. Ik protesteer even, een bescheiden poging om McNulty uit zijn ritme te halen. Beckert plaatst het tijdstip van overlijden ergens tussen twee en vijf uur in de ochtend, en bevestigt dat het bloed op het mes en op Leons jasje overeenstemt met dat van Grayson. Vijf minuten later zit McNulty alweer achter zijn tafel.

Nog voordat Beckert een slokje water heeft kunnen nemen, sta ik al voor zijn neus. Ik zal hem misschien geen peentjes kunnen laten zweten, maar ik wil niet dat hij er al te gemakkelijk vanaf komt. 'Dokter,' begin ik, 'in uw autopsierapport concludeert u dat de heer Grayson in de vuilcontainer is gestorven als gevolg van diverse steekwonden.'

'Correct.'

'Zou het ook zo kunnen zijn dat hij op een andere plek is gestorven en daarna in de vuilcontainer is geworpen?'

'Nee.' Hij legt uit dat hij dit heeft kunnen afleiden uit de mate van verstijving, de plekken waar het bloed zich in het lijk had verzameld, lijkbleekheid genoemd, en uit verscheidene andere tests. Grayson lag overduidelijk al in de vuilcontainer toen zijn hart ermee ophield.

Ik twijfel niet aan zijn conclusie en wijs naar een kaart waarop de locatie van de drankwinkel, de laad- en losplek en de vuilcontainer staan aangegeven. 'Waar werd de heer Grayson precies neergestoken?' vraag ik.

Beckert wijst naar een plek naast de laad- en losplek. 'Hier hebben we de eerste druppels bloed gevonden.'

Ik wijs naar de vuilcontainer. 'Maar het lijk is híér aangetroffen, een heel stuk verder. Dat is een afstand van bijna tien meter.'

'Correct.'

'En u zegt dat de heer Grayson nog in leven was toen hij zich van de laad- en losplek naar de vuilcontainer verplaatste?'

'Ja.'

Ik kijk hem onderzoekend aan en wijs naar de vuilcontainer. 'Hoe heeft hij die hele afstand kunnen afleggen?'

McNulty staat al overeind. 'Protest, edelachtbare. Speculatief.'

Ik sla een oprechte toon aan. 'Edelachtbare, ik vraag dr. Beckert om mij naar zijn beste medische inzicht uit te leggen hoe het slachtoffer, na eerst te zijn gestoken, nog tien meter heeft kunnen afleggen.'

De kin van rechter McDaniel steekt iets vooruit. 'Verworpen.'

Beckert pakt de draad op. 'Naar mijn beste medische inzicht,' zegt hij, 'is de heer Grayson waarschijnlijk naar de vuilcontainer gelopen, of liever, gestrompeld.'

'Kan het zijn dat hij zich op een andere wijze van de laad- en losplek naar de vuilcontainer heeft verplaatst?'

McNulty beseft dat ik al meteen de deur wil openen naar een schier oneindige reeks van mogelijke scenario's. 'Dit roept enkel speculaties op,' protesteert hij.

'Verworpen.'

Eigenlijk betwijfelde ik of ik hierop kon rekenen.

Geheel correct is Beckert me minimaal ter wille. Hij klinkt bijna uit de hoogte als hij antwoordt: 'Theoretisch zal het best mogelijk zijn, maar het is zeer onwaarschijnlijk dat de heer Grayson zich anders dan lopend van de laad- en losplek naar de vuilcontainer heeft verplaatst.'

Theoretisch mogelijk. Meer heb ik niet nodig. 'Met inbegrip van de mogelijkheid dat hij werd gedragen?'

'Ja.'
'Misschien zelfs door degene die hem had vermoord?'
'Zou kunnen.'
'Maar dat weet u niet zeker?'
'Correct.'
Tijd voor onze eerste reis door het spiegelglas. 'Aangenomen dat de heer Grayson van de laad- en losplek naar de vuilcontainer werd gedragen, bevat uw autopsierapport dan ook enig bewijs dat meneer Walker dat inderdaad heeft gedaan?'
'Protest, edelachtbare. Hier worden feiten verondersteld die niet bewezen zijn.'
'Verworpen.'
Nu is het Beckerts beurt om geïrriteerd te raken. 'Het bloed van het slachtoffer werd aangetroffen op het jasje van de verdachte.'
'Dat begrijp ik. Toch wil ik van u weten of u bewijzen hebt gevonden die overtuigend aantonen dat meneer Walker het lichaam naar de vuilcontainer heeft gedragen.'
Gezien de wijze waarop ik mijn vraag heb geformuleerd rest hem maar één antwoord: 'Nee.'
'Hebt u enig bewijs gevonden dat meneer Walker het lichaam heeft aangeraakt of ermee in de weer is geweest?'
'Nee.'
Voldoende. En dan nu vanaf de andere kant beschouwd: 'Hebt u kunnen vaststellen hoe het lichaam van de heer Grayson feitelijk zijn weg naar de vuilcontainer heeft kunnen vinden?'
Zijn ongeduld maakt plaats voor irritatie. 'Hij is erin gevallen.'
'Kan het zijn dat hij door zijn belager de container in is geduwd?'
'Protest, edelachtbare. Speculatief.'
'Verworpen.'
Beckert zucht. 'Dat is mogelijk.'
Meer heb ik niet nodig. Ik sta nu naast Leon en zet me schrap voor een tweede reis door het spiegelglas. Ik kijk op naar Beckert en vraag op de meest onschuldige toon: 'Hebt u al kennisgemaakt met meneer Walker?'
'Nee.'
'U weet dat hij aan een ongeneeslijke ziekte lijdt die hem aanzienlijk heeft verzwakt, en dat hij slechts zo'n vijfenvijftig kilo weegt?'
'Dat is me verteld, ja.'
Ik kijk Leon even nadrukkelijk aan en draai me weer om naar Beckert. 'Dr. Beckert, hoeveel woog meneer Grayson?'
Hij kijkt even op zijn papieren. 'Vijfennegentig kilo.'
'En u zei net dat u de mogelijkheid niet kon uitsluiten dat hij in de vuilcontainer werd getild.'
Hij heeft geen keus. 'Correct.'
Ik wijs naar Leon. 'Gegeven meneer Walkers ziekte en zijn verzwakte

conditie, hoe groot is dan de kans dat hij een man van vijfennegentig kilo kan optillen?'

'Protest, edelachtbare. Speculatief.'

Ik draai me om naar rechter McDaniel. 'Ik erken de medische expertise van dr. Beckert en ik vraag hem enkel om zijn medische opinie.'

Maar McNulty laat niet los. 'Dr. Beckert heeft niet de gelegenheid gehad de verdachte te onderzoeken.'

Nee, dat klopt. Rechter McDaniel oordeelt geheel correct. 'Aanvaard.'

Nog meer spiegels, nog meer rook. 'Dr. Beckert,' ga ik verder, 'u hebt ons het een en ander verteld over het slachtoffer, maar nog niets over de moordenaar.'

Hij kijkt me met een geoefend verbaasde blik aan. 'Tja, ik ben hoofdlijkschouwer. Het is mijn taak het slachtoffer te onderzoeken en de doodsoorzaak vast te stellen. Als u meer over de moordenaar wilt weten, moet u maar met uw cliënt gaan praten.'

Achter in de zaal klinkt gegniffel, maar zelf kan ik er niet om lachen. 'Dr. Beckert, ik realiseer me dat u geen gelegenheid hebt gehad mijn cliënt te onderzoeken. Maar u zult toch wel iets over de moordenaar kunnen vaststellen?'

'Zoals?'

Het werkt beter als de advocaat de vragen stelt. 'Was de moordenaar een man of een vrouw?'

'Een man.'

'Hoe weet u dat?'

Hij wijst naar Leon. 'Omdat ik hem nu aankijk.'

Nog meer gegniffel. 'Beschikt u, afgaand op uw autopsierapport, over eenduidige forensische bewijzen omtrent het geslacht van de dader?'

De triomfantelijke glimlach maakt plaats voor een stuurse blik. 'Nee.'

'Was de moordenaar lang of klein?'

'Ik denk dat de moordenaar langer was dan het slachtoffer.'

'Hoe weet u dat?'

'De richting van waaruit de steekwonden werden toegebracht, doet vermoeden dat de moordenaar zijn lengte mee had.'

'En het past binnen uw theorie als de dader inderdaad langer was dan het slachtoffer, nietwaar?'

'Protest, edelachtbare. Suggestief.'

'Aanvaard.'

'Dr. Beckert,' ga ik verder, 'is het mogelijk dat het slachtoffer gewoon op de grond stond en de moordenaar op de verhoogde laad- en losplek? Ook dat zou de indruk wekken dat de moordenaar langer was dan het slachtoffer, nietwaar?'

'Tja, dat zou kunnen,' klinkt het laatdunkend.

'Uw bevinding is dus eigenlijk niet doorslaggevend.'

'In geval van een steekpartij is het zonder hulp van ooggetuigen onmogelijk de relatieve lengte van de betrokkenen exact vast te stellen.'

Precies wat ik wil horen. 'Dr. Beckert, u concludeerde bovendien dat de moordenaar linkshandig was?'

'Ja.'

'Op basis waarvan?'

'De trefhoek van de steekwonden liep telkens van linksbuiten naar rechtsbinnen.'

'En u weet dat de gedaagde linkshandig is?'

'Ja.'

Ik loop naar Beckert en geef hem mijn pen. Ik draai mijn rug naar hem toe. 'Zou u het hof exact kunnen demonstreren hoe de gedaagde volgens u het slachtoffer heeft aangevallen?'

'Zeker.' In de rechtszaal is het doodstil terwijl Beckert, staand in de getuigenbank, een pantomimevoorstelling geeft van hoe een linkshandige moordenaar Grayson in de rug kan hebben gestoken. Als hij klaar is, draai ik me weer om en geeft hij me mijn pen terug.

'Dank u, dr. Beckert.' Ik richt me tot de rechter. 'Als het hof het goedvindt, zou ik mijn collega, mevrouw Fernandez, willen verzoeken me te assisteren voor nog een demonstratie.'

McNulty staat weer overeind. 'Protest, edelachtbare. We zijn hierover niet van tevoren ingelicht.'

Rechter McDaniel kijkt me vorsend aan. 'Wat is de bedoeling precies, meneer Daley?'

'We willen graag dr. Beckerts mening over een ander, mogelijk scenario. Ik beloof dat ik snel zal afronden.'

Ik krijg het voordeel van de twijfel. 'Ga uw gang, meneer Daley.'

Rosie komt bij me staan. Ik geef haar mijn pen, draai mijn rug naar haar toe en zeg: 'Kunt u nu eens laten zien hoe een rechtshandige mij "linkshandige" steekwonden kan toedienen?'

Rosie neemt mijn pen in haar rechterhand, brengt hem omhoog tot boven haar linkeroor en doet alsof ze me met een backhandbeweging steekwonden toebrengt die een linkertrefhoek zouden tonen. De hele demonstratie vergt slechts een moment.

Ik richt me weer tot Beckert. 'Is het niet mogelijk dat degene die Tower Grayson heeft neergestoken hierbij zijn of haar rechterhand heeft gebruikt?'

McNulty is er niet blij mee. Hij springt overeind. 'Protest, edelachtbare. Speculatief. Dit roept op tot een interpretatie van zaken die niet in de bewijslast is opgenomen.'

Over de rand van haar brillenglazen kijkt rechter McDaniel hem streng aan. 'Verworpen, meneer McNulty. De getuige zal antwoorden.'

Ik vang een zweem van berusting op als Beckert antwoordt: 'Ik neem aan dat het inderdaad mogelijk is dat de moordenaar zijn rechterhand heeft gebruikt om het slachtoffer neer te steken.'

Dat is het enige wat ik wilde horen, maar Beckert voelt zich geroepen tot nog een laatste uithaal. 'Maar als medisch expert ben ik toch van mening dat het slachtoffer door een linkshandige dader werd neergestoken.'

Dat is dan duidelijk.

'Verzoek dit laatste te schrappen. Dr. Beckert had mijn vraag al beantwoord.'

'Aanvaard.'

Beckert peinst over nóg een redactioneel commentaar, maar zijn gezonde verstand prevaleert ditmaal.

Ik kijk naar Rosie, die even haar ogen sluit. Met Beckert in de getuigenbank zal ik deze zaak nooit winnen. Dat ik tegen een van hun sterkere getuigen toch nog op een paar kleine punten heb gewonnen is voldoende. Ik kijk de rechter aan. 'Geen vragen meer, edelachtbare.'

44
'ZEI U DE RECHTERHAND?'

'De analyse van vingerafdrukken en bloedspatten vormt een essentieel onderdeel van goed politiewerk.'
Brigadier Kathleen Jacobsen, profiel in de *San Francisco Chronicle*

McNulty staat naast het verrijdbare tafeltje waarop het bewijsmateriaal ligt uitgestald. Hij kijkt zijn volgende getuige aan. 'Wilt u voor de notulen uw naam en beroep bekendmaken?'

'Brigadier Kathleen Jacobsen. Ik ben al lange tijd technisch rechercheur bij de politie van San Francisco, gespecialiseerd in vingerafdrukken en andere scheikundige en fysieke bewijsgaring.'

En goed in haar werk bovendien. Jacobsen is een éminence grise die haar leergeld heeft betaald in de catacomben van het gerechtsgebouw. Als een van de eerste lesbiennes heeft ze zich opgewerkt, met een bachelorgraad aan de universiteit van San Francisco, afgestudeerd aan de universiteit van Berkeley, en ze mag inmiddels bogen op een kwart eeuw ervaring. Ze wordt regelmatig verzocht te getuigen in zaken die buiten haar jurisdictie vallen, en haar onbetwiste expertise en no-nonsense houding maakten haar tot een van Amerika's grootste goeroes op forensisch gebied.

McNulty toont haar een gekarteld jachtmes in een doorzichtig plastic zakje. 'Kunt u dit voorwerp identificeren?'

Ze sluit even haar ogen en knikt. Langzaam gaan haar ogen weer open en ze antwoordt op een toon die alle twijfel wegneemt: 'Het is het mes dat in de jaszak van de gedaagde werd aangetroffen.' Ze heeft niet lang nodig ook het andere bewijsmateriaal te identificeren, en ik teken slechts één keer bezwaar aan. Feiten zijn immers feiten. Daarna doorloopt McNulty haar analyse van de vingerafdrukken. Terwijl ze de routinevragen over haar werkwijze beantwoordt, houdt ze haar rapport stevig vast. Daarna maakt McNulty zich op om definitief toe te slaan. 'Brigadier, hebt u de vingerafdrukken op het mes kunnen analyseren?'

'Ja.' Op klinische toon antwoordt ze dat ze drie herkenbare vingerafdrukken heeft gevonden.

McNulty's ernstige blik wordt zelfingenomen. 'Kwamen ze overeen met die van iemand die in deze zaal aanwezig is?'

Jacobsen wijst met haar verslag naar Leon. 'Ze komen overeen met die van de gedaagde,' is haar antwoord.

McNulty is op zijn wenken bediend. 'Geen vragen meer.'

In een oogwenk sta ik voor de getuigenbank. 'Brigadier,' begin ik, 'op pagina 4 van uw verslag geeft u aan dat de drie identificeerbare vingerafdrukken op het mes overeenkomen met de duim, de ringvinger en de pink van de heer Walker.'

'Correct.' Ze vertelt dat er nog twee andere, onherkenbare afdrukken waren, die volgens haar van Leons wijs- en middelvinger afkomstig moeten zijn. Ze erkent dat ze die niet onomstotelijk kan identificeren.

Ik doe alsof ik door haar rapport blader en geef het haar terug met het verzoek: 'Kunt u ons vertellen van welke hand de herkenbare afdrukken afkomstig zijn?'

Nu is het aan Jacobsen om zogenaamd door haar rapport te bladeren, terwijl ze de inhoud uit haar hoofd kent. Maar haar toon blijft zakelijk: 'De rechterhand.'

'Zei u de rechterhand?'

'Ja.'

Perfect. Ik wil alleen maar 'ja' of 'nee' horen. 'Dat weet u zeker?'

McNulty springt overeind. 'Protest, edelachtbare. De vraag is al gesteld en beantwoord.'

'Aanvaard.'

Ik trek even een wenkbrauw op naar Jerry om te suggereren dat ik hem zojuist een diep en duister geheim heb onthuld. Ik kijk Jacobsen weer aan. 'Hebt u het autopsierapport van dr. Beckert gelezen?'

'Ja.'

'Dus ook zijn conclusie dat de belager linkshandig was?' Dat ik Beckert er zo-even van heb willen overtuigen dat de dader best rechtshandig kan zijn geweest, laat ik achterwege.

'Ja.'

'U weet dat de heer Walker linkshandig is?'

'Dat is me verteld.'

De hengel is uitgeworpen. 'Hoe verklaart u dan dat dr. Beckert concludeerde dat de belager linkshandig was, maar dat de vingerafdrukken op het mes van mijn cliënt van zijn rechterhand afkomstig zijn?'

Jacobsen komt met een perfecte Mount Rushmore-imitatie. Met over elkaar geslagen armen en op zakelijke toon antwoordt ze: 'Als u pagina 7 van mijn rapport zorgvuldig had gelezen, zou het u zijn opgevallen dat ik nog vijf andere vingerafdrukken heb vermeld die vlekkerig, en dus niet te identificeren waren.'

Een poging me met een kluitje het riet in te sturen. 'Dus?'

'We geloven dat de onherkenbare afdrukken van de gedaagde afkomstig zijn.'

Onvoldoende. 'Maar u weet dat niet zeker?'

'Het strookt met de omstandigheden rond deze zaak.'

'Het strookt met úw theorie rond deze zaak.'

'Protest. Suggestief.'

'Aanvaard.'

Ik overhandig Jacobsen het gelabelde plastic zakje met het mes. 'Hebt u op dit mes vingerafdrukken aangetroffen die overtuigend bewijzen dat ze afkomstig zijn van meneer Walkers linkerhand?'

'Volgens ons zijn enkele van de vage afdrukken afkomstig van de linkerhand van de gedaagde.'

'Ja of nee? Hebt u vingerafdrukken van de heer Walkers linkerhand kunnen identificeren?'

Ze werpt even een verwarde blik op McNulty. 'Nee.'

Geen homerun, maar misschien kan het nog een honkslag worden. Ik loop weer naar het tafeltje met het bewijsmateriaal en pak Leons jasje, eveneens verpakt in doorzichtig plastic. Ik drapeer het over de rand van de getuigenbank. 'Brigadier, u was ook in de gelegenheid dit jasje te analyseren, nietwaar?'

'Ja. De gedaagde droeg het toen hij werd gearresteerd.'

'En u hebt bloedvlekken ontdekt die overeenkomen met het bloed van het slachtoffer?'

'Ja.'

Daar gaan we dan. 'Kunt u ons de plekken aanwijzen waar u de vlekken hebt aangetroffen?'

Ze wijst naar de rechtermouw en de rechterschouder van het jasje, vlak onder de kraag. 'Hier vonden we bloedvlekken.'

'Maar dr. Beckert concludeerde dat het slachtoffer werd aangevallen door een linkshandige man. Waarschijnlijk zou deze arm dus het dichtst bij het slachtoffer zijn geweest.'

'Dat hoeft niet. De moordenaar zou zijn rechterarm kunnen hebben gebruikt om zijn slachtoffer te beteugelen.'

'Hebt u bewijzen gevonden dat de belager de heer Grayson met zijn rechterarm in bedwang wilde houden? Enkele vingerafdrukken op zijn lijk misschien?' Ze heeft me het antwoord in feite al gegeven.

'Nee.'

'In uw rapport stelde u vast dat het patroon van de bloedspatten enigszins atypisch was voor een aanval met diverse steekwonden, nietwaar?'

'Er was sprake van iets minder bloed dan ik in zo'n geval zou hebben verwacht, ja.'

'Bovendien stelde u vast dat er op de broek van de heer Walker geen druppel bloed is aangetroffen.'

'Ik merkte op dat deze ogenschijnlijke discrepanties door de omstandigheden kunnen worden verklaard. Als de aanvaller een grote reikwijdte had en het slachtoffer zich op het moment van de aanval van zijn belager afwendde, zou er minder bloed op het jasje van de belager hebben gezeten en helemaal niets op zijn broek.'

Onzin. 'Het is bovendien de enige uitleg die binnen uw versie van het verhaal past.'

'Protest. Suggestief.'

'Ik herroep mijn vraag.' Ik ga verder. 'Vliegt bij een steekwond het bloed niet in een boog door de lucht en komt het niet in de vorm van druppeltjes op de belager terecht?'

'Meestal wel, ja.'

Ik kijk weer naar het jasje. 'Ik zie hier helemaal geen druppels, maar wel diverse vlekken.'

'Dat is niet ongewoon, meneer Daley. Het bloed wordt door de vezels van de stof opgenomen.'

Zou kunnen. 'Maar het bekende druppelpatroon ontbreekt hier, is het niet?'

Ze geeft zich niet gewonnen: 'Dat hoeft niet per se.'

'Maar stroken deze vlekken niet met een scenario waarbij het mes aan het jasje werd afgeveegd?'

'Naar mijn oordeel niet.'

'Kan het niet zijn dat iemand, die mijn cliënt erbij wilde lappen, het mes aan zijn jasje heeft afgeveegd?'

'Protest. Speculatief.'

'Aanvaard.'

Zo steggelen we nog een minuutje of tien door, maar het lukt me niet haar tot andere conclusies te dwingen. We zullen op een later tijdstip onze eigen bloedspoordeskundige in stelling brengen, die haar analyse zal verwerpen. Het loopt tegen tienen als ik mijn laatste reeks vragen afvuur. 'Brigadier, het mes waarover we hier spreken, werd aangetroffen in de jaszak van meneer Walker, is het niet?'

'Ja.'

'Kunt u aanwijzen welke jaszak?'

Ze wijst naar het jasje. 'Deze.'

Ik richt het woord tot de rechtbankstenograaf. 'Laat het in de notulen vastgelegd zijn dat brigadier Jacobsen naar de réchtervoorzak heeft gewezen.' Ik kijk Jacobsen aan. 'Is het niet vreemd dat een linkshandige man het mes enkel met zijn rechterhand heeft beroerd en het in zijn rechterzak heeft willen verbergen?'

'Niet noodzakelijkerwijs.'

'Brigadier, het geheel aan omstandigheden in beschouwing genomen – de vingerafdrukken van de rechterhand, de rechterjaszak, de bloedspatten die niet overeenstemmen – doet dit dan niet een plausibeler verklaring vermoeden, namelijk dat iemand Tower Grayson heeft vermoord en Leon Walker daarvoor wilde laten opdraaien door het bebloede mes aan diens jasje af te vegen en het in diens jaszak te laten glijden?'

'Protest, edelachtbare. Speculatief.'

'Aanvaard.'

En ik begin pas. 'Lijkt het niet logisch dat de dader, die de schuld in de schoenen van meneer Walker wil schuiven, het mes in zijn rechterhand zou hebben gestopt omdat hij niet wist dat meneer Walker linkshandig was?'

'Protest. Speculatief.'

'Aanvaard.'

Nog één poging. 'Is het niet waarschijnlijker dat de moordenaar het jasje van meneer Walker met het bloed van het slachtoffer heeft besmeurd, en daarbij geen rekening heeft gehouden met de expertise van mensen als u?'

'Protest, edelachtbare. Meneer Daley lijkt hier bezig te zijn aan zijn slotpleidooi.'

Klopt.

'Aanvaard.'

Meer kan ik niet doen. 'Geen vragen meer, edelachtbare.'

45
'WE MOETEN RECHTER MCDANIEL WAT ALTERNATIEVEN BIEDEN'

'William McNulty scoorde flink tijdens de eerste ronde van de voorlopige hoorzitting in de zaak-Walker.'
Juridisch expert Mort Goldberg, *Channel 4 News*,
donderdag 9 juni, 9.50 uur

Tijdens de pauze buiten op de gang voor de rechtszaal komt Jerry Edwards met een bondige analyse van mijn optreden: 'Ze laten je alle hoeken van de zaal zien.'

Dank je. Ik probeer hem weg te bonjouren. 'We moeten met onze cliënt overleggen,' zeg ik. 'Straks komen we met ons verweer.'

'Ik hoop dat je dan wat meer te bieden hebt dan ongefundeerde beschuldigingen aan het adres van de politie en wat vage hersengymnastiek met de goeroes van de bewijslast.'

'Zodra het tijd is voor ons verweer, komen we terzake.'

'Nou, zoals het nu gaat, zal dat weinig helpen.'

Rot toch op. 'Waarom help je me niet in plaats van me hier een beetje af te schieten?'

'Waarmee dan?'

'Alicia Morales opsporen.'

'Dat is jouw werk.'

'Niet als je de Pulitzer Prize wilt winnen.'

'Ik zal kijken wat ik kan doen.' Hij schudt zijn hoofd. 'Ik wil nog steeds je cliënt interviewen.'

'Ik heb je toch al gezegd dat dat na de hoorzitting kan?'

'Je hebt niets te verliezen als we dat wat eerder doen, hoor.'

'Hij kan misschien iets zeggen wat zijn zaak nadelig kan beïnvloeden.'

'Jezus, hij heeft nog maar een paar weken te leven, en jij maakt je druk om juridische details?'

'Het is geen goed plan.'

'Ik geef je morgen vijf minuten op *Mornings on Two*. Dan kan hij zijn

zaak aan het hof van de publieke opinie bepleiten.'
'Ik zou het hem niet willen aanraden.'
Edwards heeft het laatste woord: 'Als jij niet beter presteert, kan het wel eens zijn enige kans worden.'

Tijdens de pauze in de raadskamer doet Leon zijn best zijn emoties te beheersen. 'Ze maken gehakt van ons, Mike.' Er klinkt wanhoop in zijn stem door.
'Het is altijd lastig om te scoren als de aanklager aan zet is. Het gaat wel beter zodra we aan ons verweer beginnen.'
Het ontlokt hem een zucht. 'Wie is de volgende?'
'Marcus Banks.'
'En dan?'
'Dan zijn wij aan de beurt.'
'Wanneer moet ik getuigen?'
Rosie en ik kijken elkaar even aan. Hij lijkt er klaar voor te zijn. 'Deze middag nog, of anders meteen morgenochtend vroeg. Je begrijpt de risico's?'
'Ja.' Hij wordt bloedserieus. 'Ik wil getuigen. Ik móét getuigen.'
'Morgenochtend roepen we je op.'
'Ik ben er klaar voor.'
'Er is nog een andere mogelijkheid,' opper ik, en ik vertel hem van het voorstel van Jerry Edwards om op tv te verschijnen.
Hij aarzelt geen moment. 'Ja, dat wil ik ook.'
'Het kan je zaak volkomen verknallen.'
Hij komt met een realistische inschatting: 'Tenzij je in de komende paar dagen de moordenaar vindt, zal het mijn beste kans zijn om ze mijn kant van het verhaal te vertellen.'

Leon wordt naar de toiletten geëscorteerd. Ik kijk Rosie even aan voor een realistisch tussenrapport. We hebben maar heel even voordat we weer de rechtszaal in moeten. 'Goed,' zeg ik, 'hoe staan we ervoor?'
'De waarheid?'
'Ja.'
'We halen zeker punten binnen. Het verhaal over het mes in de rechterhand en over die bloedspatten zou bij een jury in elk geval voor gerede twijfel hebben gezorgd.'
Ik voel een 'maar' in de lucht hangen.
'Maar dit is gewoon een hoorzitting. McNulty moet rechter McDaniel net genoeg bewijs leveren voor de volgende fase, meer niet. Het feit dat Leon pas een paar weken geleden een mes had gekocht, hebben ze niet eens gebruikt. Ze hebben het niet nodig.' Ze geeft een klopje op mijn hand. 'Je doet wat je kunt, Mike, maar uiteindelijk zal het zo goed als onmogelijk zijn om de aanklacht te laten vallen, tenzij we iemand kunnen

laten bekennen. Je weet hoe de kansen liggen. We hebben het hier niet over Perry Mason.'

Tegen de stem van de realiteit moet ik het doorgaans afleggen. 'Wat nu?' vraag ik.

'We spelen op safe en we kijken wat er gebeurt.'

'Dat zal niet genoeg zijn.'

'We moeten rechter McDaniel wat alternatieven bieden. Ze zal de aanklacht misschien niet kunnen verwerpen, maar wie weet dat het de media genoeg onder druk zet om de politie en de aanklagers ertoe aan te sporen het onderzoek te heropenen.'

'Wie heb je in gedachten?'

'Iedereen die van donderdagavond tot vrijdagochtend contact heeft gehad met Grayson. Misschien dat we de aandacht enigszins naar zijn vrouw, zijn zoon of zijn zakenpartners kunnen verleggen.'

'Of naar Alicia Morales,' opper ik.

'Dat is nog beter. Ze is immers niet aanwezig om zichzelf te verdedigen.'

46
'HEBT U NOG ANDERE MOGELIJKE DADERS OVERWOGEN?'

'Ik speel het spel volgens het boekje. Negeer je de regels, dan zakt ons systeem in elkaar.'
Hoofdinspecteur Marcus Banks, profiel in de *San Francisco Chronicle*

Bill McNulty wacht achter de katheder terwijl Marcus Banks zijn plek in de getuigenbank inneemt en rustig de microfoon bijstelt. Allereerst het ritueel van het vermelden van zijn naam en beroep voor de notulen. Banks vertelt dat hij al tweeënveertig jaar voor het korps van San Francisco werkt, waarvan dertig op Moordzaken. Ik laat zijn kwalificaties onbetwist. Het feit dat hij twintig jaar geleden op beschuldiging van een hardhandig afgedwongen bekentenis van een onschuldige een paar weken werd geschorst, is voor justitie alweer zo lang geleden dat het bij de rechter alleen maar slecht zou vallen als ik dit zou aanvoeren.

Eigenlijk zouden ze studenten in de zaal moeten toelaten om getuige te zijn van de manier waarop Banks en McNulty op waardige en ogenschijnlijk onbevooroordeelde toon een zaak voorleggen. De doorgewinterde veteranen beginnen met de videobeelden uit de beveiligingscamera van Alcatraz Liquors, dit ondanks mijn aanhoudende maar zinloze protesten. Driemaal wordt de band in super-slowmotion afgespeeld, terwijl Banks benadrukt dat Grayson het geld op de toonbank werpt, pal onder Leons ogen. Vervolgens neemt hij de rechter bij de hand en volgen ze Leons spoor door Minna Street. Hij pakt net genoeg details mee en weidt slechts hier en daar wat uit.

McNulty speelt het behoudend en komt pas twintig minuten nadat Banks in de getuigenbank heeft plaatsgenomen met zijn laatste vraag: 'Inspecteur, kunt u een samenvatting geven van wat er op vrijdag 3 juni om ongeveer tien over twee 's morgens achter Alcatraz Liquors is gebeurd?'

'Zeker.' Tot nu toe leek Banks verwikkeld in een onderonsje met Mc-

Nulty, maar nu richt hij direct het woord tot rechter McDaniel. 'Om ongeveer twee over twee parkeerde de heer Grayson zijn Mercedes in Minna Street, vlak bij Alcatraz Liquors. Hij betrad de winkel, kocht een pakje sigaretten en legde duidelijk in het zicht van de verdachte een stapel bankbiljetten op de toonbank. De verdachte volgde hem de winkel uit en stak hem diverse keren. Het slachtoffer strompelde naar een vuilcontainer iets verderop en viel erin. De verdachte raakte buiten kennis en werd later die ochtend aangetroffen, gekleed in het jasje doordrenkt met het bloed van het slachtoffer. Het moordwapen bevond zich in de jaszak van de verdachte, samen met tweeduizend dollar. Het motief was geld, het wapen het mes, en de gelegenheid diende zich aan op het moment dat het slachtoffer de drankwinkel betrad. Het slachtoffer heeft geen enkele kans gehad.'

Het zal oplettende toehoorders zijn opgevallen dat Banks hier wellicht een record heeft gevestigd door Leon vier keer binnen tien seconden 'de verdachte' te noemen zonder ook maar zijn naam in de mond te nemen.

McNulty knikt even zelfingenomen naar Banks, alsof hij wil zeggen: 'Goed werk.' Hij kijkt rechter McDaniel aan. 'Geen vragen meer.'

'Een kruisverhoor, meneer Daley?'

Reken maar van yes. 'Ja, edelachtbare.' Ik benader de getuigenbank, stel me pal voor Banks op en ga in de aanval. 'Inspecteur,' begin ik, 'hoe laat arriveerde u bij drankwinkel Alcatraz Liquors?'

'Om elf uur zevenentwintig in de ochtend.'

Ik laat hem erkennen dat dit meer dan negen uur na de zo-even door hem beschreven gebeurtenissen is geweest. 'Wie trof u daar?'

'Hoofdagent Jeff Roth, die geheel volgens de procedure de directe omgeving had afgegrendeld.'

Lijkt me logisch. Ik vraag Banks hoe laat hij Leon voor het eerst sprak.

'Ongeveer vijf minuten daarna.'

'Was hij toen al een verdachte?'

'Ja. We lazen hem zijn rechten voor en hij vertelde ons dat hij met zijn advocaat wilde spreken. Kort daarna heb ik u gebeld.'

Hij belde me pas bijna drie uur later. 'Heeft meneer Walker nog iets tegen u gezegd over de dood van de heer Grayson?'

'Hij zei dat hij hem niet had vermoord.'

'En wat deed u toen?'

'Ik arresteerde hem.'

'Hij ontkende dat hij de heer Grayson had vermoord, en toch arresteerde u hem al zonder hem eerst te hebben ondervraagd?'

'Het moordwapen zat in zijn jaszak.'

Ik kijk de rechter aan. 'Ik verzoek de beschrijving van het mes als het moordwapen uit de notulen te laten schrappen.'

Alsof ze 'dus' zal negeren wat hij zojuist heeft gezegd. 'Goed,' zegt ze. 'Gaat u verder, alstublieft.'

Banks en ik doorlopen de bewijslast: het bebloede mes en het jasje, de biljetten in Leons jaszak en de plek waar Graysons lijk werd gevonden. Banks is al veertig jaar getuige-deskundige en weet inmiddels wel hoe hij zich aan zijn verhaal moet houden.

Ik kom wat dichterbij en begeef me op gladder ijs. 'Hebt u nog andere mogelijke daders overwogen?'

Banks zet zijn dunne bril af en poetst met zijn pasgestreken zakdoek de glazen schoon. 'Al het bewijsmateriaal wees in de richting van uw cliënt.'

Tijd voor een schijnbeweging. 'Maar er waren nog anderen die een appeltje met de heer Grayson te schillen hadden. Wist u dat ook de echtgenote van meneer Grayson zich in de buurt bevond voordat hij stierf?'

'Ja.' Hij klinkt evenwichtig, bijna sereen. 'Ze vertelde ons dat ze die vrijdagochtend tegen tweeën in de buurt is geweest. Ze is ons bij het onderzoek zeer ter wille geweest.'

En ons iets minder. 'Weet u dat mevrouw Grayson eerder die avond te horen had gekregen dat haar echtgenoot regelmatig stripclub Basic Needs had bezocht en daar gebruik had gemaakt van de diensten van een prostituee, Alicia Morales?'

'Ja.'

'En ook dat ze daar behoorlijk door aangeslagen was?'

'Ja.'

'In de uitgebrande auto van haar echtgenoot hebt u bovendien haar sporttas aangetroffen, nietwaar?'

'Ja.'

'En toch is het geen seconde bij u opgekomen dat ze in een opwelling van jaloezie haar echtgenoot kan hebben vermoord en daarna zijn auto naar een afgelegen plek kan hebben gereden?'

'We hebben mevrouw Grayson ondervraagd,' antwoordt hij. 'Ze is vrijdagochtend haar man gaan zoeken, maar heeft hem niet kunnen vinden.'

'En de sporttas?'

'Het is niet ongewoon dat mensen persoonlijke bezittingen in de auto van hun echtgenoot hebben liggen. Bewijstechnisch is er geen verband tussen mevrouw Grayson en de dood van haar echtgenoot.'

'Behalve dan dat ze in de nacht van zijn dood naar hem op zoek was en dat haar sporttas in zijn auto werd aangetroffen.'

Voor McNulty reden om overeind te komen. 'Protest, edelachtbare. Suggestief.'

'Aanvaard.'

Als hij me nu al beredeneerd vindt, dan wacht hem nog een verrassing. Ik doe mijn best om mijn toon zakelijk te houden nu ik aan mijn volgende karaktermoord begin. 'Inspecteur, is het u bovendien bekend dat ook de zoon van het slachtoffer zich die vrijdagochtend in de buurt van Alcatraz Liquors bevond?'

'Ja.' Hij kiest voor een preventieve aanval. 'We hebben J.T. Grayson ondervraagd en hij heeft bevestigd dat hij die ochtend in de buurt was. Ook ondervroegen we een privé-detective, Nicholas Hanson, die het slachtoffer schaduwde. Hij vertelde ons dat hij meneer J.T. Grayson rond tien over twee vrijdagochtend ongeveer een straat van de drankwinkel verwijderd in de steeg had gezien.'

Daar wil hij het bij laten, maar ik niet. 'Wat had hij daar te zoeken?'

'Hij woont een paar straten verderop en was onderweg naar huis.'

Het zou de waarheid kunnen zijn, maar het is nog lang niet het hele verhaal. 'Waar bevond de heer J.T. Grayson zich vlak voordat meneer Hanson hem zag?'

'In Basic Needs.'

'Wat had hij in een club te zoeken waar vrouwen naakt dansen?'

McNulty staat op om te protesteren, maar weet even niets te bedenken.

'Hij was op zoek naar zijn vader,' aldus Banks.

'Waarom?'

Hij denkt enige tijd na over een zorgvuldige formulering. 'Hij was op de hoogte van zijn vaders uitstapjes en wilde hem erop aanspreken.'

'Heeft hij hem gevonden?'

'Nee.'

'Was hij kwaad op zijn vader?'

'Protest. Speculatief.'

'Aanvaard.'

Ik probeer het opnieuw: 'Konden J.T. Grayson en zijn vader goed met elkaar opschieten?'

'Volgens J.T. Grayson wel. Uiteraard waren we niet meer in de gelegenheid het zijn vader te vragen.'

'Hebt u de mogelijkheid overwogen dat meneer J.T. Grayson zó kwaad was op zijn vader dat hij hem bedreigd of zelfs gedood heeft?'

McNulty verheft zich van zijn stoel, maar Banks gebaart hem weer te gaan zitten. 'We sluiten niets uit, maar we hadden geen bewijzen die meneer J.T. Grayson in verband konden brengen met de dood van zijn vader.'

'Met andere woorden: u geloofde hem op zijn woord.'

Hij herhaalt zijn antwoord: 'We hadden geen bewijzen die de heer J.T. Grayson in verband konden brengen met de dood van zijn vader.'

'Maar u geloofde meneer Walker níét op zijn woord toen hij u vertelde dat hij de heer Grayson niet had vermoord.'

'J.T. Grayson had geen bebloed mes in zijn jaszak.'

Nee, dat klopt. We bakkeleien over een motief. Ik krijg Banks zover dat hij erkent dat J.T. en zijn moeder allebei kwaad waren op Tower Grayson, maar dat een van hen betrokken zou kunnen zijn bij een moord, gaat er bij hem niet in.

Ik gooi het over een andere boeg. 'Zegt de naam Alicia Morales u iets?'

'Ze was een danseres in Basic Needs.'

Ik loop naar het tafeltje met het bewijsmateriaal en introduceer de lijst met Graysons belgegevens in de bewijslast. Ik draai me om naar Banks en vraag: 'Wist u dat Tower Grayson om ongeveer vijf over twee vrijdagochtend naar een gsm heeft gebeld die aan mevrouw Morales was verstrekt?'

Hij doet alsof hij deze vraag wel had verwacht. 'We hebben geconstateerd dat er met een gsm, eigendom van de heer Grayson, is gebeld naar een gsm die het eigendom is van Basic Needs en verstrekt is aan mevrouw Morales. We hebben niet kunnen vaststellen of ze het telefoontje heeft beantwoord.'

'Waarom niet?'

'We hebben haar nog niet weten te lokaliseren.'

'Met andere woorden: de laatste persoon die met de heer Grayson heeft gesproken, is verdwenen?'

Hij corrigeert me: 'Degene aan wie de gsm is verstrekt, is verdwenen.'

'En u hebt geen idee waar u haar kunt vinden?'

'Protest,' roept McNulty. 'Reeds gevraagd en beantwoord.'

'Aanvaard.'

'Inspecteur,' ga ik verder, 'u beschikt over een beëdigde verklaring van meneer Hanson waarin hij zegt dat hij mevrouw Morales vrijdagochtend rond tweeën in het steegje achter Basic Needs heeft waargenomen.'

'Ja.'

'Wat deed ze daar?'

'Dat weten we niet.'

'Wat was de relatie tussen mevrouw Morales en het slachtoffer?'

'Zij was danseres, hij een klant.'

'Bovendien hadden ze ook buiten de club een relatie met elkaar, is het niet?'

'We beschikken niet over bewijzen die een dergelijke relatie staven.'

'Mevrouw Morales handelde in drugs en was een prostituee, nietwaar?'

'Protest. Ongefundeerd.'

'Aanvaard.'

'En de heer Grayson behoorde tot een van haar vaste klanten, hm?'

'Protest. Ongefundeerd.'

'Aanvaard.'

'En mevrouw Morales chanteerde de heer Grayson, nietwaar? Daarom had hij die donderdagavond toch een aanzienlijk geldbedrag op zak?'

'Protest. Ongefundeerd.'

'Aanvaard.'

Ik speel in op het publiek. Wie weet pikt Jerry Edwards eindelijk eens het spoor op. 'Inspecteur, hebt u mevrouw Morales als verdachte overwogen?'

'Nee. Er waren geen bewijzen die haar met de dood van de heer Grayson in verband brachten.'

'Geen bewijzen? Ze is in de steeg achter de club gezien. Men wist dat ze prostituee was en in drugs handelde. De heer Grayson heeft vlak voor zijn dood nog naar haar gsm gebeld. Is het niet mogelijk dat ze hem die vrijdagochtend heeft ontmoet?'

'Daarvoor hebben we geen bewijzen.'

'En is het niet mogelijk dat ze kwaad op hem was, hem zelfs heeft vermoord?'

McNulty loopt rood aan. 'Protest!' briest hij. 'Speculatief, ongefundeerd en suggestief!'

Al het bovengenoemde. Het geduld van rechter McDaniel is op. 'Meneer Daley, u verspilt de tijd van het hof, tenzij u deze beweringen kunt staven.'

'Ik herroep mijn vraag.' We komen er tijdens ons verweer nog wel op terug. Ik kijk even naar Rosie. Ze knikt. Ik richt mijn aandacht weer op Banks en maak wederom een schijnbeweging. 'Inspecteur, het klopt toch dat u in de uitgebrande resten van meneer Graysons auto een aansteker hebt gevonden waarop de naam van mijn cliënt gegraveerd stond?'

'Ja.'

'En mijn cliënt heeft aangegeven dat de aansteker van hem was, klopt dat?'

'Ja.'

'En u hebt tegenover dit hof verklaard dat mijn cliënt buiten bewustzijn naast de vuilcontainer werd aangetroffen, is het niet?'

'Dat is correct.'

Recht zo die gaat. 'Hoe is die aansteker in de auto terechtgekomen?'

Hij zucht eens diep. 'We denken dat uw cliënt tijdens de gebeurtenissen van die nacht op een gegeven moment in de auto is geweest.'

'Beschikt u over bewijs?' vraag ik. 'Afgezien van de aansteker? Vingerafdrukken, bijvoorbeeld?'

Opnieuw een aarzeling. 'De auto is volkomen uitgebrand. Het was uiterst lastig bewijsmateriaal te vinden waar we nog iets aan hadden.'

'Dat begrijp ik. Maar u hebt zojuist onder ede verklaard dat u geen idee hebt hoe de aansteker van mijn cliënt in de wagen is beland.'

Hij probeert me te corrigeren: 'Gezien de staat van de bewijslast kunnen we dat niet met zekerheid zeggen, nee.'

Meer heb ik niet nodig. Dan speculeren we nu nog even verder. 'Is het mogelijk dat de moordenaar van Tower Grayson niet alleen het mes in de jaszak van mijn cliënt heeft laten glijden, maar bovendien zijn aansteker heeft gepakt?'

'Protest. Speculatief.'

'Aanvaard.'

'En is het mogelijk dat diezelfde persoon in de auto is weggereden en hem een paar dagen later in de brand heeft gestoken om het laatste stukje bewijs in deze zaak te vernietigen?'

McNulty's protest is nadrukkelijk en terecht.

'Aanvaard,' oordeelt rechter McDaniel.

'En is het mogelijk dat de moordenaar de aansteker met opzet in de auto heeft achtergelaten om hem te verbranden?'

'Protest. Speculatief.'

'Aanvaard.'

Ik doe op het moment niet anders dan speculeren. 'Geen vragen meer, edelachtbare.'

Rechter McDaniel verzoekt Banks te gaan zitten en vraagt McNulty of hij verder nog getuigen heeft.

'Nee, edelachtbare. We laten het hierbij.'

Daarna kijkt ze mij aan. 'Ik neem aan dat u me om een uitspraak wilt verzoeken?'

'Ja, edelachtbare.' Ik verzoek haar om een verwerping van de aanklacht wegens onvoldoende bewijs.

'Verworpen.' Ze kijkt me ongeduldig aan. 'Ik vertrouw erop dat u na de lunch klaar bent om uw eerste getuige te horen, meneer Daley?'

'Ja, edelachtbare.'

Ze laat haar hamer neerkomen. 'Dan zie ik u om een uur.'

Leon is geïrriteerd. Het is lunchpauze en we zitten in de raadskamer. Op zijn adrenalinestoten volgen meestal momenten van diepe twijfel. Hij buigt zich voorover in zijn rolstoel. 'Waarom heb je Banks niet in een hoek gedreven?'

'Omdat hij niet van plan was iets te zeggen wat op een andere dader kan wijzen. Ik bestookte hem met zo veel mogelijk speculatieve vragen als de rechter me toestond. Het verbaasde me zelfs een beetje dat ze me nog zo lang mijn gang liet gaan.'

'Ga je hem tijdens ons verweer nog als getuige horen en hem afserveren?'

'Nee.'

Een bezorgde blik. 'Waarom niet, verdomme?'

'We zijn er totaal niet mee gediend als we tijdens een hoorzitting een ervaren rechercheur in de getuigenbank laten bekennen dat hij het bij het verkeerde eind had.'

Leon leunt weer achterover en zijn toon is gematigd: 'Wat is het plan?'

'We roepen iedereen op die in de bewuste nacht contact had met Tower Grayson en we kijken of we ze kunnen laten zweten. Rechercheurs zijn gewend om te worden gehoord, maar mensen als Graysons vrouw en zoon niet. Net als Artie Carponelli en Lawrence Chamberlain. Misschien dat ik het zo kan spelen dat ze allemaal met de vinger naar iemand anders wijzen.'

Het is een diplomatieke manier om hem duidelijk te maken dat het op hoop van zegen wordt.

Leon blijft sceptisch. 'En als je dit behendigheidsspelletje verliest?'

'Dan hopen we dat Pete Alicia Morales weet te vinden.'

'Hoe groot is die kans?'

Klein. 'Weet ik niet. Maar hij is vindingrijk.' Mocht dit mislukken, dan hebben we geen alternatief, maar dat verzwijg ik.

47
'U KUNT UW EERSTE GETUIGE OPROEPEN'

'Tenzij Michael Daley en Rosita Fernandez een homerun slaan, lijkt het onwaarschijnlijk dat de aanklacht tegen Leon Walker zal worden ingetrokken.'
Juridisch expert Mort Goldberg, *Channel 4 News*,
donderdag 9 juni, rond het middaguur

De sfeer is ingetogen als we om een uur donderdagmiddag onze plekken in de rechtszaal weer opzoeken. Bill McNulty heeft misschien al genoeg punten gescoord om de zaak voort te zetten. Waarschijnlijk zal het een – in Rosies woorden – 'Perry Mason-moment' vergen, een spontane bekentenis tijdens het getuigenverhoor – om de aanklacht van tafel te krijgen.

Mijn gebruikelijke neiging om alles in het werk te stellen om mijn cliënt vrij te krijgen, heeft plaatsgemaakt voor een verlangen erachter te komen wat er nu werkelijk is gebeurd. Leon, tijdens de lunch nog zo geagiteerd, kijkt nu kalm voor zich uit. Hij lijkt een gevangene in de dodencel, die inmiddels in zijn onafwendbare lot berust en met nog een beetje waardigheid hoopt te sterven. Met een vermoeide blik kijkt hij zijn ex-vriendin even aan en leunt weer achterover in zijn rolstoel. Zijn wezenloze blik doet vermoeden dat zijn strijdlust tanende is.

Het rumoer stopt onmiddellijk als rechter McDaniel plaatsneemt. Aanklager McNulty zit aan zijn tafel en staart naar een lege blocnote. Nicole Ward heeft haar handen gevouwen. Hun lichaamstaal doet een preventieve defensie vermoeden: het doel gesloten houden totdat het eindsignaal klinkt.

'Meneer Daley,' verzoekt rechter McDaniel me, 'u kunt uw eerste getuige oproepen.'

'De verdediging roept dr. Robert Goldstein op,' zeg ik. We spelen nu netjes volgens het boekje. We gaan proberen aan te tonen dat Leon fysiek niet in staat is geweest het misdrijf te begaan. Daarna richten we onze pijlen op de bewijslast. Ten slotte presenteren we rechter McDaniel enkele plausibele alternatieve scenario's. Kortom, dat iemand anders het heeft gedaan. En als dit alles geen steek uithaalt, kunnen we altijd nog Nick the Dick opvoeren voor een komische noot.

Medicus Bob Goldstein is hoogleraar aan de universiteit van San Francisco. Zijn eigen rol in dit melodrama is om als expert vast te stellen dat Leon lichamelijk te zwak was om Grayson te kunnen neersteken. Hij is een informele huurling die zijn medewerking heeft toegezegd omdat ik zijn neef uit de gevangenis heb weten te houden nadat deze op de hoek van Sixteenth en Mission Street was betrapt op dealen. Goldstein is zo vriendelijk geweest zijn gebruikelijke honorarium van vierhonderdvijfenzeventig dollar per uur niet in rekening te brengen. Speel je troeven slim uit en zelfs doctoren zullen zo nu en dan gratis voor je werken.

Goldstein heeft meer tijd nodig om zijn cv door te lopen dan om zijn getuigenis af te leggen. McNulty protesteert slechts voor de vorm terwijl de arts bevestigt dat hij Leon heeft onderzocht. Hij verklaart dat diens terminale ziekte hem hoogstwaarschijnlijk nog slechts vier weken te leven geeft. Zijn onderkin lilt gezaghebbend terwijl hij zwaarwichtig en wijsgerig uitlegt dat het volkomen uitgesloten is dat Leon het slachtoffer verscheidene steekwonden heeft toegebracht. 'Daarvoor was hij veel te ziek,' is zijn conclusie.

Goldsteins diagnose is goed nieuws voor Leons zaak, maar slecht nieuws voor diens fysieke vooruitzichten. 'Geen vragen meer,' zeg ik.

McNulty heeft maar al te goed door dat hij dr. Goldstein niet het vuur na aan de schenen moet leggen. 'Geen vragen, edelachtbare,' klinkt het dan ook.

Daarna roep ik een vriendelijke bewijslastdeskundige op, en met hem doorloop ik dezelfde procedure om maar zo veel mogelijk gaten in de vingerafdrukanalyse van Kathleen Jacobsen te slaan. McNulty biedt weinig tegenstand als de gezette kerel met zijn enorme hoofd, grijze baard en John Lennon-brilletje concludeert dat de vingerafdrukken, die volgens Jacobsen aan Leon toebehoorden, vaag en dus niet eenduidig waren. Rook en spiegels.

McNulty veinst nog altijd desinteresse en komt met een slap kruisverhoor. Rosie buigt zich naar me toe en fluistert: 'McNulty beschouwt de zaak al als gewonnen.'

'Hij heeft betere kaarten,' zeg ik.

Onze volgende getuige is een voormalige studievriendin van Rosie die de kost verdient met bloedspatpatronen te onderzoeken. Ze is aantrekkelijk, deskundig en probeert een cv op te bouwen door voor een prikkie te werken. Terwijl ze ons verzekert dat de spatten op Leons jasje niet stroken met de steekwonden, protesteert McNulty voor de vorm ook nu weer een paar maal. Op een echte zitting zou de eindstand 'à charge versus à decharge' ongeveer gelijk zijn, maar bij een voorlopige hoorzitting ligt de nadruk niet echt op de bewijslast en is bij gelijkspel de eisende partij de winnaar.

Ik hoor een reeks getuige-deskundigen die allemaal met onderbouwde conclusies komen, van de juistheid van de bewijslast tot het tijdstip van overlijden. McNulty lijkt ongeïnteresseerd, en als uiting van vertrouwen verlaat Ward de rechtszaal om zich voor te bereiden op een persconferentie. Ik scoor weliswaar punten, maar ben aan de verliezende hand. Om halfvier ben ik klaar met het horen van de getuige-deskundigen en rechter McDaniel gelast een pauze. Misschien dat ik haar aandacht heb gewekt; ze laat het in elk geval niet merken.

De parketwachters duwen Leon de zaal uit en we treffen elkaar weer in de raadskamer. Vermoeid kijkt hij me aan. 'Denk je dat de rechter haar oordeel al klaar heeft?'

Waarschijnlijk wel. 'Ik weet het niet.'

'Ik wil nú in de getuigenbank.'

'We willen je bewaren voor onze grote finale,' zeg ik. 'Je moet altijd sterk eindigen.'

48
'HAD U EEN GELUKKIG HUWELIJK?'

'Mijn echtgenoot was een van de grote visionaire geesten van Silicon Valley.'
Deborah Grayson, *San Jose Mercury News*, donderdag 9 juni

'Noem alstublieft uw naam voor de notulen,' verzoekt de gerechtsdienaar haar.

'Deborah Grayson.'

Ik moet aantonen dat Debbie Grayson kwaad was op haar man en dat ze Kaela Joy had ingehuurd om hem te schaduwen. Ik wil dat ze bekent dat ze die avond in Sixth Street naar hem zocht. Het zou ideaal zijn als zij de moord zou bekennen. Maar in werkelijkheid zal ze het pad effenen voor mijn volgende getuigen, die allemaal hun eigen appeltje met haar echtgenoot te schillen hadden. Het is koorddansen op het allerhoogste niveau. Zij is de rouwende weduwe en als ik antagonistisch overkom werkt het alleen maar in mijn nadeel.

'Mevrouw Grayson,' begin ik, 'allereerst wil ik u mijn oprechte medeleven betuigen.'

'Dank u, meneer Daley.'

Ze draagt een zwarte jurk. Iemand die onlangs een dierbare heeft verloren ondervraag je op gepaste wijze, en dus blijf ik netjes achter mijn katheder als ik haar vraag: 'Had u een gelukkig huwelijk?'

Ze neemt een slokje water en antwoordt: 'Over het algemeen wel ja.'

'Maar er waren wat problemen?'

'We hadden onze ups en downs, zoals iedereen.'

Ken de problemen, kan erover meepraten. 'Mevrouw Grayson, kunnen we stellen dat uw man en u de afgelopen maanden in zo'n dip zaten?'

Haar antwoord is nauwelijks verstaanbaar: 'Ja.'

Ik moet haar langzaam uit haar tent lokken. 'Kunt u ons alstublieft vertellen hoe dat kwam?'

McNulty protesteert op respectvolle toon. 'Irrelevant, edelachtbare.'
Ook ik blijf respectvol: 'Edelachtbare, zowel op het persoonlijke als op het zakelijke vlak kampte de heer Grayson met de nodige zorgen. Het is vervelend om erover te moeten praten, maar ze hebben allemaal te maken met de gebeurtenissen van vrijdagochtend.'
De rechter denkt even na. 'Ik moet u verzoeken de vraag te beantwoorden.'
Debbie Grayson slaat haar donkerbruine ogen neer. 'De zaken liepen niet lekker. Zijn investeerders werden ongeduldig.'
Het is de opening die ik zocht. 'Werd uw man door hen onder druk gezet?'
'Meneer Lawrence Chamberlain, de grootste participant, wilde dat Tower zich terugtrok als fondsbeheerder. Mijn man was daartegen.'
'Wist u dat uw man donderdagavond een afspraak had met de heer Chamberlain en de heer Bradley Lucas, en dat hij kort daarna met hen is gaan dineren?'
'Ja.'
'Weet u ook waarover het ging?'
McNulty springt overeind. 'Protest. Speculatief.'
'Verworpen.'
Mevrouw Grayson haalt haar schouders op. 'Ik zou het niet weten.'
Ik vraag haar naar Paradigm en de onderlinge verstandhouding tussen Grayson, Chamberlain en Lucas. Ze vertelt dat er soms spanningen waren en geeft zelfs ruiterlijk toe dat haar man ervan werd beschuldigd honderdduizend dollar te hebben verduisterd. Ze erkent dat het gedoe niet echt bevorderlijk was voor zijn aanzien bij de participanten.
Ik roer een ander heikel punt aan: 'Mevrouw Grayson, wist u dat het fonds van uw echtgenoot investeerde in een concern met de naam BNI?'
McNulty is er niet blij mee. 'Protest. Irrelevant, ongefundeerd.'
'Edelachtbare,' verdedig ik me, 'BNI is eigenaar van de stripclub Basic Needs, een straat van drankwinkel Alcatraz Liquors verwijderd.'
Rechter McDaniel kijkt me een beetje ongemakkelijk aan, maar beslist in mijn voordeel: 'Verworpen.'
Debbie Grayson slaakt een luide zucht, maar draait er verder niet omheen. 'Ik wist van zijn participatie in BNI,' antwoordt ze, 'en ook dat ze eigenaar zijn van Basic Needs.'
Ik ben tevreden. 'Wist u dat uw man de club regelmatig bezocht?'
Ze aarzelt even, maar bekent eerlijk: 'Ja. Ik huurde Kaela Joy, een privédetective, in om hem te schaduwen. Ze vertelde me dat hij daar rondhing.'
Recht zo die gaat. 'En u hebt hem daarop aangesproken?'
'Ja.' Ze lijkt onbewogen. 'Hij beloofde ermee te stoppen.'
'En, deed hij dat?'
Haar schouders zakken omlaag. 'Nee,' klinkt het zacht.

Ik laat haar antwoord nog even in de lucht hangen. Ik wil vooral niet te gretig lijken, en als ik nu mijn tanden in haar zet, sta ik alleen maar voor schut. Ik bied haar een glaasje water aan en gun haar een momentje rust. Daarna pak ik de draad weer op. 'Hoe kwam u erachter dat hij nog steeds de club bezocht?'

'Ik had donderdagavond een ontmoeting met mevrouw Gullion. Ze had foto's bij zich. Ik voelde me verraden.'

'Wat deed u toen?'

'Mijn man had een etentje in het Boulevard. Ik wilde hem in het bijzijn van meneer Chamberlain en meneer Lucas de les lezen, maar uiteindelijk durfde ik niet. Ik ben wel naar het restaurant gereden, maar niet naar binnen gegaan.'

Haar verhaal strookt met dat van Kaela Joy. Het kan nooit kwaad je aan de waarheid te houden, vooral niet als je onschuldig bent of wanneer een privé-detective jouw verhaal kan bevestigen. Ik vraag haar wat ze vervolgens deed.

'Ik zag mijn man wegrijden met meneer Chamberlain. Ik besloot naar Sixth Street te gaan om te kijken of ze naar Basic Needs gingen. Ik wilde hem in de club confronteren. Ik wachtte ongeveer een uur bij de ingang, maar hij kwam niet opdagen.'

'Hebt u verder nog iemand herkend?'

Een aarzeling. 'Nee.'

Ik probeer haar voor het blok te zetten: 'Hebt u uw zoon naar binnen zien gaan?'

Opnieuw een aarzeling. 'Nee.'

Ze liegt. Ik geef haar nog één kans: 'Weet u dat zeker, mevrouw Grayson?'

'Ja.'

'Zou u uw verklaring wijzigen als ik u zeg dat andere getuigen ons hebben verteld dat uw zoon vrijdagochtend vroeg daar is gezien?'

Ze haalt diep adem. 'Nee.' Ze houdt voet bij stuk. Dat haar man een striptent bezocht wil ze wel bekennen, maar ze is niet van zins ook nog eens haar zoon in dit verband te plaatsen.

'Hebt u uw man voor de drankwinkel zien stoppen?'

Er valt weer een korte stilte. 'Nee. Ik was een straat verderop.'

Ik wacht even terwijl zij een slokje water neemt, en gooi het over een andere boeg. 'Afgelopen weekend was ik bij u thuis, weet u nog?'

'Ja.'

'En ik vroeg u toen waar u donderdagavond was, nietwaar?'

'Ja.'

'Maar u hebt me helemaal niet verteld dat u in Sixth Street was, of wel?'

Ze wacht een tel. 'Nee, dat klopt.'

'Mag ik weten waarom niet?'

'Ik schaamde me.'

Dat geloof ik graag. 'Hebt u verder nog iets vergeten, mevrouw Grayson?'

'Nee.'

Ik moet aandringen. 'Weet u zeker dat u niets meer kwijt wilt?'

McNulty komt tussenbeide. 'Protest. Reeds gesteld en beantwoord.'

'Aanvaard.'

'Mevrouw Grayson,' ga ik verder, 'was u van plan echtscheiding aan te vragen?'

'Met die gedachte heb ik gespeeld, ja.'

'Was er sprake van een levensverzekering?'

Ze antwoordt bevestigend en ze vertelt dat die twee miljoen dollar bedroeg.

Ik ga er nog eventjes op door, maar ik win er niets mee door haar het vuur na aan de schenen te leggen en een Perry Mason-moment dient zich vooralsnog niet aan. Ik kijk even naar Rosie, die haar ogen neerslaat, en ik bedank Debbie Grayson voor haar medewerking. Ten slotte kijk ik de rechter aan. 'Geen vragen meer.'

McNulty besluit haar geen kruisverhoor af te nemen.

'Meneer Daley, ik verzoek u uw volgende getuige te roepen,' zegt rechter McDaniel.

Debbies zoon heeft de getuigenverklaring van zijn moeder niet mogen aanhoren en ik wil hem niet de kans geven voor een time-out met zijn moeder. 'De verdediging roept J.T. Grayson op als getuige,' zeg ik.

'Had u een hechte band met uw vader?' vraag ik J.T. Grayson.

Hij trekt aan zijn das en denkt even na. Zijn blik glijdt langs de tribune, zoekend naar medeleven, maar tevergeefs. Zijn moeder is niet langer in de rechtszaal, aangezien ze als getuige nogmaals kan worden opgeroepen. 'Ja,' antwoordt hij ten slotte. Hij buigt zich iets naar voren en voegt eraan toe: 'Ik kom uit een hecht gezin.'

Ja, tot het einde aan toe, toen je pa al regelmatig in Basic Needs te vinden was. Ik word gedwongen hem uit zijn tent te lokken. 'Meneer Grayson, u hielp uw moeder met het inhuren van privé-detective Kaela Joy Gullion om uw vader te schaduwen, nietwaar?'

Een aarzeling.

'We kunnen mevrouw Gullion als getuige oproepen,' zeg ik. Wat kort door de bocht, maar het kan niet anders.

'Ja,' is zijn antwoord.

'U wist dus dat uw moeder uw vader ervan verdacht dat hij haar bedroog.'

'Ja.'

Het is muisstil in de rechtszaal en de jonge Grayson neemt een slokje water. Bij zijn moeder nam ik letterlijk een gepaste afstand in acht, maar daar hoeft hij niet op te rekenen. Rouwende weduwes worden met respect behandeld, maar onverbeterlijke zonen niet. Ik ga pal voor hem staan en vraag: 'Hoe voelde u zich over uw vaders gedrag tegenover uw moeder?'

Hij is bijna niet te verstaan, zo zacht klinkt het: 'Kwaad en gegeneerd.'

Je moeder ook. 'Wanneer hebt u voor het laatst met hem gesproken?'

'Donderdagmiddag. Hij belde me vanuit zijn auto toen hij onderweg was naar de stad.'

'Waar ging het gesprek over?'

'Protest. Van horen zeggen.' McNulty probeert J.T. een adempauze te geven.

'Verworpen.'

J.T. slikt even. 'Over zaken.'

Dit zal even gaan duren. 'Kunt u iets specifieker zijn?'

'Het ging over de investeringen en activiteiten van Paradigm Partners.'

'We hebben begrepen dat de investeerders met de gedachte speelden uw vader als beherend vennoot aan de kant te zetten.'

Hij probeert tijd te rekken door met een platitude in plaats van een antwoord te komen: 'Mijn vader was een succesvol fondsbeheerder en een steunpilaar van de gemeenschap.' Hij kijkt me aan met een blik van: voilà.

Ik richt me tot de rechter. 'Edelachtbare,' vraag ik op geduldige toon, 'kunt u de getuige alstublieft verzoeken de vraag te beantwoorden?'

Rechter McDaniel neemt het woord en leest J.T. de les over de merites van een welwillende houding.

Met een rood hoofd antwoordt hij: 'Er waren wat discussies over de aanstelling van een nieuwe beherend vennoot.'

'Welke van uw partners kwamen met dit voorstel?'

'Dat is vertrouwelijk.'

Ik hoef rechter McDaniel niet te verzoeken. 'Beantwoord de vraag, meneer Grayson,' maant ze hem onmiddellijk.

Hij bevestigt dat het Chamberlain was.

'Was u het met hem eens?'

De ogen schieten heen en weer. De bekende zucht. 'Nee.'

Een slappe leugen. 'Meneer Grayson,' ga ik verder, 'wist u dat uw moeder donderdag een afspraak had met mevrouw Gullion voor een nieuwe rapportage over uw vader?'

'Ja.'

'Bent u op de hoogte gebracht van het gesprek tussen uw moeder en mevrouw Gullion?'

'Ja. Mijn moeder belde me op en zei dat mevrouw Gullion mijn vader weer de stripclub had zien bezoeken. Ik voelde me kwaad en gefrustreerd.'

'Kwaad genoeg om hem te vermoorden?'

'Protest. Suggestief.'
'Verworpen.'
Hij slaat zijn meest verontwaardigde toon aan: 'Natuurlijk niet!'
'Wat deed u toen?'
'Ik ging naar de club om hem er daar op aan te spreken.'
Bingo. Het goede nieuws is dat hij zichzelf nu op de plaats van het misdrijf heeft geplaatst. Het slechte nieuws is dat moordenaars meestal niet toegeven dat ze in de buurt waren. 'Waarom wachtte u daar niet mee totdat hij thuis was?'
'Dan zou hij het hebben ontkend.'
'Hebt u hem daar getroffen?'
'Hij kwam niet opdagen.'
'Trof u binnen nog anderen die u kende?'
'Ja, de eigenaar, Arthur Carponelli, en een danseres, Alicia Morales.'
'Hoe kende u haar?'
'Ik had haar foto gezien. Mevrouw Gullion wees haar aan als een van de dames met wie mijn vader contact had.'
'Contact in welke zin?'
'Seksueel.' Hij schraapt zijn keel. 'En om drugs te kopen.'
Dit is Ward en June Cleaver nog nooit overkomen. 'Hebt u haar gesproken?'
'Nee.'
'Was uw vader haar geld verschuldigd?'
'Dat weet ik niet.'
'Chanteerde ze hem?'
'Ook dat weet ik niet.'
Verdomme. 'Hebt u enig idee waar we haar kunnen vinden?'
'Nee.'
Ook weer een dood spoor. 'Wist u dat uw moeder ook naar uw vader op zoek was?'
'Dat vertelde ze me de volgende ochtend. We hebben niets te verbergen, meneer Daley.'
Hij niet, klaarblijkelijk. Ik hamer nog een paar minuten door, maar meer dan zijn frustratie en gekwetstheid heeft hij me niet te bieden. McNulty ziet af van een kruisverhoor en rechter McDaniel last een pauze in. Ik neem weer plaats achter onze tafel, waar Leon de hele tijd met over elkaar geslagen armen heeft zitten luisteren. Uit zijn lichaamstaal spreekt frustratie. We raken door onze getuigen heen, en door onze tijd.

Een parketwacht met een blokhoofd komt in de pauze naar ons toe gelopen. 'Er is een telefoontje voor u. De beller zei dat het dringend was.'
Grace, is mijn eerste gedachte. 'Wie is het?' vraag ik.
'Uw broer.'
Ik sta mezelf even wat voorzichtig optimisme toe. Wie weet heeft hij

Alicia Morales gevonden. 'Kunt u tegen de rechter zeggen dat we een paar minuten extra nodig hebben?'

49
'ZE IS VERDWENEN, MICK'

'Inspecteur Marcus Banks bericht dat de politie geen nieuwe aanwijzingen heeft omtrent de verblijfplaats van danseres Alicia Morales.'
KGO Radio, donderdag 9 juni, 16.00 uur

'Alles goed, Mick?' vraagt Pete. Zijn stem klinkt schor. 'Je klinkt moe.'

Hij ook, trouwens. Ik waardeer zijn bezorgdheid, maar ik sta bij een munttelefoontoestel buiten op de gang en heb geen tijd voor ditjes en datjes. 'Ik moet de rechtszaal weer in. Ben je nog iets te weten gekomen over Alicia Morales?'

'Ze is verdwenen, Mick, net als haar zus. Een buurvrouw van haar zus heeft hen vrijdagochtend om zes uur zien wegrijden. Daarna heeft niemand hen meer gezien.'

'Had ze enig idee waar ze heen gingen?'

'Nee.' Hij vertelt dat ze wegreden in de Chevy Impala van Morales' zus. Hij heeft het kenteken opgevraagd. 'Ik heb de gegevens naar Roosevelt doorgespeeld.'

'En?'

'De wagen is zaterdagochtend gezien bij een staatsgrens ten zuiden van El Centro.'

Het woestijngebied ten oosten van San Diego. 'Ze waren op weg naar Mexico?'

'Ja.'

'Opzet?'

'Voorzover we weten niet. Waarschijnlijk zijn ze naar Mexicali gegaan en vandaar verder naar het zuiden gereden.'

En van de aardbodem verdwenen. Ik vraag mijn broer de ex-smeris om een realistische inschatting. 'Kun je haar opsporen, denk je?'

Ik hoor een zucht. 'Mexico is een groot land, Mick.'

Nou en of. Ik probeer zijn geraffineerde smerisinstinct te kietelen. 'Denk je dat ze Grayson heeft vermoord?'

'Hoe moet ik dat nu weten?'
Zo veel vragen, zo weinig antwoorden, zo weinig tijd. 'Wie is er nog meer op de hoogte?'
'Roosevelt,' is het antwoord. 'Dus Banks zal het inmiddels ook weten.'
'Ongetwijfeld. Hebben ze al iets naar de media doorgespeeld?'
'Voorzover ik weet niet, nee. Hoezo?'
'Misschien dat het slim is om bij een paar van onze getuigen de suggestie te wekken dat we Alicia Morales hebben gevonden.'
'Maar dan zouden we dus liegen.'
'Weet ik.'

50
'WE WAREN ZAKENPARTNERS'

'Namens het gehele team van BNI *betuigen we ons oprechte medeleven met de nabestaanden van onze investeerder en vriend Tower Grayson.'*
Arthur Carponelli, KGO Radio, donderdag 9 juni, 16.00 uur

Het is kwart over vier en Artie Carponelli's haar en manchetten glanzen in het licht van de rechtszaal terwijl hij de mouwen van zijn donkergrijze Armani-pak even rechttrekt. 'Wat is uw beroep?' vraag ik.

'Ik ben voorzitter van de raad van bestuur van BNI, een entertainmentbedrijf.'

Toe maar. 'Wat voor goederen en diensten biedt BNI?'

'Kleding, films, video's en andere alledaagse producten.'

Dildo's, vibrators en andere seksspeeltjes dus. 'Hoe distribueert u uw producten?'

'We hebben retailvestigingen in vijftien staten, en ook een groot postordernetwerk op internet.'

Een leek achter in de rechtszaal weet niet beter of ik praat hier met de directeur van het chique lingeriewarenhuis Victoria's Secret. Tijd om eens wat meer to the point te komen. 'Meneer Carponelli, het klopt toch dat u producten verkoopt die speciaal bedoeld zijn als seksueel hulpmiddel?'

'Wat onze klanten met onze producten doen is hun zaak.'

Gelach achter in de rechtszaal.

'Uw producten omvatten tevens seksueel expliciete bladen en video's.'

Hij ontkent het niet. 'Alles wat we verkopen, is volkomen legaal,' verzekert hij me. 'Wij beschouwen ons assortiment liever als erotische producten voor een brede markt.'

Zelf beschouw ik ze liever als porno voor een brede markt. 'Beheert en leidt uw bedrijf ook een stripclub genaamd Basic Needs?'

'Ja.'

'Klopt het dat het programma onder meer naakte danseressen biedt?'
'We bieden onze klanten een gevarieerd programma.'
Rechter McDaniel heeft genoeg gehoord. 'Ze wijst met haar hamer naar Carponelli. 'Beantwoordt u meneer Daleys vragen alstublieft zonder eufemismen en zonder mooie praatjes.'
'Ja, edelachtbare.'
Ik vraag Carponelli of hij Tower Grayson heeft gekend.
'We waren zakenpartners. Hij was beherend vennoot van een participatiemaatschappij die een van onze grootste investeerders is.'
'Hoeveel heeft hij in uw bedrijf geïnvesteerd?'
'Dat is vertrouwelijk.'
Rechter McDaniel is me voor en sommeert Carponelli te antwoorden.
'Tien miljoen dollar.'
Ik vraag of Paradigm ook aanvullende investeringen heeft toegezegd.
'Ja.'
'Hoeveel?'
Opnieuw staat hij op het punt te antwoorden dat dit vertrouwelijk is, maar hij bedenkt zich: 'Vijf miljoen.'
'Was de heer Grayson van plan zich daarvoor aan een datum te houden?'
'Hij was zeer betrouwbaar.'
In velerlei opzichten. Ik gooi het over een iets andere boeg. 'Wanneer hebt u hem voor het laatst gezien?'
'Op dinsdag, in de club.'
'Wat deed hij daar?'
Zijn mondhoek krult iets op tot een halve glimlach. 'Een participatieonderzoek,' klinkt het meesmuilend.
Zo is het wel genoeg met die onzin. 'De heer Grayson bezocht de club vrij regelmatig, nietwaar?'
'Wij moedigen al onze investeerders aan om onze bedrijfsactiviteiten van dichtbij gade te slaan.'
'En hij was een enthousiast afnemer van uw diensten?'
'Wij vinden dat onze investeerders gediend zijn bij een persoonlijke kennismaking met onze producten.'
Ik kom in de verleiding zijn vernislaagje van neerbuigendheid met een stevig afbijtmiddel te lijf te gaan, maar ik wil hem aan de praat houden en ik heb belangrijker kwesties aan te roeren. 'Meneer Carponelli,' ga ik verder, 'we hebben vernomen dat de heer Grayson lid was van uw Premiere Club.'
'Dat klopt.'
'Wat voor privileges leverde dat hem op?'
'Hij had onbeperkte toegang tot onze shows, winkels en speciale evenementen.'
'Met bovendien een speciale assistente die voor zijn persoonlijke wensen in de club moest zorgdragen.'

'Ja.'
'Te vergelijken met een receptioniste in een hotel, zeg maar.'
'Precies.'
Ik probeer mijn stem te beheersen. 'Behalve dan dat ze ook seksuele diensten leverde.'
McNulty probeert nog een vleugje waardigheid te behouden. 'Protest, edelachtbare. Suggestief.'
'Verworpen.'
Carponelli's houding blijft zelfverzekerd. 'Nee, meneer Daley,' antwoordt hij. 'Het is onze persoonlijk assistentes verboden zich op die manier met onze klanten in te laten. Het is tegen het bedrijfsbeleid.'
Ja, ja. 'Hoe heette meneer Graysons persoonlijk assistente?'
'Alicia Morales.'
'Weet u waar we haar kunnen bereiken?'
'Ze werkt niet langer bij ons.'
'Waarom niet?'
'Personeelskwesties zijn vertrouwelijk, meneer Daley.'
Ik richt me tot de rechter. 'Kunt u de getuige verzoeken te antwoorden?'
'Beantwoordt u alstublieft de vraag van meneer Daley.'
'Edelachtbare,' verdedigt hij zich, 'onze raadsman heeft ons uitgelegd dat we vervolging riskeren als we informatie uit onze personeelsdossiers aan derden beschikbaar stellen.'
Zoals bij elk normaal bedrijf. De rechter is niet onder de indruk. 'Beantwoordt u alstublieft de vraag. En anders laat u uw raadsman maar hierheen komen voor een verzoek om een beschermend besluit.'
'Ze werd ontslagen, omdat ze niet voldeed aan onze drugstests.'
'Klopt het dat ze zich buiten achter uw club inliet met prostitutie en handel in drugs?'
'Niet dat ik weet.' Hij kucht even en voegt eraan toe: 'Ook die bezigheden zijn een duidelijke schending van ons beleid, waarvoor ze zou zijn ontslagen.'
Hij liegt. 'U verklaart hiermee dat ze zich tegenover de heer Grayson niet buiten werktijd met dergelijke activiteiten inliet?'
'Niet dat ik weet,' herhaalt hij.
Hij ontleedt makkelijker dan de meeste politici. 'Wanneer hebt u haar voor het laatst gezien?'
'Vrijdagochtend. Om ongeveer twee uur 's ochtends verscheen ze om haar spullen op te halen. Ik heb geen idee waar ze daarna heen is gegaan.'
We hebben Carponelli en Morales weliswaar toegevoegd aan de groeiende lijst van mensen die zich die vrijdagochtend in de buurt van Alcatraz Liquors hebben opgehouden, maar nog steeds kan niemand met Graysons dood in verband worden gebracht. Ik vraag hem naar de gsm die door de club aan Morales werd verstrekt. Hij bekent dat ze die nog

niet had teruggegeven en dat bij diverse belpogingen bleek dat de gsm was uitgezet. Hij zegt dat hij geen idee heeft of Morales die vrijdagochtend met Grayson heeft gesproken.

'Meneer Carponelli, hebt u met de heer Grayson ooit over Morales gesproken?'

'Ja. Hij vond haar een uitstekende werknemer.'

Weer een tevreden klant. Ik doe een poging hem uit balans te brengen door plotseling van onderwerp te veranderen: 'Hoe gaan de zaken met BNI inmiddels?'

'Heel goed, dank u.'

'En de heer Grayson en zijn partners waren tevreden over hun investering?'

'Zeker.' Hij vertelt dat het bedrijf zich opmaakt om volgend jaar het aantal vestigingen te verdubbelen en om binnen anderhalf jaar een open NV te worden. De man laat zich niet in de val lokken.

'Hadden de heer Grayson en u wel eens meningsverschillen?'

Hij wordt achterdochtig. 'Hoe bedoelt u?'

Tja, wat zal ik zeggen? 'Nou, misschien verschilde u van mening over de strategie of de groei.'

'We zaten bijna altijd op dezelfde golflengte.'

Ik trek een wenkbrauw op. '"Bijna altijd"?'

'Altijd.'

Nou, niet helemaal. 'Waren er ook kwesties waarover u van mening verschilde?'

'Een paar.' Hij beseft dat hij zijn mond voorbij heeft gepraat en dus het een en ander moet uitleggen. 'We waren het bijvoorbeeld niet eens over de groei. Tower wilde een wat geleidelijker koers.'

'Heeft hij ooit gedreigd de financiering terug te schroeven?'

'Daarover waren wat geruchten in de media,' zegt hij, 'maar die waren onjuist.'

Vanuit een ooghoek kijk ik even naar Rosie. We lijken hier een open zenuw te hebben aangeboord, maar ik waan me in het duister. 'Had uw bedrijf te kampen met tegenslagen?'

'Bedrijven hebben te maken met cycli,' doceert hij. 'Het gerucht begon toen onze *same-store*-winsten in het eerste kwartaal zakten, wat overigens geheel volgens verwachting was. Vervolgens kwam de heer Grayson tijdens een conferentie in Silicon Valley met een onverwacht commentaar waarin hij zijn twijfels uitte over ons businessplan.'

Goh, werkelijk? 'Waarom zou hij dat hebben gedaan?'

'Ik zou het niet weten. Zulke dingen kreeg ik van hem nooit te horen.'

Natuurlijk niet. 'Hoe reageerde u?'

'Ik was teleurgesteld dat onze voornaamste investeerder dingen had gezegd die een negatief effect op onze zaken konden hebben. Later bekende hij dat zijn opmerkingen uit hun verband waren gerukt.'

Nog steeds heeft hij mijn vraag niet beantwoord. 'Heeft de heer Grayson ooit laten doorschemeren dat hij zijn investeringen ten aanzien van uw bedrijf in de toekomst wilde stopzetten?'

'In het geheel niet.'

'En dat was de consensus binnen Paradigm?'

'Het was de consensus van de heer Grayson, de investeringsmanager.'

'Wat zou er met uw bedrijf zijn gebeurd als Paradigm de financiering had stopgezet?'

Zijn antwoord is openhartiger dan ik had verwacht. 'Groeiende bedrijven vertrouwen op standvastige kapitaalbronnen. Zodra daar onzekerheid in ontstaat, wordt het een stuk moeilijker om de boel draaiende te houden.'

'En u zou behoorlijk boos zijn geworden op de heer Grayson als hij daarvoor gekozen had?'

'Het zou een schending van onze overeenkomst zijn geweest en we zouden juridische stappen hebben ondernomen.' Hij beseft dat dit nogal zwaar klinkt en hij probeert de dreiging van juridische stappen iets af te zwakken: 'Het was gewoon een zakelijke kwestie, meneer Daley.'

Tuurlijk. 'Was dat die dinsdagavond met de heer Grayson ook het gespreksonderwerp?'

'Ja. Hij werd door zijn investeerders onder druk gezet om de structuur van onze overeenkomst te herzien.'

O? 'In welke zin?'

'Hij wilde hun additionele *commitment* afhankelijk maken van bepaalde financiële targets binnen ons bedrijf. Ik legde nog eens uit dat we een bindend contract hadden en dat ik van Paradigm Partners verwachtte dat ze hun verplichtingen zouden nakomen. Hij erkende dat een deal een deal is en dat hij het laatste woord had aangaande investeringskwesties. Bovendien liet hij me persoonlijk weten dat dit bij enkele investeerders niet goed zou vallen.'

Als Carponelli even later de getuigenbank verlaat, realiseer ik me opeens dat de meest ontevreden investeerder buiten op de gang wacht om te worden gehoord. 'De verdediging roept Lawrence Chamberlain op.'

51
'WE ZIJN ZEER TEVREDEN OVER ONZE PORTEFEUILLE'

'Het belangrijkste aspect bij de overweging om tot een investering over te gaan is een complete bedrijfsanalyse. Voor een halfslachtig onderzoek bestaat geen excuus.'
Lawrence Chamberlain, profiel in de *San Jose Mercury News*

Het optreden van Lawrence Chamberlain is het toonbeeld van Silicon Valley-cool. Hij strijkt een blonde lok uit zijn ogen en trekt even zijn donkerblauwe blazer strak. Een bezoekje aan de rechtbank is voor hem een klein ongemak dat hem even weghoudt van zijn fulltime job van geld verdienen.

Rijke mensen hebben meestal goede manieren. Beleefd vertelt hij over zijn participatie in Paradigm, maar het dringt niet tot hem door dat zijn gebruik van het verheven 'we' neerbuigend overkomt. Hij bevestigt dat hij de grootste investeerder is en meldt dat het fonds goed rendeert. Met ietwat naar voren gestoken onderlip concludeert hij zelfverzekerd: 'We zijn tevreden over onze investering.'

Zijn voorkomen wordt stijfjes en zijn antwoorden klinken allengs clichématiger als we zijn relatie met Tower Grayson aansnijden. Zijn nadrukkelijke antwoord dat hij zijn partner altijd heeft gerespecteerd en vertrouwd, klinkt me iets te geforceerd in de oren, en hij toont zich een stuk sympathieker over Grayson dan toen we hem onder vier ogen spraken. De pers op de tribune slikt het misschien voor zoete koek, maar ik niet.

Ik ga van start. 'Meneer Chamberlain, waren de heer Grayson en u het eens over de investeringsstrategie?'

'In principe wel, ja.'

'Maar er waren meningsverschillen?'

'Zo nu en dan.'

Hij zal me niet aan het handje nemen. 'U vond met name dat meneer Grayson niet ondernemend genoeg was, nietwaar?'

'Zulke kwesties spelen bij elk partnerschap mee.'
'En u verschilde ook van mening over het fondsbeheer.'
'Ik had een meerderheidsbelang en ik was lid van de adviescommissie.'
'U ontdekte een discrepantie in de boekhouding en dat hebt u vervolgens aan uw mede-investeerders gemeld.'
Een ernstige knik. Hij en hij alleen is verantwoordelijk voor het feit dat Grayson met de uit de boeken gehouden lening werd geconfronteerd. 'Ik had geen keus,' stelt hij nadrukkelijk. 'Ik had een fiduciaire plicht.' Hij duikt even in het verleden. 'Tower gaf zijn fout toe en stortte het bedrag terug. Daarmee was de zaak afgedaan.'
Niet helemaal. 'U had die donderdagavond een afspraak met de heer Grayson en de heer Lucas om enkele kwesties te bespreken die te maken hadden met de manier waarop het fonds werd beheerd, nietwaar?'
'We bespraken verschillende onderwerpen. We zijn zeer tevreden over onze portefeuille.'
'Wilde u een aantal dingen veranderen?'
'Ik wilde graag inspraak bij belangrijke besluiten. Ik vond dat ik recht had op een grotere rol binnen het fondsbeheer.'
Vooral nadat Grayson had geprobeerd een ton achterover te drukken. Ik vraag hem hoe Grayson daarop reageerde.
'Hij zei dat hij erover zou nadenken.'
Ik kietel hem een beetje: 'Dus hij had juridisch nog altijd het recht uw geld te spenderen?'
Chamberlain toont het eerste zweempje van irritatie. 'Ja.'
'Wat had u gedaan als hij uw voorstel niet had aanvaard?'
Hij klemt zijn kaken opeen. 'Dat leek me geen optie.'
Ik vraag hem of hij bedenkingen heeft over de huidige investeringen.
'Eentje maar,' is het antwoord. 'We hebben tien miljoen geïnvesteerd in een bedrijf dat BNI heet.'
O? Ik doe net alsof ik van niets weet. 'Wat is het probleem?'
'Ze lijden verlies.'
Niet volgens Artie Carponelli. 'Welke stappen kunt u ondernemen?'
'We kunnen onze preferente aandelen converteren naar een meerderheidsbelang en het huidige management vervangen door onze eigen mensen.'
Wat voor Artie een significante loopbaanverstoring zou betekenen.
'Maar we staan niet te trappelen,' voegt hij eraan toe.
Dat heb je ons al verteld, ja. 'Het lijkt er anders op dat u geen keus hebt.'
'Het is een gecompliceerde zaak. Ik heb geen ervaring met de detailhandel die seksartikelen verkoopt. In mijn omgeving zijn mensen niet actief in een dergelijke branche.'
In *mijn* omgeving noemen ze zoiets porno. 'U moet toch wel op de

hoogte zijn geweest van de aard van BNI's activiteiten toen u overwoog te investeren? U hebt toch een volledige bedrijfsanalyse gemaakt?'

Hij heeft geen keus. 'Uiteraard.'

'Als u tegen een dergelijke deelname ethische bezwaren had, waarom bent u dan toch akkoord gegaan?'

'Tower had het laatste woord en de cijfers zagen er goed uit.'

Net als de danseressen. 'Meneer Chamberlain, hebt u tijdens uw participatieonderzoek enige tijd doorgebracht in een club die Basic Needs heet?'

'Ik heb al hun vestigingen bezocht.'

'U hebt de cijfers getoetst en de inventaris gecheckt?'

Het ontlokt de tribune enig gelach, maar Chamberlain ziet er de lol niet van in. 'Ja,' is zijn antwoord.

Sorry, maar ik kan het niet laten en riskeer nog een dubbelzinnige vraag. 'En, het kon uw goedkeuring wegdragen?'

'In financieel opzicht, ja.'

Nu weerhoud ik me van een goedkope grap. 'Maar inmiddels is de balans negatief.'

'Er is nog een andere complicatie.' Hij legt uit dat Paradigm het recht op management verliest als het niet met een vervolginvestering van vijf miljoen dollar op tafel komt.

'Hoe eindigde het gesprek met de heer Grayson afgelopen donderdagavond?'

'Ik vertelde hem dat ik van hem verwachtte dat hij over een wijziging in onze deal met BNI zou onderhandelen die ons tot onze vervolginvestering zou verplichten, maar alleen als bepaalde financiële targets gehaald zouden worden. Hij beloofde het te bespreken met de voorzitter van de raad van bestuur van BNI.'

'Wat zou u hebben gedaan als hij dat niet voor elkaar had gekregen en niet bereid was geweest de door u gevraagde veranderingen in het fondsbeheer door te voeren?'

Hij haalt even diep adem. 'Ik heb hem laten weten dat ik dan alle juridische middelen ter hand zou nemen om hem als beherend vennoot te vervangen.'

'Door wie?'

Zijn kleine blauwe ogen worden spleetjes. 'Mijzelf.'

'Hoe reageerde hij?' vraag ik.

'Hij zei dat hij mijn standpunt begreep.'

Waarschijnlijk met toevoeging van nog enkele expliciete bewoordingen. 'En de heer Lucas?'

'Die beloofde een analyse op te stellen van de juridische implicaties.'

Voor vierhonderdvijfenzeventig dollar per uur wil Brad daar graag de tijd voor nemen. 'Ik heb gehoord dat u samen met de heer Grayson en de heer Lucas daarna in het Boulevard wat bent gaan eten.'

'Dat klopt.' Hij vertelt dat ze zo tegen enen 's nachts opstapten en dat Grayson hem een lift gaf.

'Heeft iemand u daar zien binnenkomen?'

'Niemand, denk ik, afgezien van Tower.'

'Kan een van uw buren uw verhaal bevestigen?'

Eindelijk protesteert McNulty. 'Irrelevant, edelachtbare. Als de heer Daley de suggestie wil wekken dat meneer Chamberlain betrokken was bij de moord op de heer Grayson, dan zal hij daarvoor bewijzen moeten aandragen.'

'Edelachtbare,' zeg ik, 'ik probeer alleen maar de gangen na te gaan van iedereen die zich in de nacht van donderdagavond op vrijdagochtend in het bijzijn van Tower Grayson bevond.'

'Verworpen.'

'Ik was de hele nacht thuis in mijn appartement,' verklaart Chamberlain. 'Ik weet niet of mijn buren me hebben zien thuiskomen. Het was nogal laat.'

'Zei de heer Grayson nog waar hij zelf heen ging na u te hebben thuisgebracht?'

'Naar huis.'

Hij zou zijn bestemming nooit bereiken. 'Weet u waar meneer Lucas na afloop van het etentje heen ging?'

'Het laatste wat ik heb gezien, was dat hij terugliep naar zijn kantoor.'

'Weet u hoe laat hij naar huis is vertrokken?'

'Dat zult u aan hem moeten vragen.'

En dat is precies wat ik van plan ben.

52
'WE BESPRAKEN ENKELE JURIDISCHE KWESTIES VAN VERTROUWELIJKE AARD'

'Er was een tijd dat cliënten naar een bedrijfsjurist gingen voor juridisch advies. Inmiddels zijn we tevens investeringsbankiers, accountants, belastingadviseurs en vertrouwenspersonen.'
Brad Lucas, profiel in de *San Francisco Bar Journal*

Brad Lucas doet zijn best het adagium te weerleggen dat een goede advocaat een slechte getuige is. Met zijn grijze pak van vijfduizend dollar, zijn rood-blauw gestreepte das en gouden Rolex oogt hij uiterst representatief. We zullen wel zien of het mooie pak en de dure coupe zijn gladde, maar arrogante houding kunnen compenseren. Zijn kaarsrechte houding en behoedzame voorkomen doen vermoeden dat hij hier niet uit vrije wil aanwezig is. In antwoord op mijn vraag naar zijn beroep verklaart hij dat hij het hoofd is van de bedrijfsjuridische afdeling van een groot advocatenkantoor in San Francisco. Hij voegt eraan toe dat hij in januari de Business Law-afdeling van de Amerikaanse Orde van Advocaten zal gaan leiden. Rechter McDaniel toont zich minder onder de indruk dan enkele rechtbankgroupies op de tribune. Ik neem me voor niet persoonlijk te worden.

'Meneer Lucas,' begin ik, 'u hebt de documenten opgesteld voor Paradigm Partners, een participatiefonds, klopt dat?'

'Ja.'

Of eigenlijk: een van zijn ondergeschikten maakte de papieren op. Masters of the Universe als Lucas maken hun handen niet vuil aan het juridisch equivalent van ongeschoolde arbeid. 'En u bent betrokken bij de afhandeling en documentatie van de investeringen van het fonds?'

'Ja.'

Ik aas op ja/nee-antwoorden. Ik manipuleer liever dan vage antwoorden te riskeren. 'Uw advocatenkantoor heeft zelf ook een aandeel in het fonds?'

'Dat klopt. Het is voor advocatenkantoren niet ongewoon om een aandelenbelang in hun cliënten te hebben.'

'Dat brengt voor u een belangenverstrengeling met zich mee, niet-waar?'

Hij doet alsof het niets voorstelt. 'We konden rekenen op de benodigde toestemming.'

Uiteraard. 'Is uw kantoor tevreden over de investering?'

Hij lijkt verrast door deze vraag. 'Ja.'

'Meneer Lucas, we hebben enkele getuigen gehoord over uw zakelijke bespreking met Tower Grayson en Lawrence Chamberlain in uw kantoor op donderdag 2 juni. We hebben begrepen dat het daarbij ging om bepaalde investeringen en beheerkwesties aangaande Paradigm.'

Het afweerschild wordt in stelling gebracht en hij richt zich recht-streeks tot de rechter. 'We bespraken enkele juridische kwesties van vertrouwelijke aard, die dus enkel de jurist en zijn cliënt aangaan.'

'Edelachtbare, kunt u ons enige speelruimte bieden?' vraag ik.

Ze trapt er niet in. 'Als u in zijn schoenen stond, zou u hetzelfde hebben geantwoord.'

O, dat zeker. 'Misschien dat we dit even apart of in de raadkamer kunnen bespreken?'

'Dat zou niets afdoen aan het fundamentele principe dat de heer Lucas niet verplicht is vertrouwelijke informatie van een cliënt te verstrekken.'

Het is de tol die je betaalt als je een advocaat als getuige oproept. 'De heer Lucas zou ons in elk geval in meer algemene bewoordingen iets over deze kwestie en de andere gespreksonderwerpen van die avond kunnen vertellen.'

Ze gunt me een kluifje. 'We zouden het op prijs stellen als u in algemene bewoordingen, zonder vertrouwelijke zaken te onthullen, iets over de gespreksonderwerpen kunt vertellen,' zegt ze tegen Lucas.

Het ontlokt hem een triomfantelijke grijns. 'Natuurlijk, edelachtbare. De heer Grayson, de heer Chamberlain en ik kwamen bij elkaar om te praten over enkele zakelijke kwesties aangaande Paradigm en de investeringsportefeuille.' Daar laat hij het bij.

Mijn verzoek om verdere informatie is aan dovemansoren gericht. Mijn vraag naar wat er tijdens het etentje in het Boulevard is besproken, stuit op dezelfde reactie. Telkens als het hem uitkomt, beroept Lucas zich gemakshalve op de vertrouwensrelatie met zijn cliënt.

Nu ik geen kans zie hem iets te ontlokken wat haaks staat op Carponelli's of Chamberlains getuigenverklaring verander ik van koers en vraag hem waar hij zich in de nacht van donderdag op vrijdag bevond. Hij antwoordt dat hij het restaurant vrijdag om tien over een in de ochtend verliet en terugliep naar zijn kantoor. Hij liep naar boven om zijn koffertje te halen. 'Tegen halftwee ben ik naar huis gegaan. Het beveiligingspersoneel kan u het exacte tijdstip geven.'

We hebben al geïnformeerd. 'Bent u daarna naar huis gereden?' Ik weet het antwoord al.

'Ja.' Hij bevestigt dat hij een appartement pal ten noorden van het honkbalstadion bewoont.

'Heeft een van uw buren u die ochtend zien thuiskomen?'

'Voorzover ik weet niet.'

Voorzover wij het hebben uitgezocht ook niet. 'Zette u de auto in de garage?'

'Ja.' Hij vertelt dat elk appartement zijn eigen garage heeft en dat de kans dus klein is dat iemand zijn verhaal kan bevestigen. Hij vertelt dat hij Grayson voor het laatst heeft gezien toen deze met Chamberlain naast zich in noordelijke richting over de Embarcadero wegreed. 'Ik neem aan dat hij Chamberlain een lift naar huis gaf.'

Ik moet hem kietelen en stel me weer op achter mijn katheder. 'Meneer Lucas, bent u bekend met een participatie van Paradigm in een onderneming genaamd BNI?'

'Ja.'

'En bent u bekend met de aard van dit bedrijf?' Dit gaat leuk worden, dat kan niet anders.

'Het is een entertainmentbedrijf.'

'En bovendien eigenaar van Basic Needs, een club in Sixth Street, nietwaar?'

'Ja.'

'Een vestiging die doorgaans een stripclub wordt genoemd.'

'Volgens sommigen misschien.'

Volgens alle aanwezigen in deze rechtszaal in elk geval wel ja. 'Bent u er wel eens geweest?'

'Ja.'

'Wanneer?'

'Het hield verband met het participatieonderzoek in naam van mijn cliënt.' Hij voegt eraan toe dat het meeste veldwerk werd verricht door een legertje jonge juristen van zijn kantoor.

Ik durf te wedden dat dit voor een stijve tent als Story, Short & Thompson een wereldklus moet zijn geweest. 'Wat hield dit participatieonderzoek precies in?'

'We inspecteerden de vestigingen en we controleerden of de inventaris overeenkwam met wat er in de boeken stond.'

Waarbij je je onwillekeurig afvraagt hoe naakte danseressen in de Basic Needs-boekhouding vermeld staan. 'En, klopte alles?' vraag ik.

'Ja.'

'Bent u daarna nog op bezoek geweest?'

'Nee.'

Niet als ik Pete mag geloven. 'De heer Grayson heeft u nooit uitgenodigd voor een bezoekje aan de club?'

'Nee.'

Nog één keer: 'Dat weet u zeker?'

McNulty protesteert. 'Reeds gevraagd en beantwoord.'
'Aanvaard.'
'Meneer Lucas,' ga ik verder, 'hebt u ooit kennisgemaakt met de danseres Alicia Morales?'
'Dat kan ik me niet herinneren.'
'Kennelijk was het haar taak zich over de heer Grayson te ontfermen wanneer hij de club bezocht.'
'Daar heeft de heer Grayson het met mij nooit over gehad.'
Gelul. Ik toon hem een foto van Alicia Morales. 'Herkent u haar?'
Zijn adamsappel gaat even op en neer. 'Nee.'
Hij liegt. Corpsballen als Grayson en Lucas steken elkaar juist graag de loef af met verhalen over hun avontuurtjes. 'Meneer Lucas, hoe reageerden uw partners toen ze vernamen dat uw firma in een stripclub participeerde?'
Zijn ogen verraden hem. 'Ze beschouwden het als elke andere investering.'
'Namelijk?'
'Met volle tevredenheid.'
'Ook al wordt er met verlies gedraaid?'
'Wat ons betreft biedt het bedrijfsplan nog steeds veel potentieel.'
Hij verkoopt zelfs nog meer onzin dan toen ik nog met hem samenwerkte.
Ik sta op het punt om af te sluiten als achter in de rechtszaal opeens de deur opengaat en Pete, geflankeerd door twee parketwachten, door het middenpad op me af beent.
Rechter McDaniel kijkt hem geïrriteerd aan. 'Wat is de bedoeling van deze interruptie?'
'Neemt u me niet kwalijk, edelachtbare.' Hij kijkt even mijn kant op en vervolgens weer naar de rechter: 'Zou ik misschien even met mijn broer kunnen praten? Het duurt maar heel kort.'
'Ik geef u een halve minuut, meneer Daley.'
'Dank u, edelachtbare.'
Pete, Rosie en ik scharen ons rond onze tafel. 'Dit is niet echt een goed moment,' zeg ik.
'Verzoek om een onderbreking,' fluistert hij.
'Heb je Alicia Morales gevonden?'
'Nee.' Hij aarzelt even, en herhaalt: 'Verzoek om een pauze.' Hij werpt een blik op de rechter. 'Nick en ik hebben iets gevonden wat ons kan helpen. Ik vertel het je zo meteen wel,' fluistert hij me toe.
Ik richt het woord tot de rechter: 'Wij verzoeken het hof beleefd om een korte pauze om wat nieuw bewijsmateriaal te bestuderen.'
Rechter McDaniel kijkt op haar horloge. 'Vijf minuten, meneer Daley.'

53
'DIT IS VOOR MIJN REKENING'

'Je graaft gewoon net zolang door totdat je iets vindt waar je misschien wat aan hebt.'
Nick Hanson, profiel in de *San Francisco Chronicle*

Nick the Dick, Pete, Rosie en ik staan hutje-mutje in een bedompt raadskamertje. 'Je zult het kort moeten houden, Pete,' zeg ik.

'Lucas loog toen hij zei dat hij vrijdagochtend om halftwee naar huis reed,' verklaart hij. 'We hebben de videobanden van de bewakingscamera's in de garage van het Three Embarcadero Center bekeken. Tussen middernacht en zes uur in de ochtend zijn er tien auto's weggereden, maar geen enkele BMW.'

Lucas loog dus inderdaad. Maar waarom? 'Waar is hij naartoe gegaan en hoe laat is hij thuisgekomen?'

'Geen idee. Misschien is hij gaan lopen, misschien kreeg hij een lift, wie weet van Grayson nadat hij eerst Chamberlain had thuisgebracht.'

'Heb je bewijzen?'

'Nee.'

'Waarom zou Lucas met Grayson naar Sixth Street zijn gegaan?'

Pete kijkt Nick the Dick aan. 'Jouw beurt.'

Nick draagt een grijs pak en een van zijn revers is opgesierd met een verse roos. Op zijn hoofd prijkt zijn speciale rechtbanktoupet. Hij mag dan een rare snuiter zijn, in zijn werk is hij bloedserieus. Hij schuift een dunne bruine dossiermap naar me toe. Ik sla hem open en zie een paar computeruitdraaien. Terwijl ik ze bekijk, praat hij ons bij. 'Dat zijn bankoverschrijvingen van Grayson en Lucas. Donderdag hebben ze allebei vijfentwintigduizend dollar van hun bankrekening opgenomen.'

Wat krijgen we nou? 'Enig idee waarvoor?'

Nick laat zijn pen weer in zijn zak glijden. 'Ik hoopte eigenlijk dat jij me dat kon vertellen.'

Helaas. 'Waar is dat geld gebleven?'

'Ook dat hoopte ik eigenlijk van jou te kunnen horen.'

Opnieuw helaas. 'Ik zou het niet weten, Nick. Dit is meer dan gewoon toeval.'

'Zeg dat wel.'

Zwijgend bekijken we de nieuwe informatie. Nick trommelt wat op de tafel. 'Voelt iemand zich geroepen tot een slag in de lucht?'

Ik doe als eerste een poging: 'Er heeft iemand tweeduizend dollar in Leons jaszak gestopt om het op een beroving te laten lijken. Leon was de lul.'

Nick laat het even bezinken, zonder er een oordeel over te vellen. 'En de rest van het geld?'

'Volgens mij ging dat naar Alicia Morales, tenzij jij een beter vermoeden hebt. Grayson was met het geld naar haar op weg toen hij werd vermoord.'

'Waarom betaalde hij zwijggeld?'

'Geen idee.'

'Je beste slag in de lucht, graag.'

Ik kom met de bekende ondeugden: 'Seks, drugs of chantage. Of alle drie.'

De frons op Nicks voorhoofd wordt dieper. 'Enig bewijs?'

'Noppes.'

'Wie heeft Grayson vermoord?'

'Alicia Morales misschien? We weten dat ze daar was. Misschien liep er iets fout en speelde hij dubbelspel met haar. Wie weet redeneerde ze dat hij de enige was die haar kon hebben verlinkt.'

'Waar is ze nu?'

'In Mexico,' zegt Pete.

'Fijn.' Nick slaakt een moedeloze zucht. 'Wat zijn de andere theorieën?'

'Graysons vrouw en zoon waren ook ter plaatse,' merk ik op, 'maar we kunnen ze niet met de moord of het geld in verband brengen. Chamberlain en Lucas zouden ook een motief kunnen hebben gehad, maar geen van tweeën valt aan de plaats delict te koppelen.'

'Waarom zou iemand van hen Grayson hebben willen vermoorden?'

Theorieën vliegen over en weer: Graysons vrouw en zoon waren woedend; Chamberlain was ontevreden over zijn investering en wilde het fonds zelf beheren; Lucas nam een groot geldbedrag op waarmee Alicia Morales misschien kan zijn afgekocht. Een hoop theorieën, maar geen bewijzen.

'En Lucas' auto?' vraag ik.

'Alicia Morales heeft hem niet meegenomen,' vertelt Pete. 'Ze is in een Chevy Impala weggereden. Maar ik denk dat ze liever Graysons Mercedes zou hebben genomen.'

'Als zij de auto niet heeft meegenomen, wie dan wel?'

Nick the Dick kijkt me met een wijze blik aan. 'Dezelfde figuur als die de aansteker bij zich stak.'

'Iedereen kan dat ding in de auto hebben gelegd, Leon incluis.'

'Dit is gewoon mijn beste slag in de lucht, dat is alles. Ik denk dat als we kunnen achterhalen wie de wagen heeft gestolen, we de moordenaar hebben.'

Misschien. 'De sporttas van Graysons vrouw lag in de auto,' zeg ik.

'Ze had een plausibele verklaring,' aldus Pete.

Misschien. 'Zijn zoon kan hem hebben meegenomen,' opper ik.

'We hebben geen bewijs,' werpt Pete tegen. 'En dat geldt ook voor Chamberlain en Lucas.'

Ik doe nog een gooi. 'De auto werd op loopafstand gevonden van zowel het appartement van Lucas als dat van J.T. Grayson.'

'Leuke feiten,' zegt Nick, 'maar geen hard bewijs.'

Nee, inderdaad niet. We doorlopen nog wat alternatieve scenario's totdat er op de deur wordt geklopt en een parketwacht ons meedeelt dat we weer naar de rechtszaal moeten. Ik draai me om naar Nick. 'Heb jij toevallig iets waarmee je Lucas in verband kunt brengen met Basic Needs en Alicia Morales?'

Zijn ogen lichten op. 'O, nou en of.' Hij trekt een witte envelop uit zijn jaszak en haalt er wat foto's uit. Eén ervan legt hij op de tafel. 'Voilà.'

Ik kijk even naar de foto met daarop Grayson, Lucas en Morales die bij de achteringang van de club staan. 'Wanneer heb je die genomen?' vraag ik.

'Afgelopen dinsdagavond.'

Vrijdagochtend zou mooier zijn geweest. 'Ik geef Nick een waarderend klopje op zijn Armani-pak. 'Wat ben ik je schuldig?'

'Laat maar zitten, Mike. Jullie werken voor niks. Dit is voor mijn rekening.'

'Bedankt, Nick.'

'Geen dank.'

'Niet dat ik je om nog een gunst wil vragen, maar ben je bereid te getuigen?' vraag ik.

'Ja, hoor.'

54
'JA, DAT DEED ZE'

'Je kunt liegen tegen je vrouw, tegen je kinderen en tegen je pastoor, maar niet in de rechtszaal.'
Nick Hanson, profiel in de *San Francisco Chronicle*

Het vergt een paar minuten om fotokopieën van de bankafschriften en de videobanden voor McNulty te regelen, die zich niet erg onder de indruk toont. Het feit dat we nog een paar namen aan onze getuigenlijst toevoegen baart hem meer zorgen. Wat hem betreft zijn we in ons wanhopige pleidooi voor een ten dode opgeschreven man alleen maar bezig de zaak te vertroebelen.

Brad Lucas heeft zijn plek in de getuigenbank weer ingenomen. Ik ben blij dat rechter McDaniel de zitting niet naar morgenochtend heeft verdaagd. Ben je het verrassingselement eenmaal kwijt, dan is daar niets meer aan te doen.

'Meneer Lucas,' begin ik, 'ik wil even terug naar uw eerdere verklaring omtrent een aantal zaken. Ten eerste zei u dat u om ongeveer halftwee in de ochtend naar huis bent gereden in een BMW die in de parkeergarage van het Three Embarcadero Center stond.'

'Ja.'

'Kan iemand dit bevestigen?'

Hij kijkt me even vragend aan. 'Waarschijnlijk niet.'

Oké. 'Ten tweede: u getuigde dat u nog nooit hebt kennisgemaakt met ene Alicia Morales.'

'Niet dat ik me kan herinneren.'

Kan ermee door. Ik kijk de rechter aan. 'We zijn genoodzaakt het getuigenverhoor van de heer Lucas hier even te onderbreken om het hoofd Beveiliging van het Embarcadero Center-complex te horen.'

Volgens mij zie ik voor het eerst glimp van verontrusting op Lucas' gezicht terwijl hij de getuigenbank verlaat en de rechtszaal uit wordt geleid.

Hij zal de andere getuigenverhoren niet mogen volgen.

Het hoofd van de beveiliging is een man van in de vijftig met een vlezig gezicht, die ooit bij de FBI heeft gewerkt. Hij is gekleed in het obligate grijze pak met rode das. Het enige wat nog ontbreekt zijn de zonnebril en het oordopje. Ik loop zijn staat van dienst door en kom meteen terzake. Ik introduceer de videoband van de bewakingscamera uit de parkeergarage. Hij heeft nog geen minuut nodig om onder ede te verklaren dat dit inderdaad de band is en te bevestigen dat tussen middernacht en zes uur in de ochtend geen enkele BMW de garage uit is geweest. McNulty snapt niet helemaal waar ik heen wil, maar kiest liever niet voor een kruisverhoor.

En dan nu het klapstuk. Ik richt het woord tot de rechter. 'De verdediging roept Nicholas Hanson op.'

'Ik wist niet dat de heer Hanson bij deze zaak betrokken was,' zegt ze.

'Vanaf dit moment wel, edelachtbare,' antwoord ik.

Op jullie plaatsen! Band klaar? Licht, camera, actie!

De deur gaat open en Nick the Dick steekt zijn borst naar voren om zich, voorzover zijn lengte van een meter zevenenveertig dat toelaat, op z'n imposantst te presenteren. Hij ruikt even aan de bloem op zijn revers, trekt zijn toupet nog even goed en kuiert op zijn dooie gemak door het middenpad. Hij lijkt net een politicus die een rotaryclub bezoekt als hij even handen schudt met Jerry Edwards, twee agenten en een paar oudgediende officiers van justitie die, na te hebben gehoord dat Hanson misschien gehoord zou worden, een plek in de rechtszaal hebben opgezocht. Dit is niet langer een hoorzitting, dit is het *main event* van San Francisco.

Nick bespeelt nog steeds het publiek als hij het hekje opendoet. Hij schudt Ward en McNulty de hand, die wat meewarig glimlachen. Daarna groet hij de gerechtsdienaar en de stenograaf bij hun naam. Ten slotte loopt hij naar de balie en als groet schiet zijn rechterhand omhoog naar de verbijsterde rechter McDaniel. 'Leuk u weer te zien, edelachtbare,' klinkt het opgewekt.

Ze herstelt zich meteen en schudt hem niet de hand. 'Insgelijks,' antwoordt ze. 'Dat is alweer lang geleden.'

'Zeker. Hoe is het met de arm van uw kleinzoon?'

De zakelijke McDaniels kan het ook niet helpen en haar gezicht ontdooit tot een warme glimlach. 'Hij komt er weer helemaal bovenop, meneer Hanson. Heel attent van u.'

'Niets te danken, edelachtbare.'

'En uw kleinkinderen?' vraagt ze.

'Ook prima, dank u,' is het antwoord. 'Mijn achterkleindochter werkt nu voor ons.'

'Betekent dit dat u inmiddels vier generaties Hansons op kantoor hebt werken?'

'Jazeker.'

'Dat is geweldig om te horen, meneer Hanson.'

'Dank u, edelachtbare. Uw neef doet toch binnenkort zijn advocatenexamen?'

'Nou en of.'

Zelfs rechter McDaniel laat zich meeslepen. Ze wisselen nog een poosje ditjes en datjes uit. De Bay Area mag dan de op vier na grootste metropool van het land zijn, in de rechtszaal van rechter McDaniel is de sfeer duidelijk dorps te noemen. Ten slotte richt ze zich tot de gerechtsdienaar die Nick verzoekt zijn hand op de bijbel te leggen en hem vraagt of hij zal zweren de waarheid, de hele waarheid en niets dan de waarheid te vertellen.

'Jazéker.' Het klinkt eerder opgewekt dan plechtig. Daarna betreedt hij de getuigenbank, stelt de microfoon bij, frunnikt wat aan zijn boutonnière en schenkt voor zichzelf een glas water in. Staand achter mijn eigen katheder baad ik mezelf al vijf minuten lang in het kielzog van zijn schittering. Hij kijkt me aan. 'Wanneer u er klaar voor bent, meneer Daley.'

'Dank u, meneer Hanson.' Ik werp een blik op Rosie, die knikt. Leons gezicht is opeens een stuk zonniger en zijn blik is geheel en al op Nick the Dick gericht. Het spel kan beginnen. 'Meneer Hanson, kunt u ons vertellen hoelang u al privé-detective bent in San Francisco?'

Hij knijpt een oog dicht en doet alsof hij een hoofdrekensommetje maakt. 'Achtenzestig jaar,' lijkt wat hem betreft de uitkomst. Ongevraagd voegt hij eraan toe dat hij is opgegroeid in North Beach en heeft gehonkbald met de broertjes DiMaggio. Niet dat het Leons zaak ook maar enigszins helpt, maar iedereen in de rechtszaal is volledig in de ban van deze tachtiger met zijn slechtzittende toupet, die zelfs het oplezen van namen uit een telefoonboek nog boeiend kan laten klinken.

'Meneer Hanson,' ga ik verder, 'was u ingehuurd om meneer Tower Grayson te schaduwen?'

'Ja, dat klopt.'

'Kunt u ons vertellen door wie?'

'Door de heer Lawrence Chamberlain.'

Met Nick in de getuigenbank is iedereen een heer. 'Waarom?'

'De heer Grayson en hij waren zakenpartners.' Hij trekt zijn rechterwenkbrauw iets op. 'Meneer Chamberlain had het vermoeden dat de heer Grayson de boel afroomde.'

'Met andere woorden: de heer Chamberlain vermoedde dat de heer Grayson geld in eigen zak stak?'

'Ja.' Als hij vervolgens vertelt over de lening van honderdduizend dollar die de aanleiding vormde voor het gekrakeel bij Paradigm Partners, klinkt hij helemaal als Edward G. Robinson in *Little Caesar*.

'Heeft de heer Chamberlain u om nog andere redenen ingehuurd?'

'Hij zei dat meneer Grayson zich de laatste tijd vreemd gedroeg.'

'In welk opzicht?'

'De heer Grayson bezocht een striptent in Sixth Street, Basic Needs.'
Precies de waardige toon waarop ik hoopte. 'Wat deed hij daar?'
Ditmaal trekt hij zijn linkerwenkbrauw iets op. 'Wat denkt u zelf?' klinkt het geamuseerd.
Ik hoor lachsalvo's achter me en de rechter verzoekt om orde. Ze kijkt Nick aan en vraagt hem vriendelijk mijn vragen zonder overbodig commentaar te beantwoorden.
'Ja, edelachtbare,' klinkt het suikerzoet. Daarna richt hij het woord weer tot mij. 'De heer Grayson bezocht Basic Needs om de naakte meiden te zien dansen.'
Hij is de belichaming van de politieke correctheid van tegenwoordig.
'Hij was vooral gecharmeerd van één bepaald meisje, Alicia Morales,' vertelt hij verder. 'Het was haar taak om hem tevreden te houden.'
'En, deed ze dat?'
'Ja, dat deed ze.' Met zijn handen op de rand van de getuigenbank leunt hij voorover. 'Ze regelde meiden voor hem en ze verkocht hem drugs, voornamelijk coke. Je zou kunnen zeggen dat ze van alle markten thuis was.'
Precies zoals in de Basic Needs-brochure te lezen valt. 'Beschikt u over bewijzen waarmee de relatie van de heer Grayson met mevrouw Morales kan worden vastgesteld?'
'Ja, die heb ik.' Hij haalt een stapeltje foto's te voorschijn, die ik eerst aan McNulty en daarna aan de rechter overhandig. McNulty biedt enige symbolische weerstand, maar laat zich toch meetrekken in de show. Zelfs mopperkonten gaan voor de bijl zodra de schalkse privé-detective het podium betreedt.
Schaamteloos ondervraag ik Nick terwijl hij elke foto waarop Tower Grayson en Alicia Morales te zien zijn van gedetailleerd commentaar voorziet. 'Wanneer zijn deze foto's genomen?' vraag ik.
'Dinsdag een week geleden,' antwoordt hij. 'Op deze hier treffen ze elkaar bij de achteringang van Basic Needs. En hier ziet u dat ze hem een zakje coke geeft. En deze hier is mijn favoriet. Ze lopen arm in arm naar het Marriott Hotel voor een gezellige avond.'
'Wat denkt u dat ze daar van plan waren?' vraag ik zo onschuldig mogelijk.
McNulty protesteert halfslachtig en met negatief resultaat.
Nick glimlacht eens ondeugend naar me. 'Wat denk ú?' vraagt hij besmuikt.
Tien minuten lang bekijken we foto na foto van deze steunpilaar van Silicon Valley, gevangen in de ene compromitterende situatie na de andere. Als een kabouterversie van Jack Benny beschikt Nick over een perfecte presentatie en dito timing. Nu we het publiek met onze karaktermoord op Tower Grayson lekker hebben opgewarmd, is het tijd voor de hoofdattractie: Brad Lucas.

'Meneer Hanson,' vraag ik, 'werd de heer Grayson tijdens zijn bezoekje aan Basic Needs afgelopen dinsdag door iemand vergezeld?'
'Ja, dat werd hij.'
'En wie zou dat geweest kunnen zijn?'
Hij zwijgt even voor het dramatische effect, priemt een wijsvinger naar me en antwoordt: 'Dat zou de raadsman van de heer Grayson moeten zijn geweest, de weledelgeboren heer Bradley J. Lucas.'
Geroezemoes achter in de rechtszaal. Brad Lucas bevindt zich buiten de zaal en wacht totdat hij weer als getuige wordt geroepen. Waarschijnlijk voelt hij wel dat de kleine speurneus met het rare haar en de roos op zijn revers het over hem heeft. Maar wie weet beseft hij niet dat zijn reputatie op dit moment in een open rechtszitting aan stukken wordt gescheurd. Rechter McDaniel slaat met haar hamer en verzoekt om orde.
Ik richt het woord weer tot Nick the Dick. 'Beschikt u over bewijzen dat de heer Lucas zich afgelopen dinsdagavond in het gezelschap van de heer Grayson en mevrouw Morales bevond?'
'Ja, die heb ik.' Hij haalt een foto te voorschijn waarop Lucas samen met Grayson en Alicia Morales bij de achteringang van Basic Needs staat. Met triomfantelijke glimlach kijkt hij me aan en zegt: 'Dit was trouwens niet de enige keer dat ik ze samen zag.'
'Werd mevrouw Morales ook door de heer Lucas benaderd voor seks en drugs?'
'Ja, dat werd ze.'
Voldoende. Je moet ook weten wanneer het tijd is om de coulissen weer op te zoeken. Ik bedank Nick voor de moeite en kijk rechter McDaniel aan. 'Geen vragen meer, edelachtbare.'
Ze merkt niet eens dat ze zit te glimlachen terwijl ze McNulty aankijkt. 'Een kruisverhoor?'
McNulty gooit de handdoek in de ring. 'Nee, edelachtbare.'
'De getuige mag de rechtszaal verlaten.'
Nick bedankt haar omstandig terwijl hij met een hupsje de getuigenbank verlaat. Alle ogen zijn op hem gericht als hij ontspannen door het middenpad de zaal uit wandelt. Vlak voordat de deur weer dichtvalt, zie ik hoe hij Brad Lucas een sarcastische blik toewerpt, alsof hij wil zeggen: 'Nou, veel succes.'
Rechter McDaniel hoeft haar hamer slechts één keer te gebruiken. 'U wilde een getuige opnieuw oproepen, meneer Daley?'
'Ja, edelachtbare. De verdediging roept opnieuw de heer Brad Lucas op.'

55
'DENKT U NU WERKELIJK DAT IEMAND IN DEZE RECHTSZAAL U GELOOFT?'

'Net als je denkt dat je alles hebt uitgepuzzeld, dient zich opeens een verrassende wending aan, waardoor het hele verloop van je zaak verandert.'
Rosita Fernandez, maandblad van de rechtenfaculteit van Boalt

Argwanend neemt Brad Lucas opnieuw zijn plek in de getuigenbank in voor een toegift. Van enige bravoure valt niets meer te bespeuren en de arrogantie is inmiddels getemperd. Tijdens de getuigenis van Nick Hanson bevond hij zich op de gang en hij moet de hilariteit dus zeker hebben gehoord. Zelfs onder de gunstigste omstandigheden valt Nick the Dick bijna niet te overtreffen. Terwijl Lucas de microfoon bijstelt en even zijn das fatsoeneert, wijst rechter McDaniel hem er nog eens op dat hij nog altijd onder ede staat. Nu wordt het menens, en alle ogen zijn op hem gericht.

'Meneer Lucas, na ons gesprek van zo-even kwam het hoofd Beveiliging van het Embarcadero Center met een interessante verklaring.'

Lucas knijpt zijn ogen iets toe, maar zegt niets.

'Hij vertelde dat de videobanden uit de beveiligingscamera's aantonen dat er tussen donderdag middernacht en vrijdagochtend 3 juni zes uur geen enkele BMW de parkeergarage van het Embarcadero Center uit is geweest.'

Nog steeds geen reactie.

'Eerder verklaarde u dat u op vrijdagochtend 3 juni rond halftwee in uw auto uit de parkeergarage van het Three Embarcadero Center wegreed, nietwaar?'

'Ik geloof van wel,' wauwelt hij.

'We kunnen uw verklaring wel even teruglezen, als u dat wilt?'

'Dat hoeft niet.'

Daar gaan we dan. 'Dat was dus niet echt naar waarheid verklaard, hè, meneer Lucas?'

Hij slikt moeizaam en zet zijn modieuze, flinterdunne bril af. Hij lijkt snel de afweging te maken of het nu beter is te liegen of de waarheid te bekennen. De bril gaat weer op. 'Ik heb me vergist. Zonet schoot het me te binnen dat ik die dag niet met de auto naar mijn werk ben gegaan.'

Gelul. 'Hoe bent u dan op uw werk gekomen, meneer Lucas?'

'Te voet.'

'En hoe bent u weer thuisgekomen?'

'Ook te voet.'

Ik kijk hem verwonderd aan. 'Dus u hebt besloten uw verhaal te wijzigen?'

'Ja.'

'Kan iemand uw nieuwe verklaring staven?'

'Geen idee.'

Lekker makkelijk. 'U staat weer te liegen, hè, meneer Lucas?'

'Nee.'

'Waarom zouden we u moeten geloven?' Ik verwacht eigenlijk dat McNulty nu gaat protesteren, maar hij is opvallend stil. Ik leg het er nog iets dikker bovenop: 'Hebt u verder nog over iets gelogen, meneer Lucas?'

'Absoluut niet, meneer Daley.'

Eindelijk komt McNulty tussenbeide: 'Protest, edelachtbare. Suggestief.'

'Aanvaard.' Rechter McDaniel wijst even met haar hamer in mijn richting. 'Gaat u verder, meneer Daley.'

Met plezier. 'Meneer Lucas,' vervolg ik, 'had u afgelopen donderdagavond een etentje met meneer Lawrence Chamberlain?'

Aan zijn ogen te zien heeft hij totaal geen idee waar ik heen wil. 'Ja.'

'En u wist dat hij privé-detective Nick Hanson had ingehuurd om Tower Grayson te schaduwen.'

'Ja.'

'Wist u dat meneer Hanson de heer Grayson ook op 31 mei in de gaten hield?'

Het antwoord klinkt wat aarzelend: 'Eh... nee.'

'Zo heeft hij onder meer waargenomen dat u en de heer Grayson die avond in Basic Needs een "onderonsje" hadden met een prostituee, Alicia Morales.'

'Meneer Hanson moet zich duidelijk hebben vergist.'

'Nou, duidelijk niet.'

Hij begint van zich af te bijten. 'Ik denk toch van wél.'

'En ik denk van niet.' Ik richt me tot de rechter. 'We vragen toestemming de bewijsstukken 45 tot en met 55 aan de getuige te tonen.'

Rechter McDaniel polst McNulty. 'Enig bezwaar?'

'Nee, edelachtbare.'

Ik overhandig Lucas de door Nick the Dick genomen foto's van hem, samen met Grayson en Morales, en zie hoe hij rood aanloopt. Zijn adamsappel gaat op en neer, maar hij zwijgt.

'Meneer Lucas,' ga ik verder, 'u verklaarde eerder dat u mevrouw Morales nooit hebt ontmoet.'

Nog steeds geen reactie.

'Zou u dan nu willen uitleggen hoe het kan dat meneer Hanson deze foto's heeft kunnen maken?'

Het wordt doodstil in de rechtszaal. Ondertussen probeert Brad Lucas tijd te winnen door zogenaamd de foto's te bestuderen. Rechter McDaniel leunt naar voren. 'Beantwoord de vraag, meneer Lucas.'

Hij heeft twee mogelijkheden: bekennen of beweren dat de foto's nep zijn. Kiest hij voor Deur 1, dan gaat zijn carrière in rook op; kiest hij voor Deur 2, dan gaat én zijn carrière in rook op én pleegt hij ook nog eens meineed. Ik vermoed dat hij zijn aanspraak op het nieuwe voorzitterschap van de Business Law-afdeling van de Orde van Advocaten wel kan vergeten. Of, zoals Nick the Dick het zou zeggen: hij kan het shaken.

Lucas probeert beide opties. 'Ik had daar een vertrouwelijk zakelijk gesprek met mijn cliënt de heer Grayson en mevrouw Morales.'

Onzin. 'Dus uw bewering dat u mevrouw Morales nooit hebt ontmoet klopt niet.'

'Het behoort tot mijn juridische plicht om zaken tussen mij en mijn cliënten niet aan de grote klok te hangen.'

Ik richt me tot de rechter. 'Maar contacten met derden die zich met illegale praktijken bezighouden vallen daarbuiten?' Toegegeven, het is een wat verwrongen interpretatie van de wet op de gedragscode, maar het kan ermee door.

Nu mag rechter McDaniel boos kijken. 'Beantwoord de vraag,' beveelt ze hem.

Lucas wordt knalrood. 'Ja, ik heb Alicia Morales ontmoet.'

Was dat nu zo moeilijk? 'Hebt u verder nog over iets gelogen, meneer Lucas?'

'Nee.'

We zijn echter nog lang niet klaar. 'Waarom had u een ontmoeting met meneer Grayson en mevrouw Morales?' vraag ik.

Hij kucht even. 'Ze hadden een meningsverschil.'

'Waarover?'

Hij haalt diep adem. 'Geld. Mevrouw Morales was van mening dat de heer Grayson haar een aanzienlijk bedrag schuldig was. Hij was het daar niet mee eens.'

Zo gaan die dingen meestal. 'Waarom belde meneer Grayson u?'

'Ik ben zijn raadsman.'

'Lieden die met prostituees en drugsdealers overhoopliggen, staan meestal niet te trappelen om hun advocaat à raison van vijfhonderd dollar per uur zo'n zaak te laten oplossen.'

'Ons kantoor biedt een volledig dienstenpakket. Een gewaardeerde cliënt zat met een ernstig probleem en zocht mijn hulp. Ik probeerde hem te helpen.'

'U bemiddelde dus bij een meningsverschil tussen een hoer en een hoerenloper.'

'Ik bemiddelde tussen mijn cliënt en een derde partij.'

Rechter McDaniel staart hem vol ongeloof aan.

Ik ga verder. 'U loog tegen ons over uw auto en over Alicia Morales. Waarom zouden we dit flauwekulverhaal over een bemiddelingspoging tussen de heer Grayson en zijn hoer moeten geloven?'

Ik verwacht een protest van McNulty, maar het blijft stil.

Lucas probeert geloofwaardig te klinken: 'Het is de waarheid, meneer Daley.'

'Denkt u nu werkelijk dat iemand in deze rechtszaal u gelooft?'

Eindelijk ziet McNulty toch nog kans te protesteren. 'Insinuatie.'

'Aanvaard.'

Mijn nek gloeit en het stemmetje in mijn achterhoofd maant me deze paljas aan het kruis te nagelen. 'Meneer Lucas,' ga ik verder, 'lukte het u om met uw cliënt de kwestie te schikken?'

'Dat lukte.' Hij zucht diep. 'Mevrouw Morales dreigde naar de politie en naar meneer Graysons vrouw te stappen als hij niet royaal over de brug kwam. Het zou voor meneer Grayson uiterst pijnlijk zijn geweest als zijn relatie met mevrouw Morales bekend was geworden.'

'Het ging dus gewoon om chantage?'

'Min of meer.'

'Wat waren de voorwaarden van de schikking die u wist te treffen?'

'Dat meneer Grayson haar vijftigduizend dollar zou betalen en dat zij daarna de stad zou verlaten.'

Waarmee verklaard is waarom Grayson geld van zijn bankrekening haalde. 'Waar is ze nu?'

'Ik neem aan dat ze de stad heeft verlaten. Ik denk niet dat ze nog terugkomt.'

'Waaruit maakt u dat op?'

'Ze leek me iemand die haar verplichtingen nakwam.'

'U hebt veel vertrouwen in de integriteit van iemand die uw cliënt chanteerde.'

'Mijn cliënten betalen me veel geld voor mijn inzicht in dergelijke zaken.'

Meneer Grayson zal u vast en zeker zeer erkentelijk zijn geweest. Ik richt me weer tot de rechter. 'Edelachtbare, ik wil de getuige graag bewijsstukken 58 en 59 tonen.' Ik reik Lucas de bankafschriften aan. 'Hierop kunt u zien dat meneer Grayson afgelopen donderdag vijfentwintigduizend dollar van zijn rekening heeft opgenomen.'

'Ik geloof u op uw woord.'

'En u nam zelf ook vijfentwintigduizend dollar van uw rekening op.'

Hij aarzelt even. 'Ik moest wat kapitaal vrijmaken.'

O. 'Maar u verklaarde net dat de heer Grayson aan mevrouw Morales vijftigduizend dollar moest betalen.'

'Correct.'
'Dus waarom nam hij geen vijftigduizend op, en waarom haalde u zelf vijfentwintigduizend van uw rekening?'
'Tower zat een beetje krap, dus ik schoot hem de helft voor.'
De enigen die dit kunnen staven zijn Grayson, maar die is dood, en Morales, en die is met de noorderzon vertrokken. Ik dring nog even aan, maar hij geeft zich niet gewonnen. 'Wat is er met die vijftigduizend gebeurd?'
'Tower zou het geld aan mevrouw Morales geven. Maar er is dus duidelijk iets verkeerd gegaan.'
Je meent het. 'Was u ter plekke, meneer Lucas?'
'Nee.'
Ik geloof hem niet. 'Iemand anders?'
'Alleen uw eigen cliënt.'
Lul. 'Waar is het geld?'
'Ik neem aan dat mevrouw Morales dat inmiddels heeft.'
'Waar is ze?'
Het arrogante toontje keert terug: 'Ik heb u al geantwoord dat ik dat niet weet.'
Opnieuw dring ik aan, maar ook nu weer geeft hij geen krimp. Ik wend mijn laatste beetje energie aan en zet alles op alles. 'Heeft Tower Grayson u die vrijdagochtend opgepikt toen hij onderweg was naar Sixth Street? Hebt u hem naar de drankwinkel vergezeld om er zeker van te zijn dat hij bij Alicia Morales het geld zou afleveren?'
'Nee.'
'Chanteerde ze u ook?'
'Nee.'
'En hij?'
'Natuurlijk niet!'
Ik kom met de hamvraag: 'Hebt u de heer Grayson vermoord?'
'Geen sprake van.'
'U beseft dat Alicia Morales de enige is die uw verhaal kan bevestigen? Hebt u haar ook vermoord?'
'Natuurlijk niet.'
'Bent u nu weer aan het liegen, meneer Lucas?'
Voor McNulty is het genoeg geweest. 'Protest. De heer Daley intimideert de getuige.'
'Aanvaard.'
Meer kan ik niet doen. Ik werp even een blik op Jerry Edwards. 'Geen vragen meer, edelachtbare.'
McNulty wil geen kruisverhoor en rechter McDaniel deelt Lucas mee dat hij de getuigenbank mag verlaten. Ze kijkt even op haar horloge. 'Ik verdaag deze zitting tot morgenochtend negen uur.' Ze kijkt me aan. 'Hoeveel getuigen hebt u nog?'

'Momentje, edelachtbare.' Ik loop naar onze tafel en fluister tegen Leon: 'Ben je gereed om morgenochtend te getuigen?'

Hij knikt.

'Zullen we het redden zo?' vraag ik Rosie.

'Je hebt heel wat gaten in hun zaak geslagen, maar ze hebben Leon nog steeds stevig op de plaats van het misdrijf, mét het moordwapen.' Ze slaakt een diepe zucht. 'Je weet wat je moet doen.'

Ik loop weer naar de rechter. 'We hebben nog twee getuigen. De eerste zal Leon Walker zijn.'

'Het is uw cliënt bekend dat hij niet verplicht is te getuigen?'

'Ja.' Ik draai me om en kijk even woest naar Brad Lucas, die inmiddels bij de deur achter in de rechtszaal is aanbeland. Op duidelijke toon, zodat ook hij het kan verstaan, zeg ik: 'Als tweede zal Alicia Morales getuigen.'

56
'GEEF DE MOED NIET OP'

'De gedaagde Leon Walker zal vrijdagochtend zelf in de getuigenbank plaatsnemen. Michael Daley zorgde voor enige consternatie toen hij meedeelde dat de verblijfplaats van kroongetuige Alicia Morales is achterhaald en dat ook zij zal getuigen.'

Jerry Edwards, *Channel 2 News*, donderdag 9 juni, 18.00 uur

'Waarom heb je me niet verteld dat jullie Alicia Morales hebben gevonden?'

Ik kijk in zijn hoopvolle ogen en vertel hem de waarheid: 'We hebben haar niet gevonden.'

'Heb je gelogen?'

'Bij pokeren en in de rechtszaal heet dat bluffen.'

We zitten in een vergaderkamertje van de Glamour Slammer. Het is halfzeven. Rosie heeft een Diet Coke, ik een Diet Dr. Pepper.

Leon zit kaarsrecht in zijn rolstoel. 'Bluffen tegen wie?'

Ik beken: 'Dat weten we niet precies. Er zijn wat mensen die een appeltje met Grayson te schillen hadden en die die avond in zijn buurt waren. Zijn vrouw en zoon waren ter plekke, net als Carponelli. Waar Chamberlain en Lucas heen gingen toen ze het restaurant verlieten, weten we niet. De enige die wél weet wat er die avond is gebeurd, is Alicia Morales.'

'Dus?'

'We willen weten of iemand haar vanavond in het Gold Rush Hotel komt opzoeken.'

Hij is terecht sceptisch. 'De moordenaar laat zich heus niet zien. Het zal er wemelen van de agenten. Als hij slim is pakt hij zijn biezen.'

'Dan weet de politie dus dat hij iets te verbergen heeft. Bovendien zullen degenen die wij als verdachten hebben aangemerkt geen zin hebben om voortdurend op de loop te zijn. De politie houdt iedereen die vandaag heeft moeten getuigen in de gaten.'

'Volgens wie?'

'Roosevelt Johnson.'
'Waarom geeft hij jou informatie?'
'Omdat we elkaar al dik veertig jaar kennen.'
Hij laat het bezinken. 'Ik ben er nog steeds niet gerust op. Het blijft liegen.'
'Het heet bluffen.'
'Noem het zoals je wilt, de moordenaar zal echt niet de hotelkamer van Alicia Morales binnenlopen en zichzelf aangeven.'
'Maar hij kan wel paranoïde genoeg zijn om na te gaan of ze daar werkelijk zit.'
Hij kijkt me aan met de veelbetekenende blik van iemand die zijn einde alras naderbij ziet komen. 'Het is op hoop van zegen.'
'We zitten in het laatste kwartier speeltijd en staan twintig punten achter. Het is onze enige kans in de wedstrijd te blijven.'
'En als er niemand komt opdagen?'
'Eerst mag je in *Mornings on Two* je verhaal vertellen. Daarna zetten we je in de getuigenbank, zodat je onder ede kunt verklaren dat je Grayson niet hebt vermoord. Daarmee sluiten we ons verweer af en dan hopen we er maar het beste van. We vertellen iedereen dat onze bronnen zich wat Alicia Morales betreft hebben vergist. Het is niet voor het eerst dat we iedereen een beetje om de tuin hebben geleid.' En Jerry Edwards zal ons aan het kruis nagelen.
Hij duwt zijn rolstoel naar de rand van de tafel, kijkt me peinzend aan en zegt: 'Ik wil nog één ding tegen je zeggen voordat het feest losbarst. Ik wil je bedanken. Je hebt er alles aan gedaan.'
Hij klinkt als iemand die zijn zaak al verloren heeft. 'Geef de moed niet op, Leon.' Terwijl ik het zeg, besef ik dat mijn goede raad op verschillende manieren kan worden opgevat.
'Doe ik.' Hij knikt even naar Rosie. 'Ik weet dat jij deze zaak eigenlijk helemaal niet op je wilde nemen. Laat me je zeggen dat ik het zeer waardeer.'
Rosie en ik kijken elkaar even aan. 'Graag gedaan, Leon,' antwoordt ze hem.
Hij excuseert zich en een parketwacht duwt hem de gang op naar de toiletten. Rosie en ik overleggen verder. Ik vertel haar dat Pete, Roosevelt en ik de nacht in het Gold Rush Hotel gaan doorbrengen om te kijken of iemand naar Alicia Morales komt zoeken.
'Hoe groot zijn de kansen?' vraagt ze.
'Klein. Wil je mee?'
'Nee, dank je. Spelen jullie maar boevenvangertje vanavond. Ik ga nog even terug naar kantoor, en daarna naar huis naar Grace.' Ze kijkt me een beetje bezorgd aan. 'Misschien dat een lokale bodyguard geen gek idee is?'
'Wie had je in gedachten?'

'Misschien een mooie gelegenheid voor Terrence de Terminator om eindelijk eens een paar van zijn financiële verplichtingen aan ons in te lossen.'

'Geen slecht idee.'

Ik heb mijn zin nog niet afgemaakt of de parketwacht die Leon zojuist heeft weggereden klopt op de deur en stapt het kamertje in. Aan zijn gezicht zie ik al meteen dat het foute boel is. 'Uw cliënt is flauwgevallen in de toiletruimte. We hebben een ambulance gebeld.'

We springen overeind en rennen achter de corpulente agent aan. Twee van zijn collega's hebben de ingang van de toiletten afgezet, waar we Leon stuiptrekkend naast zijn rolstoel zien liggen.

'Hij gaat het niet redden,' fluister ik tegen Rosie.

Ze kijkt me aan. 'Geef de moed niet op, Mike.'

57
'DE OCHTEND IS NOG JONG'

'Leon Walker is in kritieke toestand opgenomen in het ziekenhuis van San Francisco.'
KGO Radio, donderdag 9 juni, 20.00 uur

'Hoe is het met hem?' vraag ik Rosie. Het is donderdagavond negen uur en ik heb haar aan de lijn op mijn mobieltje. Ze is in het ziekenhuis bij Leon. Zelf bevind ik me samen met Pete, Roosevelt en Terrence de Terminator in de kamer van Alicia Morales in het Gold Rush Hotel.

'Niet best, Mike.'

De stank van aangebrande eieren drijft door de gang. Twee agenten in uniform houden de hotelingang in de gaten en twee rechercheurs in burger bevinden zich in de buurt. 'Hoe slecht?' vraag ik.

'Leon ligt in coma. Er zal een wonder voor nodig zijn.'

Verdomme. 'Heb je gezelschap?'

'Carolyn en Vanessa.'

'Wil je er nog iemand bij?'

'Nee. We kunnen alleen maar afwachten.'

'Bel je me als je nieuws hebt?'

'Natuurlijk.' Haar stem breekt: 'Wees voorzichtig, Mike.'

Ik verbreek de verbinding en kijk Roosevelt aan. 'Het ziet er niet best uit,' zeg ik. 'Alle moeite kan wel eens helemaal voor niks zijn geweest.'

'Laten we doorgaan en zien hoe het afloopt,' adviseert hij.

Terrence de Terminator kijkt me aan. 'Hoe groot is de kans dat er iemand komt opdagen?'

'Klein.'

Hij staart wat voor zich uit en komt vervolgens met een filosofische vraag die opmerkelijk is voor iemand die middels diefstal in zijn levensonderhoud voorziet: 'Waarom doe je dit allemaal, Mike?'

Ik antwoord net zo filosofisch. 'Om dezelfde reden als waarom ik jou na je arrestatie heb verdedigd, Terrence. Als ik zie dat iemand in de problemen zit, doe ik wat ik kan om hem te helpen.'

Hij neemt de haveloze bende om zich heen in ogenschouw en kijkt even naar een rat die over de vloer dribbelt. 'Je bent een goed mens.'

Ik zucht. Breek me de bek niet open.

Roosevelt glimlacht oprecht naar de Terminator. 'Je assistentie vanavond zal niet onopgemerkt blijven bij je volgende arrestatie, hoor.'

'Daar heb ik Mike voor,' zegt hij. 'Hoewel zijn staat van dienst niet perfect is.'

'Hoe dat zo?' vraag ik.

'Je hebt me een paar jaar geleden iets te vroeg vrijgekregen na die inbraak. Toen je me voorwaardelijk vrijkreeg, liep ik nog bij de tandarts. Ik heb die kroon daarna nooit meer kunnen laten vervangen.'

'Je wilde liever binnenblijven?'

'Een mens moet ook eten, Mike.'

'Ik zal het onthouden voor de volgende keer dat ze je opbrengen.'

Hij knipoogt. 'Geintje!'

Maar ik ben te moe om het me te realiseren.

De minuten rijgen zich aaneen tot uren en de donderdag gaat over in de vrijdag. Het middernachtelijk uur glijdt voorbij zonder bericht van Rosie. Ook na de klok van enen valt er in de directe omgeving van de hotelkamer van Alicia Morales geen enkele activiteit te bespeuren. Om twee uur 's nachts is het unheimisch rustig in Sixth Street. Om drie uur is er nauwelijks nog verkeer op de snelweg en ik kijk Roosevelt aan. 'Ik denk niet dat er nog iemand komt opdagen.'

'Geduld, Mike. De nacht is nog jong.'

Zijn volharding is legendarisch. 'Het is al ochtend,' zeg ik.

'De ochtend is nog jong.'

Mijn broer heeft sinds het begin van de avond nog geen woord gezegd, maar zijn hersens zijn voortdurend actief. Hij kijkt me aan en zegt: 'Ik had het vliegtuig naar Mexico moeten nemen.'

Hij blijft een smeris. 'Dat kun je morgen doen, Pete.'

Hij kijkt even op zijn horloge. 'Het is waarschijnlijk al te laat.'

Misschien. Het is halfvier. Ik begin te knikkebollen, maar opeens gaat Roosevelts gsm. Hij reageert onmiddellijk en antwoordt op gedempte toon: 'Ja. We komen eraan.'

Hij klapt zijn mobieltje dicht en loopt naar de deur. 'Wat was dat?' vraag ik.

'Er heeft in de steeg iemand naar Alicia Morales geïnformeerd.'

58
'DAT WIST HIJ ZELF ALLANG'

'Een woordvoerder van het ziekenhuis van San Francisco heeft verklaard dat Leon Walker kunstmatig wordt beademd.'
KGO Radio, vrijdag 10 juni, 3.30 uur

Roosevelt gaat ons voor door het Gold Rush Hotel en duwt aan het einde van de gang op de begane grond de zware metalen deur open. De mistige steeg baadt in de neongloed van het belendende tankstation. De klamme lucht voelt kil aan en het geraas van de vrachtwagens op de snelweg overstemt de agenten die een geagiteerde, zwarte man hebben ingesloten.

De politieagenten doen een stap opzij en Roosevelt neemt het over. De stem van de man komt me bekend voor, maar ik kan zijn gezicht niet zien. Tegen iedereen binnen gehoorafstand zweert hij dat hij onschuldig is. 'Jullie kunnen iemand echt niet arresteren omdat hij toevallig door een steeg loopt,' stelt hij nadrukkelijk.

Roosevelts bariton doorklieft de mist en het lawaai: 'Hoe heet u?'

'Ik wil mijn advocaat spreken.'

'U zult ons eerst uw naam moeten vertellen.'

De man draait zich om naar Roosevelt en ik herken de Burgemeester van Sixth Street. 'Hij heet Willie Kidd,' zeg ik tegen Roosevelt.

Willie herkent me niet. Hij wijst met een vinger naar me. 'Wie mag u dan wel wezen?'

'Michael Daley.'

'Wie is Michael Daley nou weer?'

Terrence de Terminator doet een stap naar voren en legt zijn handen op Willies schouders. 'Rustig maar,' zegt hij. 'Mike is een advocaat. Hij zal je helpen.'

Kidd kijkt op naar de grote ogen van de Terminator. 'Ze gaan me arresteren.'

'Nee, dat doen ze niet,' antwoordt de Terminator op ernstige toon.

Kidd kijkt het groepje agenten eens aan en concludeert dat Terrence en ik er het vriendelijkst uitzien. 'Wilt u me verdedigen?'

'Ja.'

Juridisch gezien overtreft dit misleiding. Zijn belangen kunnen wel eens haaks op die van Leon staan. Hier, in een steeg aan Sixth Street, verliezen de nuances van de Californische wet op de gedragscode soms hun betekenis.

'Sta ik onder arrest?' wil Willie weten.

Ik kijk Roosevelt aan. 'Nou?'

'Alleen als hij onze vragen weigert te beantwoorden.'

Ik richt het woord tot mijn nieuwe cliënt. 'Als jouw advocaat zou ik je willen adviseren mee te werken. Als er een vraag is waarvan ik vind dat je die beter niet kunt beantwoorden, waarschuw ik je wel.'

De Burgemeester van Sixth Street knikt.

'Waarom was je op zoek naar Alicia Morales?' vraagt Roosevelt.

'We zijn vrienden.'

Onvoldoende. Roosevelt geeft hem een tweede kans. 'Wie heeft je hierheen gestuurd, Willie?'

Hij denkt even na en antwoordt: 'Een man.'

'Hoe heet hij?'

'Dat weet ik niet.'

De o zo geduldige Roosevelt begint nu eindelijk enigszins geïrriteerd te raken. 'Als je ons niet vertelt waar we hem kunnen vinden, rekenen we je in wegens rondhangen, overtreding, openbare dronkenschap, bezit van verboden middelen en, om het plaatje compleet te maken, obstructie van de rechtsgang.'

'Obstructie van de rechtsgang?'

'Je houdt informatie achter die betrekking heeft op een lopend moordonderzoek. Of je vertelt óns wat je weet, of je vertelt het aan de rechter.'

De Burgemeester van Sixth Street kijkt me even hopeloos aan.

Roosevelt legt een hand op zijn schouder en probeert het op een wat vriendelijker toon: 'We proberen jou niet dwars te zitten, Willie. We moeten weten wie jou eropuit heeft gestuurd om Alicia Morales te zoeken.' Hij legt het er iets te dik op: 'De minimumstraf voor obstructie is drie jaar...'

Kidds bloeddoorlopen ogen kijken me strak aan. 'Jij bent mijn advocaat. Wat moet ik doen?'

Ik kijk naar Roosevelt. 'Ben je bereid hem volledige immuniteit te geven als hij meewerkt?'

'Op voorwaarde dat hij wil getuigen.'

'Afgesproken.' Ik kijk Willie weer aan. 'Vertel inspecteur Johnson wat je weet.'

Zoekend naar morele steun kijkt hij Terrence Love nog even aan. Die geeft een veelbetekenend knikje. Het verhaal is kort en bondig. 'Een blanke vent in een BMW beloofde me tweehonderd dollar als ik erachter kon komen of Alicia Morales hier werkelijk binnen zit.'

'Heeft hij je al betaald?'

'Ik kreeg vijftig dollar vooraf. Moet ik die nu aan jullie afstaan?'

Roosevelt schudt zijn hoofd. 'Houd maar, Willie. Wat moest je daarna doen, zodra je het had uitgezocht?'

Hij wijst naar de snelweg. 'Ik moest hem om vier uur bij het viaduct van Sixth Street opwachten.'

Ik kijk even op mijn horloge en zie dat het tien voor vier is. 'Hoe zag die vent eruit?'

'Jong, blank, gladjes, kort haar, dun brilletje.'

Brad Lucas.

Roosevelt haalt zijn gsm te voorschijn, toetst een nummer in en blaft een paar instructies. Hij geeft twee agenten opdracht bij Willie te blijven en belt Marcus Banks om hem op de hoogte te brengen. Ten slotte kijkt hij me aan. 'Zin om mee te gaan?'

'Reken maar.' Ik draai me om naar Terrence. 'Maar zonder mijn bodyguard ga ik nergens heen.'

Mijn vader zei altijd dat de slimste smerissen degenen waren die niet bang waren en zich er niet voor schaamden om hulp van collega's in te roepen. Bovendien leefden ze langer. Roosevelt Johnson is zo'n slimmerik die al een respectabele leeftijd heeft mogen bereiken. Hij belt meteen om bijstand. En als je over een compleet bataljon beschikt, stuur je er natuurlijk niet een groepje verkenners op af. Daarna gaat het allemaal heel snel. Als we ons via Sixth Street naar de snelweg begeven, staat Brad Lucas' BMW al klem tussen vier surveillanceauto's met knipperende zwaailichten. In een overweldigend machtsvertoon springen er acht agenten met getrokken pistolen uit de wagens. De ongewapende Lucas geeft zich zonder omhaal over en we arriveren net op tijd om te zien hoe hoofdagent Jeff Roth hem de handboeien omdoet en hem zijn rechten voorleest. Hij eist een advocaat en trakteert me op een scheldkanonnade. Voorlopig is het nog lang geen kat in 't bakkie. Alicia Morales is de enige die hem Tower Grayson heeft zien vermoorden. Al het overige bewijsmateriaal is indirect en waarschijnlijk niet overtuigend. Roosevelt en de technische recherche zullen hun handen vol hebben aan het combineren van de puzzelstukjes.

We horen Lucas' getier nog even aan voordat de agenten hem naar een surveillancewagen afvoeren. Opeens rukt hij zich los en rent op me af. Een misrekening. Het valt niet mee om toe te slaan als je handen achter je rug geboeid zijn. Al voordat hij me een kopstoot kan verkopen, blokkeert de Terminator zijn weg en haalt uit met een mooie rechtse uppercut die vierkant op Lucas' kin belandt en hem letterlijk door de lucht doet vliegen. Lucas zal nooit weten wat hem heeft geraakt. Als een baksteen ploft hij neer.

De agenten zijn even volkomen verbijsterd, maar barsten daarna in lachen uit. Ik kijk Terrence aan. 'Bedankt dat je me vanavond hebt beschermd.'

'Jij bedankt dat je míj al die jaren hebt geholpen.' Met zijn linkerhand pakt hij zijn rechterpols vast en balt zijn rechterhand een paar maal tot een vuist.

'Heb je je hand gebroken?' vraag ik.

'Ik denk het niet.'

'Mooi.' Ik kijk even naar de bewusteloze Lucas. 'Zo zacht zijn je handen dus ook weer niet geworden,' grap ik.

Rosies onvermijdelijke telefoontje komt om kwart over vijf als ik onderweg ben naar het ziekenhuis van San Francisco. 'Alles goed met je?' vraagt ze.

'Ja. Ik heb je nog geprobeerd te bereiken op je mobieltje, maar je nam niet op.'

'In ziekenhuizen mag je niet mobiel bellen, Mike.'

Was ik even vergeten. Ik haal diep adem. 'Hoe is het met hem?'

'Leon is ongeveer vijfentwintig minuten geleden gestorven, Mike. Hij is niet meer bij kennis geweest.'

Shit. Ik slaak een luide zucht. 'Hoe is Vanessa eronder?'

'Ze heeft het er best moeilijk mee.'

'En jij?'

'Met mij gaat het wel.'

Als een rots in de branding. We praten nog even door en ik laat haar weten dat ik naar het ziekenhuis kom. Daarna vraagt Rosie hoe het me in het Gold Rush Hotel is vergaan.

'Brad Lucas is gearresteerd.' Ik praat haar bij en denk terug aan het korte, getormenteerde leven van Leon Walker, die zal worden herinnerd als een man die zijn talent nooit heeft kunnen ontplooien. Ik word er oprecht verdrietig van. 'Leon heeft niet zijn kans gekregen te getuigen.'

'En dat hoefde hij ook niet, blijkt nu.'

'Ik denk het. Hij zal nu nooit weten dat hij inderdaad onschuldig is bevonden.'

Rosie zucht. 'Dat wist hij zelf allang.'

59
HET LAATSTE OORDEEL

De begrafenisplechtigheid voor Leon Walker zal op dinsdag 14 juni plaatsvinden in de katholieke kerk St. Peter's. Donaties komen ten goede aan het kinderdagverblijf van Hunters Point.
San Francisco Chronicle, zondag 12 juni

Leons begrafenis vindt die dinsdag plaats in de St. Peter's in het Mission District, vlak om de hoek waar ik ben opgegroeid. Ik heb mijn oude studievriend van het seminarie, Ramon Aguirre, weten over te halen ons zijn kerk ter beschikking te stellen. We gaan Leons oude teamgenoten langs voor een bijdrage in de kosten voor de kist en een graf dat naast het oude spoor op de oude begraafplaats in Colma komt te liggen. Een berustend einde van een ooit veelbelovend, maar uiteindelijk gebroken leven.

Rosie en ik hebben plaatsgenomen op de voorste rij naast Vanessa en Julia Sanders. Achter ons zit slechts een handjevol rouwenden, nieuwsgierigen en reporters. Jerry Edwards zit in zijn eentje achterin. Ramon houdt een korte lofrede en mij wordt gevraagd om ook iets te zeggen. Ik richt het woord rechtstreeks tot Vanessa en Julia, en vraag hun vergevensgezind te zijn. Ik weet niet of ik hun veel troost kan bieden, maar ik hoop dat het feit dat Leon eindelijk van zijn pijn is verlost het leed iets kan verzachten. Als ze ons na de dienst de hand schudden, is hun dankbaarheid oprecht.

Terwijl we ons naar de uitgang begeven, klampt Edwards ons even aan. 'Nou, ik ben mijn exclusieve interview met je cliënt dus misgelopen,' klinkt het beleefd.

'Het spijt me,' zeg ik. 'Maar zelf heeft hij niet de kans gekregen om te getuigen.'

'Toch jammer...'

'Ja.'

Hij kijkt me peinzend aan. 'Ben jij te porren voor een interview?'

'Niet vandaag.'
'En morgen?'
'Daar wil ik even over nadenken. Ik bel je wel.'
'Zo snel mogelijk, oké? Morgenmiddag vertrek ik.'
'Vakantie?'
'Nee. Ik ga naar Mexico om te kijken of ik Alicia Morales kan vinden.'
Waarmee zijn verhaal rond zal zijn. Ik grijns even. 'Als jij die Pulitzer wint, ben je me nog steeds een etentje verschuldigd, hoor.'
'Houd je mond maar.'
Een andere bekende begroet ons op de treden als we de kerk verlaten. Het is Roosevelt, die ons condoleert. 'Ik wist wel dat ik jullie hier kon vinden,' zegt hij.
'Wat brengt jou naar deze nederige uithoek?'
'Werk.'
O, jee.
'Ik moet je verzoeken te getuigen tijdens de voorlopige hoorzitting van Brad Lucas. Hij geeft een theatraal klopje tegen zijn borstzak en voegt eraan toe: 'Als je niet wilt meewerken, zal ik je moeten dagvaarden.'
'Heb je écht een dagvaarding bij je?'
'Nee.' Zijn ogen schieten even heen en weer. 'Maar ik kan er zo eentje regelen als jij dwars gaat liggen.'
'Ik ben je man, Roosevelt.'
'Dat dacht ik al.' Zijn blik wordt ernstig. 'Lucas zal moord met voorbedachten rade ten laste worden gelegd.'
Rosie en ik kijken elkaar even aan, maar we zeggen niets.
'Ik kan je nog geen bijzonderheden geven,' gaat hij verder, 'maar in zijn huis hebben we materiaal gevonden dat aantoont dat Grayson en hij zich via Alicia Morales inlieten met seks en drugs. We vermoeden dat ze allebei door haar werden gechanteerd en dat ze op de avond van Graysons dood een schikking hadden getroffen. We vonden Morales' telefoonagenda in zijn appartement. We denken dat hij haar kamer heeft doorzocht op dingen die hem ermee in verband konden brengen. De raad van bestuur van de Orde van Advocaten zou het niet fijn hebben gevonden als de naam van het nieuwe hoofd van de Business Law-afdeling in de agenda van een hoer werd aangetroffen.'
Ik vermoed dat dit tevens geldt voor de partners van Story, Short & Thompson. Het zou voor Lucas een motief kunnen zijn geweest om Morales te vermoorden, maar niet Grayson. Ik vraag Roosevelt waarom Lucas zo overhoop lag met zijn voormalige cliënt.
'Zoals meestal was het een hoop gedoe om niks. Grayson en Lucas kregen knallende ruzie toen Chamberlain ontdekte dat Grayson met zijn hand in de geldla van Paradigm zat. Lucas was de jurist van het fonds en koos de kant van Chamberlain, wat Grayson hem nooit heeft vergeven. Kennelijk kwam Grayson met wat ongenuanceerde dreigementen over

dat hij bepaalde details van Lucas' contacten met Morales zou onthullen als hij hem niet wat zwijggeld toeschoof.'

'Grayson chanteerde zijn eigen jurist?'

'Daar lijkt het op. Lucas heeft de afgelopen maanden diverse malen een flink bedrag van zijn rekening gehaald. We vermoeden dat een deel daarvan naar Morales is gegaan, maar het meeste naar Grayson.'

De ironie van een cliënt die zijn advocaat ervan langs geeft ontgaat me niet, maar toch kleeft er iets raars aan. Lucas is niet dom en hij heeft een groot advocatenkantoor achter zich. 'Grayson moet toch hebben geweten dat Lucas terug zou vechten?' merk ik op.

'Hij had meer te verliezen. Op kantoor was hij toch al een *persona non grata* vanwege zijn participatie in Paradigm. Zijn partners konden het niet bepaald waarderen toen ze erachter kwamen dat ze een pornobedrijf financierden.'

'Het zijn grote jongens,' zeg ik.

'Een aantal partners was behoorlijk over de rooie.'

Kritiek achteraf – vaste prik binnen de advocatuur – komt altijd te laat.

'Lucas kneep 'm,' gaat Roosevelt verder. 'Binnen de gevestigde orde van Story, Short & Thompson zou het slecht vallen als de *Chronicle* zou koppen dat hun sterpartner drugs scoorde en in Sixth Street met hoeren in de weer was.'

Helemaal waar, alleen worden zulke kwesties doorgaans achter gesloten deuren rechtgezet. Toen ik nog bij Simpson & Gates werkte, runde een van mijn partners tien jaar lang een bordeel in Thailand voordat iemand eindelijk eens de moeite nam hem te vragen waarom hij zo vaak naar Bangkok afreisde. Lucas zou hooguit uit de firma worden gezet. Op zich geen motief voor moord, maar mensen doen soms rare dingen als ze in paniek raken.

'Lucas zou Grayson in zijn val hebben meegesleurd,' zeg ik.

'Dat risico wilde hij niet nemen. Zijn kantoor zou hem op straat hebben gezet en geen hond zou nog met hem hebben willen werken. Zijn cliënten zouden hem laten vallen. Uiteindelijk draait alles om je reputatie.'

Een waarheid als een koe. 'Maar ook Graysons reputatie zou geruineerd zijn,' werp ik tegen. 'In Silicon Valley zou hij nooit meer aan de bak komen.'

'Daar zat hij niet echt mee. Zijn huwelijk was al op de klippen gelopen en hij had genoeg geld gespaard om te kunnen gaan rentenieren. Wat één ding betreft had zijn zoon helemaal gelijk: Grayson kon heel goed waken over de cashflow, vooral de zijne.'

'En Lucas' bewering dat Grayson vijfentwintigduizend dollar moest lenen om Alicia Morales af te kopen?'

'Volslagen onzin. Grayson had miljoenen op de Bahama's geparkeerd. We vermoeden dat ieder Morales vijfentwintigduizend bood.'

'Waarom zat hij dan in de geldla van Paradigm?'

'Om dezelfde reden als waarom hij drugs kocht en achter de hoeren van Sixth Street aan zat: gewoon voor de kick, of om te kijken of hij ermee weg kon komen.'

Ik ben niet helemaal overtuigd, maar het is wel een plausibele verklaring voor waarom hij Grayson heeft vermoord en waarom hij het misschien ook wel op Morales had voorzien. Toch geeft dit nog geen inzicht in hoe het allemaal is gebeurd. Er zijn geen bewijzen dat op de avond van Graysons moord Lucas ergens in de buurt van Sixth Street was. 'Hoe wil je Lucas met de moord op Grayson in verband brengen?'

'Dan moet je terug naar wat Lucas over zijn auto vertelde. Dát was het moment waarop hij uitgleed. Eerst zei hij dat hij om halftwee in de ochtend uit de parkeergarage was weggereden, maar dat bleek niet uit de videobanden. Daarna veranderde hij zijn verhaal opeens en vertelde hij dat hij te voet naar huis was gegaan. Beide verhalen konden we niet bevestigd krijgen.'

'Dat toont aan dat hij een leugenaar is – en niet eens een goeie –, maar geen moordenaar.'

'Het is een hiaat dat we moeten zien te dichten. We zullen op zoek moeten gaan naar iemand die hem in Sixth Street heeft gezien.'

Voor een slimme strafpleiter zou dit al genoeg kunnen zijn voor gerede twijfel. 'Alicia Morales zou hem aan de plaats delict kunnen koppelen,' opper ik.

'We moeten haar eerst zien te vinden.'

Inderdaad. Ik ben blij dat dat jullie probleem is, en niet het mijne. 'Hoe liggen de kansen?'

'Redelijk. We hebben al een rechercheteam naar Mexicali gestuurd.'

Wie weet loopt het Jerry Edwards en zijn privé-legertje speurneuzen tegen het lijf. Ik probeer nog steeds de puzzelstukjes aan elkaar te passen. 'Even aangenomen dat je gelijk hebt,' zeg ik. 'Wat is er precies gebeurd nadat Lucas en Grayson het Boulevard hadden verlaten?'

'Grayson bracht Chamberlain naar huis, pikte daarna Lucas op en reed naar Sixth Street.'

'Als Grayson dat geld wilde afleveren, waarom moest Lucas dan mee?'

'Om er zeker van te zijn dat alles op rolletjes liep. En Lucas wilde er waarschijnlijk zeker van zijn dat Grayson dat geld inderdaad afleverde. Grayson betrad de drankwinkel als teken voor Alicia Morales dat hij het geld bij zich had. Ze is niet dom. Ze wilde hem op een bewakingscamera en met getuigen, mocht er iets misgaan. Ze had geen idee dat Lucas ook was meegekomen.'

'En het telefoontje naar de gsm?'

'De bevestiging dat ze Grayson in de steeg kon treffen. We vermoeden dat Lucas toesloeg op het moment dat Grayson en hij de laad- en losplek passeerden. Daarna is hij achter Morales aan gegaan. Die ging ervandoor en was hem te snel af. Even later verscheen Leon. Lucas sloeg hem buiten westen en veegde wat van Graysons bloed aan zijn jasje. Daarna duwde hij het mes in Leons hand – de rechter – om er zijn vingerafdrukken op te krijgen. Vervolgens liet hij het mes en het geld in de rechterjaszak glijden, waar Leon dus zijn aansteker had zitten. Waarmee roof als motief dus voor de hand lag. Alleen wist hij niet dat Leon linkshandig was.'

'En de aansteker?'

'Die haalde hij uit Leons jaszak, of hij viel eruit. Of hij heeft hem expres in de auto gelegd, of hem per ongeluk laten vallen.'

Hij zal het nooit kunnen bewijzen. 'Hoe kon Lucas weten dat Grayson in de drankzaak met een stapel bankbiljetten zou zwaaien?'

'Dat kon hij helemaal niet weten. Het was gewoon mazzel. En hij bofte ook dat Walker geld nodig had voor de medische zorg van zijn dochter. Het maakte roof als motief nóg aannemelijker.' Hij grijnst even spottend. 'Zijn geluk liet hem in de steek toen hij Alicia Morales niet te pakken kreeg. Ze wist dat hij het op haar zou hebben voorzien. Ze had haar bankrekening al geplunderd en dus haalde ze haar zus op en verdwenen ze naar Mexico.'

Ik vraag hem waarom Morales geen aangifte heeft gedaan van de moord.

'Verplaats jezelf nou eens in haar. Ze deed in drugs en prostitutie, chanteerde een jurist en een speculant. Ze zag het helemaal niet zitten om met ons te moeten steggelen over wat ze om twee uur 's ochtends in die steeg te zoeken had.'

'En dat geschreeuw dat Nick Hanson in de steeg hoorde?'

'Waarschijnlijk Lucas en Morales.'

'En Graysons auto?' vraagt Rosie.

'Waarschijnlijk wilde Lucas het op een willekeurige autodiefstal laten lijken door hem op een verlaten stuk bij het honkbalstadion achter te laten, denken we. Bovendien is het op loopafstand van zijn appartement. Hij moest die auto kwijt zien te raken, maar wilde niet achter het stuur worden gesnapt.'

'Dus dan de brand er maar in?' concludeer ik.

'We kunnen het nog niet bewijzen, maar we denken van wel.'

Klinkt aannemelijk, maar er ontbreekt nog een stukje. 'Wat is er met dat geld gebeurd?' vraag ik.

Zijn mondhoek krult iets op. 'Kijk, en hiermee kunnen we de zaak dus winnen. We hebben in Lucas' auto een envelop met achtenveertigduizend dollar aangetroffen. We denken dus dat hij twee ruggen in Walkers zak heeft gestopt en zelf de rest heeft gehouden. Alicia Morales heeft nooit een cent gekregen.'

Waarmee de cirkel der zinloosheid rond is: Grayson is dood, Lucas zit achter de tralies, Morales heeft naar haar geld kunnen fluiten en Leon zal nooit weten dat zijn naam is gezuiverd.

Ik snuif de zwoele avondlucht diep op. Het zoete aroma van broodjeszaak La Victoria drijft door de straat. Ik stel Roosevelt de grote vraag: 'Denk je dat je dit onweerlegbaar kunt bewijzen?'

Hij veegt zijn bril schoon met zijn zakdoek. 'Dat zal niet gemakkelijk worden,' geeft hij toe. 'Lucas heeft geen woord gezegd en heeft een goede advocaat ingehuurd. We hebben hem nog niet aan het moordwapen kunnen koppelen, ook niet aan de plaats van het misdrijf, en we hebben geen afdoend bewijs dat hij er met Graysons auto vandoor is gegaan. Er lag geld in zijn auto, maar we kunnen niet bewijzen dat het gestolen is. Het zal vooral om indirecte bewijzen gaan, tenzij we nog meer bewijs vergaren.'

'Of eindelijk Alicia Morales vinden.'

'Ja.'

We zwijgen even. Daarna vraag ik: 'Verder nog iets, Roosevelt?'

Hij strijkt even langs zijn kin. 'Je hebt het niet van mij, oké?'

'Oké.'

'Toen we bezig waren met het huiszoekingsbevel voor Lucas' appartement, had ik een onderonsje met rechter McDaniel. Ze zei dat je uitstekend werk hebt geleverd.'

'Dank je. Vertelde ze je toevallig ook wat haar uitspraak zou worden toen er van ons avontuurtje in het Gold Rush donderdagnacht nog geen sprake was?'

'Toevallig wel, ja. Wil je het weten?'

'Dat maakt nu weinig meer uit.'

'Wat ben jij voor sukkel?' klinkt het.

Hij kent me maar al te goed. 'Ik wil het graag weten, al is het nu puur theoretisch.'

'Je zult er niet blij mee zijn.'

'Vertel het me toch maar.'

'Leon zou terecht moeten staan.'

Met andere woorden, we zouden de zaak hebben verloren. 'Zei ze nog waarom?'

'Je kent de juridische redenen. Het was maar een hoorzitting. McNulty hoefde alleen maar aan te tonen dat er genoeg bewijzen waren om de suggestie te wekken dat Leon de misdaad had begaan. Hij wist Leon met de plaats delict en het moordwapen in zijn jaszak in verband te brengen. Van meet af aan had je alles tegen, Mike. Je had geen schijn van kans.'

'Tijdverspilling dus.'

'Nee. We gaan nu voor een goed resultaat.'

'Dat zal Leon weinig troost geven.'

'Zeker. Maar als we jou niet hadden gehad, hadden we Lucas nooit te pakken gekregen.'

'Jij hebt ons anders flink geholpen,' zeg ik.

Hij geeft me een vaderlijk klopje op mijn schouder. 'Ga jezelf nou niet lopen kwellen. Het kon beter, maar de naam van je cliënt is in elk geval –

min of meer – gezuiverd en de kans is groot dat we Lucas in de tang hebben. Niet slecht voor een zaak die je toch al gedoemd was te verliezen.'

Zoals altijd heeft hij ook nu weer gelijk. 'Mag ik mezelf een béétje kwellen dan?'

'Ik probeer je al vijftig jaar tegen te houden, maar het is me nooit gelukt.'

Ik kijk de collega van mijn vader recht in de ogen en ik realiseer me dat dit misschien zijn laatste staaltje rechercheurswerk is waarvan ik heb mogen profiteren. 'Bedankt voor alles, Roosevelt.'

'Graag gedaan.' Hij kijkt even de straat in. 'Je ziet er hongerig uit. Kom, dan neem ik jullie mee naar La Victoria voor een ontbijtje. Maar nu is het voor mijn rekening.'

'Ramon hield een mooie toespraak op de begrafenis,' zegt Rosie.

'Hij is een goeie vent.'

'Ja.' Haar ogen zoeken de mijne. 'Jij hebt ook mooi gesproken, trouwens.'

'Dank je.'

Het is dinsdagavond acht uur. We zitten in mijn werkkamer. De dagen zijn lang. De zon schijnt nog steeds, maar we zijn somber. Het afgelopen uur hebben we Leons dossiermappen in kartonnen dozen opgeborgen. Het heeft iets definitiefs en het is telkens weer iets van een anticlimax. De afgelopen twee weken zullen worden weggestopt in tien DataSafe-dozen achter in onze opslagruimte.

Ik kijk even naar de wallen onder de ogen van mijn ex-vrouw. 'Je ziet er moe uit.'

'Ben ik ook.' Een flauwe glimlach. 'Ik heb nog wel een beetje goed nieuws. Ik heb even met Vanessa gesproken. Ik heb geprobeerd of ik bij het Bureau Gezinshulp nog wat voor elkaar kon krijgen. Julia mag medisch getest worden. Als ze meteen behandeld kan worden, ziet het er goed voor haar uit.'

'Nou, dan lijkt het er dus op dat het hele gedoe in elk geval één positief resultaat heeft opgeleverd.'

'Ik hoop het.' Ze neemt een slokje van haar Diet Coke en kijkt naar de open plek aan de muur achter mijn bureau. 'Ik zie dat je eindelijk hebt besloten om Madame Lena's sterrenkaart weg te halen?'

'Hij had een grote sentimentele waarde, maar ik was dat ding zat.'

'Heb je al een ander kunstwerk om die scheur in de muur te bedekken?'

'Ja.' Ik leg een plat pakket op mijn bureau, trek het bruine papier los en houd het omhoog voor Rosie, die het onmiddellijk herkent. Het is een ingelijste afbeelding van *Het Laatste Oordeel* van Michelangelo.

'Heel toepasselijk.'

'Dacht ik ook.'

Ze helpt me om de afbeelding tegen de muur te zetten en zwijgend bewonderen we het kunstwerk dat hier, in mijn aftandse werkkamer, niet op zijn plaats lijkt. Maar de achterliggende gedachte lijkt dat wel degelijk. 'En,' vraagt ze, 'wordt het niet eens tijd om onze rekening met Leon Walker te vereffenen?'

'Ik denk van wel, ja.' Ik aarzel even. 'Ben je er klaar voor?'

'Ja.'

Ik reik in mijn la en haal er een dichtgeplakte witte envelop uit. 'In mijn hoedanigheid als waker over dit onderpand doet het mij plezier u mee te delen dat aan alle voorwaarden voor vrijgifte van dit document is voldaan.' Ik schuif de envelop naar haar toe. 'Hiermee heb ik aan mijn fiduciaire verplichtingen voldaan.'

'U hebt deze op voorbeeldige wijze vervuld. U verdient derhalve aanbeveling.'

We staren naar de envelop. 'Het is net alsof Leon ons vanuit zijn graf toespreekt,' zegt Rosie, en ik zie tranen in haar ogen. Ze staart er nog een paar lange momenten naar, kijkt me aan en vraagt: 'Wil jij hem openmaken?'

'In de overeenkomst is opgenomen dat jij hem zou openen.'

Ze pakt hem op. 'Wat er in de brief staat, blijft binnen deze vier muren,' fluistert ze.

'Afgesproken.'

Zonder verder nog een woord te zeggen maakt ze de envelop open en legt het velletje lijntjespapier op het bureau zodat we het samen kunnen bekijken. Leons handschrift is sierlijker dan ik me wellicht had voorgesteld en ik zie geen spelfouten. Terwijl we in stilte lezen, hoor ik zijn stem in mijn hoofd.

Beste Rosie en Mike,

Tien jaar geleden, op 2 november, ging ik met mijn broer naar een wedstrijd tussen de Warriors en de Lakers. Na afloop kochten Frankie en ik een burrito bij LaCumbre. Daarna gingen we ergens een biertje halen. Onderweg naar huis stopten we bij een avondwinkel, waar ik een blikje cola kocht terwijl hij in de auto bleef. Toen ik weer instapte, vroeg hij me of er verder nog klanten in de winkel waren geweest. Ik zei van niet. Hij zei dat hij nog even een sixpack ging halen. Terwijl hij in de winkel was, luisterde ik naar de autoradio. Toen hij even later weer terugkwam, leek hij totaal niet gespannen. Ik zat achter het stuur toen we even later door de politie werden aangehouden.

Maakt dit mij nu tot een moordenaar?

In artikel 187 van het Californisch wetboek van strafrecht wordt moord gedefinieerd als het met voorbedachten rade onrechtmatig doden van een mens. Ik zweer op mijn moeders graf dat ik nooit heb geweten dat Frankie die zaak ging beroven, en als ik dat wel geweten had, zou ik hebben gepro-

beerd hem tegen te houden. Ik was aardig op weg om profbasketballer te worden en ik had een pracht van een dochter. Frankie vergalde zijn leven, en het mijne, voor honderdzevenenvijftig dollar en wat kleingeld.

Ik weet in het diepst van mijn ziel dat ik nooit iemand heb willen kwetsen en ik zou er alles voor over hebben om die avond over te kunnen doen. Jullie zijn de enigen die de waarheid weten, en ik leg het laatste oordeel in jullie handen. Ik hoop dat jullie diep vanbinnen mededogen kunnen opbrengen. Ik dank jullie uit de grond van mijn hart dat jullie me willen helpen. Ik weet dat dit niet gemakkelijk was en ik zal jullie eeuwig dankbaar zijn. Jullie zijn tof, en veel royaler dan ik verdien. Jullie zullen voor altijd in mijn gebeden zijn.

Liefs, hoop en vrede,
Leon

PS. Frankie bekende me later dat hij inderdaad de verkoper heeft neergeschoten. Sorry dat ik daarover tegen jullie heb gelogen.

We lezen de brief nog een paar keer over. Rosie slikt tranen weg en ik wrijf over mijn kin. De stilte lijkt oneindig. Ze neemt het laatste slokje van haar Diet Coke. 'Hoe luidt jouw laatste oordeel over Leon Walker?'

Ik kijk even naar het kunstwerk aan mijn muur en probeer mijn gedachten te ordenen. 'Hij lijkt me een goed mens, die in een foute situatie belandde. Iemand die zich op het verkeerde tijdstip op de verkeerde plek bevond. Twee keer.'

Ze pakt mijn hand. 'Sorry dat ik tien jaar geleden aan je heb getwijfeld.'

'Sorry dat ik zo eigenwijs was.'

Ze glimlacht weemoedig. 'Verwijten genoeg.'

'Ja, dat klopt. Maar daar hadden we elkaar niet mee om de oren moeten slaan.'

Ze zet haar dunne brilletje af en geeuwt. 'Misschien had Roosevelt gelijk. We moeten het nu maar eens van ons af zetten.'

Ik reik over mijn bureau en streel haar wang. 'Ik ben bereid een poging te wagen.'

'Ik ook.'

'Misschien worden we eindelijk eens volwassen.'

'Misschien worden we eindelijk eens wat kieskeuriger met onze ruzies,' pareert ze.

Lange tijd zwijgen we terwijl we verdergaan met het opbergen van Leons dossiers. Ten slotte werpt Rosie nog een blik op *Het Laatste Oordeel*, kijkt me aan en zegt: 'Dat opruimen kan ook morgen nog. Kom, we gaan naar huis, naar Grace.'

60
'IK MOET HET EVEN ERGENS MET JE OVER HEBBEN'

'We hebben besloten om voorlopig even geen moordzaken meer op ons te nemen.'
Michael Daley, *San Francisco Chronicle*, dinsdag 14 juni

'Waar denk je aan?' vraag ik Rosie.

Het is iets na middernacht en we staan op haar veranda achter het huis. Ze heeft een blikje cafeïnevrije Diet Coke vast en snuift de koele avondlucht op. Grace ligt op bed en het is de eerste avond in anderhalve week waarop we even op adem kunnen komen. Met een dromerige blik bekijkt ze de jasmijnstruiken tegen haar schutting. 'Aan van alles,' antwoordt ze.

'Zoals?'

Ze zucht diep. 'Dat je goed werk hebt geleverd.'

'Jij ook.'

'Ik wilde er helemaal niet aan beginnen.'

'We hadden beloofd dat we onszelf niet zouden kwellen.'

Ze valt weer even stil. 'Volgens mij raak ik een beetje opgebrand, Mike.' Het klinkt somber. 'Ik weet niet of ik dit soort zware zaken nog wel aankan.'

O, jawel. 'Dat kun je best, Rosie. De afgelopen paar jaar heb je een hoop voor je kiezen gehad. We hadden een paar lastige zaken, en dan waren er ook nog eens jouw gezondheidsproblemen. Jij bent een taaie, Rosita, en dat zul je altijd blijven.'

Ze geeft me een aai over mijn wang. 'Je bent lief als je peptalks geeft.'

'Dit is helemaal geen peptalk. Dit is een van die zeldzame voorbeelden waarbij de overdrijving strookt met de feiten.'

Haar mondhoek krult iets op, maar de brede grijns waarop ik had gehoopt valt me niet ten deel. Ik drink mijn glas leeg en trek haar tegen me aan. Ik voel haar warme adem langs mijn wang strijken terwijl ik haar fluisterend vraag: 'Wat is er, Rosie?'

Haar blik wordt ernstig. Ze kijkt even omlaag en daarna naar mij. 'Ik moet het even ergens met je over hebben.'

Ze zegt het op dezelfde toon als toen ze me vertelde dat ze kanker had. Ik voel hoe het bloed naar mijn hoofd stijgt. 'Wat is er aan de hand?'

'Ik ben bij dokter Urbach langs geweest om te weten wat er met mijn buik aan de hand was.'

Ik probeer bemoedigend te klinken. 'Goed van je.'

Ze schraapt haar keel. 'Er groeit iets.'

Ik zwijg even, en waag het er dan op. 'Is het kanker?'

'Nee, nee,' antwoordt ze meteen, en ze schudt nog even nadrukkelijk van nee om mij, en misschien zichzelf ook, gerust te stellen. 'Nee.'

Opluchting. Maar ik blijf omzichtig. 'Menopauze?'

Een spontane glimlach. 'Nee. Ook dat is nog niet aan de orde.'

Ik probeer de spanning wat weg te nemen. 'Ik wist wel dat je daar nog te jong voor bent.'

'Ik denk het ook.'

Mijn hoofd maalt. De mogelijkheden zijn eindeloos. Iets verkeerds gegeten? Buikgriep? Engere ziekten flitsen voorbij: diabetes, maagkanker. Ik strijk een lok uit haar ogen. 'Ben je ziek, Rosie?'

Ze verbijt zich, en kijkt me na een lang moment in de ogen. Haar stem breekt. 'Nee, Mike. Ik ben zwanger.'

Krijg nou wat!

Dit zijn van die momenten waarop het menselijk verstand helemaal op tilt slaat en de ratio wordt overspoeld door een niet te beheersen paniek. Het begint met een verbijsterde stilte, onmiddellijk gevolgd door wat incoherent gebrabbel. Mijn eerste neiging is om haar dicht tegen me aan te trekken. Daarna volgt de bekende domme vraag: 'Weet je het zeker?'

'Ja, ik weet het zeker.' Ik zie een aarzelende grijns, en ze barst in tranen uit. Ik streel zacht haar haar terwijl ze onbedaarlijk snikkend tegen mijn schouder leunt. Ik houd haar vast terwijl ze haar tranen de vrije loop laat. Ze grijpt me om mijn middel en laat niet meer los. Haar schouders schokken. Ten slotte komt ze weer rechtop en haalt ze diep adem.

Ik veeg de tranen uit haar ogen en zoek naar de goede platitude. 'Alles komt goed.'

Ze huilt nog steeds. 'Weet ik.'

'Het wordt een prachtige baby.'

'Ja, ook dat.'

Ik leid haar naar een van de plastic terrasstoelen en neem haar handen in de mijne. Ik probeer mijn priesterstem op te roepen, maar de adrenaline raast nog door mijn lijf. Ik dwing mezelf tot een langzame start: 'Hoe is het met je?'

'Ik had dit helemaal niet gepland, maar ondanks alles voel ik me wel goed.'

'Zijn er complicaties?'

Ze schudt van nee. 'Voor een zwangere vrouw van vijfenveertig zagen de tests er prima uit.'

Tot dusver alles in orde. 'En de baby?'

'Volgens dokter Urbach maakt hij het ook prima.'

'Een jongetje?'

'Ze was er vrij zeker van, afgaand op de echoscopie. Laten we het er maar op houden dat enkele belangrijke anatomische onderdelen tussen de knieën en de navel tamelijk prominent aanwezig zijn.'

Ik ben blij dat ze wat humor toont. Ik denk aan onze dochter, die een paar meter van ons vandaan in haar bed ligt. Ze heeft vaak gezegd hoe leuk het zou zijn om een broertje te hebben. 'Rosie,' vraag ik, 'heb je er al met Grace over gepraat?'

'Nog niet. Ik wilde eerst met de vader praten.'

Ik verstijf even. Aarzelend vraag ik: 'Wanneer was je dat van plan?'

'Nou, daar ben ik nu dus mee bezig.'

Opluchting. En een brok in mijn keel. Ik kijk haar in de ogen. 'We hebben heel wat te bepraten.'

'Zeg dat wel.'

In gedachten zie ik onze kleine als een miniatuurversie van Nick the Dick voor me, compleet met toupet, boutonnière en sigaar. 'Het zal ons leven er een stuk gecompliceerder op maken, Rosie.'

'Ja nou.'

'Ben je er klaar voor?'

'Ik denk van wel.'

'Ik kan best begrijpen dat je alle mogelijkheden wilt overwegen.'

Ze kijkt me wat schuin aan. 'Wat zijn dat nu weer voor praatjes? En dat nog wel van een ex-priester.'

'Tja, mijn neiging om de partijlijn met enige vrijheid te interpreteren, werd door mijn superieuren niet helemaal op prijs gesteld, wat dan ook een van de redenen is waarom ik niet langer in die branche werkzaam ben.'

Haar toon laat er geen twijfel over bestaan. 'We houden deze baby, Mike.' Haar ogen zoeken de mijne. 'Vind jij dat oké?'

Wat stap 1 van het Grote Avontuur betreft zitten we in elk geval op één lijn. 'Absoluut.'

Ze geeft me de details. De baby wordt in januari verwacht. Hoewel de echoscopie er prima uitzag en ze geen ongewone symptomen heeft, vallen vrouwen van boven de veertig in een hoge risicocategorie. Artsen bevelen een reeks van tests aan, onder meer een vruchtwaterpunctie. We kletsen over verloskunde, ziekenhuizen en zwangerschapsgymnastiek. Het is alweer een tijdje geleden, maar het is bekend terrein en ik merk dat ik steeds opgetogener raak. Rosie is wat somberder. Ik ben immers niet degene die 's ochtends ziek en misselijk uit bed zal komen en de komende zeven maanden met gezwollen enkels moet rondhobbelen.

'Heb je het je moeder al verteld?' vraag ik.
'Ja. Ze sprong een gat in de lucht.'
Mooi. 'Wie nog meer?'
'Niemand. Ik wil eerst nog wat tests afwachten.'
'Lijkt me een goed plan. Mag ik het al tegen Pete zeggen?'
'Tuurlijk. Maar zeg hem dat hij zijn klep moet houden.'
'Doe ik.' Hem kun je een geheim toevertrouwen.
De uren daarna praten en plannen we. Ze vertelt dat ze tijdens haar zwangerschap en daarna, met een kleine baby in huis, minder kan werken. Ik stel voor dat Carolyn en ik die last op ons zullen nemen. 'We kunnen er altijd nog een advocaat bijhalen,' opper ik.
'Laten we voorlopig even kijken hoe we het redden. Eén extra mond om te voeden lijkt me voorlopig wel genoeg.'
'Zeg dat wel.' Ik kijk haar schuins aan. 'Heb je al aan een naam gedacht?'
'Een beetje. Grace is naar mijn oma vernoemd. Ik dacht: misschien kunnen we hem naar jouw oudere broer vernoemen?'
Een aardige gedachte. Tommy was mijn beste vriend, maar hij leefde niet lang genoeg om te kunnen trouwen en kinderen te krijgen.
'Wat vind je van Thomas Michael Daley Fernandez?' vraagt ze.
Ik voel tranen opkomen. 'Dat klinkt perfect,' fluister ik.
Het loopt inmiddels al tegen drieën en we zitten nog steeds op de veranda. Rosie slaat haar ogen neer. 'Mag ik je iets serieus vragen?'
We hebben al heel wat achter de rug vanavond, maar ik vind het best. 'Kom maar op.'
'Denk je niet dat we iets aan onze eigen situatie moeten doen?'
Ik ben voorzichtig. 'Wat had je in gedachten?'
'Dat we misschien eens moeten denken aan hertrouwen?'
Ik schrik me gek. 'Dat zou de stand op twee mijlpalen op één avond brengen. We zouden ons quotum wel eens kunnen overschrijden.'
Maar zo gemakkelijk kom ik er niet vanaf. 'Is het het overwegen waard, denk je?'
'Zeg nooit nooit,' is mijn antwoord. Ik pak haar hand. 'Zelfs op mijn vijftigste moet ik wennen aan het idee opnieuw vader te worden. Als onze zoon gaat studeren, ben ik achtenzestig.'
'Daar heb ik even niet bij stilgestaan.'
'Nee, jij bent op je drieënzestigste nog een lekker ding.'
'Kop dicht, Mike.'
Ik glimlach. 'Ik denk dat ik dat liever even uitstel tot morgen, op z'n minst.'
'Kunnen we het er daarna dan over hebben?'
'Tuurlijk.'
Ze werpt me een veelbetekenende grijns toe. 'Ik speel met de gedachte een beleidsstop in te voeren totdat mijn hormonen weer wat in balans zijn.

'Waarschijnlijk geen slecht idee.'
'Misschien zijn we wat milder aan het worden.'
'Wie weet.'
Een poosje zeggen we niets. Daarna kijkt ze omhoog naar de sterren. 'Wat ga je vandaag doen?'
'Niets. Voor het eerst in anderhalve week.'
'Moeten we vroeg op?'
'Neuh. Je kunt uitslapen zo lang je wilt. Ik breng Grace wel naar school.'
'Lief van je. Verder nog plannen?'
'Ik dacht er eigenlijk over om me ziek te melden.'
'Ik zal dat moeten doorgeven aan de beherend vennoot.'
'Ik besef terdege dat ik gekort zal worden.'
Ze buigt zich naar me toe en geeft me een kus. 'Ik voel me al een heel stuk beter,' zegt ze met een knipoog. 'Als ik me niet vergis, mag je in de eerste fase van een zwangerschap onbeperkt van seks genieten.'
Ik glimlach. 'Volgens mij heb je gelijk.'
'Zin in een hernieuwde kennismaking zodra je Grace naar school hebt gebracht?'
'Nou en of.'
'Ik zal je iets laten beleven.'
Reken maar. Ze glimlacht. 'Zin in wat nieuwe attracties?'
Ik geef haar een kus op haar wang. 'Reken maar.'
Ik wil net opstaan als Rosie grote ogen opzet. 'Eh... ik ben bang dat het een andere keer wordt,' fluistert ze.
'Hoezo?'
Ze kijkt over mijn schouder en glimlacht. 'Goeiemorgen, Grace.'
'Goeiemorgen, mam.'
'Je bent vroeg op, lieverd.'
'Ik heb honger,' zegt onze dochter met een wat schaapachtige blik.
Rosie knuffelt haar. 'Trek in pannenkoeken?'
Haar ogen lichten op. Ze kijkt Rosie aan. 'Alles goed, mam?'
'Helemaal, lieverd. Paps en ik zien je over een paar minuutjes wel in de keuken, goed?' Ze knipoogt naar me en kijkt Grace aan: 'We willen zo meteen even met je praten, schat.'

DANKWOORD

Het zal veel van mijn lezers niet zijn ontgaan dat de dankwoorden in mijn boeken soms nog langer zijn dan de hoofdstukken. Ik prijs mezelf er dan ook meer dan gelukkig mee dat zo veel mensen met kennis van zaken de tijd en de moeite nemen om me te helpen bij het schrijfproces. Dit is mijn kans hen te bedanken.

Om te beginnen bedank ik mijn fantastische vrouw Linda. Ze leest mijn eerste versies, voorziet in prima commentaar, beheert mijn website en heeft geduld met me als ik weer eens een deadline heb. Ook bedank ik onze tweelingzoons Alan en Stephen, die engelengeduld hebben en me helpen bij het schrijven.

Dank aan Neil Nyren, mijn geduldige en scherpzinnige redacteur en vriend, voor zijn tomeloze inzet en enthousiasme. Verder bedank ik iedereen bij uitgeverij Putnam voor zijn harde werk, inzet en humor.

Dank aan mijn literair agent *extraordinaire* Margret McBride en aan Kris Wallace, Donna DeGutis en Renee Vincent van het Margret McBride Literary Agency. Zonder jullie was dit nooit gelukt.

Dank aan mijn docenten Katherine V. Forrest en Michael Nava, en de leden van de Every Other Thursday-schrijfclub: Bonnie DeClark, Gerry Klor, Meg Stiefvater, Kris Brandenburger, Anne Maczulak, Liz Hartka, Janet Wallace en Priscilla Royal.

Dank aan inspecteur-brigadier Thomas Eisenmann en hoofdagent Jeff Roth van de politie van San Francisco, aan inspecteur Phil Dito van het hof van justitie van Alameda County, aan Linda Allen van het hof van justitie van San Francisco, en aan Jack Allen van het hof van justitie van Solono County. Ik heb grote bewondering voor jullie werk en ben jullie zeer erkentelijk voor alle hulp.

Een speciaal bedankje gaat uit naar zuster Karen Marie Franks van het St. Dominic-klooster in San Francisco, die me adviseerde over theologische zaken.

Dank aan dr. Joe Elson van de Free Clinic in Haight Ashbury. Hij verschafte me waardevolle informatie over San Francisco's dak- en thuislozen en de medische voorzieningen voor armlastigen. Een strijder voor de goede zaak!

Verder bedank ik mijn geweldige vrienden en collega's van Sheppard, Mullin, Richter & Hampton (alsmede de eega's en wederhelften) die me tot dusver bij mijn vier 'bevallingen' zo hebben bijgestaan. Met name bedank ik Randy en Mary Short, Cheryl Holmes, Chris en Debbie Neils, Bob Thompson, Joan Story en Robert Kidd, Lori Wider en Tim Mangan, Becky en Steve Hlebasko, Donna Andrews, Phil en Wendy Atkins-Pattenson, Julie en Jim Ebert, Geri Freeman en David Nickerson, Kristen Jensen en Allen Carr, Bill en Barbara Manierre, Betsy McDaniel, Ted en Vicki Lindquist, John en Joanne Murphy, Tom en Beth Nevins, Joe Petrillo, Maria Pracher, Chris en Karen Jaenike, Ron en Rita Ryland, Kathleen Shugar, John en Judy Sears, Dave Lanferman, Avital Elad, Mathilde Kapuano, Jerry Slaby, Guy Halgren, Dick Brunette, Aline Pearl, Bob en Elizabeth Stumpf, Steve Winick, Chuck MacNab, Sue Lenzi, Larry Braun en Bob Zuber.

Dank aan mijn goede vrienden van mijn oude alma mater, de rechtenfaculteit van Boalt: Kathleen Vanden Heuvel, Bob en Leslie Berring, Louise Epstein, Dean John Dwyer en Dean Herma Hill Kay.

Dank aan de genereuze zielen die zich met engelengeduld door de eerste versies van mijn verhalen heen hebben geworsteld: Jerry en Dena Wald, Gary en Marla Goldstein, Ron en Betsy Rooth, Rich en Debby Skobel, Dolly en John Skobel, Alvin en Charlene Saper, Doug en JoAnn Nopar, Dick en Dorothy Nopar, Rex en Frank Beach, Angele en George Nagy, Polly Dinkel en David Baer, Jean Ryan, Sally Rau, Bill Mandel, Dave en Evie Duncan, Jill Hutchinson en Chuck Odenthal, Joan Lubamersky en Jeff Greendorfer, Tom Bearrows en Holly First, Melinda en Randy Ebelhar, Chuck en Ann Ehrlich, Chris en Audrey Geannopoulos, Julie Hart, Jim en Kathy Janz, Denise en Tom McCarthy, Raoul en Pat Kennedy, Eric Chen en Kathleen Schwallie, Jan Klohonatz, Marv Leon, Ken Freeman, David en Petrita Lipkin, Pamela Swartz, Cori Stockman, Allan en Nancy Zackler, Ted George, Nevins McBride, Marcia Shainsky, Maurice en Sandy Ash, Elaine en Bill Petrocelli, Penny en Tom Warner, Sheila, Alan en Leslie Gordon.

En zoals altijd dank ik wederom Charlotte, Ben, Michelle, Margaret en Andy Siegel, Ilene Garber, Joe, Jan en Julia Garber, Roger en Sharon Fineberg, Jan Harris Sandler en Matz Sandler, Scott, Michelle, Stephanie en Kim Harris, Cathy, Richard en Matthew Falco, en Julie en Matthew Stewart.

Ten slotte een zeer gemeende dank je wel voor al mijn lezers. Jullie enthousiaste reacties doen me goed en ik waardeer het dat zovelen van jullie de moeite hebben genomen me te schrijven of te e-mailen.